Franche-Comté
Montagnes du Jura

Morez, les deux viaducs et le train de la ligne des Hirondelles.
H. Hughes / hemis.fr

Les microrégions du guide :
(voir la carte à l'intérieur de la couverture ci-contre)

5/22

SOMMAIRE

Philippe Paternolli/iStock

NOS INCONTOURNABLES

NOS COUPS DE CŒUR

NOS ITINÉRAIRES

DÉCOUVRIR
LA FRANCHE-COMTÉ

◼ PAYS DE BESANÇON ET DOLE

◻ VALLÉE DE LA SAÔNE

**POUR CHAQUE SITE,
RETROUVEZ
NOS ADRESSES** 😊

◻ MONTBÉLIARD, BELFORT ET LES BALLONS DES VOSGES

◻ PONTARLIER ET LE HAUT DOUBS

◻ LONS-LE-SAUNIER ET LES LACS

◻ HAUT JURA ET PAYS DE GEX

COMPRENDRE
LA FRANCHE-COMTÉ

LA RÉGION AUJOURD'HUI

SAVEURS COMTOISES

NATURE
ET PAYSAGES

HISTOIRE

PATRIMOINE CULTUREL

INVENTIONS
ET DÉCOUVERTES

ORGANISER
SON VOYAGE

ALLER DANS LA RÉGION

AVANT DE PARTIR

SUR PLACE DE A À Z

LA RÉGION EN FAMILLE

MÉMO

ESCAPADE SUISSE

NOS INCONTOURNABLES

★★★ Vaut le voyage ★★ Mérite un détour ★ Intéressant

★★
Besançon

Dominée par la citadelle Vauban admirablement conservée, l'ancienne capitale de la Franche-Comté se love dans la boucle formée par le Doubs. Son Musée des Beaux-Arts et d'Archéologie ré-ouvert en 2018 est un des plus anciens et riches de France. **Voir p. 32**

F. Guiziou/hemis.fr

R. Mattes/mauritius images/age fotostock

★★
La Saline royale d'Arc-et-Senans

Inscrite au patrimoine mondial de l'Unesco, c'est la manufacture idéale au 18e s. selon son architecte Claude-Nicolas Ledoux. **Voir p. 76**

★★★
Le saut du Doubs

Classé Grand Site national, cette cascade de 27 m de hauteur est grandiose à l'automne après de fortes pluies. **Voir p. 227**

★★
La chapelle Notre-Dame-du-Haut de Ronchamp

Perché sur une colline de 472 m, l'édifice aux lignes courbes réalisé par Le Corbusier porte bien son nom. **Voir p. 197**

C. Sonderegger/Prisma/age fotostock

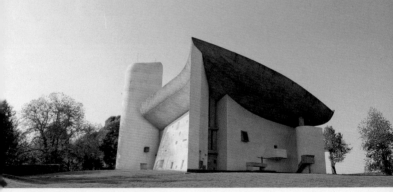

nain/hemis.fr/ADAGP, Paris, 2019

★★
Citadelle Vauban à Belfort

L'œuvre pharaonique de Bartholdi érigée sous la citadelle Vauban est devenue le symbole d'une ville qui a su résister aux envahisseurs. **Voir p. 167**

D. Bringard/hemis.fr

★★

Dole

Perchée sur une corniche bordée au sud par le Doubs, l'ancienne capitale régionale de la Comté s'enorgueillit d'un riche patrimoine. **Voir p. 64**

vanbeets/iStock

★

Arbois et son église Saint-Just

Au seuil d'une reculée, le vignoble qui produit l'or du Jura, l'inimitable vin jaune, occupe un très beau site. **Voir p. 295**

Bernd J. W. Fiedler / Prisma/age fotostock

...u/hemis.fr

★★★

Le cirque de Baume-les-Messieurs

À la rencontre de trois vallées, ce site naturel forme un paysage exceptionnel dans la reculée du cirque de Baume. **Voir p. 280**

...enc/hemis.fr/Getty Images

★★★

Le Grand Colombier

Le sommet le plus élevé du Bugey offre de magnifiques panoramas sur le Rhône et le lac du Bourget. **Voir p. 416**

★★

Le musée de l'Aventure Peugeot

Aménagé dans une ancienne brasserie, à Sochaux, le musée retrace l'histoire de la marque au lion. **Voir p. 158**

D. Bringard/hemis.fr

Saline Royale d'Arc-et-Senans.
Jef Wodniack/iStock

💗 **Se sentir petit** devant l'impressionnante Saline Royale d'Arc-et-Senans, construite par Ledoux au 18ᵉ s. Ce bâtiment grandiose, inscrit au Patrimoine mondial de l'Unesco, est représentatif d'une architecture visionnaire et reste encore aujourd'hui un emblème du patrimoine industriel français. **Voir p. 76**.

💗 **S'asseoir** à l'une des multiples terrasses de la rue Bersot, à Besançon. L'occasion de goûter les vins de la région : vin rouge, vin blanc, vin jaune, vin de paille, crémant ou macvin… La gamme est étendue ! Et pour accompagner le breuvage, rien de tel qu'une assiette de fromage avec du comté, bien sûr ou du morbier. **Voir p. 51**.

💗 **Dormir** sur la péniche *La Vecchia* amarrée sur le canal du Rhône au Rhin. Au matin, se laisser enchanter par le chant des oiseaux et le croassement des grenouilles, avant d'aller se promener à bicyclette ou à pied sur l'Eurovélo 6. **Voir p. 70**.

💗 **S'improviser** rock star lors des Eurockéennes de Belfort. Ce festival, qui a lieu sur le lac de Malsaucy, propose une programmation internationale et offre un rythme endiablé pendant trois jours. **Voir p. 174 et 185**.

Cascades du Hérisson.

❤ **Se laisser charmer** par le spectacle de la nature aux cascades du Hérisson. En toutes saisons, le site est magnifique, dévoilant ses 31 sauts et cascades au fil d'une randonnée de 3 heures dans la vallée. **Voir p. 328**.

❤ **Petit-déjeuner** sur la terrasse de l'hôtel Le Sauvage, au pied de la citadelle de Besançon et se laisser imprégner par la quiétude des lieux. **Voir p. 50**.

Fromage Morbier sur un étal de marché

TOP 5 **Sites gourmands**

Château-Chalon.
Zimnevan/iStock

♥ **Revenir au temps des cavernes** aux grottes du Cerdon, dans le Bugey : apprendre à faire du feu, tirer au propulseur, faire de la poterie… Le cadre naturel du site, en sous-bois, invite à la pause pique-nique. **Voir p. 399**.

♥ **S'évader** dans la montagne en laissant derrière soi St-Claude et emprunter les lacets de Septmoncel. Sur les hauteurs, on aperçoit le fameux Chapeau de Gendarme et en contrebas, les gorges du Flumen. S'arrêter au hasard d'un virage pour écouter le bruit rafraîchissant de l'eau vive. **Voir p. 374**.

♥ **Pousser** la porte du musée de l'Abbaye à St-Claude et traverser les époques, des vestiges archéologiques du 11e s. à l'art moderne des 19e et 20e s. Remarquer l'architecture du musée, en particulier sa façade cuivrée vue du jardin et les larges ouvertures sur la montagne en forme de cadres. **Voir p. 347**.

♥ **Apprendre** à fumer la pipe grâce au petit manuel mis à disposition à l'espace expo-vente de Chacom, à côté de St-Claude. **Voir p. 351**.

Musée de l'Abbaye, St-Claude.
Godong/UIG/age fotostock

La citadelle et le lion de Belfort.

❤ **Imaginer** la vie d'avant dans les campagnes en découvrant les fermes reconstituées au musée des Maisons comtoises de Nancray. Admirer leurs jardins particulièrement bien entretenus. **Voir p. 48**.

Château de Ferney-Voltaire.
GFC Collection/age fotostock

❤ **Relire** Voltaire après avoir visité le château de Ferney où il passa les vingt dernières années de sa vie et où il reçut les personnalités les plus prestigieuses de l'Europe des Lumières. Le parc, qui comprend une orangeraie, une chapelle et des statues, bénéficie d'une vue imprenable sur les sommets des Alpes du Sud et du massif du Jura. **Voir p. 389**.

❤ **Prendre un peu de hauteur** sur la terrasse panoramique de la citadelle de Belfort. Elle offre une vue imprenable sur la ville, les contours du Grand Souterrain, le fort du Salbert et les différents reliefs montagneux. **Voir p. 169**.

TOP 5 **Patrimoine industriel**

Musée de l'Aventure Peugeot à Sochaux.
W. Bibikow/age fotostock

❤ **S'installer** confortablement pour regarder défiler les montagnes et les paysages du relief jurassien à bord d'un train de la ligne des Hirondelles qui relie Dole à St-Claude. Au compteur, ce sont 123 km, une trentaine de tunnels et 2 heures de voyage qui séparent les deux villes. **Voir p. 352 et 502**.

❤ **Boire un verre** dans la cour intérieure de la Maison du Peuple, à St-Claude et découvrir tout ce qu'il se passe dans ce lieu pluridisciplinaire qui porte bien son nom. **Voir p. 349**.

❤ **Se laisser attendrir** par les singes nains (tamarins, ouistitis et autres lémuriens) au jardin zoologique de la Citadelle, à Besançon. **Voir p. 36**.

Nancray, Musée des Maisons comtoises.
D. Bringard/hemis.fr

Source du Lison.

❤ **Parcourir** les routes de campagne en allant de Besançon au musée des Maisons comtoises, à Nancray, en passant par Montfaucon. Dans les prairies parsemées de fleurs sauvages, vaches montbéliardes et chevaux comtois concourent à l'unité du paysage. **Voir p. 47**.

❤ **Grimper** les 1 247 m d'altitude du ballon d'Alsace, le point culminant des Vosges, et profiter du splendide panorama. Si le ciel est dégagé, on peut même apercevoir le mont Blanc. Par temps couvert, le site est imprégné d'une atmosphère particulièrement mystérieuse…
Voir p. 187.

❤ **S'offrir** un dîner à L'Embarcadère, à Nantua et admirer le coucher du soleil sur les eaux miroitantes du lac tout en se délectant d'une cuisine raffinée accompagnée de vins de la région tel le pinot noir du Bugey. **Voir p. 406**.

❤ **Célébrer** les fêtes de fin d'année aux Lumières de Noël sur la place St-Martin de Montbéliard. Au programme : dégustation de douceurs, vin chaud et découvertes sur les différents stands de ce superbe marché de Noël.
Voir p. 166.

TOP 5 Au fil de l'eau

1. Cascades du Hérisson (p. 328)
2. Saut du Doubs (p. 227)
3. Source de la Loue (p. 103)
4. Lac de Chalain (p. 324)
5. Source du Lison (p. 89)

Lac de Chalain.
fullempty/iStock

Lac de Nantua.
louis bertrand/iStock

Préparez votre voyage en retrouvant tous nos coups de cœur sur notre site internet voyages.michelin.fr

Retrouvez-nous également sur Facebook®
Facebook.com/MichelinVoyage

Du vin jaune à l'or blanc
en 3 jours

En bref : environ 150 km de cirques naturels et de vignobles.

Château-Chalon.
Zimmevan/iStock

Fort Belin, Salins-les-Bains.
Philippe Paternolli/iStock

● J-1 Les cirques

Le matin, visitez Lons-le-Saunier (**p. 270**), puis rendez-vous à Baume-les-Messieurs (**p. 280**) pour découvrir son impressionnant cirque. Remontez ensuite vers Château-Chalon (**p. 286**). Promenez-vous dans ce village perché entouré de vignes et où s'élabore le fameux vin jaune. Enfin, allez admirer le cirque de Ladoye de son belvédère (**p. 292**).

● J-2 La Reculée des Planches

À Poligny (**p. 289**), la visite d'une fruitière et d'une cave s'impose. Remontez vers Arbois et promenez-vous dans cette petite ville implantée dans un site splendide. Engagez-vous dans la Reculée des Planches (**p. 301**) et allez jusqu'au belvédère du cirque du Fer à Cheval (**p. 302**).

● J-3 Les salines

Visitez la Grande Saline de Salins-les-Bains (**p. 82**) et la saline royale d'Arc-et-Senans (**p. 76**).

Pays belfortain et montbéliardais
en 2 jours

En bref : 80 km à la découverte du patrimoine historique et industriel.

● J-1 Le Territoire de Belfort

Visitez Belfort et sa citadelle, réputée « imprenable » (**p. 169**), avant de vous dirigez vers la petite ville de Delle, à la frontière suisse, où vous pourrez admirer de belles bâtisses. Gardez un peu de temps pour visiter le musée Japy, à Beaucourt, aménagé dans l'ancien atelier d'horlogerie et qui assura la prospérité de la ville au 19e s. (**p. 161**).

● J-2 Montbéliard et ses alentours

Passez par Audincourt, où vous pouvez visiter l'église du Sacré-Cœur (**p. 161**) puis allez voir le théâtre romain de Mandeure, qui était le deuxième plus grand théâtre gallo-romain, après Autun (**p. 163**). Terminez par Montbéliard (**p. 152**).

Conseils : Entre Delle et Beaucourt, vous pouvez faire un détour par St-Dizier-l'Évêque et par Croix pour admirer le puits à balancier et le château d'eau en forme de… croix !

Château de Montbéliard.
Leonid Andronov/iStock

Les Mille Étangs et le ballon d'Alsace
en 3 jours

En bref : 135 km au milieu des étangs.

● J-1 Plateau des Mille Étangs

Promenez-vous à Luxeuil-les-Bains (**p. 203**), puis arrêtez-vous à l'ermitage St-Valbert avant de rejoindre Fougerolles, célèbre pour ses cerises et son kirsch (**p. 207**). Passez par Faucogney-et-la-Mer et descendez vers Mélisey (**p. 194**).

● J-2 Ballons de Servance et d'Alsace

Prenez la route du col des Croix en direction de Château-Lambert, où vous pouvez faire une pause avant d'aller admirer le superbe panorama du ballon de Servance (**p. 188**). Puis rejoignez le ballon d'Alsace. Le sommet est accessible à pied en 30mn aller-retour. Terminez par Giromagny (**p. 187**).

● J-3 Ballons des Vosges

Descendez vers Champagney, puis dirigez-vous vers Ronchamp (**p. 197**). Montez à la très belle chapelle Notre-Dame-du-Haut réalisée par Le Corbusier. Pour finir, passez par Lure (**p. 201**) avant de rejoindre Luxeuil-les-Bains.

Conseils : Pique-niquez à St-Valbert et n'oubliez pas le kirsch à Fougerolles. Entre Faucogney et Mélisey, prenez les petites routes tortueuses au plus près des étangs. Faites le plein d'air pur aux ballons de Servance (accès pédestre) et d'Alsace.

Paysage du ballon d'Alsace.
Jef Wodniack/iStock

À la découverte du Bugey
en 3 jours

En bref : env. 200 km de boucle avec des panoramas grandioses.

● J-1 Grand Colombier

Promenez-vous au bord du lac de Nantua (**p. 396**) avant de prendre la route de Bellegarde-sur-Valserine par le plateau de Retord (**p. 415**). Profitez de la rivière puis allez voir le barrage de Génissiat (**p. 412**). Descendez ensuite vers Seyssel, et allez admirer le panorama du Grand Colombier (**p. 416**) en empruntant l'un des deux sentiers qui permettent d'accéder au sommet. Rejoignez enfin Belley (**p. 422**).

● J-2 Montagne d'Izieu

Grimpez jusqu'au village d'Izieu (**p. 425**), puis roulez jusqu'à St-Sorlin-en-Bugey (**p. 431**). Promenez-vous dans les ruelles étroites de ce joli village. Poursuivez votre route vers Ambérieu, Ambronay et Pont-d'Ain.

● J-3 Gorges de l'Ain

Arrêtez-vous à Cerdon (**p. 399**), puis découvrez les gorges de l'Ain, le viaduc de Cize-Bolozon (**p. 404**) et le temple gallo-romain d'Izernore avant de revenir sur Nantua.

Conseils : N'oubliez pas vos jumelles pour profiter pleinement du panorama déployé depuis le Grand Colombier. Ouvrez l'œil pour repérer les églises romanes qui parsèment les villages du Bugey.

Ambérieu-en-Bugey.
passimage/iStock

Le Haut Jura
en 4 jours

travelview/iStock

En bref : 250 km de nature et de gastronomie.

● J-1 Cascades du Hérisson et Pic de l'Aigle

Commencez votre tournée par le spectacle des cascades du Hérisson, l'un des plus beaux ensembles de chutes du massif jurassien (**p. 328**). Puis rejoignez le pic de l'Aigle (**p. 323**), que vous atteindrez à pied par un sentier (45mn AR). Admirez le superbe point de vue. Poursuivez votre route vers Le Frasnois, sur le lac d'Ilay, puis vers Les Planches-en-Montagne où vous pourrez visiter les gorges de la Langouette (**p. 307**). Continuez vers Syam et arrêtez-vous à la villa palladienne, à la décoration de style pompéien, avant de rejoindre Champagnole, stratégique ville-étape (**p. 305**).

● J-2 Haute vallée de l'Ain

En partant de Champagnole, prenez la route vers la source de l'Ain (**p. 308**) et laissez votre voiture pour atteindre la source à pied (15mn AR). Poursuivez ensuite vers Nozeroy (**p. 316**) et faites le tour de cette ancienne place forte. Puis dirigez-vous vers le village de Mièges, à 1 km, situé dans le val qui porte son nom (**p. 318**). De là, faites route vers Mouthe (**p. 360**) où se trouve la source du Doubs. Puis passez par Chaux-Neuve, réputée pour ses vertigineux tremplins, pour redescendre vers Morbier et Morez (**p. 353**).

● J-3 Col de la Faucille

Promenez-vous à Morez, capitale de la lunette avant de monter à la station des Rousses (**p. 364**). De là, rejoignez Bois-d'Amont, où vous pouvez visiter le musée de la Boissellerie où sont évoqués les différents métiers du bois. Passez La Cure avant de vous diriger vers le col de la Faucille (**p. 382**), puis traversez Lajoux. Arrêtez-vous au belvédère de la Cernaise et poursuivez vers Septmoncel. Sur la route en lacets qui mène à St-Claude, remarquez le Chapeau de Gendarme et les gorges du Flumen (**p. 374**).

● J-4 St-Claude et le lac de Vouglans

Consacrez une matinée à St-Claude, notamment pour visiter le musée de l'Abbaye (**p. 347**). Puis continuez vers Moirans-en-Montagne (**p. 338**), qui abrite le musée du Jouet. Admirez le lac de Vouglans en montant jusqu'à Orgelet et Clairvaux-les-Lacs (**p. 320**).

Conseils : À Chaux-Neuve, une pause au Parc polaire permettra de renouer avec la nature. N'oubliez pas vos lunettes à Morez et pensez à emporter du morbier dans le village éponyme. À La Cure, déjeunez à Arbez Franco-Suisse, un hôtel-restaurant insolite puisqu'il est bâti à cheval sur la frontière.

Lac de Vouglans.
Razvan/iStock

Col de la Faucille.
P. Lee Harvey/Cultúra RM/age fotostock

Autour de Pontarlier
en 2 jours

En bref : 120 km de boucle à la frontière de la Suisse.

● J-1 Le Grand Taureau

Visitez Pontarlier (**p. 241**), puis allez admirer le panorama du Grand Taureau. Rendez-vous ensuite au château de Joux (**p. 249**) avant de rejoindre Malbuisson (**p. 253**).

● J-2 Mont d'Or

Faites le tour du lac de St-Point, puis dirigez-vous vers Mont d'Or (**p. 260**). Grimpez à pied jusqu'au sommet (30mn AR). Descendez ensuite vers Mouthe, où se trouve la source du Doubs puis remontez vers Bonnevaux (**p. 255**) et prenez la direction de Frasne pour découvrir la tourbière, avant de remonter à Pontarlier.

Conseils : Jumelles, crème solaire et chapeau pour profiter des panoramas ouverts sur la Suisse comme sur la Franche-Comté. Possibilité de se baigner dans le lac de St-Point. La visite de la tourbière de Frasne s'effectue sur pontons aménagés : vous aurez les pieds au sec.

Château de Joux.
MaxBerthelot/iStock

Le haut Doubs
en 3 jours

En bref : 150 km de paysage saisissant.

● J-1 De Pontarlier au saut du Doubs

De Pontarlier, remontez vers le petit village de Montbenoît (**p. 237**) et visitez l'abbaye. Puis poursuivez en direction de Morteau et Villers-le-Lac (**p. 229**).

● J-2 La Roche du Prêtre

Allez admirer le spectacle des chutes d'eau au saut du Doubs (**p. 227**) puis passez par Narbief et Le Bizot, où vous pouvez vous arrêter pour visiter l'église St-Georges (**p. 234**). Dirigez-vous ensuite vers la Roche du Prêtre pour y admirer son belvédère ainsi que celui du cirque de Consolation (**p. 223**). Enfin, longez la vallée du Dessoubre jusqu'à Maîche (**p. 218**).

● J-3 Les Échelles de la Mort

Rendez-vous au belvédère de La Cendrée (**p. 220**), que vous pourrez admirer en empruntant l'un des deux sentiers qui mènent aux points de vue. Allez ensuite aux Échelles de la Mort (**p. 220**), que vous pouvez gravir si vous n'avez pas le vertige… Terminez par la pittoresque corniche de Goumois, puis le bourg de St-Hippolyte (**p. 221**), situé aux confluents du Doubs et du Dessoubre.

Conseils : Profitez-en pour découvrir le patrimoine méconnu des hauts plateaux : la grotte de Rémonot, le lavoir de Narbief, la chapelle St-Roch d'Urtière ou encore l'église de Cernay-l'Église.

Les Échelles de la Mort dans la vallée du Doubs marquent la frontière franco-suisse.
B. Rieger/hemis.fr

Sur les pas de Courbet
en 2 jours

En bref : 70 km de boucle autour d'Ornans.

● J-1 **Le musée Courbet et la Loue**

Commencez par visiter le musée Courbet à Ornans, lieu de naissance du célèbre peintre pour qui les paysages de la région resteront une grande source d'inspiration (**p. 92**), puis dirigez-vous vers Lods, un ancien village vigneron (**p. 102**). Rejoignez ensuite Mouthier-Haute-Pierre, d'où vous pouvez longer les gorges de la Loue, puis Ouhans. Laissez votre voiture et descendez le chemin menant à la source de la

Lods.
tanjavo/iStock

Loue, la vallée éponyme ayant inspiré 14 toiles à Courbet (**p. 103**). Reprenez la voiture pour aller admirer le belvédère de Renédale puis rejoignez Levier (**p. 314**).

● J-2 **La source du Lison**

Le matin, remontez vers la source du Lison (**p. 89**), à laquelle vous accédez facilement à pied. Puis poursuivez vers Flagey, où Courbet a peint un de ses tableaux les plus célèbres, *Le Chêne de Flagey.* Dirigez-vous ensuite vers Cléron (**p. 98**) et laissez-vous charmer par les ravissants points de vue qu'offrent son château dont les tours se reflètent dans la Loue, avant de retrouver Ornans. Vous pouvez finir votre itinéraire en visitant le site de son château.

Conseils : N'hésitez pas à fouler les ruelles escarpées des villages de Lods et de Mouthier. À la source du Lison, effectuez les allers-retours vers le Creux-Billard et la grotte Sarrazine, les deux sites méritant le coup d'œil.

La vallée du Doubs
en 3 jours

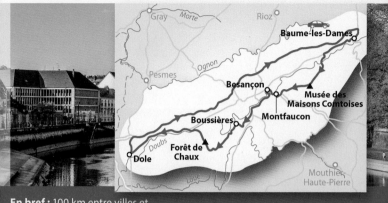

En bref : 100 km entre villes et forêt.

J-1 Le Musée des Maisons Comtoises

De Baume-les-Dames, rendez-vous au musée des Maisons Comtoises de Nancray (**p. 48**), où vous pouvez passer 2 ou 3 heures, avant de rejoindre Besançon par Montfaucon (**p. 47**).

J-2 Besançon

Passez la journée à Besançon. Consacrez une demi-journée à la citadelle (**p. 34**). Ne manquez son musée des Beaux-Arts, fraîchement rénové. Le soir, déambulez sur les quais.

J-3 La Forêt de Chaux

Dirigez-vous vers Boussières (**p. 48**), puis promenez-vous dans la forêt de Chaux (**p. 72**) avant de rejoindre Dole (**p. 64**).

Conseils : Jetez un coup d'œil à l'église de Boussières et aux curiosités de la forêt de Chaux. Quant à Besançon, une journée complète est amplement justifiée.

Vue sur la ville de Besançon depuis la citadelle.
Maarten Hoek/iStock

Place du marché à Baume-les-Dames.
travelview/iStock

DÉCOUVRIR
LA RÉGION

Biaufonds, reflets d'automne sur le Doubs.
D. Delfino/hemis.fr

Pays de Besançon et Dole 1

Cartes Michelin Départements 314 et 321 –
Doubs (25), Jura (39), Haute-Saône (70)

La ville de Dole.
Philippe Paternolli/iStock

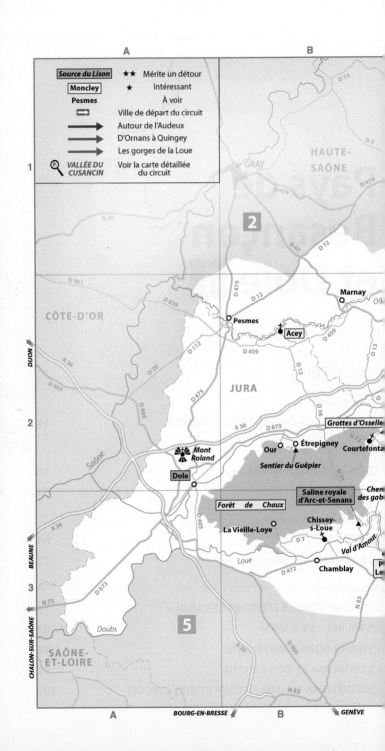

Source du Lison ★★ Mérite un détour
Moncley ★ Intéressant
Pesmes À voir
→ Ville de départ du circuit
Autour de l'Audeux
D'Ornans à Quingey
Les gorges de la Loue
VALLÉE DU CUSANCIN Voir la carte détaillée du circuit

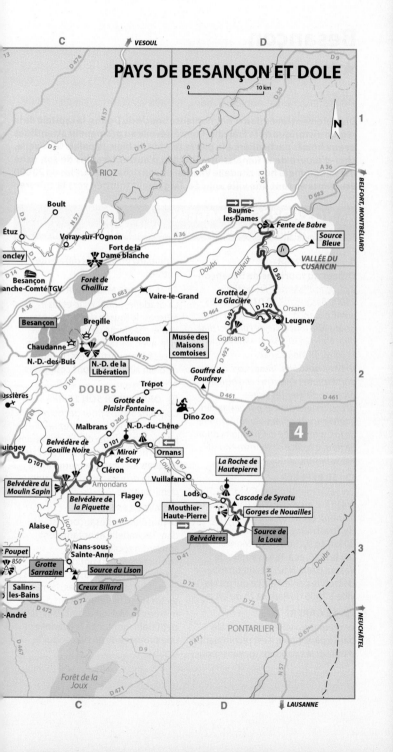

PAYS DE BESANÇON ET DOLE

0   10 km

N

VESOUL

BELFORT, MONTBÉLIARD

RIOZ

Boult

Étuz

Voray-sur-l'Ognon

oncley

Fort de la Dame blanche

Besançon Franche-Comté TGV

Forêt de Chailluz

Baume-les-Dames

Fente de Babre

Source Bleue

VALLÉE DU CUSANCIN

Audeux

Orsans

Leugney

Vaire-le-Grand

Grotte de La Glacière

Gonsans

Besançon

Bregille

Montfaucon

Musée des Maisons comtoises

Chaudanne

N.-D.-des-Buis

N.-D. de la Libération

DOUBS

Gouffre de Poudrey

ussières

Trépot

Grotte de Plaisir Fontaine

Dino Zoo

4

Malbrans

N.-D.-du-Chêne

Belvédère de Gouille Noire

uingey

Miroir de Scey

Ornans

Cléron

La Roche de Hautepierre

Amondans

Vuillafans

Belvédère du Moulin Sapin

Belvédère de la Piquette

Flagey

Lods

Cascade de Syratu

Mouthier-Haute-Pierre

Gorges de Nouailles

Alaise

Nans-sous-Sainte-Anne

Belvédères

Source de la Loue

Poupet

850

Grotte Sarrazine

Source du Lison

Salins-les-Bains

Creux Billard

-André

PONTARLIER

NEUCHÂTEL

Forêt de la Joux

C   D   LAUSANNE

Besançon

116 676 Bisontins – Agglomération : 135 808 habitants – Doubs (25)

Discrètement lovée dans l'harmonieuse boucle du Doubs, la capitale de la région historique de la Franche-Comté dévoile au promeneur attentif ses beaux hôtels particuliers à la pierre teintée de bleu, le palais Granvelle, chef-d'œuvre de la Renaissance, et bien d'autres témoins de son riche passé, comme la fière citadelle Vauban ou son riche musée. Plus de 20 000 étudiants en font une ville animée, largement tournée vers la culture.

☺ NOS ADRESSES PAGE 49
Hébergement, restauration, achats, activités, etc.

ⓘ S'INFORMER

Offices du tourisme de Besançon – *2 pl. de la 1re-Armée-Française - 25000 Besançon -* 𝄢 *03 81 80 92 55 - www.besancon-tourisme.com - juil.-août : 10h-18h ; reste de l'année : tlj sf dim. 10h-12h30, 13h30-18h - fermé 1er janv., 1er Mai, 25 déc.*

Visites guidées – *Besançon, qui porte le label Ville d'art et d'histoire, propose différentes visites-découvertes animées par des guides-conférenciers agréés par le ministère de la Culture et de la Communication. Se rens. à l'office de tourisme ou sur www.besancon-tourisme.com.*

▶ SE REPÉRER

Carte de microrégion C2 (p. 30-31). À 416 km au sud-est de Paris, 236 km au nord-est de Lyon et 251 km au sud de Strasbourg, Besançon se situe à 80 km au sud-ouest de Montbéliard, par la A 36, et à 48 km au sud de Vesoul par la N 57. Besançon est desservie par le TGV, ce qui met la ville à 2h05 de Paris et 2h de Lyon.

🅿 SE GARER

Le cœur de la ville est en grande partie piétonnier, il est recommandé d'utiliser les parkings (payants pour la plupart) prévus aux différentes entrées.

◉ À NE PAS MANQUER

La citadelle, pour la vue et les musées ; le musée des Beaux-Arts et d'Archéologie rénové ; la vieille ville, avec ses façades Renaissance et ses hôtels particuliers ; le musée de plein air des Maisons comtoises, à Nancray.

◷ ORGANISER SON TEMPS

Comptez 3 jours pour découvrir la ville et ses environs. Visitez la ville en journée et profitez des illuminations nocturnes pour vous promener sur les quais. La citadelle mérite à elle seule qu'on y passe au moins une demi-journée.

👥 AVEC LES ENFANTS

Le muséum de Besançon installé dans la citadelle et notamment son jardin zoologique et son insectarium ; l'horloge astronomique ; le musée du Temps et ses jeux pédagogiques ; la maison Victor Hugo ; les animations du musée des Maisons comtoises ; le petit train montant à la citadelle et une promenade en bateau sur le Doubs.

Histoire de Besançon

AU TEMPS DES SÉQUANES

Protégé par la boucle du Doubs et le rocher de la future citadelle, le site de Besançon est occupé à l'époque gauloise par un oppidum. Jules César, qui conquiert la capitale des Séquanes en 58 av. J.-C., s'enthousiasme dans *La Guerre des Gaules* devant les défenses naturelles de la ville. Devenue romaine, *Vesontio* s'embellit : un temple est élevé sur la colline, un théâtre sur ses flancs, un amphithéâtre sur l'autre rive, près de la rue des Arènes. Le *cardo maximus*, l'axe principal de la cité gallo-romaine, qui s'étire alors du pont Battant à la porte Noire, correspond à peu près à la **Grande-Rue**.

UNE VILLE LIBRE

Évangélisée par les martyrs saint Ferréol et saint Ferjeux entre le 2ᵉ et le 3ᵉ s., Besançon s'affirme au Moyen Âge comme une **importante métropole chrétienne**. Possession des comtes de Bourgogne, rattachée au Saint Empire romain germanique à partir de 1032, elle est régie par des archevêques. Hugues de Salins (1031-1066) est le plus illustre d'entre eux ; grand bâtisseur, il couvre la ville de monuments religieux. Celle-ci se partage alors entre le quartier capitulaire dans la partie haute et le quartier marchand du pont Battant. En 1290, Besançon se libère de l'autorité des archevêques et devient ville libre impériale. Le règne de Charles Quint correspond à une période de grande prospérité. Le **palais** de Nicolas **Granvelle**, conseiller de l'empereur, est le symbole flamboyant de cet essor économique et artistique.

LE RATTACHEMENT À LA FRANCE

Au 17ᵉ s. s'ouvre une période de crises : guerres, pestes, famines frappent la région. Besançon perd son statut de ville libre et entre dans la dépendance des souverains d'Espagne. En 1668, le Grand Condé occupe la ville, au nom de Louis XIV, époux de Marie-Thérèse d'Espagne, qui revendique la Franche-Comté en héritage, mais le traité d'Aix-la-Chapelle la restitue à l'Espagne. En 1674, les armées de Louis XIV s'emparent à nouveau de Besançon. Le traité de Nimègue, en 1678, rattachera définitivement la Franche-Comté à la France. Après l'annexion, les intendants font durement peser le pouvoir du roi, augmentant considérablement les impôts. Ils donnent toutefois au commerce, à l'industrie et aux arts un développement jamais connu. La ville se dote alors de monuments dont elle s'enorgueillit encore : la **citadelle** de Vauban, le **théâtre** de Ledoux, le **palais des Intendants** de Louis (actuelle **préfecture**).

CAPITALE DE LA MONTRE

Rue Mégevand : la toponymie a conservé le nom de cet exilé suisse qui fonda la première manufacture horlogère à Besançon en 1793. L'industrie horlogère prospère au 19ᵉ s., à tel point que Besançon s'impose comme la capitale de la montre française. Une **école d'horlogerie** ouvre ses portes, puis c'est au tour de l'Observatoire d'être créé. Les **industries de microtechniques de précision** qui se développent aujourd'hui dans la région ont hérité de ce savoir-faire. Si Besançon n'accueille plus les curistes aux bains salins de la Mouillère comme à la fin du 19ᵉ s., la richesse de son patrimoine et sa vitalité culturelle en font toujours un **haut lieu du tourisme**.

★★ Découvrir la citadelle Plan II p. 37

En voiture, choisissez de préférence le parking Rodia (gratuit) situé de l'autre côté du Doubs puis suivez l'itinéraire à pied balisé démarrant rue Rivotte (comptez 30mn). En bus, la ligne « Citadelle » part du parking Chamars. À pied uniquement, un autre itinéraire démarre Faubourg-Tarragnoz (comptez environ 20mn). Un véhicule électrique permet d'acheminer les personnes à mobilité réduite dans la partie haute du site. 99 r. des Fusillés-de-la-Résistance - ☎ 03 81 87 83 33 - www.citadelle.com - *7 juil.-26 août : 9h-19h ; 24 mar.-6 juil. et 27 août-27 oct. : 10h-18h ; reste de l'année : 10h-17h - fermé de déb. janv. à déb. fév., 1er janv., 25 déc. - possibilité de visite guidée - 10,80 € (-18 ans 8,70 €) - billet donnant accès au Musée comtois, au musée de la Résistance et de la Déportation et au Muséum - possibilité de visite guidée (30mn à 1h15), commentée, animée par un comédien : selon programmation. Galerie souterraine : visite guidée uniquement.*

😊 *Un billet unique donne accès à la citadelle et à tous ses musées. L'application MaCitadelle, disponible sans téléchargement, propose deux parcours de visite, un parcours enfants et deux jeux-enquêtes.*

👥 Remarqué dès l'époque romaine, ce promontoire rocheux fut couronné d'un temple païen, dont les colonnes se retrouvent dans les armes de la ville, puis d'une église dédiée à saint Étienne. Construite entre 1668 et 1711, la citadelle s'étend sur 11 ha. Après la conquête française de 1674, Vauban, rasant une grande partie des constructions antérieures, édifia la forteresse actuelle qui domine de 118 m le cours du Doubs. Tour à tour caserne, école de cadets sous Louis XIV, prison d'État, forteresse (assiégée en 1814), la citadelle bisontine constitue un site naturel et historique d'un grand intérêt (👁 *ABC d'architecture p. 471*). L'ouvrage se présente sous l'aspect d'un terrain à peu près rectangulaire, en dos d'âne, barré dans toute sa largeur par trois bastions successifs (les « enceintes » ou « fronts » : front St-Étienne côté ville, front Royal au centre et front de Secours), derrière lesquels s'étendent trois esplanades. L'ensemble est ceinturé de remparts que parcourent des chemins de ronde et où subsistent des tours de guet (« du Roi » à l'est, « de la Reine » à l'ouest) et des échauguettes. L'ancienne tour de guet, dite de la Reine, donne la réplique à celle du Roi qui est, comme il se doit, un peu plus grande.

> ### UNESCO
> Depuis juillet 2008, l'œuvre de Vauban (12 groupes de bâtiments fortifiés et de constructions le long des frontières nord, est et ouest de la France) est inscrite au patrimoine mondial de l'Unesco. C'est le fruit du travail du **Réseau des sites majeurs Vauban**, créé en 2005 à l'initiative de la ville de Besançon.

Chemins de ronde D2

Le chemin de ronde ouest, qui débute par la tour de la Reine, à droite, sur la première esplanade, permet de découvrir une **vue★★** impressionnante sur Besançon, la vallée du Doubs, les collines de Chaudanne et des Buis. Celui qui donne du côté de Bregille offre un point de vue intéressant sur Besançon et la boucle du Doubs. Du côté opposé à la ville, l'échauguette sur Tarragnoz, que l'on atteint en traversant le parc zoologique, offre une jolie **vue** sur la vallée du Doubs.

Espace Vauban B2 (M¹)

Aménagée dans le bâtiment des cadets, une exposition et un film *(10mn)* retracent l'histoire de la citadelle, évoquent le contexte civil et militaire du Grand Siècle et présentent le brillant ingénieur qu'était Vauban.

Besançon, la citadelle Vauban classée au Patrimoine mondial de l'Unesco.
F. Guiziou/hemis.fr

★ Musée de la Résistance et de la Déportation D2

99 r. des Fusillés-de-la-Résistance - ☏ 03 81 87 83 33 - www.citadelle.com -
juil.-août : 9h-18h45 ; avr.-juin et sept. : 9h-17h45 ; reste de l'année : 10h-16h45 -
fermé 25 déc., janv. - possibilité de visite guidée - 10,80 € (-18 ans 8,70 €) - billet
donnant accès au Musée comtois, à la citadelle de Vauban et au Muséum - visite
déconseillée aux -10 ans.

Sous l'Occupation, une centaine de résistants moururent, fusillés, derrière les
murs de la citadelle. Dans ce lieu marqué par la Seconde Guerre mondiale a été
installé en 1971 un musée dédié à l'histoire de la résistance en Franche-Comté,
en France et en Europe et à la déportation. Conçue par une ancienne déportée,
Denise Lorach, cette rétrospective bouleversante présente une importante collection de photographies, d'objets, d'affiches, de coupures de journaux, de lettres
et autres documents relatifs à la guerre, de la montée du nazisme aux camps de
concentration, des débuts de la Résistance à la Libération. On y voit également des
dessins, peintures et sculptures réalisés dans les prisons et les camps allemands.

Poteaux des Fusillés

Ils ont été dressés là, à la mémoire des patriotes fusillés pendant la Seconde
Guerre mondiale.

Chapelle St-Étienne

Située dans la cour des Fusillés, à quelques mètres d'un puits profond de 132 m,
elle accueille une projection multiécrans retraçant de façon très vivante les
grandes heures de Besançon et de sa citadelle. Sont particulièrement illustrés
le siège de 1674 et les grands travaux d'aménagement par Vauban (1675-1683).

★ Musée comtois D2 (M²)

Installé dans le front Royal, ce musée d'ethnographie régionale rassemble sur
17 salles de riches collections consacrées aux habitants de Franche-Comté aux
19e et 20e s. Vous y découvrirez notamment la faune et la flore locales ainsi
que l'habitat, évoqué à l'aide de maquettes. Le musée offre un large choix

de mobilier, d'objets d'art populaire traditionnel et de folklore. Des thématiques aussi diverses que l'alimentation, les divertissements, les croyances, le travail ou même la contrebande y sont évoquées. Dédiée à l'art du fer, l'aile gauche du bâtiment renferme les collections les plus originales du musée ; on y admirera de belles plaques en fonte, des chenets, fourneaux et marmites. ⚓ « *Maisons comtoises* », p. 476.

★ Muséum de Besançon D2

👤👤 Deux ailes du bâtiment de l'ancien arsenal sont consacrées au Muséum, qui accueille à la fois des pièces naturalisées et des collections vivantes.

Naturalium – En introduction du Muséum, cet espace sensibilise le public à la richesse de la biodiversité et aux menaces qui pèsent sur les milieux naturels. De nombreuses collections en zoologie, ostéologie, botanique et paléontologie illustrent la thématique.

Aquarium – Plusieurs aquariums reproduisant le cours du Doubs accueillent la faune aquatique des rivières. Dans la cour extérieure, des bassins présentent les milieux aquatiques d'eaux stagnantes, tandis qu'une **ferme aquacole** abrite un petit élevage d'écrevisses des torrents (en voie de disparition) et sensibilise à la protection de l'apron du Rhône (un poisson endémique de la vallée du Rhône, en danger lui aussi).

Insectarium – Il occupe le premier étage du Petit Arsenal et possède l'une des plus importantes collections d'invertébrés terrestres de France (cétoines, mygales, phasmes feuilles, grenouilles exotiques…) mise en valeur par une scénographie originale. La gigantesque fourmilière vous impressionnera par son incroyable organisation.

★ Jardin zoologique – Il occupe, à l'extrémité de la forteresse, les glacis du front St-Étienne et les fossés du front de Secours. Il présente notamment des espèces menacées que l'on peut voir de près grâce à des vitres épaisses ; une vingtaine d'espèces de primates (tamarins, ouistitis, lémuriens et grands singes), des félins et des oiseaux, mais aussi des mangoustes. Peuplée d'animaux domestiques, la **P'tite ferme** plaira particulièrement aux petits.

Noctarium – Il est aménagé dans l'ancienne poudrière. Après un temps d'adaptation, vous distinguerez dans l'obscurité mulots, souris et d'impressionnants surmulots ou rats d'égout, et apprendrez quels sens ont dû développer ces animaux nocturnes.

Se promener

★★ LA VIEILLE VILLE Plan II

▶ *Circuit* ⬚1⬚ *tracé en vert sur le plan. Comptez 3h (sans les visites).*
La visite de la vieille ville se fait à pied. Garez votre véhicule sur le parking du marché des Beaux-Arts, par exemple, et gagnez le pont Battant.

Le pont Battant, dont l'histoire remonte à l'époque romaine, fut des siècles durant le seul de Besançon. Délimitée par la boucle du Doubs, cette partie de la ville était jadis ceinturée de solides remparts.

Sur le pont Battant, se dresse la statue grandeur nature de **Jouffroy d'Abbans**. Il n'était pas bisontin, mais il est entré dans l'histoire grâce à ses essais de navigation à vapeur sur le Doubs (⚓ *p. 484*).

★ Quai Vauban C1

Du pont, admirez les habitations à arcades du 17ᵉ s., aux très belles **façades** de pierre gris-bleu, qui bordent le Doubs à cet endroit. Baptisé quai Vauban,

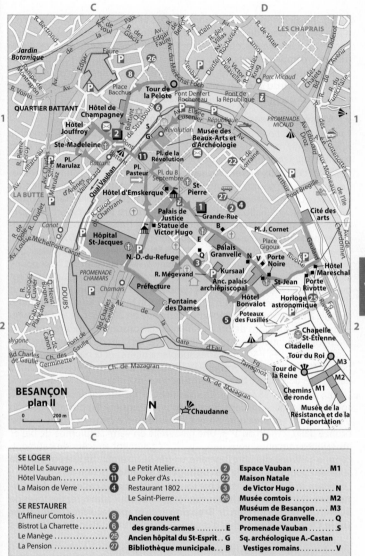

cet harmonieux « rempart » fut réalisé par les frères Robelin à la fin du 17ᵉ s.
Une promenade a été aménagée en contrebas, sur les bords de la rivière.
*Remontez le quai Vauban vers le nord jusqu'au passage à droite qui conduit à
la place de la Révolution.*

Place de la Révolution C1

Lieu incontournable de la vie bisontine, la place de la Révolution était surtout
connue sous le nom de place du Marché. Ce grand carrefour toujours animé
est bordé par le musée des Beaux-Arts et d'Archéologie et, sur la rue des
Boucheries, par des immeubles anciens, dont celui de l'ancien Conservatoire

(1722). Initialement grenier d'abondance, le bâtiment est converti en école d'horlogerie avant de devenir le Conservatoire de musique et de danse. Racheté par un investisseur privé en 2018, l'ensemble abrite désormais une trentaine d'appartements.

À l'angle nord-est de la place, en face du marché des Beaux-Arts, l'église de l'ancien hôpital du St-Esprit est, depuis 1842, un temple protestant ; la cour a conservé sa galerie en bois sculpté, datant de la fin du 15e s.

★★ Musée des Beaux-Arts et d'Archéologie C1

1 pl. de la Révolution - ✆ 03 81 87 80 67 - www.mbaa.besancon.fr - ♿ - horaires, se rens. - fermé mar., 1er janv., 1er Mai, 1er nov., 25 déc. - 8 € - billet donnant accès au musée du Temps et à la Maison Victor Hugo - gratuit 1er dim. du mois.

Le musée des Beaux-Arts et d'Archéologie de Besançon, c'est avant tout l'histoire singulière de grands donateurs et le travail ambitieux conjugué de trois architectes. Le majestueux et sobre bâtiment en pierre de taille, d'abord conçu pour devenir une halle aux grains, est dû à **Pierre Marnotte**, et inauguré en 1843. La plus ancienne collection publique française (1694) sera ensuite réaménagée à l'occasion de l'exposition universelle de 1860 qui se tint à Besançon. Un siècle plus tard, c'est à **Louis Miquel**, élève de Le Corbusier, que le couple Adèle et Georges Besson demande de réinventer les lieux pour y exposer sa riche collection d'œuvres d'art. L'architecte s'appuie sur le concept de « musée à croissance illimitée », symbolisé par des rampes en béton brut discontinues et rectilignes. En 2014, l'architecte bisontin **Adelfo Scaranello** s'attelle à une ambitieuse rénovation terminée en 2018, nécessaire à l'amélioration des conditions de présentation et de conservation des œuvres. Les plafonds sont entièrement retravaillés, percés de puits de lumière qui traversent les salles. Les 1 500 m² carrés supplémentaires et la multiplication des points de vue sur les œuvres procurent un sentiment d'espace et invitent à déambuler librement à travers des collections exceptionnelles et éclectiques. Le musée compte 38 sections. La visite débute par l'atrium des donateurs où sont exposés leurs portraits. Vous découvrirez ensuite l'importante section d'**archéologie★**, avec notamment le **Taureau d'Avrigney** à trois cornes, bronze gallo romain du 1er s. Une passerelle en verre surplombe de belles mosaïques romaines. Vous remarquerez également au cœur du bâtiment, comme dans une chambre funéraire, un très bel exemple de l'art égyptien de la Basse Époque, le double **sarcophage de Séramon** (scribe royal).

Le musée se distingue surtout par son impressionnante **collection de peintures★★**. Dans les salles dédiées aux 15e et 16e s., vous admirerez des toiles de Bellini, de Cranach ou bien de **Bronzino** avec sa spectaculaire *Déploration sur le Christ mort★★★*, chef d'œuvre du maniérisme italien. Dans les salles

🔍 À NE PAS MANQUER	
ARCHÉOLOGIE	Double sarcophage de Séramon (Ancienne Égypte), Taureau d'Avrigney (Gaule romaine)
PEINTURE	**Lucas Cranach dit l'Ancien** – *Adam et Ève* (v. 1510) **Giovanni Bellini** – *L'Ivresse de Noé* (v. 1515) **Bernard Van Orley** – *Tryptique Notre-Dame des Sept Douleurs* (v. 1535) **Bronzino** – *Déploration sur le Christ mort* (v. 1540) **Francisco de Goya** – *Scènes de cannibalisme* (19e s.) **Gustave Courbet** – *L'Hallali du cerf* (1867) **Paul Signac** – *La Voile jaune* (1904) **Albert Marquet** – *Les Deux Amies* (1912) **Pierre Bonnard** – *Le Café Au Petit Poucet* (1928)

Intérieur du musée des Beaux-Arts de Besançon.
J.C. Sexe/VILLE DE BESANÇON

consacrées aux 17ᵉ et 18ᵉ s., on remarquera des toiles de Vouet, Fragonnard, la série des *Chinoiseries* de François Boucher et également plusieurs sculptures de Luc Breton. Enfin, les sections des 19ᵉ et 20ᵉ s. rassemblent des toiles de **Gustave Courbet**, peintre régional, dont le très grand format *l'Hallali du Cerf*, de Goya, Ingres, ou encore de Matisse. L'art contemporain s'invite aussi par petites touches tout au long de la visite.

Rejoignez la rue des Granges et tournez tout de suite à droite dans la rue R.-L.-Breton qui mène à la place Pasteur, dans la Grande-Rue.

Grande-Rue CD1-2

Ancienne voie romaine qui traversait *Vesontio* de bout en bout, elle reste, deux mille ans plus tard, l'artère piétonne principale de la ville.

Remarquez, au n° 44, l'**hôtel d'Emskerque** de la fin du 16ᵉ s., où logea Gaston d'Orléans ; élégantes grilles au rez-de-chaussée. En face, au n° 53, la cour intérieure possède un remarquable escalier en pierre et fer forgé à double volée.

Hôtel de ville C1 – Besançon est une des rares villes à cumuler un hôtel de ville et une mairie ! Dans ce bâtiment du 16ᵉ s. avec façade à bossages, en pierres alternativement bleues et ocre, ont lieu les mariages et cérémonies

---

LES GRANVELLE

La famille des Perennot de Granvelle, à l'extraordinaire ascension sociale, a édifié le magnifique palais Granvelle et collectionné des chefs-d'œuvre aujourd'hui présentés au musée des Beaux-Arts. Les Perrenot, issus du milieu rural, achètent leur affranchissement et s'installent à Ornans en tant qu'artisans. L'un d'eux, qui s'est établi en tant que notaire, envoie son fils **Nicolas** à l'université de Dole. Devenu avocat, il est nommé conseiller au Parlement en 1518, puis chancelier et homme de confiance de Charles Quint. Son fils Antoine, le fameux cardinal de Granvelle, obtiendra les titres de Premier ministre des Pays-Bas ou de vice-roi de Naples, preuves de la considération que lui portait Philippe II d'Espagne.

(en travaux au moment de la rédaction de ce guide). En face, la curieuse façade de l'**église St-Pierre** (D1) est due à l'architecte bisontin Claude-Joseph Bertrand (fin 18e s.).

Empruntez la rue du Palais-de-Justice.

Palais de justice C1 – 1 r. Mégevand - *03 81 61 86 30 - www.ca-besancon.justice. fr - visite guidée sur demande préalable (2h) uniquement dans le cadre des visites de la ville, se rens. auprès de l'office de tourisme au 03 81 80 92 55 - 7 € (-18 ans 4 €).*

Le centre du bâtiment présente une jolie **façade Renaissance★** due à Hugues Sambin, architecte de l'hôtel de Vogüé à Dijon. La grille de la porte d'entrée (1861) est remarquable. Au 1er étage, siégeait le parlement de Franche-Comté.

Retournez dans la Grande-Rue.

Au nº 68 de la Grande-Rue, s'élève l'**ancien hôtel Terrier de Santans**, bâti en 1770, avec sa cour intérieure. À l'angle de la rue Moncet, on remarquera la maison natale de Charles Fourier. Aux nº 86-88, l'**ancien couvent des Grands-Carmes** (D2), du 17e s., a conservé sa cour à arcades. Une fontaine ornée d'un Neptune garde son entrée. Au nº 103, bel escalier en bois dans la cour.

> **DU BLEU DANS L'ÂME ET DES GRILLES AUX FENÊTRES**
> À partir de 1569, on exploita les carrières de Chailluz pour construire des maisons en pierre et ainsi limiter les risques d'incendie. Beige et bleutée à la fois, la pierre calcaire de Chailluz donne au vieux Besançon sa couleur si particulière. Quant aux grilles de fer forgé, elles témoignent du développement de la ferronnerie au 18e s, plus que d'une influence espagnole. Des ensembles comme la grille de l'hôpital St-Jacques à Besançon et celle de l'hôpital de Lons-le-Saunier rivalisaient alors avec les chefs-d'œuvre de Jean Lamour à Nancy.

★ **Palais Granvelle** D2

Édifié de 1532 à 1542 pour Nicolas Perrenot, seigneur de Granvelle et chancelier de l'empereur Charles Quint, il dresse sur la rue une imposante façade Renaissance, compartimentée à trois étages et cinq travées ; son grand toit à pignon latéral orné de redents et recouvert de tuiles mates et vernissées de couleur est percé de trois lucarnes surmontées d'un fronton richement sculpté. Jolie **cour★** intérieure rectangulaire entourée de portiques aux arcades surbaissées, en anse de panier. Derrière, s'ouvre la **promenade Granvelle** aménagée dans l'ancien jardin du palais. Depuis 2002, le palais abrite le musée du Temps.

★ **Musée du Temps** D2

96 Grande-Rue - 03 81 87 81 50 - www.mdt.besancon.fr - 9h15-12h, 14h-18h, dim. et j. fériés 10h-18h - fermé lun., 1er janv., 1er Mai, 1er nov., 25 déc. - possibilité de visite guidée sur demande (1h) - 8 € (-18 ans gratuit) - gratuit dim. et j. fériés.

Installé dans un palais Granvelle rénové, ce musée rappelle, à travers les figures d'Antoine et de Nicolas Granvelle, quelques pages importantes de l'histoire de la ville. Il présente surtout toutes sortes d'objets de mesure du temps et de l'espace. Car, après s'y être implantée en 1793, l'horlogerie est devenue l'activité principale de Besançon jusqu'aux années 1920. À l'aide d'une muséographie moderne et interactive, on remonte à l'invention du pendule (1657), au passage à l'horlogerie mécanique, puis électronique et microtechnique, en passant par le pendule de Foucault. Admirez le perfectionnement de la Leroy 01, la montre « aux 24 complications » fabriquée en 1904.

CÉLÉBRITÉS

Véritable vivier de talents, Besançon a vu naître pléthore d'hommes célèbres et d'artistes. Parmi eux : le philosophe et économiste **Charles Fourier** (1772-1837) qui imagina une originale communauté de travail, le « phalanstère », le romancier **Charles Nodier** (1780-1844), **Victor Hugo** (1802-1885), le sociologue **Pierre Joseph Proudhon** (1809-1865), les **frères Lumière**, Auguste (1862-1954) et Louis (1864-1948), ainsi que le journaliste humoriste **Tristan Bernard** (1866-1947). **Marcelle de Lacour** (1896-1997), claveciniste exceptionnelle, a eu un rôle précurseur dans l'interprétation de la musique baroque en France et dans le monde.

Bibliothèque municipale D2 (B)

1 r. de la Bibliothèque - ☏ 03 81 87 81 40 - www.bm-besancon.fr - ♿ - 8 juil.-30 août : 10h-12h, 14h-18h ; reste de l'année : 10h-18h, sam. 10h-12h, 14h-18h - fermé dim. et j. fériés - possibilité de visite guidée (15mn) - consultation des ouvrages sur demande uniquement - expositions temporaires, se rens. sur Internet.

Premier bâtiment construit en France pour être une bibliothèque publique (1808-1839), elle abrite un pan de la bibliothèque des Granvelle sauvé par l'abbé Boisot et mis à la disposition du public dès 1694. Ses **collections**★ (livres anciens, manuscrits enluminés, incunables, dessins et gravures) sont parfois présentées lors d'expositions temporaires ; le plus vieux manuscrit date de la fin du 8ᵉ s. Une partie de la collection a été numérisée.

Continuez sur la Grande-Rue.

Maison Victor-Hugo D2 (N)

140 Grande-Rue - ☏ 03 81 87 85 35 - www.besancon.fr/hugo - ♿ - 10h30-18h - fermé mar., 1ᵉʳ janv., 1ᵉʳ Mai, 1ᵉʳ nov., 25 déc. - possibilité de visite guidée sur demande (1h) - 2,50 € (-18 ans gratuit) - audioguide disponible.

Si l'auteur des *Misérables* a vu le jour ici le 26 février 1802, sa maison natale est devenue un lieu de mémoire consacré à l'homme engagé dans son siècle, où sont contés ses combats au travers de scénographies multimédia. En entrant dans le musée sont présentés les hommages rendus par les Bisontins à leur auteur, même si Hugo n'est jamais revenu à Besançon. L'étage comporte quatre espaces thématiques, portant sur la liberté d'expression, la dignité humaine, les droits des enfants et la liberté des peuples.

Au rez-de-chaussée, la **pharmacie Baratte** a été reconstituée à l'identique. À l'origine, l'ancienne apothicairerie a été fondée en 1738.

À deux pas de la maison de Victor Hugo, dans une demeure donnant sur la petite place du même nom, les **frères Lumière**, inventeurs du cinéma, ont vu le jour.

★ Vestiges romains D2 (V)

La rue de la Convention, qui fait suite à la Grande-Rue, offre un agréable coup d'œil. Elle longe le **square archéologique Auguste-Castan**, joli petit jardin que dominent d'antiques colonnes alignées, portique en hémicycle d'un monument romain encore mal identifié.

Passez sous la **porte Noire**★, qui porte désormais bien mal son nom puisque sa pierre restaurée est d'un blanc éclatant. Cet arc de triomphe a été érigé au 2ᵉ s. en l'honneur de Marc Aurèle, non loin du théâtre, à l'extrémité de la principale voie de *Vesontio*.

Rue de la Convention, au n° 10, s'élève l'ancien palais archiépiscopal, du début du 18e s., occupé par le rectorat de l'académie. L'actuel archevêché est installé en face, dans un ancien hôtel qui est également du 18e s.

★ Cathédrale St-Jean D2

10 r. de la Convention - ✆ 03 81 82 60 20 - www.cathedrale-besancon.fr - ♿ - de déb. mai à mi-oct. : 9h-19h (en dehors des offices) ; reste de l'année : 9h-18h - possibilité de visite guidée (1h), se rens. à l'office du tourisme de Besançon.

Quelle étrange cathédrale ! Entièrement reconstruite au 12e s. à l'emplacement d'une première cathédrale (9e s.) bâtie elle-même sur un groupe épiscopal du 5e s., elle a été profondément remaniée au 13e puis au 18e s. On ne peut manquer d'être surpris par sa discrétion extérieure, l'absence de portail principal et la présence de deux absides opposées, dotées chacune d'un chœur.

À gauche, en entrant, l'**abside du St-Suaire**, reconstruite après l'effondrement du clocher en 1729, abrite en fait un « contre-chœur » à décoration baroque, utilisé pour le culte du Saint-Suaire, le linceul qui aurait enveloppé le corps du Christ. Il ne s'agit pas de l'actuel suaire de Turin, mais de celui de Besançon, qui apparut au 15e s. et disparut à la Révolution. Il fut lui aussi considéré comme authentique, et les plus grands du royaume de France (Louvois, Condé, Louis XIV) et d'Europe sont venus prier devant lui.

La cathédrale abrite un riche **ensemble de peintures★★**. L'abside est ornée de toiles du 18e s. (Van Loo, Natoire, de Troy) et, dans l'absidiole de gauche, du tombeau en marbre de Ferry Carondelet, abbé de Montbenoît et conseiller de Charles Quint. Dans le bas-côté droit, à gauche de la tribune du grand orgue, se trouve le célèbre tableau de Fra Bartolomeo, la **Vierge aux saints**, exécuté à Rome en 1512 pour le chanoine de la cathédrale, Ferry Carondelet. Le prélat est représenté agenouillé, à droite.

La nef et l'abside principale, à droite, ont gardé la base romane de l'édifice du 12e s. Dans le chœur, trône reproduisant celui du sacre de Napoléon Ier.

La deuxième chapelle s'ouvrant sur le bas-côté gauche renferme un autel circulaire en marbre blanc du 11e s., dit **Rose de saint Jean**. Copie d'un autel paléochrétien, il est orné d'un chrisme (monogramme du Christ) que surmonte un aigle, symbole de la résurrection du Christ.

Près de la *Rose de saint Jean*, une chapelle est dédiée à une **Vierge à l'Enfant** réputée miraculeuse. Peinte par Dominico Cresti en 1630, elle a survécu à un naufrage près de Toulon et a immédiatement été vénérée sous le vocable de « Vierge des ondes ». On l'appelle également « Vierge des Jacobins », car ce sont les Dominicains, autrefois appelés Jacobins, qui sont à l'origine de son culte.

★ Horloge astronomique D2

– *R. du Chapitre - ✆ 03 81 81 12 76 - www.monuments-nationaux.fr - avr.-sept. : 9h50-11h50, 13h50-16h50 ; reste de l'année : tlj sf merc. 9h50-11h50, 13h50-16h50 - fermé mar., janv., 1er Mai, 1er et 11 Nov., 25 déc. - possibilité de visite guidée (30mn) - 3,50 € (-18 ans gratuit).*

👥 Cette merveille de mécanique, comptant 30 000 pièces, a été conçue et exécutée de 1858 à 1860 par Auguste Lucien Vérité, de Beauvais, et réorganisée en 1900. Elle fait office d'horloge publique, car elle transmet l'heure aux 57 cadrans du clocher. Ces derniers indiquent les jours, les saisons, les heures dans 16 points du globe, les marées dans 8 ports, la durée du jour et de la nuit, les levers et couchers du soleil et de la lune… et, en bas de l'horloge, le mouvement des planètes autour du Soleil. Une série d'automates s'anime à heure fixe ; elle figure notamment la mort et la résurrection du Christ.

Possibilité de descendre vers la porte Rivotte et la Cité des arts par l'étroite rue du Chambrier, sur la gauche, qui débouche dans la rue Rivotte.

Hôtel Mareschal D2

On remarque au n°19 de la rue Rivotte le beau décor sculpté de cet hôtel particulier (1520), de style gothique flamboyant, représentatif du début de la Renaissance à Besançon pendant le règne de Charles Quint.

Porte Rivotte D2

Restes de fortifications médiévales, remaniées au 16e s. Après la conquête française, Louis XIV fit orner le fronton d'un soleil symbolique. Le rocher de la citadelle domine la porte Rivotte de ses abrupts aux longues strates. Il plongeait autrefois dans la rivière, et l'étroite bande où passe la route a été gagnée par le pic ou la mine. Deux tunnels (l'un routier, l'autre pour bateaux et piétons), permettant d'éviter la boucle du Doubs, traversent le roc.

Cité des arts D2

2 passage des Arts - ℘ 03 81 87 87 40 - www.frac-franche-comte.fr - 14h-18h, w.-end 14h-19h - fermé lun.-mar., 1er janv., 1er Mai, 24-25 et 31 déc. - possibilité de visite guidée (1h30) - 4 € (-18 ans gratuit) - gratuit 1er dim. du mois.

Regroupant le conservatoire, le Fonds Régional d'Art contemporain (Frac) et plusieurs salles de spectacle et d'exposition, ce nouvel espace culturel, qui a ouvert en 2013, s'est installé sur une friche portuaire, à deux pas du centre-ville, dans un ensemble architectural imaginé par l'architecte Kengo Kuma.

Contournez la cathédrale par la rue du Chapitre, puis la rue du Palais sur la droite.

Hôtel Bonvalot D2

4-6 r. du Cingle. Il fut construit de 1538 à 1544 par F. Bonvalot, oncle du célèbre cardinal de Granvelle. Son architecture un peu austère est égayée par les vitraux et les accolades qui surmontent les fenêtres.

Rejoignez la rue de la Vieille-Monnaie à droite qui se prolonge par la rue Mégevand.

Rue Mégevand CD2

Tout au début de la rue, au croisement avec la rue Ronchaux, remarquez une belle fontaine du 18e s. représentant le Doubs. Un peu plus loin sur la droite, la façade néoclassique du **théâtre**, au portique à colonnes ioniques, est l'œuvre de C.-N. Ledoux (℘ p. 477). Derrière, sur la place du Théâtre, une autre salle de spectacle : le **Kursaal**, construit en 1893, lorsque Besançon était une ville d'eau. Rue Mégevand, sur la gauche, des bâtiments de l'université et l'ancienne abbaye St-Vincent (devenue église Notre-Dame) dont on peut encore voir l'ancien clocher et un portail du 16e s.

Au niveau de la place de Granvelle, tournez à gauche dans la rue de la Préfecture.

Préfecture C2

3 av. de la Gare-d'Eau - ℘ 03 81 39 81 39 - www.doubs.gouv.fr - visite autorisée lors des J. du patrimoine.

C'est l'ancien palais (18e s.) des Intendants élevé sur les plans de l'architecte Louis et dont l'entrée a été dégagée par une place en demi-cercle.

En arrivant de la rue de la Préfecture, faites un petit détour sur la gauche dans la rue Charles-Nodier pour admirer la jolie **fontaine des Dames** (18e s.). Dans la coquille se dresse une sirène, copie d'un bronze du 16e s.

Revenez au croisement avec la rue de la Préfecture et remontez la rue Charles-Nodier jusqu'à la place St-Jacques, où vous tournerez à droite vers la rue de l'Orme-de-Chamars.

Hôpital St-Jacques C2

Pl. St-Jacques - ℘ 03 81 80 92 55 - www.besancon-tourisme.com - visite guidée sur demande préalable (2h), horaires, se rens. à l'office de tourisme - fermé 1er janv., 1er Mai, 25 déc. - 7 € (-18 ans 4 €).

1

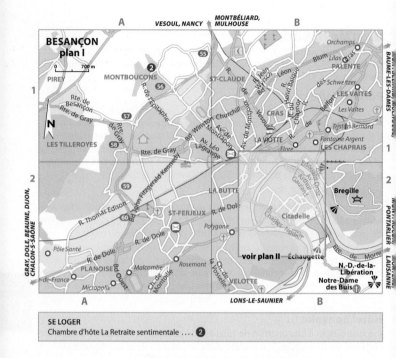

SE LOGER
Chambre d'hôte La Retraite sentimentale ....

Construit par l'architecte Royer au 17e s., il s'ouvre sur une immense cour carrée, fermée par une magnifique **grille★** (1703), œuvre de Nicolas Chappuis. Il possède une très belle **pharmacie du 17e s.★** constituée par l'apothicaire Gabriel Gascon. Remarquable collection de pots en faïence ou en verre, conservée dans une salle aux boiseries ornées de faux marbres ou dorées à l'or fin.

Chapelle N.-D.-du-Refuge C2

R. de l'Orme-de-Chamars - 📞 *03 81 80 92 55 - 14h30-16h30 - fermé j. fériés - possibilité de visite guidée sur demande (30mn) - gratuit.*

Reconnaissable à son dôme couvert de tuiles vernissées, elle doit son nom à un établissement créé en 1690 par le marquis de Broissia pour recueillir les jeunes filles « moralement en danger ». Construite par l'architecte Nicolas Nicole en 1739, elle fut rattachée à l'hôpital en 1802. On y remarque de belles boiseries d'époque Louis XV. L'architecture de l'édifice est elle-même symbolique : l'intérieur, de forme elliptique, prend progressivement, à partir de l'entablement, la forme d'un cercle, symbole de perfection et d'éternité.

Traversez la rue et contournez les bâtiments administratifs qui abritent la mairie.

L'esplanade des Droits-de-l'Homme accueille depuis 2003 une **statue de Victor Hugo** regardant sa montre, réalisée par Ousmane Sow (artiste sénégalais).

La rue de l'Orme-de-Chamars se prolonge par la rue Pasteur, qui ramène au début de la Grande-Rue.

Place Pasteur C1

Bordée d'anciens hôtels particuliers, la place a été réhabilitée en 2007. Inauguré en 2015, le centre commercial des Passages Pasteur a remplacé les friches industrielles. L'ensemble a bénéficié d'une belle mise en valeur architecturale.

LE QUARTIER BATTANT Plan II p. 37

◗ *Circuit* ② *tracé en vert sur le plan II.*

Ce quartier, populaire et très animé, qui s'étage sur la rive droite du Doubs est l'un des plus anciens de Besançon. C'est celui des vignerons, les « Bousbots ». Leurs vignes s'étendaient alentour, sur toutes les pentes que colonisent aujourd'hui des résidences modernes.

Collégiale Ste-Madeleine C1

R. de la Madeleine - ☏ *03 81 80 92 55 -* &. *- 9h-11h30, 14h-16h30 - fermé dim. - possibilité de visite guidée (2h).*

Elle fut construite au 18e s. sur les plans de Nicolas Nicole, mais ses deux tours ne datent que de 1828. L'intérieur frappe par ses vastes dimensions et l'élégance de ses voûtes soutenues par des colonnes cannelées. Les grandes orgues, restaurées, sont l'œuvre de Callinet.

Remontez la rue de la Madeleine.

À l'angle des rues du Petit-Charmont et du Grand-Charmont s'élève l'**hôtel Jouffroy**, construit fin 15e-début 16e s.

Revenez sur vos pas et tournez à droite dans la rue de Vignier qui débouche sur la place Marulaz.

Place Marulaz C1

Cette petite place pleine de charme s'orne d'une fontaine du 18e s.

Descendez la rue Marulaz pour rejoindre le quai Veil-Picard et regagnez l'église Ste-Madeleine. Prenez alors la prospère rue Battant.

Hôtel de Champagney C1

Construit au 16e s. pour la veuve de Nicolas de Granvelle, il avance ses quatre gargouilles au-dessus du trottoir. Passez sous la voûte pour admirer les galeries. Le passage permet de rejoindre le fort Griffon d'où l'on a une belle vue sur les toits de Besançon, en passant par le clos Barbisier, jardin de roses anciennes.

De la place, descendez la rue du Petit-Battant, à droite.

Tour de la Pelote C1

Cette curieuse tour (seconde moitié du 15e s.) avait été intégrée dans le système défensif de Vauban, ce qui évita sa destruction. Elle a été totalement restaurée suite à un incendie en 2013.

Par le pont Denfert-Rochereau puis, à droite, l'avenue Élisée-Cusenier, regagnez la place de la Révolution.

À voir aussi Plans I p. 44 et II p. 37

Fort Chaudanne Plan II D2

◗ *2 km au sud, puis 15mn à pied AR. Prenez le pont Charles-de-Gaulle en direction de Planoise ; passez sous un pont ; 100 m plus loin, prenez à droite la rue Gabriel-Plançon, puis la première rue à droite, la rue de Chaudanne. Suivez la rue du Fort-de-Chaudanne jusqu'au point de vue aménagé à l'entrée du fort (1845).*

C'est l'un des plus intéressants belvédères bisontins (alt. 419 m). La **vue**★ sur Besançon et la boucle du Doubs est très belle. De la droite vers la gauche, on remarque d'abord, au pied de la citadelle, la cathédrale et la vieille ville, puis l'église St-Pierre et la ville commerçante. Sur l'autre rive du Doubs, remarquez l'ancien quartier vigneron de Battant.

Patrimoine rural en Franche-Comté

L'association **Folklore comtois** et son fondateur, l'abbé **Jean Garneret** (1907-2002), sont à l'origine du **musée des Maisons comtoises** à Nancray. On leur doit également le Musée comtois de la Citadelle à Besançon *(voir p. 36)*. Ce musée en plein air s'étend sur un parc vallonné de 15 ha représentatif de la géographie de la région.

RESTITUER L'ARCHITECTURE RURALE COMTOISE

Voués à la démolition ou à la ruine, 35 édifices représentatifs de l'architecture rurale comtoise ont été soigneusement démontés, puis remontés à l'identique. Le patrimoine architectural ne se résumant pas aux seules habitations, greniers, citerne d'alpage, loge, fours à pain, remises ont également été sauvegardés. Partout, les intérieurs ont été fidèlement reconstitués : cuisines, chambres, granges, écuries, grâce notamment à des enquêtes ethnographiques.

Le musée de Nancray *(voir p. 48)* présente l'architecture rurale de la région dans toute sa diversité :

Le Territoire de Belfort se reconnaît facilement à ses maisons à colombages garnis de torchis, coiffées de hautes charpentes sans poutre faîtière (maisons de Joncherey, Recouvrance, Boron et Meroux).

Dans le Doubs, les bâtiments sont plus nombreux et très diversifiés : la maison des Arces est reconnaissable à son « tuyé » (cheminée) fermé par deux tournevents et à son toit de tavaillons (planchettes) ; la maison de Magny-Châtelard, des plateaux, possède une « levée de grange » qui permet d'accéder à la partie agricole située au-dessus de l'habitation. La maison forestière (de Villeneuve-d'Amont) est également représentative de cette région très boisée avec, au centre de son petit jardin de « simples » (plantes médicinales), la buvette originaire de Montbenoît. Le dernier édifice reconstitué est une caborde (cabane en pierre sèche servant d'abris pour les vignerons).

En Haute-Saône, la belle maison de la Proiselière, remarquable par son entrée sous le « chari » et son toit de laves (ou lauses) en grès, est composée de trois « rains » (travées) et réunit sur un même niveau l'habitation, la grange et les écuries.

Le Jura est représenté par un « hébergeage » (grange, écurie, remise) caractéristique des confins ouest du Jura où l'influence bressane est nette, et d'un grenier fort, où les papiers et objets de valeur étaient à l'abri des incendies. On peut également visiter une ferme du Haut-Jura de 1780.

SAUVEGARDER DES SAVOIR-FAIRE ANCIENS

Cet effort aurait été incomplet sans la restitution de **l'environnement naturel** à l'origine de cet habitat rural : jardins et vergers cultivés biologiquement, flore des étangs, haies, sentiers, sous-bois… Bien plus qu'un simple tour d'horizon du bâti régional, la visite s'accompagne d'une agréable balade à travers le parc reproduisant minutieusement le paysage rural franc-comtois. Son rôle de conservatoire a incité le musée à privilégier des espèces végétales et animales en voie de disparition. Il contribue ainsi à la sauvegarde d'anciennes races domestiques. Afin de transmettre des **savoir-faire anciens**, des **animations** font revivre le patrimoine rural franc-comtois et le quotidien de la vie paysanne. Un atelier présente ainsi la lirette, une pratique qui remonte au 16e s. et qui consiste à recycler de vieux chiffons en les découpant en fines bandelettes à tisser.

Le musée des Maisons comtoises invite à découvrir savoir-faire et bâtiments anciens.
Musée des Maisons comtoises

Fort Bregille Plan I B2

4 km à l'est. Bus n° 24. En voiture, suivre le chemin du fort de Bregille. Ne se visite pas.

Du terre-plein (alt. 425 m) devant le fort (1820-1832), belle **vue**. Promenades dans les bois qui couronnent le plateau.

Chapelle N.-D.-des-Buis Plan I B2

▶ *Quittez Besançon par la N 57 au sud-est puis prendre à droite, comme indiqué, le chemin pentu des Trois Châtels, balisé par un chemin de croix.*

Alt. 460 m. De style néogothique, elle offre un cadre simple aux pèlerins particulièrement nombreux le 15 août.

★ **N.-D.-de-la-Libération** – À 400 m de la chapelle, sur un vaste terre-plein, à l'emplacement d'un ancien fort, une grande statue de la Vierge a été érigée en 1949 en reconnaissance de la libération de Besançon. Une crypte abrite les plaques de marbre sur lesquelles sont gravés les noms des morts de la région, tombés pendant la Seconde Guerre mondiale. De la table d'orientation, la **vue** s'étend sur le site de Besançon et, par temps clair, porte jusqu'aux Vosges. Montez sur l'esplanade pour découvrir, à l'opposé, les crêtes du haut Jura.

À proximité Carte de microrégion p. 30

Montfaucon C2

▶ *7,5 km au sud-est.*

Il y a à Montfaucon deux villages : l'un abandonné, l'autre habité. L'église-halle (fin 18ᵉ s.) de ce dernier accueille chaque année un festival de musiques anciennes. Le **belvédère**★, aménagé à proximité d'un relais hertzien, offre une vue magnifique sur l'agglomération de Besançon et, au loin, sur le haut Jura. Le fort de Montfaucon ne se visite pas (zone militaire).

🥾 *40mn AR. Accès à pied à l'ancien bourg et aux ruines du château. Garez votre véhicule sur le parking près du terrain de sport et gagnez à gauche le chemin empierré interdit aux véhicules (sauf riverains).*

Dans un vallon pittoresque subsistent d'imposants vestiges rappelant l'histoire de Montfaucon. Le **château** fut élevé par la puissante famille de Montfaucon qui s'implanta près de Besançon au milieu du 11e s. Le **village fortifié** datant du 13e s. présente encore ses enceintes, son entrée fortifiée, son église, des caves voûtées, des citernes ; certaines maisons furent habitées jusqu'au 19e s.

Forêt de Chailluz et fort de la Dame blanche C1-2

▶ *10 km, puis 2h30 à pied AR. Quittez Besançon vers le nord par la N 57 ; à Valentin, tournez à droite en direction de Tallenay où vous laisserez votre voiture.*

🔦 Par un chemin pittoresque, on atteint le fort de la Dame blanche d'où se révèle un beau **panorama**★, au nord-ouest sur la vallée de l'Ognon et son affluent le Buthiers, au sud-est sur la vallée du Doubs et l'échine du Lomont.

Château de Vaire-le-Grand C2

▶ *11 km à l'est de Besançon par la D 683. 10 r. de Charmont - ☎ 06 81 87 41 38 - http://v.l.g.free.fr - ♿ - visite guidée sur demande préalable (1h) août : 10h-12h, 14h-18h ; juil. : w.-end et j. fériés 10h-12h, 14h-18h ; J. du patrimoine : dim. 10h-12h, 14h-18h - 8 € (-17 ans 4 €) - 5 € (-17 ans 2 €) jardin seul.*

Au cœur d'un beau parc qui descend en terrasses vers le Doubs, cet harmonieux château du 18e s. revient de loin. Après une longue période d'abandon, il est progressivement restauré et retrouve peu à peu son lustre d'antan.

Boussières C2

▶ *17 km au sud-ouest de Besançon par la D 683 et la D 104.*

Ce petit village de la vallée du Doubs, en aval de Besançon, est surtout connu pour son église, l'un des rares édifices romans conservés dans la région.

★ **Église St-Pierre** – Un avant-porche, construit en 1574, ouvre sur un superbe **clocher**★ (11e s.), l'un des plus beaux de la région. Celui-ci marie avec bonheur la rigueur du style roman et les vives couleurs de sa toiture comtoise. Déployé sur quatre étages, il est décoré de bandes lombardes dont les pilastres s'interrompent au 3e étage. Des ouvertures rompent l'uniformité de la composition.

★ Musée des Maisons comtoises à Nancray C2

▶ *15 km à l'est de Besançon, par la D 464 jusqu'à Nancray. Comptez une demi-journée pour la visite. R. du Musée - ☎ 03 81 55 29 77 - www.maisons-comtoises. org - juil.-août : 10h-19h ; mai-juin et sept. : 10h-18h30 ; avr. et oct.-nov. : tlj sf lun. 13h-18h, dim. et j. fériés 10h-18h - 9 € (-16 ans 5 €) - 25 € billet famille (2 adultes + 2 enf.) - animations, expositions - accès libre sur smartphone avec l'application Tim.*

👥 Le musée fait revivre la vie quotidienne des Comtois d'autrefois : visitez les fermes et maisons comtoises puis participez aux ateliers : fabrication d'enduits traditionnels, de savon ou de produits ménagers… Pour déjeuner, le restaurant (*tous les midis mai-sept., 22/25 €*) propose une cuisine maison à base de produits paysans. Les pelouses sont ouvertes aux pique-niques (♿ *p. 46*).

★ **Château de Moncley** (♿ *p. 58*)

😀 NOS ADRESSES À BESANÇON

TRANSPORTS

Train – Besançon a deux gares, celle de Viotte en centre-ville et celle de Besançon Franche-Comté TGV, située au nord de l'agglomération. Des navettes TER relient les deux gares. *SNCF - ☎ 36 35 (0,34 €/mn) - www. voyages-sncf.com et www.ter.sncf. com.*

Ginko Gare – *☎ 0 825 00 22 44 - www.ginkobus.com - 4,20 €* - sur demande, la veille de votre départ avant 18h, une navette vient vous chercher à la station Ginko de votre choix dans Besançon intra-muros et vous dépose à la gare au moins 10mn avant le départ du TGV. Fonctionne aussi le soir dans le sens gare TGV - Besançon. Service disponible pour les TGV partant avant 7h et arrivant après 19h.

Tramway – Deux lignes de tramway desservent la ville. La ligne 1 relie l'hôpital Jean-Minjoz à la commune de Chalezeule, à l'est de Besançon. La ligne 2 relie la gare Viotte au centre-ville. Ticket *(1h/1,40 €, 1 j/4,20 €)* en vente aux bornes des stations - *www.ginko.voyage.*

VéloCité – Le réseau bisontin de vélos en libre-service est réparti sur 30 stations. Vente de tickets aux bornes ou sur www.velocite. besancon.fr. Tickets valables 1 jour *(1 €)* ou 7 jours *(2 €)*. *Service clients : ☎ 01 30 79 28 88.*

VISITE

Bateau – Au niveau du pont de la République, 2 compagnies proposent des circuits dans la boucle du Doubs.

Bateau « Le Vauban » – *Pont de la République - ☎ 03 81 68 13 25 - www.bateau-besancon.fr - juil.-août : 10h15, 14h, 15h15 et 16h30 ; avr.-juin et sept.-oct. : horaires, se rens. - 12 € (-12 ans 9 €) - 18,50 € billet combiné avec le petit train de Besançon - croisières commentées (1h15) au dép. du pont de la République.* Découverte du site, franchissement de deux écluses, passage sous la citadelle en empruntant un canal souterrain.

Bateau « Le Battant » – *☎ 06 64 48 66 80 - www. vedettesdebesancon.com - juil.-août : 10h45, 14h, 15h15, 16h30 et 17h45 ; avr.-juin et sept.-oct. : 14h, 15h15 et 16h30 ; reste de l'année : sur demande - 12 € (-16 ans 9 €) - croisières (1h15) au dép. du pont de la République.* Visite commentée au cœur de la ville avec franchissement de deux écluses et passage sous la citadelle par le tunnel souterrain.

Doubs Plaisance – *Pont de la République - ☎ 03 81 81 75 35 - www.doubsplaisance.com - avr.-mai et oct. : w.-end et j. fériés 14h-19h ; juin-sept. : 10h-19h - 40 € (2h), 70 € la 1/2 j. bateau.* Location de bateaux électriques pour une croisière libre sur la boucle.

👥 Petit train – *☎ 03 81 68 13 25 - www.visitezbesancon.com - de mi-mai à mi-sept. : 10h-17h (sf 13h), dép. ttes les heures du parking Rivotte - 8,50 € (-12 ans 6,50 €) - 18,50 € billet combiné avec bateau « Le Vauban ».* Circuit commenté (45mn) dans le centre avec arrêts pl. du 8-Septembre et à la citadelle.

HÉBERGEMENT

BUDGET MOYEN

❹ La Maison de Verre – D1 - *26 r. Bersot - ☎ 03 81 81 82 27 - www.lamaisondeverre.com - 🅿 - 3 ch. 85 € 🛏.* La grande verrière d'atelier de l'usine automobile Schneider (fin 19e s.) a été transformée en chambres d'hôte design. Parking gratuit

1

(non négligeable dans cette rue piétonne du centre !). On apprécie le calme du lieu malgré l'animation du soir rue Bersot.

⑪ Hôtel Vauban – C1 - *9 quai Vauban - ✆ 03 81 82 02 08 - www. hotel-vauban.fr - 🛜 - 13 ch. 89/119 € - 🍴 11 €.* Un bel établissement situé en rive gauche du Doubs, dans le cœur de ville piétonnier. Des chambres thématiques avec vue sur la rivière et l'église de la Madeleine, ou sur la place de la Révolution. Parking municipal surveillé à 170 m *(1 € de 19h à 9h).*

⑤ Hôtel Le Sauvage – D2 - *6 r. du Chapitre - ✆ 03 81 82 00 21 - http://hotel-lesauvage.com - 🅿 - 24 ch. 99/290 € - 🍴 15 €.* Délicatesse, calme et sobriété : au pied de la citadelle, cet ancien couvent transformé en hôtel revêt un charme absolu. Le parquet d'origine a été conservé. Certaines chambres disposent d'une terrasse, d'autres d'une vue sur le jardin. La suite, dans l'ancienne chapelle, bénéficie d'une atmosphère toute particulière.

À proximité

PREMIER PRIX

Auberge du Château de Vaite – Hors plan - *17 Grande-Rue - 25360 Champlive - ✆ 03 81 55 20 66 - www.auberge-chateau-vaite.com - fermé mi-déc.-mi-janv. - 9 ch. 72 € - 🍴 9 € - 🍴 formule déj. 13 € - 26/42 €.* Cet hôtel, situé à 7 km du musée des Maisons comtoises, propose des chambres confortables et colorées. Dans une grande salle à manger, vous apprécierez une fine cuisine traditionnelle réalisée avec de bons produits locaux.

BUDGET MOYEN

La Malate – Hors plan - *48 chemin de la Malate - ✆ 03 81 82 15 16 - www.lamalate.fr - 🅿 🛜 - 5 ch. 69/139 € - 🍴 9 € - 🍴 formule déj. 16,90 € - 35 €.* On apprécie cet

établissement situé au bord du Doubs, au nord de Besançon. Chambres parfaitement décorées et toutes différentes.

② Chambre d'hôte La Retraite sentimentale – A1 - *39 ch. des Montboucons - à 5 km du centre de Besançon, par la N 57/E 23, sortie 56 - ✆ 03 81 40 57 98 - www. chambreshotesbesancon.com - 🅿 🛜 - 4 ch. 87/105 € 🍴.* Coup de cœur pour cette maison du début du 18e qui faisait partie du domaine des Montboucons, où Colette aimait séjourner. Dans le salon à la cheminée monumentale, nombreux livres, dont « La Retraite sentimentale » bien sûr. Billard, ping-pong, baby-foot, piscine : tout est à la disposition des hôtes.

RESTAURATION

PREMIER PRIX

② Le Petit Atelier – D1 - *20 r. François-Louis Bersot - ✆ 03 81 21 97 49 - www.lepetitatelier-restaurant.fr - fermé dim., lun., mar. soir, merc. soir - suggestion du jour 10/12 €, plats 15,90/20 €.* Ce restaurant qui affiche souvent complet propose cinq plats au choix à l'ardoise. Cuisine aux multiples influences teintée de fusion, à base de produits locaux et bio ou en agriculture raisonnée.

⑧ L'Affineur Comtois – C1 - *82-84 r. Battant - ✆ 03 81 61 47 29 - www.restaurant-laffineurcomtois. fr - tlj sf sam. midi et dim. - formule déj. 12/16 € - plats 15/25 €.* Dans un cadre montagnard, ce restaurant propose des spécialités fromagères. Commandez une « assiette de l'affineur » et vous irez vous-même à la cave choisir votre assortiment de fromages et votre vin. Un bémol : le rapport qualité/prix pourrait être meilleur.

BUDGET MOYEN

㉗ La Pension – D1 - *20 r. Bersot - ✆ 03 81 53 15 04 - fermé* *lun. soir et dim. - plat du jour 12 €, 23/42 €.* Les plats, qui changent quotidiennement, sont préparés avec de bons produits de saison. Ambiance chaleureuse et assiette goûteuse. Carte des vins très fournie. Salle sous verrière et cour intérieure très agréable.

③ Restaurant 1802 – D1 - *2 r. de Lacore, place Granvelle - ☎ 03 81 82 21 97 - www. restaurant-1802.fr - tlj 12h-14h, 19h-22h - formule déj. 19 €, menu 31 €.* Une valeur sûre que cette brasserie disposant d'une terrasse sur la charmante place Granvelle.

⑥ Bistrot La Charrette – C1 - *11 r. Jean-Petit - ☎ 03 81 81 28 01 - www.restaurantlacharrette.com - fermé dim. et lun., 1 sem. en janv. et 2 sem. en août - formule déj. 14,50/18 € - 29/40 €.* Quai Vauban, à deux pas du marché des Beaux-Arts, dans une belle salle aux poutres apparentes, ce restaurant propose une cuisine classique et soignée. Service impeccable.

㉕ Le Manège – D2 - *2 fbg Rivotte - ☎ 03 81 48 01 48 - www. restaurantlemanege.com - tlj sf lun., sam. midi, dim. soir - formule déj. 15,50/18 € - 32/48 €.* Une vraie bonne table que cet ancien manège militaire situé au pied de la citadelle ! Une valeur sûre à la cuisine délicate, étayée par un chef amoureux des bons produits.

㉒ Le Poker d'As – D1 - *14 square St-Amour - ☎ 03 81 81 42 49 - www.restaurant-lepokerdas.fr - fermé 4 sem. en juil.-août, vac. de Noël, dim. et lun. - formule déj. 18,90 € - 24,50/45 €.* Une affaire 100 % familiale : le jeune chef mitonne des plats traditionnels et régionaux dans une salle agreste ornée de sculptures en bois réalisées par son grand-père.

POUR SE FAIRE PLAISIR

㉖ Le Saint-Pierre – C1 - *104 r. Battant - ☎ 03 81 81 20 99 - www. restaurant-saintpierre.com - fermé*

sam. midi, dim., dernière sem. de juil., 1-15 août, vac. de Noël, vac. de Pâques et j. fériés - 44/78 €. Une cuisine gastronomique qui met à l'honneur le poisson et les produits frais. Beaucoup de finesse rehaussée d'une pointe d'originalité ; cadre élégant.

À proximité

BUDGET MOYEN

L'Horlogerie – Hors plan - *4 r. des Sources - 25170 Champvans-les-Moulins - ☎ 03 81 59 90 57 - 🅿 - tlj sf mar. soir., merc. soir, dim. soir et lun. - 24/39 €.* Cuisine fraîche et raffinée. Terrasse très agréable le midi, intérieur cosy.

PETITE PAUSE

Brasserie du Commerce – *31 r. des Granges - ☎ 03 81 81 33 11 - www.brasserie-du-commerce. com - 9h-0h (11h45-14h30, 18h45-22h pr les repas) - fermé 25 déc. et 1er - janv. - plat du jour 9,50 € - menu 26 €.* Fondée en 1873, cette brasserie a conservé sa décoration d'origine qui lui vaut le statut d'institution.

Café Bohême – *40 r. François-Louis-Bersot - ☎ 03 81 59 92 31 - lun.-sam. 11h45-1h - tapas 6/26 €.* Dans ce café à l'ambiance décontractée chic, on goûte les vins de la région tout en grignotant d'excellentes tapas.

Bêtises et Volup'Thé – *79 r. des Granges - ☎ 03 81 50 83 45 - mar.-sam. 12h-22h.* Ce salon de thé cosy propose une belle carte de douceurs pour l'heure du thé (assiette dégustation de desserts) mais aussi des plats simples pour le déjeuner ou le dîner.

ACHATS

Baud – *4 Grande-Rue - ☎ 03 81 81 20 12 - www.baudbesancon.com - tlj sf lun. 8h-19h30, dim. 8h-13h,* *j. fériés 8h-13h - salon de thé : tlj sf dim. et lun. 8h-18h30.* Le succès de cette institution est à la mesure des pâtisseries et chocolats qu'elle propose. « La » spécialité est sans conteste le Frou-Frou (mousse au chocolat au lait, noisettes caramélisées et mousse au caramel au chocolat croustillant).

Doubs Direct – *6 r. Pasteur - ☎ 03 81 50 55 91 - www.doubs-direct.fr - lun.-sam. 9h-19h.* Cette boutique propose une sélection complète de produits régionaux, des fromages à l'absinthe en passant par les jouets en bois. Petite restauration possible aux beaux jours sur la terrasse.

Maison Barthod – *22 r. Bersot - ☎ 03 81 82 27 14 - www.barthod.fr - lun. 14h-19h, mar.-sam. 9h-12h, 14h-19h - formule déj. 17 € - 26/40 €.* Véritable institution, cette cave à vin compte plus de 2 000 références de toutes régions confondues. Le vendredi soir, apéro sur les tonneaux autour de la sélection du moment et d'une assiette de fromages ou une terrine locale.

Le Vin et l'Assiette – *97 r. Battant - ☎ 03 81 81 44 18 - fermé 1 sem. en fév., 1er -8 Mai, 2 premières sem. d'août, 1 sem. en nov. - mar.-sam. 9h15-22h.* Ce bâtiment du 15e s., au cœur du vieux Besançon, renferme 300 références de vins français dont une trentaine de crus du Jura. Les dégustations se déroulent dans la cave ou au restaurant, où la cuisine est accompagnée d'un vin servi au verre et à l'aveugle.

Marché des Beaux-Arts – *2 r. Goudimel - tlj sf lun. 7h-19h, dim. 8h-13h.* Ce marché couvert réunit toutes les spécialités locales.

Utinam – *117 Grande-Rue - ☎ 03 81 61 39 25 - www.utinam.fr - lun. 14h-18h, mar.-sam. 10h-12h30, 14h-19h.* Face au musée du Temps, cette horlogerie contemporaine

imaginée par Philippe Lebru réinvente l'horloge comtoise.

EN SOIRÉE

La Rodia – *4 av. de Chardonnet - ☎ 03 81 87 86 00 - www.larodia.com - ♿ - billeterie : mar.-vend. 13h30-17h - fermé 22 déc.-9 janv. Salles de concerts et bar : soirs de concerts sem. 19h30-1h, w.-end 19h30-2h.* Balcon sur le Doubs et la citadelle illuminée, cette scène bisontine est bâtie sur pilotis à l'emplacement de l'ancien site industriel de Rhodia. Deux temps forts marquent la saison : le festival Détonation (fin sept.) et le festival Génériq (mi-fév.).

Le Théâtre Ledoux – *49 r. Mégevand - ☎ 03 81 87 81 97 - www.lesdeuxscenes.fr - mar.-vend. 10h-18h.* Depuis 1784, on se presse dans ce théâtre historique dessiné par Ledoux pour des concerts, opéras ou spectacles de théâtre et de danse. Si la façade a conservé son air de temple antique, la salle d'origine a été détruite par un incendie en 1958.

AGENDA

Festival de Besançon/Montfaucon – *Mai - ☎ 03 81 83 48 91 - www.festivaldemontfaucon.com.* Musique classique.

Bien urbain – *Juin-juil. - http://bien-urbain.fr.* Parcours artistique pour découvrir les œuvres créées sur les murs de la ville par des artistes internationaux invités par l'association Juste Ici.

Festival international de musique de Besançon Franche-Comté – *2e quinz. de sept. - ☎ 03 81 25 05 85 - www.festival-besancon.com.*

Livres dans la Boucle – *3e w.-end de sept. - ☎ 03 81 25 80 39 - www.livresdanslaboucle.fr*

Baume-les-Dames

5 241 Baumois – Doubs (25)

Au confluent du Doubs et du Cusancin, Baume-les-Dames doit son nom à sa célèbre abbaye bénédictine, fondée entre le 4ᵉ et le 7ᵉ s., qui assura longtemps la prospérité de la ville. Relativement préservé des destructions de la guerre de 1939-1945, le cœur historique a bénéficié d'importantes campagnes de restauration.

NOS ADRESSES PAGE 56
Hébergement, restauration, achats, activités, etc.

S'INFORMER
Office du tourisme de Baume-les-Dames et du pays baumois – *Pl. de la République - 25110 Baume-les-Dames -* ℘ *03 81 84 27 98 - www. ot-paysbaumois.fr - juil.-août : 9h-12h30, 13h30-18h, dim. et j. fériés 10h-13h ; mai-juin et sept. : tlj sf dim. 9h-12h30, 14h-18h, j. fériés 10h-13h ; avr. et oct. : tlj sf dim. et j. fériés 9h-12h30, 14h-17h ; reste de l'année : se rens. - fermé 1ᵉʳ Mai. L'office du tourisme organise des visites guidées du cœur historique de la ville, se rens. pour connaître les horaires et les tarifs.*

SE REPÉRER
Carte de microrégion D1 (p. 30). Desservie par l'A 36, Baume-les-Dames se situe au carrefour des D 683 et D 50, à environ 30 km à l'est de Besançon et 23 km au sud de Villersexel.

À NE PAS MANQUER
Le cœur historique de Baume-les-Dames, avec ses maisons du 18ᵉ s., l'église St-Martin (superbe mobilier liturgique) et l'abbaye rénovée ; la vue sur le site de Baume-les-Dames depuis la Fente de Babre ; la source Bleue.

ORGANISER SON TEMPS
Comptez environ 2h pour découvrir la ville, puis une demi-journée pour parcourir ses alentours. Les nombreuses randonnées pédestres et VTT au départ de Baume-les-Dames méritent un séjour de quelques jours.

AVEC LES ENFANTS
La grotte de la Glacière, véritable phénomène géologique ; le parc de loisirs Les Campaines à Accolans ; la base nautique du Lonot sur les bords du Doubs.

Se promener

Église abbatiale
Accès sous une voûte depuis la place du Gén.-de-Gaulle. Pl. de l'Abbaye - entrée libre en été uniquement durant les expositions - possibilité de visite guidée (2h) dans le cadre de la visite du cœur historique de la ville, se rens. auprès de l'office de tourisme au ℘ *03 81 84 27 98.*

LES DAMES DE BAUME

Anciennement **Baume-les-Nonnes**, la ville fut rebaptisée Baume-les-Dames à la Révolution. Comme Baume-les-Messieurs, elle hérite son nom du mot celtique qui signifie « grotte », et d'une abbaye de bénédictines. Au 18ᵉ s., les **chanoinesses** de Baume-les-Dames représentaient la fleur de l'aristocratie : elles devaient témoigner, pour être admises, de seize quartiers de noblesse.

> **SAINTE ODILE : UN MIRACLE À L'ABBAYE**
> Au 7e s., **sainte Odile**, aveugle de naissance, chassée par son père le duc d'Alsace, fut confiée à l'âge de 2 ans à l'abbesse de Baume-les-Dames. Baptisée à 13 ans, elle recouvra aussitôt la vue et fonda, à 20 ans, l'abbaye du Mont-Ste-Odile, en Alsace.

La célèbre abbaye de Baume-les-Dames eut un destin plutôt tourmenté. Fondée à l'emplacement d'un château, elle fut deux fois reconstruite, et le dernier projet débuté en 1738, beaucoup trop ambitieux, fut un gouffre financier et ne put aboutir. En 1760 fut élevée la façade qui ne devait alors être que provisoire. La Révolution empêcha la reprise des travaux et l'église abbatiale resta inachevée. Une partie de sa décoration intérieure fut dispersée sous l'Empire. Ce qui en restait a été transféré dans l'église St-Martin.

Église St-Martin

Le mobilier de cet édifice, reconstruit au début du 17e s., donne une idée de la magnificence de l'ancienne abbaye : les deux chapelles du chœur sont ornées de retables Louis XIII à colonnes torses, celle de droite, vouée à la Vierge, renferme une Pietà en pierre polychrome de 1549, celle de gauche abrite deux statues : l'une de sainte Barbe (16e s.), l'autre de saint Vincent, patron des vignerons (1783), et la réplique en argent du **reliquaire de saint Germain**, détruit à la Révolution. Le chœur accueille un **lutrin**★ en marbre, bronze et fer forgé (1751) dû à Nicole, l'architecte de l'abbatiale. Dans la nef, remarquez la chaire de style Louis XIV, le tableau rénové de l'Assomption (1662), les représentations des 12 apôtres dans le haut de la nef (18e s.) et un superbe **crucifix**★ en bois (vers 1630). Les fonts baptismaux, signés P. Asselineau, apportent une touche de contemporanéité à cette belle collection.

À droite de l'église, la place de la République est bordée de belles maisons du 18e s. Un peu plus loin, une **maison Renaissance**, avec son élégante porte et sa tourelle en encorbellement, orne l'angle des places du Général-de-Gaulle et de la Loi.

Hôtel particulier des Sires de Neufchâtel

Pl. du Gén.-de-Gaulle - ℘ 03 81 84 27 98 - www.ot-paysbaumois.fr - visite guidée (45mn) juil.-août : 15h, 16h et 17h - fermé mar. et j. fériés - 3 € (-18 ans gratuit).

Une association de bénévoles s'est constituée pour sauver et faire vivre ce beau bâtiment du 15e s., construit sur des caves voûtées des 12e et 15e s. Des mises en scène évoquent la vie des seigneurs et des paysans, du Moyen Âge au début du 20e s.

Chapelle du St-Sépulcre

De l'autre côté de la ligne de chemin de fer. R. des Saints - ℘ 03 81 84 27 98 - www.ot-paysbaumois.fr - ♿ - visite guidée (2h) uniquement dans le cadre de la visite du cœur historique de la ville - 4 € (-12 ans gratuit).

Bâtie en 1540 dans le cimetière pour accueillir les pestiférés, elle abrite une étonnante **statue de sainte Acombe** en Vierge barbue crucifiée : jeune fille chrétienne poursuivie par les avances du fils d'un roi païen, elle aurait prié pour devenir laide, le prétendant éconduit se serait vengé en la crucifiant. Impressionnante mise au tombeau du 16e s. avec huit personnages sculptés en pierre polychrome.

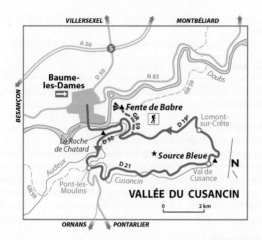

Site Carrier

Rte de Rougemont - ☎ 03 81 84 27 98 - www.ot-paysbaumois.fr - accès libre - possibilité de visite guidée, se rens. à l'office de tourisme - livret d'interprétation en vente à l'office de tourisme (1 €).

Les carrières étaient exploitées aux 16ᵉ et 17ᵉ s. Promenade entre les vestiges des bâtiments et équipements d'exploitation dans un grand site boisé.

Circuits conseillés

VALLÉE DU CUSANCIN Carte ci-dessus

◐ *Circuit de 25 km tracé sur la carte de la vallée du Cusancin – Comptez 3h30. Quittez Baume-les-Dames par la D 50, vers le sud. À Pont-les-Moulins, prenez à gauche la D 21.*

Une route pittoresque parcourt la fraîche vallée du Cusancin dans un agréable décor champêtre jusqu'aux sources de la rivière, à Val de Cusance.

★ Source Bleue

Là naît le Cusancin : à gauche, la source Bleue, paisible étendue d'eau, entourée de bois ; à droite, la source Noire, issue d'une grotte au pied d'une falaise calcaire.

Prenez l'étroite route en montée jusqu'à Lomont-sur-Crête, puis à gauche la D 19ᴱ. Après le 2ᵉ embranchement vers Villers-St-Martin, suivez à droite la route forestière du bois de Babre, puis le sentier menant à la Fente de Babre et au sommet de la falaise.

Fente de Babre

🥾 *1h15 à pied AR.* Un agréable chemin parmi les chênes conduit à la Fente de Babre, constituée par une cassure de terrain ou « diaclase ». De cette arête rocheuse qui domine la rive gauche du Doubs, on découvre une **vue★** sur

> **LE DOUBS À TOUTE VAPEUR**
> Le physicien **Jouffroy d'Abbans** (1751-1832) expérimenta, à Baume-les-Dames, pour la première fois un bateau à vapeur en 1778. Un monument, élevé près du pont du Doubs commémore l'événement.

Pont-les-Moulins et le vallon de l'Audeux, la roche de Chatard et le site de Baume-les-Dames.

Revenez sur la D 19ᴱ, que vous prenez à droite vers Baume-les-Dames.

AUTOUR DE L'AUDEUX Carte de microrégion p. 30

◑ *Circuit d'environ 60 km tracé en marron sur la carte de microrégion. Suivez la D 50 vers le sud jusqu'à Orsans. Après le village, prenez la 1ʳᵉ à droite.*

Église de Leugney D2

Visite sur demande auprès de la mairie au ☎ 09 72 34 26 87.

Bordée d'un cimetière engazonné, elle est couronnée par un clocher-porche du 12ᵉ s. Elle abrite une rare **Vierge ouvrante** (16ᵉ s.) en bois qui, ouverte, dévoile en son sein Dieu le Père tenant devant ses mains le Christ crucifié et survolé par la colombe de l'Esprit. Notez aussi la **Vierge au miroir** et l'étonnante porte latérale, dans laquelle sont insérés des morceaux d'outils agricoles.

Revenez vers Orsans et prenez à gauche la D 120, puis la D 421 vers Gonsans.

Grotte de la Glacière D2

2 r. de la Glacière - ☎ 03 81 60 44 26 - www.franchecomte-evasion.com - visite guidée (1h) juil.-août : 10h-18h ; mar.-juin et de déb. sept. à mi-nov. : 11h-17h - 7 € (-10 ans 5 €).

👥 Cette **grotte** à ciel ouvert, dans laquelle se diffuse une lumière tamisée, s'ouvre en pleine forêt. Située à 525 m d'altitude, elle a une profondeur de 66 m et sa voûte est haute d'une trentaine de mètres. La surexploitation de cette ancienne mine de glace par les moines de l'abbaye voisine, puis une fréquentation touristique excessive, ont fini par déstabiliser le phénomène de congélation naturelle. Désormais, la visite est axée sur le récif corallien et les fossiles de dinosaures. La température descendant à 2 °C, il est fortement conseillé de prévoir un vêtement chaud.

À l'entrée de la grotte, la **Maison des minéraux** (☎ 03 81 60 44 26 - www.franchecomte-evasion.com - juil.-août : 9h-19h ; mar.-juin et de déb. sept. à mi-nov. : 11h-17h - ouv. en fonction des conditions météorologiques - 6 € (-5 ans 3,50 €) abrite une importante collection de minéraux de provenances très diverses (vanadinite du Maroc, wulfénite du Mexique, etc.).

En continuant vers Gonsans, vous pouvez profiter d'un joli point de vue sur la droite avant le village. Revenez ensuite sur vos pas jusqu'à la D 120, que vous prenez à gauche afin de suivre la vallée. Puis suivez à droite la D 492, qui rejoint la D 50 vers Baume-les-Dames.

😊 NOS ADRESSES À BAUME-LES-DAMES

HÉBERGEMENT

PREMIER PRIX

Chambre d'hôte Mme Bered Vuillemin – *5 r. de Champvans - ☎ 03 81 84 29 99 - www.gites-champsdudoubs.fr - 🅿 🛜 - 4 ch. - 80 € 🍽.* Aménagées dans une ferme rénovée, les chambres sont décorées avec goût dans un esprit brocante. Pause idéale pour les cyclistes à deux coups de pédale de l'Eurovéloroute 6 dans la vallée du Doubs. Accueil chaleureux, spa installé sur la terrasse, prêt de vélos, paniers repas : rien ne manque pour réussir votre séjour.

À proximité

PREMIER PRIX

Auberge Chez Soi – *29 r. du Rechandet - 25640 Ougney - Douvot* *(à 11 km au SO de Baume-les-Dames par la D 683)* - ☏ *03 81 55 57 05* - *www.chez-soi-france.com* - ⌷ **P** 🛜 - *5 ch. 78 €* ⌷ - *table d'hôte 23 €.* Longeant le Doubs, le chemin s'arrête à cette ancienne ferme viticole du 18ᵉ s. Chambres colorées avec vue sur la rivière et un gîte pour 2 pers. Tables dressées sous les arbres, au bord de l'eau, pour les repas d'été ou le copieux petit-déjeuner « à la hollandaise ».

RESTAURATION

BUDGET MOYEN

Hostellerie du Château d'As – *24 r. Château-Gaillard* - ☏ *03 81 84 00 66* - *www.chateau-das.com* - **P** 🛜 - *fermé vac. de Toussaint (3 sem.) et de fév., dim. soir-mar. midi - formule déj. 22 € - 32/78 € - ch. 85/129 € -* ⌷ *12/14 € - 1/2 P. 93/120 €/pers.* Cette grande villa des années 1930 cultive une atmosphère d'antan. Élégante et lumineuse salle à manger (superbe lustre en nacre), cuisine actuelle. Chambres spacieuses. Cours de cuisine et spa.

À proximité

BUDGET MOYEN

Auberge des Moulins – *2 r. de Pontarlier - 25110 Pont-les-Moulins* - ☏ *03 81 84 09 99* - *www.auberge-des-moulins.fr* - **P** 🛜 - *fermé entre Noël et Nouvel An, vend. et sam. midi - formule déj. 18 € - 18/44 € - 11 ch. 67/77 € -* ⌷ *9 €.* Dans la vallée du Cusancin, un restaurant confortable et soigné, où l'on sert une cuisine gastronomique revisitée. Également des chambres à la fois rustiques et raffinées. Accueil sympathique.

ACHATS

Pâtisserie Anthony Bertin – *17 r. Félix-Bougeot* - ☏ *03 81 84 01 71* - *mar.-sam. 8h30-12h30, 14h30-19h - dim. 8h-12h.* Spécialité : les choucots de noisette.

Pâtisserie Boillot – *4 av. de Verdun* - ☏ *03 81 84 14 17* - *mar.-sam. 6h30-19h.* Pâtisserie, confiserie et salon de thé.

Pâtisserie Thiebaud – *8 pl. St-Martin* - ☏ *03 81 84 10 78 - tlj sf lun. 7h-12h15, 14h-19h, dim. 15h-18h.* À découvrir : craquelins, craquants et pâtes de coing.

ACTIVITÉS

Cyclotourisme – Une passerelle relie l'Eurovéloroute 6 (🚲 *p. 495*) au centre-ville de Baume.

Affiche Moilkan – *5 r. Barbier* - ☏ *06 95 04 63 69 - fermé dim.* Poussez la porte de cet atelier de typographie qui produit des affiches en série limitée. C'est également un lieu d'exposition et d'initiation à la typographie et à la gravure.

À proximité

Les Campaines – *25250 Accolans* - ☏ *03 81 96 39 08 - www.lescampaines.com - avr.-sept. 11h-18h sauf juil.-août 11h-19h - 14 €.* Vaste parc de loisirs avec jeux de plein air, toboggans, trampolines et parcours dans les arbres. Les animations ponctuelles sont comprises dans le billet d'entrée : spectacle, conte musical, body boost…

Base nautique du Lonot – Aménagée sur les bords du Doubs. Ski-nautique, jet-ski ou wakeboard.

1

Château de Moncley

Doubs (25)

Rare et bel exemple d'architecture néoclassique en France et surtout en Franche-Comté, le château de Moncley séduit d'abord par la courbe enveloppante de sa façade. Sa majestueuse rotonde et la riche décoration intérieure en font un chef-d'œuvre de l'architecture comtoise.

😊 NOS ADRESSES PAGE 60
Hébergement, restauration, achats, activités, etc.

🖪 S'INFORMER
Offices du tourisme de Besançon – *Voir p. 32.*

▶ SE REPÉRER
Carte de microrégion C2 (p. 30).
À 14 km au nord-ouest de Besançon, par la D 70, puis la D 8 vers Émagny et enfin la D 14. Le château s'élève un peu à l'écart du village.

😶 À NE PAS MANQUER
Le château, sa façade à rotonde et son mobilier de style Louis XVI ; le village de Marnay et son château féodal, demeure de Louis XIV ; l'imposante église de Voray-sur-l'Ognon.

🕐 ORGANISER SON TEMPS
Comptez 2h pour la visite du château, et une demi-journée si vous poursuivez par la visite des villages alentour.

Visiter

Rte de Moncley - 📞 03 81 58 04 20 - www.chateaudemoncley.fr - horaires, se rens. à l'office du tourisme de Besançon au 📞 03 81 80 92 55 - possibilité de visite guidée sur demande (1h30) - 6 € (-18 ans 4 €).
Dominant la vallée de l'Ognon, le château de Moncley fut construit en 1778 par l'architecte Alexandre Bertrand pour **François Félix Bertrand Terrier de Santans**, président du parlement de Besançon, à l'emplacement d'un château féodal. La façade sur le jardin s'orne d'une rotonde coiffée d'une

Le château de Moncley offre un exemple d'architecture néoclassique du 18ᵉ s.
Besançon Tourisme et Congrès

coupole. À l'intérieur, le vestibule ne manque pas d'intérêt. Douze colonnes à chapiteaux corinthiens soutiennent noblement une tribune à balustrades à laquelle on accède par un escalier majestueux, à double révolution. Au premier étage, on peut admirer des tableaux de famille et du mobilier Louis XVI ainsi que des trophées de chasse et des animaux naturalisés de toutes sortes.

À proximité Carte de microrégion p. 30

Étuz C1
▶ *6 km au nord-est, sur la D 15.*
Cette petite localité est agrémentée d'un double **temple-lavoir** néo-antique (1845) encadrant un bassin, supporté par de très belles colonnes ioniques. La **chapelle Ste-Anne**, construite au 16ᵉ s., abrite un retable (14ᵉ s.), en pierre et en albâtre, qui représente la vie de la sainte.

Boult C1
▶ *7 km au nord-est d'étuz, par la D 15.*
Protégée par une haute tour-clocher, l'**église** *(9h-18h)* abrite un retable malheureusement repeint dans les années 1960, mais dont les détails du tabernacle, de la représentation de l'Arche d'alliance et la beauté du mouvement du Père éternel valent d'être mentionnés.
En contrebas, la **fontaine** en arc de cercle, avec fronton et colonnes, date de 1819.

Voray-sur-l'Ognon C1
▶ *13 km au nord-est, par la D 14 jusqu'à Devecey, puis à gauche. Depuis Boult, 5 km au sud par la D 33.*
Ce modeste village possède une **église** aux proportions imposantes. Reconstruite en 1770 en forme de croix grecque, elle est considérée comme l'un des chefs-d'œuvre de l'architecte Nicolas Nicole. L'intérieur est surprenant de grandeur sobre et massive. La coupole qui surmonte la croisée du transept est décorée en trompe l'œil et soutenue par des piliers à chapiteaux doriques. Dans le chœur, tableau du peintre comtois M. Wyrsch représentant l'Assomption (1780).

Marnay B2
▶ *11 km au sud-ouest, sur la D 15.*
Baigné par l'Ognon, Marnay est dominé par son château féodal. Très remanié, il aurait abrité le roi Louis XIV en 1674, lors de la conquête de la Franche-Comté.

On peut encore voir les murs d'enceinte, la tour carrée, la porte du pont-levis. Près de la place principale, bordée de quelques façades des 15e et 16e s., s'élève l'ancien **hôtel Terrier de Santans** (mairie). C'est une élégante demeure Renaissance dont la façade est percée de belles fenêtres à meneaux. Un plan d'eau de 20 ha fait le bonheur de tous ceux qui recherchent un peu de fraîcheur en été.

😊 NOS ADRESSES PRÈS DU CHÂTEAU DE MONCLEY

👣 Voir aussi nos adresses à Besançon *(p. 49)*, Gray *(p. 127)* et Gy *(p. 130)*.

HÉBERGEMENT

PREMIER PRIX

Chambre d'hôte Les Pétunias – *19 Grande-Rue - 70150 Hugier - à 17 km à l'O par la D 15, la D 67 puis la D 228 -* 📞 *03 84 31 58 30 - www. lespetunias.fr -* 🚭 🅿 🛏 🛜 *- réserv. obligatoire - 4 ch. 70 € 🍽 -* 🍴 *table d'hôte 25 € bc.* Cette imposante ferme du 18e s. couverte de vigne vierge se trouve dans la basse vallée de l'Ognon. Chambres confortables et soignées, garnies de meubles de famille. Belle véranda, jardin avec barbecue et agréable piscine.

POUR SE FAIRE PLAISIR

Chambre d'hôte La Ferme à l'Armure – *20 r. des Fontaines - 25115 Pouilly-les-Vignes - à 7 km au S par la D 8 -* 📞 *06 37 55 16 50 - www.lafermealarmure. com -* 🅿 🛜 *- réserv. obligatoire - 2 ch. 115/155 € 🍽 - table d'hôte 28 € - 1/2 P. 135/239 €.* Coquettes et douillettes sont la chambre décorée dans un style montagnard raffiné et la suite avec alcôve ! Cette ferme harmonieusement restaurée conjugue avec goût les vieilles pierres et le bois.

Hôtel Château de la Dame Blanche – *1 chemin de la Goulotte - 25870 Geneuille -* 📞 *03 81 57 64 64 - www.chateau-de-la-dame-blanche.fr -* 🅿 ♿ 🛜 *- 24 ch. 109/199 € - 🍽 15 € -* 🍴 *fermé du sam. midi au lun. midi - formule déj. 30 € - 48/140 €.* Grande demeure bourgeoise et élégantes chambres personnalisées, au cœur d'un parc à l'anglaise. Aménagements plus simples et récents dans l'annexe. Des cabanes dans les arbres accueillent les nostalgiques de l'enfance ; originale, la suite Bubble comprend une chambre et une baignoire balnéo, pour passer une nuit insolite. Cuisine classique à déguster sous les plafonds moulurés et les lustres en cristal des plaisantes salles à manger.

RESTAURATION

BUDGET MOYEN

La Vieille Auberge – *1 Grande-Rue - 25870 Cussey-sur-l'Ognon -* 📞 *03 81 48 51 70 - fermé 3 sem. fin août-début sept., 2 sem. fin déc.-début janv., dim. soir et lun. - 15/38 €.* Maison ancienne en pierre de taille tapissée de lierre. Cuisine traditionnelle et plats régionaux proposés dans une salle à manger discrètement rustique.

Pesmes

1 096 Pesmois – Haute-Saône (70)

Petite cité comtoise de caractère, Pesmes compte parmi les plus beaux villages de France. La jolie localité veille du haut de ses remparts sur le cours de l'Ognon. Groupé dès le Moyen Âge autour de son château, le village n'a pas cessé de susciter la convoitise : il fut tour à tour franc, germain, bourguignon et même espagnol… avant de devenir français sous Louis XIV. Quelques vestiges de fortifications enserrent le labyrinthe de ses ruelles fleuries, bordées de façades à niches, statuettes et fenêtres à meneaux.

😊 NOS ADRESSES PAGE 63
Hébergement, restauration, achats, activités, etc.

🛈 S'INFORMER

Office du tourisme du Val de Pesmes – *11 Grande-Rue - 70140 Pesmes -* 📞 *09 50 17 09 00 - www.tourisme-valdegray.com - mai-sept. : 9h-12h, 13h30-18h ; reste de l'année : tlj sf sam. et lun. 9h-12h, 13h30-17h30 - fermé dim. et j. fériés.*

▶ SE REPÉRER

Carte de microrégion B2 (p. 30). À la frontière du Jura et de la Haute-Saône, Pesmes se situe à 19 km au sud de Gray et à 22 km au nord de Dole, par la D 475.

🅿 SE GARER

Pour découvrir Pesmes, garez-vous sur le parking des Promenades, non loin de l'office de tourisme.

👁 À NE PAS MANQUER

L'église St-Hilaire et ses chapelles richement décorées, portant les noms de notables de la ville ; les différents châteaux, témoignages de la splendeur passée du bourg ; le centre-ville et ses maisons anciennes, avec tourelles d'escalier et bancs d'échoppe.

🕐 ORGANISER SON TEMPS

Consacrez 2h à la découverte de la ville. Et si vous êtes à Pesmes fin juillet, n'oubliez pas de faire un détour par la fête champêtre de l'Ognon ; sur l'île de la Sauvageonne, cette fête mêle jeux, repas traditionnel et détente.

Se promener

Prenez la rue du Prieuré puis celle du Donjon et remarquez les tourelles d'escalier ainsi que les bancs d'échoppe qui signalent des maisons anciennes. *Prenez à gauche pour rejoindre l'esplanade du château.*

Châteaux

Le premier château que vous rencontrerez est celui de Pesmes. Construit au 10ᵉ s. sur les flancs d'une falaise dominant l'Ognon, il accueillit au cours des siècles de grandes personnalités comme Henri IV et Louis XIV. Détruit à plusieurs reprises durant les guerres au Moyen Âge, le château fut maintes fois remanié. Il ne reste guère aujourd'hui que la salle des gardes des 14ᵉ s. et 15ᵉ s., dotée d'un dallage en pierre de Sampans du 17ᵉ s., et les écuries (18ᵉ s.). Le Grand Pavillon, partie principale de l'édifice, fut malheureusement détruit durant la Révolution.

Traversez la terrasse du château pour apprécier la vue, descendez par les escaliers du Château et remontez par ceux de la Roche. Continuez votre chemin

---

LA PAUME OU LES PIRES ?

Aucune certitude sur l'origine du nom, mais la ville semble avoir tranché en prenant un palme (unité de mesure égale à environ la largeur d'une main) comme emblème ; d'autres y voient une évolution de *Pessimi*, les pires, alors que les voisins de Malans seraient les *Mali*, les mauvais !

---

par la charmante rue des Châteaux : à gauche, l'**hôtel Mairot** (portail du 16e s.), l'**hôtel de Grignet** (tour gothique) et l'**hôtel Mouchet de Châteaurouillaud** (15e-16e s.) laissent deviner ce que fut jadis la richesse du bourg.

Prenez, au bout de la rue à droite, la rue de Granvelle et remarquez, à l'angle de la place de l'église, la bâtisse malheureusement en mauvais état qui fut construite par Antoine de Granvelle (🕮 p. 38).

Église St-Hilaire

Ouverte toute l'année, porte d'entrée sur le côté.

Du 12e s., elle a conservé le portail roman, quelques éléments du clocher, les murs du chœur, éclairé par deux grandes baies flamboyantes et la chapelle du Sacré-Cœur. Parmi celles souvent dédiées aux notables pesmois, ne manquez pas la **chapelle d'Andelot★**, édifiée vers 1560 par Pierre d'Andelot, abbé de Bellevaux. Marbres noirs et rouges et pierre rouge de Sampans lui confèrent beaucoup de majesté. Le retable est orné de niches renfermant trois statues en marbre de Poligny, et surmonté d'une belle Vierge au manteau. La chaire à prêcher (16e s.), en marbre noir et pierre de Sampans, est une réplique de celles de Dole et d'Auxonne. Dans la **Grande Chapelle** (ou chapelle de la Vierge), on remarque une Vierge à l'Enfant du 15e s. en albâtre et une sainte Catherine du 16e s. en pierre tendre, toutes deux de l'école bourguignonne. Dans le chœur, triptyque peint sur bois de 1560, dû à Jacques Prévost, artiste pesmois élève de Raphaël.

Descendez par la rue Ste-Catherine pour apprécier le charme de l'alignement des maisonnettes, jusqu'à la **porte Loigerot** (16e s.), l'une des deux seules restantes sur les six portes connues de Pesmes.

Reprenez la rue Granvelle et tournez à droite pour gagner la Grande-Rue et ses bâtis de caractère avant de rejoindre la place des Promenades.

À proximité Carte de microrégion p. 30

Abbaye d'Acey B2

▶ *10 km à l'est de Pesmes, par Malans et Brésilley. Aucune route ne suit de près la vallée, mais l'accès par Vitreux et la D 459 est fort agréable.*

📞 03 84 81 04 11 - http://acey.eglisejura.com - ♿ - gratuit.

Fondée en 1136, l'abbaye Notre-Dame d'Acey reste, en Franche-Comté, le seul monastère cistercien qui soit, aujourd'hui encore, occupé par des moines. Ces derniers forment une communauté trappiste de 22 membres.

★ **Église** – Il s'agit de la seule rescapée des treize églises que l'ordre cistercien, fondé en 1098 à Cîteaux (Bourgogne), avait construites en Franche-Comté.

Le bâtiment tenant lieu de narthex (vestibule), et qui constituait la nef de l'église initiale, possède de puissants piliers qui délimitaient autrefois les bas-côtés. Une petite porte à droite donne accès à l'église actuelle, remarquable par ses vastes proportions, son architecture dépouillée et la grande clarté qui y règne. L'édifice n'a plus sa longueur primitive et se présente approximativement selon un plan en croix grecque. Trois courtes nefs précèdent un large transept sur lequel s'ouvrent une abside et quatre chapelles à chevet plat, selon la disposition cistercienne.

L'église a été dotée d'un ensemble sobre et harmonieux de **verrières monobloc** (une seule plaque de verre par baie) dont la gamme de couleurs se limite aux noir, gris, bleu et blanc. La plaque est l'œuvre d'artistes régionaux : le peintre Jean Ricardon et le maître verrier Pierre Alain Parrot.

😊 NOS ADRESSES À PESMES

HÉBERGEMENT

PREMIER PRIX

Camping La Colombière – *Rte de Dole - Sortie sud par D 475, bord de l'Ognon -* ☎ *03 84 31 20 15 - www.camping-pesmes.com/- ⚐ ♿ - ouv. de mai à fin sept. - 70 empl. 13/18 €.* En dépit des bruits de circulation pouvant troubler la tranquillité des lieux, ce camping situé au pied de la ville donnera pleine satisfaction. Entièrement restructuré, il compte deux blocs sanitaires aménagés de façon moderne. Une salle de jeux jouxte l'accueil. Location de mobile-homes. Ensemble fort convenable.

À proximité

PREMIER PRIX

La Petite Résie – *Pl. Marcel-Abbey - 70140 La Résie-Saint-Martin -* ☎ *03 84 32 24 06 - www.lapetiteresie.fr - 3 ch. 50/60 ☕ - ✕ 18 € - sur réserv.* Chambres d'hôtes et gîte de charme, dans une vieille bâtisse du 18e s. Les chambres sont simples mais spacieuses et l'accueil est très chaleureux. Salle de bain et toilettes communs aux trois chambres. Les enfants pourront aller caresser les ânes Sucrette, Filou et Sylvestre.

RESTAURATION

PREMIER PRIX

Hôtel de France – *9 r. Vanoise -* ☎ *03 84 31 20 05 - www.hotel restaurantdefrance.com -* 🅿 📶 *- fermé vac. de la Toussaint et dim. soir - 15/30 € - 10 ch. 43/50 € - ☕ 6 €.* Vieille auberge familiale postée sur une rive de l'Ognon. Cuisine simple et copieuse servie dans une salle de restaurant décorée de multiples bibelots et tournée vers la rivière. Menu spécial le dimanche à midi (25 €). Les chambres, modestes, mais très bien tenues, sont installées dans une annexe distante de 200 m.

1

Dole

★★

23 373 Dolois – Jura (39)

Fierté de ses habitants et de la région, Dole se distingue par son passé prestigieux de capitale régionale, dotée d'un parlement et autorisée à battre monnaie. La richesse de son patrimoine témoigne de cette ancienne gloire. Des rives du Doubs et des canaux, s'offrent de belles perspectives, source d'inspiration des artistes.

☺ NOS ADRESSES PAGE 70
Hébergement, restauration, achats, activités, etc.

ℹ S'INFORMER

Office du tourisme du pays de Dole – *6 pl. Grévy - 39100 Dole - ☏ 03 84 72 11 22 - www.doletourisme. fr - juil.-sept. : 10h-18h30, w.-end et j. fériés 10h-18h ; sept. : 10h-12h30, 14h-18h ; avr.-juin et oct.-déc. : tlj sf dim. 10h-12h30, 14h-18h ; reste de l'année : tlj sf dim. 10h-12h30, 14h-18h, sam. 10h-12h30 - fermé 1ᵉʳ janv., 11 Nov., 25 déc.*

Visites guidées – *☏ 03 84 72 11 22 - www.doletourisme.fr - juil.-août - 6 € (enf. 4 €).* Dole, qui porte le label Ville d'Art et d'Histoire, propose différentes visites-découvertes animées par des guides-conférenciers agréés par le ministère de la Culture et de la Communication.

◖ SE REPÉRER

Carte de microrégion A2 (p. 30). Porte de la Franche-Comté, Dole est très bien desservie par le TGV, qui la met à environ 2h de Paris. L'A 39 la relie à Dijon (40 km au nord-ouest),

l'A 36 à Besançon (46 km au nord-est) et à l'aéroport régional de Dole-Tavaux.

🅿 SE GARER

La ville fortifiée n'est pas très grande, garez-vous dans les parkings aménagés aux abords de ses entrées, avant de la découvrir à pied.

☺ À NE PAS MANQUER

La majestueuse collégiale Notre-Dame et son ensemble d'œuvres en polychromie de marbres ; la maison natale et le musée Louis-Pasteur.

🕐 ORGANISER SON TEMPS

Comptez une journée pour découvrir la ville et ses musées.

👪 AVEC LES ENFANTS

La maison de Louis Pasteur ; une promenade en bateau au fil de la Loue ; le circuit du Chat perché proposé par l'Office du tourisme. Entouré de rivières et de forêts, le pays dolois se prête aux activités de plein air.

Se promener

★★ **LE VIEUX DOLE** Plan de ville II p. 67

◖ *Circuit 1 tracé en vert sur le plan II – Comptez 2h30.*
La vieille ville est blottie autour de Notre-Dame. Ses rues sont étroites et tortueuses, ses maisons, du 15ᵉ au 18ᵉ s., serrées les unes contre les autres, présentent des détails intéressants : portails blasonnés, tourelles rondes,

La collégiale Notre-Dame et le port de plaisance de Dole sur le Doubs.
vanbeets/iStock

carrées ou hexagonales, cours intérieures à arcades, escaliers de toutes formes, puits, niches abritant autrefois des statuettes, grilles de fenêtres et rampes en fer forgé.

Place Nationale D2

L'ancienne place Royale, située au cœur de la vieille ville, est bordée de maisons anciennes et dominée par la collégiale. Elle est le cadre des marchés qui se tiennent à proximité de la **halle**, édifice de type Baltard construit en 1883.

★ Collégiale Notre-Dame D1-2

Pl. Nationale - ☏ 03 84 72 11 22 - www.doletourisme.fr - ♿ - 9h-19h - possibilité de visite guidée (1h30) juil.-août (6 €), se rens. à l'office de tourisme - montée au clocher juil.-août.

Construite au 16ᵉ s. après le sac de Louis XI, elle est l'expression du relèvement de la cité. Avec son puissant clocher-porche haut de 75 m, elle témoigne également de l'intensité des luttes religieuses de l'époque.

MARCEL AYMÉ, HÔTE DE DOLE

Parfois surnommé « le paysan de Montmartre », Marcel Aymé (1902-1967) a vécu ses jeunes années à Villers-Robert, village de la Bresse comtoise, avant d'être confié à l'âge de 7 ans à sa tante de Dole. Il va passer là son adolescence, laissant au collège de l'Arc le souvenir d'un élève facétieux. Tenu d'interrompre pour raisons de santé des études d'ingénieur à Paris, il revient à Dole écrire son premier roman, *Brûlebois*, publié en 1926. La ville de Dole est très présente dans son œuvre et le haut clocher de l'église Notre-Dame joue même un rôle déterminant dans l'intrigue du *Moulin de la Sourdine*. Le talent de l'écrivain est vite reconnu : en 1929, le prix Renaudot est attribué à *La Table aux crevés* ; suivront *La Jument verte, La Vouivre*… Le circuit du Chat perché, qui guide le visiteur à travers la ville grâce à des flèches et des clous ronds en bronze fixés au sol, est un clin d'œil adressé à l'écrivain.

Lorsque Dole était une capitale

Née au 11e s. sur une position de carrefour, Dole, favorisée par les comtes de Bourgogne et l'empereur germanique suzerain de la Comté, est dotée en 1274 d'une charte de franchise, garante d'une certaine autonomie.

UNE UNIVERSITÉ MÉDIÉVALE

Au 15e s., capitale de la Comté, elle est le siège du parlement de Comté et d'une université, célèbre pour son école de droit. Environ 800 élèves fréquentaient ses cours, dont beaucoup d'étrangers. Chacun d'eux a sa **Valentine**, jeune fille doloise auprès de laquelle il perfectionne son français. Des collèges de Dole sortent des robins (hommes de loi). Ils fournissent au comte et à l'empereur des serviteurs éprouvés qui se substituent peu à peu à la noblesse.

En 1479, les troupes de Louis XI assiègent la ville. La résistance héroïque des habitants s'exprime dans le fameux : « **Comtois, rends-toi ! – Nenni, ma foi !** » Finalement, la ville est prise. La rareté des édifices antérieurs au 16e s. témoigne de l'ampleur des destructions. Furieux de leur résistance, Louis XI interdit aux Dolois de reconstruire leurs maisons. Mais en 1493, son fils Charles VIII rétrocède la Comté aux Habsbourg. Dole retrouve son rang de capitale.

L'ÂGE D'OR

Aux 16e et 17e s., de nombreux chantiers, privés ou publics, mettent la ville en effervescence : l'actuelle collégiale, les fortifications… La Renaissance s'épanouit à Dole, où interviennent architectes, décorateurs et sculpteurs : Denis et Hugues Le Rupt, Jean Rabicant, les Lulliers…

Jusqu'à la conquête française, le rayonnement de Dole vient de ses institutions : université, états et Parlement. Composé de quelques grands seigneurs et en majorité de bourgeois, légistes et juristes, le Parlement exerce la justice souveraine. Il a des attributions étendues dans les domaines politique, économique, diplomatique et militaire. Les plus grands seigneurs peuvent être cités à sa barre. Mais le rayonnement est aussi religieux. Sous le règne de Philippe II de Habsbourg, Dole devient un pôle important de la Réforme catholique, ce qui explique la richesse du patrimoine religieux.

LE SIÈGE DE 1636 ET LA CONQUÊTE FRANÇAISE

Louis XIII et Richelieu annoncent le retour de redoutables tentatives pour s'emparer de la province et de sa capitale. En 1636, le prince de Condé met le siège devant Dole. Les obusiers français lancent des bombes d'un modèle nouveau. Elles traversent les toits, explosent dans les caves avec un bruit terrible, font s'effondrer les maisons. Mais la résistance doloise finit par décourager l'assaillant. Un des actes de bravoure les plus magnifiques est celui de **Ferdinand de Rye**, gouverneur de la Comté et archevêque de Besançon qui, bien qu'âgé de plus de 80 ans, rejoignit les assiégés et fut l'âme de la défense. La victoire, inespérée, conforte le rôle de capitale et la très large autonomie de Dole au sein du royaume de Philippe II.

En 1668 et 1674, Louis XIV revient à la charge. Par le **traité de Nimègue** de 1678, la ville et la province sont définitivement rattachées à la France. Besançon est promue capitale à la place de Dole qui est dépouillée du Parlement, de l'université (1691) et voit ses remparts démantelés.

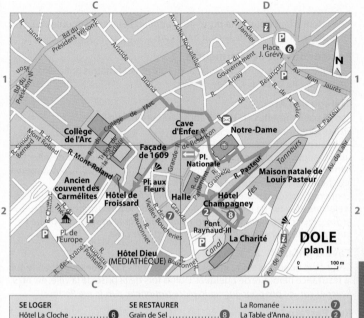

À l'intérieur, on est frappé par l'ampleur des volumes, par la sobriété un peu massive des lignes d'un gothique tardif. Meublée et décorée grâce aux commandes des plus hauts notables de la ville, l'église est dépositaire des premières œuvres de la Renaissance doloise.

Remarquez l'ensemble d'**œuvres en polychromie de marbres★** chargées de motifs de feuillages, d'entrelacs, d'oiseaux, caractéristiques des productions de l'atelier dolois : façade de la **Ste-Chapelle** (à l'extrémité du bas-côté droit) ; tribune d'orgue et chaire dues à Denys le Rupt ; bénitier. L'arcade du mausolée Carondelet est attribuée à un artiste flamand. Les statues d'apôtres (école bourguignonne du début du 16e s.) qui étaient adossées aux piliers de part et d'autre du chœur sont exposées depuis 2009 dans la chapelle St-Jérôme devenue l'auditorium Karl-Joseph Riepp du conservatoire *(3 av. Aristide-Briand - ℰ 03 84 82 00 45)*. Douze tableaux viennent enrichir la nef. Le **grand orgue** en bois sculpté, un des très rares du 18e s. en France qui nous soient parvenus quasiment intacts, est dû à Karl-Joseph Riepp. Enfin admirez le chœur, lumineux, garni de hauts et beaux vitraux créés par Jacques Le Chevallier vers 1950. *Prenez, sur la droite de l'ancien hôtel de ville, la rue d'Enfer qui rejoint la rue de Besançon, puis la place du 8-Mai-1945 et la rue des Arènes.*

Place aux Fleurs C2

Jolie **vue** sur le vieux Dole, dominé par le clocher de l'église Notre-Dame. Elle est ornée de la fontaine à l'Enfant sculptée par F. Rosset et d'une sculpture moderne de Boettcher, *Les Commères*.
Au n° 28, **façade de 1609** (F).

Rue Mont-Roland C2

Le portail en polychromie de marbre et pierre de l'ancien couvent des carmélites et les façades 16e, 17e ou 18e s. des hôtels particuliers valent le coup d'œil : maison Odon de La Tour (16e s.), **hôtel de Froissard** (tout début du

17e s.) dont il faut pousser la porte pour admirer l'escalier à double volée en fer à cheval et la loggia de la cour intérieure…

Ancien couvent des Carmélites C2
Cet édifice du 17e s. possède un beau portail et des fenêtres grillagées.
Prenez à droite la rue du Collège-de-l'Arc.

Collège de l'Arc C1-2
Fondé par les jésuites en 1582, il abrite aujourd'hui un lycée.
Passez sous l'arc qui enjambe la rue.
Un beau **porche** Renaissance, surmonté d'une loggia dont les arcades reposent sur des anges aux ailes déployées, signale la chapelle aujourd'hui désaffectée. Remarquez, à gauche, deux anciens hôtels, dont l'un de 1738, ayant conservé leur petite cour intérieure et leur belle balustrade.
Continuez jusqu'à la place Boyvin ; de là, prenez la rue Boyvin, la rue de la Sous-Préfecture et la rue de Besançon, à droite. Lors de votre passage dans la rue de la Sous-Préfecture, ne manquez pas l'impressionnante fresque en trompe-l'œil qui représente les personnalités emblématiques de Dole.

Cave d'Enfer D1
Cette cave ne se visite pas, mais une plaque (19e s.) évoque une légende sur la résistance héroïque de quelques Dolois lors de la prise de la ville, en 1479.
Revenez sur vos pas pour gagner la place Nationale, puis la rue Pasteur.

Rue Pasteur D2
Autrefois appelée rue des Tanneurs, elle regroupait au bord du canal les maisons des artisans du chanvre et du cuir. Au n° 43, maison natale de Pasteur.

Maison natale de Louis Pasteur (M)
43 r. Pasteur - 📞 *03 84 72 20 61 - www.terredelouispasteur.fr - mai-sept. : 9h30-12h30, 14h-18h ; reste de l'année : 14h-18h - fermé de la fin des vac. de la Toussaint aux déb. des vac. de fév. (zone A), 1er Mai, 1er nov. - possibilité de visite guidée sur demande (1h) - 5,30 € (-18 ans 3,20 €), billet combiné avec la maison de Pasteur à Arbois 9,50 € - vac. scol. : animations, se rens.*
La maison natale de Louis Pasteur offre, depuis la terrasse du 1er étage, une vue sur le canal des Tanneurs et les anciennes fortifications (16e s.). Elle accueille un musée consacré à l'homme et au rayonnement universel de son œuvre. Vous découvrirez la tannerie artisanale de son père et son atelier de corroierie, auxquels on accède côté canal en contournant la maison (*ouvert mai-oct.*). Dans l'appartement, plusieurs salles présentent des documents et souvenirs du grand savant : portraits de famille et objets personnels en tout genre. Tout un appareillage de laboratoire, des images et des textes témoignent des expériences menées. Et pour clore la visite, un *serious game* invite chacun à réaliser ses propres expériences et à tester ses connaissances sur de grandes tables digitales.

Pont Raynaud-III D2
Vue sur un bel ensemble monumental : la **Charité** (18e s.), l'hôtel-Dieu (17e s.), le couvent des Dames d'Ounans (18e s.). Noter aussi que la Grande Fontaine, (source et lavoir souterrains) est visible sous la dernière arche du pont (*on peut y descendre par le passage Raynaud-III qui s'ouvre rue Pasteur*).

Hôtel Champagney D2
Un portail blasonné du 17e s. donne accès à une cour où l'on observe encore deux tourelles d'escalier et un beau balcon sur consoles.
Prenez à gauche, puis à droite la pittoresque rue du Parlement, d'où l'on a une belle vue sur le clocher de Notre-Dame, qui ramène à la place.

DOLE, D'HIER À AUJOURD'HUI Plan de ville I ci-dessous

◐ *Circuit* ② *tracé en vert sur le plan I – Comptez 2h30.*
Partez de l'avenue de Lahr.

Point de vue de l'avenue de Lahr B2

Beaucoup de peintures ou photos de la ville sont réalisées à partir de ce joli
point de vue situé sur l'**avenue de Lahr**. À partir du **quai des Tanneurs**, un
réseau de passerelles traverse les canaux et conduit à l'avenue.

Laissant derrière vous la promenade du Pasquier, avancez vers le vieux Dole.
Vous avez à votre droite le canal du Rhône au Rhin, à votre gauche, le Doubs.
Tournez à droite en suivant la Grande-Rue, puis obliquez à gauche pour rejoindre
l'hôtel-Dieu.

Hôtel-Dieu B2 et plan II p. 67

Superbement restauré, le bâtiment autrefois destiné aux « pauvres
malades » accueille, depuis 2000, une médiathèque. Son édification, com-
mencée en 1613, fut à plusieurs reprises interrompue par différents sièges
ou guerres. L'impression initiale de sévérité est tempérée par la fantaisie de

1

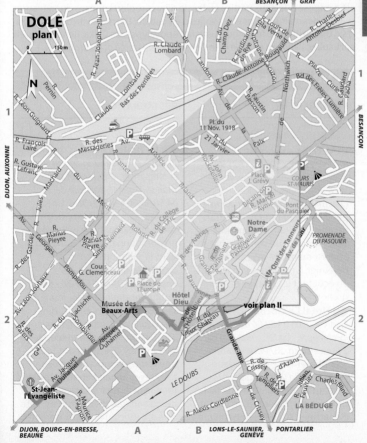

l'ornementation, tel le remarquable balcon ceinturant en partie l'édifice, soutenu par des modillons sculptés. À l'intérieur, la cour est disposée comme un cloître, avec deux niveaux de galeries reliés par une viorbe (tour d'escalier) ; les marches vont en diminuant de hauteur afin d'éviter toute fatigue aux malades.

★ Musée des Beaux-Arts A2

85 r. des Arènes - ✆ 03 84 79 25 85 - http://fr-fr.facebook.com/museedole - 10h-12h, 14h-18h, dim. 14h-18h, 2e merc. du mois 10h-12h, 14h-20h - fermé lun., 24 déc.-1er janv., 1er Mai, 1er nov. - possibilité de visite guidée sur demande - gratuit.

Il est installé dans le pavillon des Officiers (18e s.) dont la façade est ornée d'armes et d'attributs guerriers. Le sous-sol est consacré à l'archéologie locale et régionale ainsi qu'à la sculpture bourguignonne. Au 1er étage, collection de peintures françaises et étrangères du 15e au 20e s. (*La Mort de Didon* de Simon Vouet, *Portrait d'une femme et de son fils,* par Mignard, paysages de Courbet et Pointelin). Sous les combles, la collection du Fonds régional d'art contemporain de Franche-Comté, très éclectique, offre un large choix d'œuvres modernes.

Église St-Jean-l'Évangéliste A2

R. Jean-XXIII - ✆ 03 84 72 11 22 - www.doletourisme.fr - juil.-août : w.-end 14h30-17h30 ; reste de l'année : sur demande à l'office de tourisme.

Construite de 1961 à 1964, cette église surprend par son architecture. Sa toiture est composée de deux parties en forme d'hyperboles. Les pans du toit représentent des mains jointes et les voiles d'un bateau. Les murs vitrés sont entourés d'une **grille★** de fer forgé illustrant l'Apocalypse, de Calka. Remarquez, en particulier, l'*Agneau immolé* et le *Combat de la femme et du dragon*.

NOS ADRESSES À DOLE

HÉBERGEMENT

BUDGET MOYEN

La Vecchia – Hors plan - *R. Thevenot - ✆ 07 71 77 21 90 - www.les-maisons-de-sophie.fr - 85/90 €.* Quoi de plus charmant que de dormir sur une péniche ? Légèrement en retrait du port, non loin du camping, La Vecchia abrite un véritable petit appartement. Prévoyez le petit-déjeuner, à prendre sur la terrasse en écoutant les oiseaux et les grenouilles.

6 **Hôtel La Cloche** – D1 - *1 pl. Grévy - ✆ 03 84 82 06 06 - www.la-cloche.fr - P - fermé 24 déc. - 2 janv. - 30 ch. 75/145 € - 15 €.* Stendhal aurait séjourné dans cette maison voisine du cours St-Mauris. Les chambres, de tailles diverses, sont toutes rénovées et climatisées. Accueil sympathique.

RESTAURATION

BUDGET MOYEN

2 **La Table d'Anna** – D2 - *2 r. Prélot - ✆ 03 84 82 51 07 - tlj sf mar., merc. sf juil., août tlj sf mar. soir, merc. - formule déj. 14,50/15,50 €, menu 36 €.* Une cuisine simple mais servie dans un cadre agréable, sur la jolie terrasse en bois donnant sur le canal ou dans la salle sous voûtes.

8 **Grain de Sel** – D2 - *67 r. Pasteur - ✆ 03 84 71 97 36 - www.restaurant-graindesel.fr - fermé 1 sem. en avr., 1 sem. en oct., dim. soir sf juil.-août, lun. et mar. midi - 12h-13h30, 19h-21h - formule déj. 18/22 € - 25/45 €.* Un cadre zen, une terrasse ombragée et des recettes originales et savoureuses (queue de homard sur son lit de quinoa aux zestes d'agrumes ; côte de porc rôtie au foin, aux pommes

nouvelles et aux fèves…) : le jeune chef fait des merveilles, et l'on a beau être au Grain de Sel, la note n'est pas salée !

7 **La Romanée** – C2 - 11-13 r. des Vieilles-Boucheries - ☏ 03 84 79 19 05 - www.restaurant-laromanee.fr - fermé dim. soir, mar. soir, merc., 2 sem. fin juin.-déb. juil. et 2 sem. fin déc.-déb. janv. - formule dej. 16,50/20 €, 29/45 €. Ce restaurant gastronomique du vieux Dole occupe une ancienne boucherie fondée en 1717 : salles voûtées et pendoirs accrochés aux murs témoignent du passé artisan des lieux. Aux beaux jours, les bons plats traditionnels se dégustent sur la terrasse bordée d'arbustes.

POUR SE FAIRE PLAISIR

La Chaumière – Hors plan - 346 av. du Mar.-Juin - ☏ 03 84 70 72 40 - www.lachaumiere-dole.fr - 🅿 📶 - fermé vac. de Toussaint, 3 sem. fin déc.-déb. janv., dim. (sf hôtel en juin à sept.), lun. midi et sam. midi - formule déj. 26 € bc - 45/110 € - ch. 90/130 € 🍽 13 €. Dans une salle qui mélange les styles, cuisine gastronomique inventive qui varie au gré du marché. Bon choix de vins du Jura et conseils avisés du sommelier. Chambres rénovées. Terrasse et piscine.

ACHATS

Marché bio – Cours St-Mauris - pl. Grévy - lun.-vend. 8h30-12h, 13h30-17h.

Marché des Halles – Pl. Charles-de-Gaulle - mar., jeu., sam. mat. et vend. apr.-midi (marché alimentaire uniquement). Pas moins de quarante commerçants (poissonniers, bouchers, volailler, traiteur, fromager, crémier, primeurs…). À l'extérieur, producteurs locaux, fripiers, camelots et une épicerie asiatique.

ACTIVITÉS

La ligne des Hirondelles – www.lignedeshirondelles.fr et www.ter.sncf.com - excursions commentées les merc. et jeu. en avr., mai, juin, sept. et oct., merc. et sam. en juil. et août (65 €). La ligne TER qui relie Dole à Saint-Claude parcourt 123 km en 2h, offrant de beaux points de vue sur les paysages, depuis les vignobles du bas Jura jusqu'aux montagnes du haut Jura. Le parcours, plus intéressant après Champagnole (jolie vue sur la villa de Syam), devient spectaculaire lors du passage des viaducs de Morez.

Nicol's Yacht – 2 r. Prélot - ☏ 02 41 56 46 56 - www.nicols.com - tlj sf dim. 9h-12h, 14h-18h - fermé mi-oct.-mars. Location de bateaux (w.-end, mini-semaine, semaine) navigables sans permis équipés grand confort (4 à 12 pl.).

Une belle aventure – Av. de Lahr - ☏ 06 82 99 78 99 - www.unebelleaventure.fr/- 35 €/heure. Location de bateaux électriques sans permis conçus et fabriqués à Dole dans les ateliers de José Vincent, sur les bases des runabout américains des années 1950.

AGENDA

Cirque et fanfares – En mai - www.cirqueetfanfaresadole.com. Le temps d'un week-end, spectacles de cirque et orchestres.

Week-end gourmand du Chat perché – En sept. - www.weekend-gourmand-dole.fr. Grâce à des pass dégustation, les visiteurs sont invités, le temps d'un week-end, à concilier les patrimoines gastronomique et culturel.

1

Forêt de Chaux

Jura (39)

Envoûtant et mystérieux, cet océan d'arbres – deuxième massif forestier de France – s'étend sur plus de 20 000 ha à l'est de Dole, entre le Doubs et la Loue. Ajoutant à la majesté du décor, les sept colonnes de l'architecte Guidon en 1826 se dressent aux carrefours importants. Aménagements et animations estivales contribuent à sa mise en valeur.

NOS ADRESSES PAGE 75
Hébergement, restauration, achats, activités, etc.

S'INFORMER
Office du tourisme du pays de Dole – *6 pl. Grévy - 39100 Dole - ℘ 03 84 72 11 22 - www.doletourisme. fr - juil.-sept. : 10h-18h30, w.-end et j. fériés 10h-18h ; sept. : 10h-12h30, 14h-18h ; avr.-juin et oct.-déc. : tlj sf dim. 10h-12h30, 14h-18h ; reste de l'année : tlj sf dim. 10h-12h30, 14h-18h, sam. 10h-12h30 - fermé 1er janv., 11 Nov., 25 déc.*

SE REPÉRER
Carte de microrégion AB2/3 (p. 30).
La forêt s'étend aux portes de Dole. Des routes forestières sont tracées au cordeau de chaque côté d'un grand axe transversal, le **Grand Contour**. Jalonné par les fameuses bornes Guidon, c'est votre plus sûr repère et le meilleur axe de circulation.

À NE PAS MANQUER
Les féeriques grottes d'Osselle ; le village de La Vieille-Loye et ses Baraques du 14 ; le musée de la poterie Joseph-Martin, à Étrepigney.

ORGANISER SON TEMPS
Prévoyez au moins une journée entre grottes et forêt, pour vous imprégner de la magie des lieux.

AVEC LES ENFANTS
Les grottes d'Osselle ; l'observation des cerfs et sanglier, le centre sportif sylvestre et la piste cavalière dans le parc de la zone touristique ; les Baraques du 14.

Se promener *Carte page ci-contre*

Une zone touristique a été aménagée à l'ouest, en bordure du massif, afin de préserver le caractère sauvage de la forêt. On y trouve une piste cavalière (Bretelle du grand 8), un sentier sportif sylvestre, des parkings, une partie du GR 59ᴬ (de Dole à Arc-et-Senans), trois enclos à gibier (cerfs sikas, sangliers, cerfs élaphes) et un parc (88 ha) avec cerfs et sangliers visibles de deux miradors. Au centre, une réserve-refuge des animaux *(accès interdit)* de 1 400 ha.

La Vieille-Loye
Seul village enclavé dans la forêt, il regroupait les bûcherons installés au centre de chaque zone de coupe ou « triage » dans des baraques très modestes, appelées **bacul**, ou **baccu**. Ces abris temporaires et démontables obligeaient à se baisser pour franchir leur porte. Maisons bûcheronnes restaurées, les **Baraques du 14** (℘ 03 84 72 11 22 - www.doletourisme.fr - juil.-août : 14h-18h30 - fermé vend. - 2,50 € - animations en sais. (⚘ Nos adresses p. 75) accueillent aujourd'hui des expositions. Autour d'elles ont été reconstitués un rucher, un vieux puits, un four banal (autrefois, les bûcherons étaient tenus par le seigneur d'y cuire leur pain, moyennant une redevance appelée « banalité »).

Forêt de Chaux.
D. Bringard/hemis.fr

🔹 Un **sentier** *(environ 30mn)* dévoile un baccu en « bois de lune » *(👈 encadré p. 74)*, un four à charbon métallique de la Seconde Guerre mondiale (à cette époque, la fabrication du charbon devient industrielle pour alimenter les véhicules à gazogène) et de nombreux aspects de la vie en forêt au début du siècle.

Sentier du Guêpier

🔹 Ce sentier de découverte, long de 4 km environ, offre une approche intéressante et authentique de l'histoire de la forêt. À **Étrepigney**, point de départ

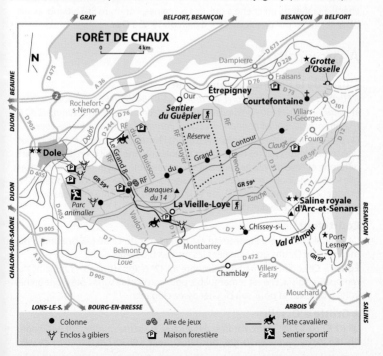

LE PEUPLE DE LA FORÊT

Très fréquent dans cette partie du Jura, le nom de **chaux** pourrait venir de *calmis*, qui désignait des friches ou des landes.

À l'origine, la forêt appartenait aux souverains qui y pratiquaient la chasse, mais les habitants des environs y jouissaient de droits étendus. Au 18e s., une décision du Conseil du roi les limitant au ramassage du bois mort déclenche une révolte. En février 1765, les hommes des villages, déguisés en femmes pour tromper les militaires, organisent la résistance. Mais ils doivent renoncer deux mois plus tard pour récupérer leurs familles prises en otage par les gardes royaux. Ces droits et restrictions disparaissent au 19e s. Les zones périphériques de la forêt de Chaux deviennent communales et la partie centrale (13 000 ha) reste domaniale.

Le bois de lune – Un usage autorisait quiconque à édifier sa maison sur le territoire communal, à condition qu'elle soit bâtie entre le coucher et le lever du soleil, avec au matin ses huisseries, sa charpente et la cheminée qui fume. Cela nécessitait une longue préparation (toutes les pièces étaient taillées d'avance), la mobilisation d'une communauté et la récolte secrète du bois la nuit, à la lumière de la lune.

Ce massif abrita pendant des siècles une intense activité humaine, alimentant les industries environnantes (salines à **Arc-et-Senans** et **Salins**, forges à **Fraisans**, verreries à **La Vieille-Loye** et **Courtefontaine**) ; il accueillait aussi potiers, verriers, forgerons, bûcherons-charbonniers et autres artisans. **André Besson** conte cette époque dans *Une fille de la forêt*.

---

de la promenade, a été reconstitué un baccu. Plus loin, le sentier dévoile un chêne à la Vierge, un chêne à gui, des fontaines, l'oratoire St-Thibaud, avant de se terminer par un ancien four à pain du 19e s. à **Our**.

À proximité Carte p. 73

Musée de la Poterie Joseph-Martin

À Étrepigney, au nord de la forêt. R. Fardée - 📞 *03 84 72 50 98 - juil.-août : w.-end et j. fériés 14h30-18h30 - possibilité de visite guidée sur demande (30mn) - 2,50 € (-12 ans gratuit) - billet donnant accès aux Baraques du 14 à La Vieille-Loye.*

De petite taille, ce musée croise avec talent l'histoire de Joseph Martin, potier jeté sur les routes par les campagnes napoléoniennes, initié en Italie à un art différent, et celle du village construit sur un véritable gruyère de carrières d'argile – elles engloutissent parfois une maison – qui abrita jusqu'à 90 potiers. La production se vendit jusqu'à Lyon et la vallée du Rhin. Une dernière poterie, horticole, est active dans le village.

Courtefontaine

Ce village est situé à l'extrémité est de la forêt de Chaux, à proximité du méandre du Doubs que signalent les grottes d'Osselle.

Église – Cet édifice roman qui remonte au 12e s. appartient aux augustins du monastère voisin. Elle est remarquable pour son portail surmonté d'une archivolte à billettes et pour son clocher assez élégant.

★ Grotte d'Osselle

📞 *03 81 63 62 09 - http://grottes.osselle.free.fr - visite guidée (1h) juil.-août : 9h-18h30 ; avr.-juin : 9h30-12h, 14h-17h30 ; sept. : 9h30-12h, 14h-17h ; de déb.*

oct. à la fin des vac. de la Toussaint : 14h-17h, dim. 9h30-12h, 14h-17h - 8 € (-12 ans 6,50 €).

La grotte d'Osselle s'ouvre dans la falaise qui domine un méandre du Doubs. Découverte au 13e s., elle se visite depuis 1504. Ses galeries sèches servirent de refuge et de chapelle aux prêtres pendant la Révolution. On peut encore voir un autel d'argile. Un squelette d'ours des cavernes y a été reconstitué avec des ossements trouvés sous les éboulis.

Sur 8 km, 1 300 m de galeries longues et régulières, suivant le faîte de la montagne, ont été aménagés. Les premières salles, aux concrétions encore alimentées par des eaux vives, ont été ternies par la fumée des torches de résine ; puis apparaissent, après un passage bas, des stalagmites blanches de calcite presque pure ou diversement colorées par des oxydes de fer, de cuivre ou de manganèse. Un ponceau (ouvrage voûté à une seule arche) de pierre, édifié en 1751, enjambe le cours de la rivière souterraine coulant dans une galerie inférieure. Il permet de voir la galerie des orgues et la salle aux colonnes blanches.

NOS ADRESSES PRÈS DE LA FORÊT DE CHAUX

Voir aussi nos adresses à la Saline royale d'Arc-et-Senans et à Dole.

VISITES ET ANIMATIONS0

Fête des vieux métiers, veillées musicales, balades contées, soirées de contes, cuisine des plantes sauvages, expositions… : de très nombreuses animations sont proposées durant la période estivale aux Baraques du 14. Se rens. auprès de l'office du tourisme du pays de Dole au 03 84 72 11 22 - www.doletourisme.fr - programme à télécharger, ou auprès d'Alain Goy et de l'association des Villages de la forêt de Chaux au 03 84 72 50 98.

HÉBERGEMENT-RESTAURATION

BUDGET MOYEN

Guinguette des Forges – *6 r. de la Cité des Forges - 39700 Fraisans - 06 47 04 01 57 - www.lesforgesdefraisans.com - jeu.-dim. de mi-juil.à déb. août - gratuit.* Concert, bal ou spectacle au bord de l'eau. Les Forges accueillent aussi des spectacles une fois par mois tout le long de l'année, ainsi qu'un symposium de sculptures

en métal en juin, le festival No Logo en août et deux séances de cinéma un mercredi par mois.

POUR SE FAIRE PLAISIR

Chambre d'hôte Le Château de Salans – *39700 Salans - à 5 km au N de Courtefontaine par une route secondaire - 03 84 71 16 55 - http://chateausalans.free.fr - P - 4 ch. 110/140 €.* Ce magnifique château du 17e s. s'élève au milieu d'un parc de 3 ha. Les chambres, meublées dans le style Louis XVI et Directoire, possèdent de belles salles de bains habillées de carreaux rouges et blancs. Deux salons superbes.

ACTIVITÉS

Base de loisirs d'Osselle – *25320 Osselle - 06 60 17 39 38 - www.franche-comte.org - mai-sept. 11h-19h - 4,50 € (3 € 6-14 ans).* Plage surveillée et activités en plein air sur les bords du Doubs.

Écuries des Calmants – *39700 Salans - Les Calmants - 06 73 47 92 56 - www.equitation-salans.fr.* Ces belles écuries proposent cours, balades, stages et randonnées pour tous les âges et niveaux.

1

Saline royale d'Arc-et-Senans

★★

1 639 Arc-Sénantais – Doubs (25)

Entre la Loue et la forêt de Chaux se dresse la saline royale, construite au 18ᵉ s. par l'architecte visionnaire Claude-Nicolas Ledoux afin d'augmenter la production de la ville de Salins. Si le lieu abandonna rapidement sa fonction première, l'ensemble grandiose demeure aujourd'hui l'un des fleurons de l'architecture industrielle en France, inscrit au patrimoine mondial de l'Unesco.

☺ NOS ADRESSES PAGE 80
Hébergement, restauration, achats, activités, etc.

🖪 S'INFORMER

Office du tourisme d'Arc-et-Senans Loue Lison – *3 av. de la Saline - 25610 Arc-et-Senans - ☎ 03 81 62 21 50 - www.destinationlouelison.com - juil.-août : 10h-12h30, 14h-18h, dim. 9h-13h ; avr.-juin : tlj sf dim.-lun. 10h-12h30, 14h-18h ; reste de l'année : tlj sf dim.-lun. 10h-12h30, 14h-17h30 - fermé certains j. fériés.*

▶ SE REPÉRER

Carte de microrégion B3 (p. 30).
Située à l'extrémité sud-est de la forêt de Chaux, la saline est accessible depuis Salins-les-Bains ou Arbois par la D 472 jusqu'à Villers-Farlay, puis la D 32 jusqu'à Cramans, et enfin la D 17E. De Dole, empruntez la D 7 qui contourne la forêt de Chaux par le sud. Gare SNCF à Mouchard.

🅿 SE GARER

Deux parkings aménagés : l'un en face de l'entrée principale, l'autre au nord-ouest, derrière l'enceinte de la saline, non loin du supermarché.

🕐 ORGANISER SON TEMPS

Comptez environ 3h. Pour apprécier la visite de ce lieu prestigieux, il est vivement conseillé de se rendre auparavant à Salins-les-Bains (👶 *p. 82)* dont la saline d'Arc-et-Senans est une extension.

👪 AVEC LES ENFANTS

Les maquettes du musée Ledoux ; une sortie en canoë sur la Loue.

Découvrir la Saline royale

Grande-Rue - ☎ 03 81 54 45 45 - www.salineroyale.com - juil.-août : 9h-19h ; avr.-juin et sept.-oct. : 9h-18h ; reste de l'année : 10h-12h, 14h-17h - fermé 1ᵉʳ janv., 25 déc. - possibilité de visite guidée (1h) - juin-oct. : 10,50 € (-25 ans 7 €) - nov.-mai : 9,80 € (-25 ans 6,60 €) - audioguide disponible en plusieurs langues.

En 1774, Claude-Nicolas Ledoux (👶 *p. 477)* se voit confier le projet de la saline royale. Bien qu'il porte le titre de commissaire des salines de Franche-Comté depuis trois ans, l'architecte s'est surtout distingué jusqu'alors dans l'aménagement de résidences aristocratiques. Passionné par les idées de son siècle, il saisit cette occasion pour exprimer sa vision d'une manufacture idéale. Les commanditaires de la nouvelle saline voyant les choses d'un œil un peu différent, le projet fut plusieurs fois remanié avant d'aboutir à cet ensemble en demi-cercle, disposé autour de la maison du Directeur, symbole d'une organisation efficace et centralisée de la production.

La Saline royale d'Arc-et-Senans, façade de la maison du directeur.
R. Mattes/mauritius images/age fotostock

😊 Après avoir parcouru les bâtiments de la saline, découvrez dans le musée Ledoux (à gauche de l'entrée) la maquette de la ville de Chaux, utopie développée par Ledoux à partir des projets qu'il avait faits pour la saline.

Entrée

Faisant face à la route de Salins, la Saline royale se présente comme un ensemble clos avec pour seule ouverture un bâtiment monumental à colonnes. Derrière le péristyle apparaît un décor de grotte. Inattendu au seuil d'une manufacture, ce décor en bossage rappelle les grottes des jardins de la **Renaissance italienne**.

Cour

L'ensemble architectural qu'on découvre, une fois franchie l'entrée, évoque davantage un temple ou un palais qu'une usine ! Ledoux ne voulait-il pas un édifice à la « forme aussi pure que celle que décrit le soleil dans sa course » ? Tous les bâtiments situés sur le pourtour de l'hémicycle sont symboliquement orientés vers la maison du directeur. L'ensemble de l'œuvre présente une profonde unité de style, et l'on est frappé par la beauté, la robustesse et l'agencement grandiose des pierres. L'influence de **Palladio**, architecte

---

UN SITE QUI MANQUE DE SEL

En 1773, la Ferme générale – qui perçoit la gabelle – cherche à édifier une nouvelle saline afin d'accroître la production de Salins, site qui ne dispose ni de l'espace ni des ressources forestières nécessaires à la production de sel. On construit donc la nouvelle saline à l'orée de la forêt de Chaux, entre Arc et Senans, et on fait venir chaque jour de Salins, au moyen d'une canalisation en bois longue de 21 km, 135 000 litres de « petites eaux », faiblement salées. Mais la saline ne fonctionnera jamais parfaitement et la production sera abandonnée dès 1895.

L'or blanc

En Franche-Comté, de nombreux toponymes évoquent le sel : Salins-les-Bains et Lons-le-Saunier, bien sûr, mais aussi Montmorot, dérivé du latin *muria*, saumure, ou encore Scey ou Soulce, du mot germanique *Salz*.

DES SOURCES SALÉES AU SEL IGNIGÈNE

Entre 250 et 65 millions d'années avant notre ère, la mer recouvrait une partie de l'actuelle Franche-Comté. En se retirant, elle laissa d'importants dépôts salins qui s'enfoncèrent dans le sol, formant des gisements de sel appelés sel gemme. Au contact de ces gisements, les eaux souterraines se chargent de sel, donnant naissance à des sources salées. Les hommes tirèrent parti de ces sources dès le premier millénaire avant notre ère, puis ils creusèrent des puits pour extraire la saumure. Portée à haute température, celle-ci produit le sel que nous connaissons. On appelle sel ignigène ce sel obtenu par combustion.

UNE SOURCE DE RICHESSES

Indispensable à la vie humaine, autant qu'animale, le sel est aussi, jusqu'à la découverte de la pasteurisation au 19e s., le principal moyen de conserver les aliments. Sa valeur marchande et symbolique est grande. Il sert de monnaie d'échange. Ainsi, du 16e au 18e s., les cantons suisses mirent à la disposition du roi de France des soldats mercenaires en échanges de livraisons de sel, dont ils avaient besoin pour l'élevage des vaches et la fabrication du gruyère. Les princes perçurent vite l'intérêt de contrôler la production du sel et sa commercialisation. Au début du 13e s., Jean l'Antique, le plus illustre des Chalon (🕭 *Nozeroy, p. 317*), met la main sur les puits de Salins. La vente du précieux produit remplit ses coffres. Des mains des Chalon, les salines passent aux ducs de Bourgogne puis à la couronne espagnole. Après la conquête de la Franche-Comté par Louis XIV en 1674, les salines deviennent manufactures royales et sont intégrées dans le bail des Fermes et Gabelles.

LA GABELLE ET LA CONTREBANDE

À l'origine, le terme « gabelle » désignait toutes sortes d'impôts, mais le terme en vint rapidement à signifier le seul impôt sur le sel. Si celui-ci a tant marqué les mentalités, c'est parce qu'il caractérisait un système très inégalitaire. D'un « pays » à l'autre, le régime n'était pas le même. L'impôt pouvait varier dans des proportions de 1 à 10. La Franche-Comté, « pays de salines » bénéficiait de conditions plus favorables que la Bresse ou la Bourgogne voisines. Ces différences de prix entraînèrent le développement d'un trafic illégal, qui voyait s'opposer gabelous (officiers du roi) et faux sauniers (contrebandiers).

FACE AUX MARAIS SALANTS

Au 18e s., pour produire 1 tonne de sel ignigène, il en faut 2 de bois... Face aux marais salants qui ne coûtent quasiment que le travail des hommes, les salines comtoises ne soutiennent pas la comparaison. Cela explique le ralentissement puis l'arrêt complet de la production de sel. Reste que cette activité aura fait vivre en Franche-Comté des générations de sauniers, commerçants, forgerons, voituriers, ingénieurs, gabelous... et faux sauniers !

italien du 16e s., apparaît dans les colonnes et les frontons à l'antique, ainsi que dans l'alternance de pleins et de vides sur lesquels vient jouer la lumière. Plus discrète, l'influence des constructions comtoises apparaît dans le dessin des extrémités des toitures. Remarquez, sur les bâtiments de la cour, les motifs sculptés en forme de cols d'urnes : des flots de saumure cristallisée s'en échappent, évoquant l'activité de la saline.

Les bâtiments de la Saline royale comprenaient à la fois les ateliers de travail, situés de part et d'autre de la maison du directeur, et les habitations du personnel. La saline, conçue pour pouvoir loger jusqu'à 250 ouvriers et leurs familles, se présentait donc comme une véritable petite ville. Le bâtiment qui héberge désormais la salle d'accueil, la librairie, la cafétéria et la boutique abritait jadis le corps de garde, le four banal, le lavoir, la justice et la prison.

Maison du directeur

En face de l'entrée (👆 ABC d'architecture p. 472).

Ce bâtiment impressionnant attire immédiatement le regard. Les colonnes de son péristyle sont composées de tambours alternativement cubiques et cylindriques. La progression par rapport aux colonnes simples du bâtiment d'entrée est visible : en s'avançant à travers la cour, on passe de la simplicité à la complexité, de l'obscurité (la grotte) à la lumière (plan rayonnant des bâtiments). L'architecture traduit les préoccupations esthétiques, philosophiques et morales de Ledoux. L'ordre établi n'est pas remis en cause pour autant, comme le montre la façade de la maison du directeur, au fronton percé d'un oculus comme un œil dominant la situation. À l'intérieur se trouvaient, au sous-sol, le magasin du sel, au rez-de-chaussée et à l'étage les salles dévolues à la direction, au-dessus les administrations. Dans l'escalier était aménagée la chapelle : en bas, les ouvriers, sur le palier le chœur, à l'étage la direction. Aujourd'hui, la maison du directeur abrite une exposition permanente sur les facettes de la production et de la consommation du sel à travers le monde.

Bâtiment des tonneliers

À gauche de l'entrée.

👥 Le **musée Ledoux** renferme une soixantaine de **maquettes** d'architecture à l'échelle 1/200 ou 1/100, révélatrices des conceptions sociales de Ledoux. Dans l'aile droite sont exposés les monuments qu'il construisit (la plupart ont disparu) : le théâtre de Besançon dont il ne reste que la façade, le château de Maupertuis... Dans l'aile gauche, la Cité idéale de Chaux, la forge à canons, la maison des surveillants de la source de la Loue illustrent les rêves qu'il ne put réaliser. Entre les deux, un film replace l'œuvre de l'architecte dans son contexte historique.

Jardins

Bordant l'arc de cercle, ces jardins étaient à l'origine cultivés par les habitants de la saline. Aujourd'hui, ils sont renouvelés chaque année à l'occasion du Festival des jardins de la Saline, et donnent à ce lieu une touche contemporaine qui fait écho aux créations artistiques des expositions temporaires.

Randonnée

Chemin des Gabelous

🐾 En sortant de la saline, prenez à gauche, puis au rond-point à droite, la rue des Graduations. Parcours fléché à partir du camping. Comptez 5h30 à pied, 2h30 à vélo.

Ce parcours balisé suit à peu près une partie du tracé historique du saumoduc qui, depuis la saline de Salins, acheminait les eaux salées jusqu'à Arc-et-Senans.

À proximité Cartes de microrégion p. 30 et Forêt de Chaux p. 73

VAL D'AMOUR B3

Cette partie de la vallée de la Loue est surtout connue pour ses légendes et sa séduisante rivière. Les métiers liés à l'exploitation du bois y jouèrent un rôle important, jusqu'au début du 20e s. Depuis 1994, la **Confrérie St-Nicolas des radeliers** de la Loue fait revivre le métier des conducteurs de radeaux.

Chissey-sur-Loue B3

▶ *5 km vers l'ouest par la D 17, puis la D 7.* L'intéressante **église** du 13e s. s'ouvre par un porche dont le tympan conserve une sculpture du Christ à la colonne. À l'intérieur, remarquez le retable de saint Christophe (17e s.) et la statue géante de pierre polychrome du même saint (15e s.).

Chamblay B3

▶ *7 km au sud-ouest de Chissey-sur-Loue par la D 93, puis la D 472.* En suivant la Loue, on arrive dans ce petit village qui reste lié à l'histoire du flottage du bois. Cette activité s'est développée à partir du 18e s. pour approvisionner la Marine royale, avant de se diversifier avec le chauffage et les industries. Depuis la forêt de Chaux, le meilleur moyen de transporter le bois a longtemps été la Loue. Elle était aussi souvent imprévisible et dangereuse, et les manœuvres des grands radeaux nécessitaient habileté et expérience.

★ Port-Lesney B3

▶ *7 km au sud-est d'Arc-et-Senans par la D 17E jusqu'à Cramans, puis la D 121 et la D 48E.* Ce joli village, au bord de la rivière de la Loue, est fréquentée l'été. Le dimanche, pêcheurs, amateurs de canotage ou de truites y affluent.
➳ De la chapelle de Lorette (route de Cramans, D 48E, *1h AR*), on accède au **belvédère Edgar-Faure** qui domine le village et toute la vallée.

😊 NOS ADRESSES À ARC-ET-SENANS

HÉBERGEMENT

PREMIER PRIX

Chambre d'hôte De Hoop – *36 Grande-Rue - ☎ 03 81 57 67 92 - www.hebergement-arc-et-senans. fr -* 🅿 📶 *- 5 ch. 65/85 €* ☕*.* Belle maison aux chambres spacieuses et personnalisées. On apprécie la terrasse et le grand bar où l'on peut déguster des crus régionaux.

BUDGET MOYEN

La Saline royale – *☎ 03 81 54 45 45 - www.salineroyale.com -* 📶 *- fermé nov.-fév. - 31 ch. 113 € -* ☕ *10 €.* Un cadre somptueux, des chambres confortables aménagées par l'architecte Jean-Michel Wilmotte et la chance, rare, d'être, soir ou matin, quasiment seul sur le site.

À proximité

PREMIER PRIX

Camping La Plage Blanche – *R. de la Plage - 39380 Ounans - à 1,5 km au N par la D 71, rte de Montbarey et chemin à gauche - ☎ 03 84 37 69 63 - http://europe. huttopia.com -* 🅿 ♿ *- du 4 mai au 25 sept. - 218 empl. 19,30/38 € -* 🍴 *snack le soir en juil., août.* Paressez sur la plage ou plongez dans la Loue, qui longe le camping. Jeux pour les enfants. Certains emplacements sont en bord de rivière. Possibilité de louer des mobile home, roulottes ou tentes aménagées.

Chambre d'hôte Les Traversins du Val d'Amour – *29 rte de Salins - 39380 Ounans - D 472 - ℰ 03 84 37 62 28 - www. lestraversinsduvaldamour.skyrock. com -* 🛏 🅿 *- 4 ch. 50 € -* 🍴 *repas 25 € bc sur réserv.* Accueil amical dans cette paisible maison particulière. Par beau temps, petit-déjeuner sur la terrasse avec vue sur les prés alentour. Chambres douillettes.

RESTAURATION

BUDGET MOYEN

Le Relais d'Arc-et-Senans – *9 pl. de l'Église - ℰ 03 81 57 40 60 - www.relais-arc-et-senans-hotel-restaurant-jura.fr -* 🛜 *- fermé 1 sem. en oct., de mi - déc. à mi-janv., dim. soir et lun. - formule déj. 17,50 € - 25,50/42,50 € - ch. 70 € -* 🍴 *9 €.* Une auberge familiale où l'on vient goûter aux spécialités comtoises du chef. À l'heure du déjeuner, menu du marché, le soir cuisine plus recherchée.

À proximité

BUDGET MOYEN

Le Bistrot Pontarlier – *Pl. du 8-Mai-1945 - 39600 Port-Lesney - ℰ 03 84 37 83 27 - www. bistrotdeportlesney.com -* 🅿 *- mai-sept. tlj ; avr.-juin et oct.-déc. et jan.-avr. : tlj sf merc. et jeu. - 12h15-13h30, 19h15-21h30 - 25/29 €.* Au bord de la Loue, un grand bistrot foisonnant de bibelots chinés, une terrasse digne d'une guinguette et… une ode au terroir : comté, truite de rivière, etc. Évidemment, c'est sur une nappe à carreaux que l'on savoure le repas !

ACHATS

Librairie C.-N.-Ledoux - Librairie boutique – *Saline royale - ℰ 03 81 54 45 44 - www.salineroyale.com - jan.-mars, nov., dec. 10h-12h, 14h-17h, avr.-juin, sept. 9h-18h, juil., août 9h-19h, oct. 9h-12h, 14h-18h, fermé 1er janv. et 25 déc.* Aménagée dans l'ancienne cour des Gardes, la librairie propose des ouvrages liés aux thématiques de l'ancienne Manufacture de la Saline royale.

ACTIVITÉS

Woka Loisirs – *R. des Promenades - 25440 Quingey - ℰ 03 81 55 96 99 - www.woka.fr - juil.-août : 10h-18h ; mai-juin, sept. : w.-end et j. fériés 13h30-18h - fermé oct.-avril.* Au choix : canoë-kayak, pédalo, VTT, escalade, parcours aventure, tir à l'arc…

AGENDA

Lux Salina – *13 soirées en juil.-août - se rens. pour les dates.* Un superbe spectacle son et lumière au cœur de la Saline royale.

Fête des montgolfières – *Mi-sept. - ℰ 06 89 97 75 59 - www. ventsdufutur.fr.*

1

Salins-les-Bains

★

2 718 Salinois – Jura (39)

Allongée au fond d'une vallée encaissée, à l'ombre des forts Belin et St-André, Salins-les-Bains cache ses trésors à quelques dizaines de mètres sous terre. C'est ici, en effet, qu'on puisait la saumure pour en extraire l'or blanc. Aujourd'hui, la Grande Saline est inscrite au patrimoine mondial de l'Unesco et la ville est devenue une agréable cité thermale.

NOS ADRESSES PAGE 86
Hébergement, restauration, achats, activités, etc.

S'INFORMER

Office du tourisme de Salins-les-Bains – *Pl. des Salines - 39110 Salins-les-Bains - ☎ 03 84 73 01 34 - www.salins-les-bains.com - juil.-sept. : 9h-13h, 15h-18h ; mai-juin : tlj sf dim. 9h-13h, 14h30-17h30 ; janv.-avr. : tlj sf dim. 9h-12h30, 13h30-16h30 ; reste de l'année : tlj sf dim. 9h-13h - fermé 1er janv., 1er et 11 Nov., 25 déc. - circuits découverte libre de la ville avec livret disponible à l'accueil (gratuit).*

SE REPÉRER

Carte de microrégion C3 (p. 30). La ville est située à 45 km au sud-ouest de Besançon, par la N 83 et la D 472. Station de TGV à Mouchard.

À NE PAS MANQUER

La visite guidée de la saline et du musée du Sel, la vue du haut du belvédère au pied du fort St-André.

ORGANISER SON TEMPS

La visite de la Grande Saline est la meilleure introduction à la découverte du site voisin d'Arc-et-Senans. Salins offrant néanmoins d'autres intérêts que les salines. Comptez au moins une journée pour profiter de tous ses attraits.

AVEC LES ENFANTS

Proposez-leur une visite adaptée de la Saline, « La ruée vers l'or blanc » (en période de vacances scolaires) et, si le temps s'y prête, emmenez-les contempler au mont Poupet le spectacle des deltaplanes et parapentes.

Se promener Plan de ville page ci-contre

Circuit tracé en vert sur le plan de ville – Comptez 4h (visites incluses). Garez-vous près de l'office de tourisme, à proximité de la porte en arc de voûte.

Porte des salines A2

La porte voûtée est tout ce qu'il reste de l'enceinte qui entourait la saline jusqu'en 1958. La muraille ne possédait qu'une seule porte afin de mieux surveiller l'entrée et la sortie des ouvriers… et surtout de la précieuse production.

★★ Grande Saline et musée du Sel A2

3 pl. des Salines - ☎ 03 84 73 10 92 - www.salinesdesalins.com - visite guidée (1h) juil.-août : 9h30-19h (dernière visite guidée 17h30), dép. ttes les 30mn ; mai-juin et sept. : 9h30-18h ; avr. et oct. : 9h30-12h30, 14h-18h ; reste de l'année : 10h-12h,

SALINS-LES-BAINS

14h-17h30 - fermé 1er, 7-13 janv., 25 déc. - 8 € (-18 ans 4,50 €) - prévoir un vêtement chaud - galerie accessible par un escalier de 50 marches.

⚐ *Conservez vos billets car ils vous permettront de bénéficier de réductions à la saline d'Arc-et- Senans et à la taillanderie de Nans-sous-Ste-Anne.*

👥 Au bord de la Furieuse s'étendent les salines. L'exploitation du sel a définitivement cessé en 1962, mais la source salée est toujours utilisée pour les **thermes**. De l'ensemble important que formaient les salines ne restent plus aujourd'hui que quelques bâtiments de pierre, toujours imposants, comme les **hautes cheminées** et le **magasin des sels** (15e s.). Pour accueillir le musée du Sel, ces bâtiments anciens ont été complétés par l'ajout d'éléments modernes, notamment une « boîte » en acier autopatinable. Les architectes **Malcotti et Roussey**, très actifs dans la région, ont choisi ce métal car il rappelle l'histoire industrielle de la ville tandis que sa patine rouille, nourrie d'air et d'eau, évoque l'action du sel sur le métal et l'usure du temps.

Le **musée du Sel** offre une lecture complète du processus historique de fabrication du sel ignigène (⚑ *p. 78*), du captage des eaux salées au

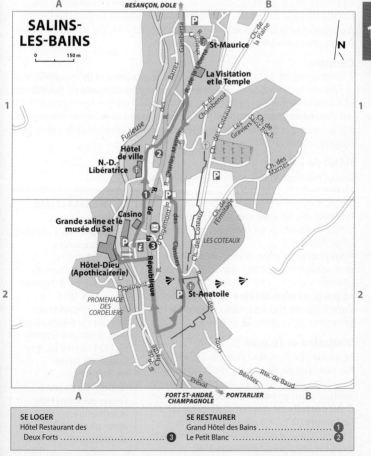

SE LOGER	SE RESTAURER
Hôtel Restaurant des	Grand Hôtel des Bains .... ❶
Deux Forts .... ❸	Le Petit Blanc .... ❷

DU BOIS DONT ON SE CHAUFFE

Les chaudières dans lesquelles s'évaporait l'eau salée réclamaient d'énormes quantités de bois à brûler. Il était prélevé dans les forêts voisines, ainsi que les bois de sciage ou d'industrie. Ce commerce s'ajouta à celui du sel : jusqu'à 60 000 charrettes chargées de bois entraient chaque année dans la ville, où fonctionnaient douze scieries, animées par l'impétueuse rivière justement nommée la Furieuse.

---

conditionnement du sel. La visite débute par une présentation très vivante du sel et de sa place dans les sociétés traditionnelles. Elle se poursuit ensuite à travers les monumentales galeries souterraines, longues de 200 m. Abritées sous d'imposantes voûtes médiévales en plein cintre, elles relient deux puits équipés d'un système de pompage, toujours en état de marche, qui permet de puiser l'eau salée. Par l'intermédiaire d'un long madrier, une roue hydraulique met en mouvement la pompe qui aspire l'eau saturée, à raison de 33 kg de sel pour 100 l. Cette machinerie est deux fois centenaire. Pour recueillir le sel, l'évaporation se faisait dans de vastes « poêles » de 38 000 l. Des films d'archives, une collection d'objets techniques et des commentaires illustrent de manière passionnante la dimension millénaire de cette activité en Franche-Comté.
À proximité se trouve un autre bâtiment contemporain qui abrite, en plus du casino, un restaurant et une salle de spectacle.

Casino A2

À l'emplacement de l'actuel casino se dressait un bâtiment de la saline détruit pendant la Seconde Guerre mondiale. Les architectes du musée du Sel, Malcotti et Roussey, sont également les auteurs du nouvel édifice. On retrouve l'acier autopatinable, traité de manière plus décorative dans ce lieu de divertissement.
Passez devant la tour de Flore, vestige de l'ancienne enceinte de la saline, pour rejoindre l'hôtel de ville.

Hôtel de ville A1

Dans l'hôtel de ville (18ᵉ s.) est enclavée la **chapelle N.-D.-Libératrice** (1639), surmontée d'un dôme vernissé. Elle abrite de beaux tableaux du 18ᵉ s. et une Vierge de plomb, fondue à Bruxelles en 1665, autrefois placée à l'extérieur.
Passez par le passage, devant l'hôtel des bains puis rejoignez, sur votre droite, la rue de la Liberté.
La **porte monumentale**★ du nº 13 est attribuée à Claude-Nicolas Ledoux et rappelle l'architecture des salines (◐ p. 476).

Visitation et Temple B1

Le couvent des Visitandines, érigé en 1710, fut converti en HLM vers 1960. Après être passé sous ses arcades, montez la rue du Temple pour prendre du recul et voir son beau **portail**★ de marbre et d'albâtre (17ᵉ s.). Le **Temple** (15ᵉ s.) est alors juste derrière vous. Il rappelle que la commanderie des Templiers avait été installée à Salins vers 1140.

LE THERMALISME
La ville est connue depuis plusieurs siècles pour ses sources d'eau naturelles salées. La création de l'établissement thermal remonte à 1854. Il a notamment participé à l'essor du thermalisme sous le Second Empire. En 1926, la ville adopte le nom de Salins-les-Bains, mais elle ne parviendra pas à sauver les salines de la fermeture en 1962, après plus de 1 200 ans d'exploitation.

Salins-les-Bains, les salines classées au Patrimoine Mondial de l'Unesco, la Grande Saline.
D. Bringard/hemis.fr

Église St-Maurice B1

À l'intérieur, au fond de la chapelle de droite, statue équestre, en bois, de saint Maurice en costume du Moyen Âge. Pietà en albâtre (16e s.) dans le bas-côté droit.

Revenez sur vos pas dans la rue de la Liberté, puis prenez à gauche la rue Charles-Magnin et traversez la place Émile-Zola (remarquez, à droite, l'ancienne maison des Jésuites, du 18e s.). Prenez ensuite la rue des Clarisses, joliment pavée.

Église St-Anatoile B2

Poussez fort la porte ! C'est la plus intéressante de Salins, et l'un des meilleurs exemples du gothique bourguignon cistercien du 13e s. en Franche-Comté. On remarquera le goût des architectes de cette région pour les arcs en plein cintre. La façade a une belle porte d'inspiration romane encadrée de deux chapelles en saillie, de style gothique flamboyant. À l'intérieur, au-dessus des arcades gothiques qui séparent la nef des bas-côtés, courent de jolies arcatures en plein cintre. Remarquez la chaire (17e s.) à droite, stalles à médaillons et boiseries (16e s.) ainsi que le buffet d'orgues en bois sculpté (1737).

Devant l'église, une petite place offre une jolie vue sur les jardins secrets et les toits roux de Salins. On aperçoit en face le fort St-André et, en se retournant le **fort Belin** (19e s., privé). Sur la gauche, le charmant **escalier St-Anatoile** enfile ses marches de guingois en serpentant entre les murs de pierre avant de rejoindre la rue de la République, une départementale très passante.

Tournez à gauche pour aller jusqu'à la tour Oudin (13e-15e s.) qui protégeait la porte haute de la ville, puis revenez sur vos pas pour remonter la rue de la République.

Rue de la République A1-2

Au n° 105, l'**hôtel Moreau** a gardé sa façade de pierre grise du 18e s. Au n° 79, la **maison des Carmélites** (13e s.), à colombages, qui abrita un couvent aux 17e et 18e s. C'est l'une des seules à avoir échappé au grand incendie du 27 juillet 1825 qui détruisit près de 330 maisons, dont une partie de la grande saline.

Dépassez la belle fontaine des Cygnes (1834) et passez devant l'office de tourisme pour atteindre l'Apothicairerie.

Apothicairerie A2

R. du Dr-Germain - ☎ 03 84 73 01 34 - www.salins-les-bains.com - visite guidée (40mn) de mi-juil. à fin août : horaires, se rens. à l'office de tourisme - 5 € (-12 ans gratuit).

De l'hôtel-Dieu du 17e s., on peut visiter l'apothicairerie : boiseries et belle collection de pots en faïence de Nevers.

À proximité Carte de microrégion p. 30

Fort St-André C3

▶ *4 km, à l'ouest. Quittez Salins au sud par la D 472, tournez à droite dans la D 94, puis à droite dans la D 271 et encore une fois à droite. L'office de tourisme propose un cartoguide des randonnées si vous souhaitez vous y rendre à pied (comptez 1h et quelques côtes !).*

Construit en 1674, sur les plans de Vauban, ce fort est un bel exemple d'architecture militaire du 17e s. À droite au pied des remparts, un belvédère offre une belle **vue★** sur Salins.

★ Mont Poupet C3

▶ *10 km, au nord. Quittez Salins par la D 492 au nord. Après 5,5 km, prenez à gauche la D 273. Au bout d'1 km, une route forestière se présente à gauche, qui arrive au pied de la croix du mont Poupet (parc de stationnement).*

◀ Du **belvédère** (alt. 850 m), on découvre *(15mn à pied AR)* une belle **vue★** (table d'orientation et croix) : au premier plan le bassin de Salins dans sa cluse aux arêtes boisées, en arrière un paysage de pré-bois, à droite l'abrupt portant le fort St-André ; au loin, le regard porte d'une part sur le mont Blanc, les hautes chaînes et les plateaux du Jura, d'autre part sur la plaine de Bresse avec, au fond, les monts de la côte bourguignonne et du Beaujolais. Poursuivez la route en montée qui, à hauteur d'un relais de télévision, offre une **vue** très dégagée à l'ouest sur la forêt de Chaux.

😊 NOS ADRESSES À SALINS-LES-BAINS

HÉBERGEMENT

BUDGET MOYEN

❸ Hôtel Restaurant des Deux Forts – A2 - Pl. du Vigneron - ☎ 03 84 73 70 40 - www. hoteldesdeuxforts.fr - ♿ - 23 ch. 80,50/159 € - 🍽 10,20 € - *restaurant :* 12h-13h30, 19h-21h30 - ✕ *formule déj. 14/18 € - 26,90 €.* Idéalement placé en face de la saline, cet hôtel allie éléments anciens et décoration actuelle. La terrasse du restaurant offre une vue plaisante sur Salins-les-Bains. Accueil charmant.

À proximité

BUDGET MOYEN

Village Vauban – Hors plan - *Village Vauban - ☎ 03 84 73 16 61 - www.fort-st-andre.com - 🅿 - avril-oct. - 32 gîtes pour 2 à 5 pers., 6 studios 1-2 pers., 191,40 € pour 2 pers. (2 nuits).* Ce fort du 17e s. abrite des gîtes astucieusement aménagés pour un séjour de 2 nuits minimum. Pas de service de restauration. Belle vue sur Salins.

RESTAURATION

BUDGET MOYEN

1 Grand Hôtel des Bains – A1 - *Pl. des Alliés -* 📞 *03 84 73 07 54 - www.hotel-des-bains.fr -* **P** *- fermé 2 sem. en janv., dim. soir et lun. - formule déj. 13/14,60 € - 25/39 € - piscine et spa - ch. 90/125 €* 🛜 🖥️🛏️ Cet hôtel de 1860 a revêtu des atours contemporains mais conserve un salon classé. Les chambres sont confortables, tout comme la piscine des thermes, accessible aux hôtes. Féra du Léman aux petits légumes, bœuf sauce à la moelle ou morilles : la vraie tradition est toujours à la carte de ce restaurant qui fait aussi brasserie.

2 Le Petit Blanc – A1 - *1 pl. des Alliés - parc des thermes -* 📞 *03 84 73 01 57 - www. restaurantlepetitblanc.com - mar.-sam. 12h-14h, 19h-22h, dim. 12h-14h - formule déj. 13/14,50 € - 25/34 €.* Ce sympathique bistrot installé dans un ancien grenier à sel est tenu par deux frères qui proposent spécialités jurassiennes et lyonnaises à base de produits soigneusement choisis.

PETITE PAUSE

Pâtisserie Schweitzer – *16 r. de la République -* 📞 *03 84 73 14 82 - lun. 10h-19h30, mar.-sam. 7h30-19h30, dim. 7h30-19h, fermé merc. hors saison.* La terrasse est bruyante mais les Téméraires, triangles d'or et pains d'anis, subtilement parfumés, vous feront oublier le fracas de la rue.

EN SOIRÉE

Casino – *6 r. de la République -* 📞 *03 84 73 05 02 - www.le-sensso.fr - jeux traditionnels 20h-2h, machines à sous 11h-2h (jusqu'à 4h vend., sam. et veilles de fêtes).* Machines à sous, poker, roulette, black-jack, restaurant et bar, cabaret.

ACHATS

Boutique du musée – *Pl. des Salines -* 📞 *03 84 73 10 92.* Dans la boutique du musée du Sel, vaste choix de livres, souvenirs, objets d'artisanat : salières, bijoux, caramels à la fleur de sel, produits de beauté des thermes…

Fumé du Jura – *5 rte de Champagnole - 39110 Pont-d'Héry - Hameau de Moutaine (à 8 km au S de Salins-les-Bains par la D 467) -* 📞 *03 84 73 02 49 - www.fumedujura.fr - mar.-sam. 8h30-19h, dim. 9h-19h.* Jambons à l'os, saucisses sèches, palette, brési, langue, saucissons au vin jaune, terrines : ces délicieuses charcuteries sont exclusivement fabriquées avec de la viande et des abats de porcs francs-comtois. Certaines sont fumées artisanalement, toujours au bois de genévrier. De quoi faire succomber plus d'un gourmet.

ACTIVITÉS

ThermaSalina – *Pl. Barbarine -* 📞 *03 84 73 04 63 - www.thermes-salins.com - 14h30-18h30, dim. et j. fériés 9h30-11h45, 14h-17h30 - fermé janv. - 14 € (6 € 3-12 ans).* Plusieurs types d'eau salée, bassin thermo-ludique, saunas, hammam jacuzzi, caldarium.

Voie des Salines – *www.jura-tourism.com.* Ce véloroute de 28 km entre Ranchot et Salins-les-Bains passe par Arc-et-Senans et sa saline royale.

École de vol libre du Poupet – *9 r. du Poupet - 39110 St-Thiébaud -* 📞 *06 32 90 84 91 - www. poupetvollibre.com.* Baptêmes de l'air en biplace (70/140 €), journée découverte (150 €), stages d'initiation et de perfectionnement de fin mars à mi-octobre. Atelier et boutique spécialisés.

1

Nans-sous-Sainte-Anne

139 Nanais – Doubs (25)

Ce charmant village a longtemps profité de la rivière qui actionnait ses moulins et sa taillanderie particulièrement bien conservée. Le site est également un point de départ privilégié pour de superbes excursions sur les falaises, dans les bois ou sur les bords de la rivière afin de découvrir notamment les grandioses sources du Lison.

😊 NOS ADRESSES PAGE 91
Hébergement, restauration, achats, activités, etc.

🛈 S'INFORMER

Office du tourisme du Pays d'Ornans Loue Lison – *7 r. Pierre-Vernier - 25290 Ornans - 📞 03 81 62 21 50 - www. destinationlouelison.com - juil.-août : 9h-12h30, 13h30-18h, dim. et j. fériés 9h30-13h ; avr.-juin et sept.-oct. : tlj sf dim. 9h30-12h, 14h-18h, j. fériés 9h30-13h ; reste de l'année : tlj sf dim. et j. fériés 9h30-12h, 14h30-17h30, sam. 9h30-12h, 14h-18h - fermé 1er janv., lun. de Pâques, 1er et 11 Nov., 25 déc.*

◗ SE REPÉRER

Carte de microrégion C3 (p. 30). À 13,5 km à l'est de Salins-les-Bains, par la D 492.

😊 À NE PAS MANQUER

La rivière Lison, sa source verdoyante et surtout son cours en partie souterrain, sur lequel s'ouvrent d'étonnantes fenêtres rocheuses, tels le Creux Billard ou la grotte Sarrazine ; le pont du Diable et sa curieuse légende.

🕐 ORGANISER SON TEMPS

Consacrez une journée à la découverte du village et de son site naturel.

👪 AVEC LES ENFANTS

La visite de la taillanderie sera l'occasion de leur faire découvrir une activité oubliée, aux outils impressionnants (roue, soufflets).

Se promener

★ Taillanderie

Lieu-dit La Doye - 📞 03 81 86 64 18 - ♿ - visite guidée (1h) juil.-août : 10h-13h, 13h30-18h30 ; mai-juin et sept. : 10h-12h30, 14h-18h30 ; avr. et oct. : 14h-18h ; mars et nov. : vac. scol., w.-end et j. fériés 14h-17h30 ; reste de l'année : se rens. - fermé 1er janv., 25-26 déc. - 6,50 € (enfant 3,50 €).

👪 Un peu à l'écart du village *(suivez la signalisation)* se situe une ferme-atelier du 19e s., où l'on fabriquait jusqu'en 1969 des outils agricoles. Au début du siècle dernier, 20 000 faux et 10 000 outils taillants sortaient chaque année de ces ateliers. Lorsqu'il fonctionnait pleinement, l'atelier comptait 25 ouvriers, dont la plupart vivaient sur place. L'Arcange, affluent du Lison, fournissait l'énergie hydraulique. Au cours de la visite des ateliers sont expliquées les différentes étapes de fabrication d'une faux. On peut voir fonctionner l'impressionnante **roue hydraulique** (1891) de 5 m de diamètre qui actionnait les martinets et, surtout, l'étonnant système de soufflerie en bois.

ALAISE OU ALÉSIA ?

Un massif qui domine le Lison, un ancien oppidum gaulois, des noms qui se ressemblent… tout était réuni pour que des érudits comtois y voient le site tant recherché de la célèbre bataille d'Alésia. Si l'historiographie dominante situe aujourd'hui Alésia à Alise-Ste-Reine, en Côte-d'Or, un doute continue à planer sur la localisation exacte de l'oppidum celtique qui fut le théâtre de l'affrontement décisif entre Vercingétorix et César en 52 av. J.-C.

Dans les bois, à 1 km à l'est du village actuel d'Alaise, s'élevait autrefois une vaste forteresse gauloise, *Alasia*, dont les fouilles ont extrait un grand nombre d'armes et d'objets divers. Un riche patrimoine archéologique (vestiges d'une grande nécropole sur le massif Alaise-Saraz et sur le plateau d'Amancey : tertres funéraires, tombes à char, mobilier composé d'épées, de bracelets et ceintures, de fibules, etc.) témoigne de la présence d'une importante occupation celtique dans la région.

Des discussions passionnées entre archéologues furent ouvertes, en 1855, par **Alphonse Delacroix**, dont la statue domine le site et qui œuvra pour la célébrité des lieux. Par la suite, la thèse comtoise eut pour ardent défenseur l'érudit **Georges Colomb** (1856-1945, *voir p. 481*). Maire d'Alaise dans les années 1980, **Louis Courlet** évoque l'histoire de sa localité dans *La Cité mystérieuse*. Plus récemment, les recherches de l'archéologue et éminent chartiste **André Berthier** (1907-2000) l'ont conduit à éliminer 299 autres sites prétendant être Alésia pour ne retenir que les sites jurassiens de **Syam/Chaux-des-Crotenay**, jamais envisagés au préalable comme candidats potentiels.

À proximité Carte de microrégion p. 30

Alaise C3

▶ *7 km au nord par la D 139. Comptez 2h pour visiter l'oppidum et profiter de la vue sur le Lison depuis le belvédère au sud du village.*

Oppidum – *Accès aux vestiges par une route goudronnée que vous prenez à droite, à la sortie du village sur la D 139. Laissez votre voiture au parc de stationnement dans une clairière et poursuivez à pied sur 200 m.*

Il s'agit d'un vaste plateau de quelque 1 500 ha qui domine deux rivières, le Todeure et le Lison. L'endroit le plus significatif est le lieu-dit **Camp de Châtaillon**. Des fouilles permirent d'y découvrir des morceaux de poteries, vases, pointes de javelot, fragments de silex… Actuellement, une vingtaine de huttes et trois abris sous roche sont toujours visibles.

Belvédère – À 1 km au sud du village (D 139), direction Saraz, a été aménagé un belvédère qui domine le Lison de ses 194 m.

Randonnées Carte de microrégion p. 30

★★ Source du Lison C3

Suivez le fléchage et garez-vous au parking de la source.

🚶 *10mn à pied AR. Aires de pique-nique.* La végétation, plus abondante qu'à la source de la Loue, donne au lieu un charme riant. La source jaillit d'une grotte au pied de la falaise. Après une période de pluie, le spectacle est particulièrement beau. Le Lison naissant débite déjà 600 l à la seconde, en basses eaux. C'est, après la Loue, la plus puissante résurgence du massif du Jura. Peu

---

LES ÉCLIPSES DU LISON

Les cours d'eau comtois ne manquent généralement pas de caractère et le Lison ne fait pas exception. En réalité, ce n'est pas sa source, mais plutôt sa résurgence qui est spectaculaire au cœur d'un site sauvage, riche en curiosités naturelles. Le Lison, affluent de la Loue, prend véritablement sa source sur les pentes de la forêt du Scay, et porte alors le nom de Lison-du-Haut. Il se perd un moment, réapparaît, puis disparaît à nouveau dans des entonnoirs. Sa course dans le sous-sol est jalonnée, à la surface, par une curieuse vallée, généralement à sec. Elle s'encaisse de plus en plus, se transforme en gorges, que franchit le **pont du Diable**, sur la route de Crouzet-Migette à Ste-Anne *(D 229, dont l'église est revêtue de tavaillons aux teintes chaudes)*. Après les grandes pluies seulement, la vallée est parcourue par un torrent qui se déverse en cascade dans le Creux Billard.

---

après, il traverse le village de Nans-sous-Ste-Anne où il absorbe le ruisseau du Verneau. Il va ensuite se jeter dans la Loue.

Pour pénétrer à l'intérieur de la caverne, passez sous un petit tunnel percé dans le roc qui conduit à une plate-forme appelée la **Chaire à prêcher**. N'empruntez pas le chemin qui longe la paroi : il y a quelques années, une pierre a roulé sous le sabot d'un chamois pour tomber sur la tête d'un promeneur. La mairie a donc préféré interdire l'accès au chemin, et se dégager de toute responsabilité pour les contrevenants.

Revenez sur vos pas et prenez à droite l'amorce du sentier signalé qui monte en lacet, sous bois.

★★ Creux Billard C3

20mn à pied AR.

Ce cirque, profond de plus de 50 m, est très impressionnant par sa hauteur et par la lumière étrange qui y règne. Il représente, en quelque sorte, un « regard » sur le cours souterrain du Lison, dont la source « officielle » sort de la grotte voisine. La réapparition au jour de la rivière est, cette fois, définitive. Un accident a confirmé la communication du Creux Billard avec la source du Lison. En 1899, une jeune fille se noyait dans le gouffre. Trois mois après, on aurait retrouvé son corps à l'aval de la source.

★★ Grotte Sarrazine C3

20mn à pied AR. Sentier escarpé mais bien aménagé. Une ultime passerelle vous permettra de mesurer le débit du bief du Sarrasin.

Cette cavité, haute de 90 m, s'ouvre dans une falaise abrupte et boisée par un gigantesque porche naturel dont l'ampleur s'apprécie particulièrement lorsque la résurgence, à sec, permet de s'avancer dans la grotte. En temps de pluie, la résurgence qui s'en échappe, alimentée en partie par une dérivation souterraine du Lison, est d'une abondance remarquable. L'exploration de la grotte est réservée aux spéléologues très expérimentés, en raison notamment de cette variation de volume par temps orageux.

La chute d'eau de la source du Lison.
WTolenaars/iStock

1

😊 NOS ADRESSES À NANS-SOUS-SAINTE-ANNE

HÉBERGEMENT ET RESTAURATION

PREMIER PRIX

Gîte Lison Accueil – *7 Grande-Rue -* 📞 *03 81 86 50 79 - http://lison.accueil.free.fr/- 37 places - 15/22 € par pers -* 🍵 *6 €.* L'imposante demeure en pierres, rustique et pittoresque, abrite un hébergement de 37 places réparties en 13 chambres, dortoirs et gîte. Bonne cuisine familiale et accueil chaleureux et décontracté. Départ des activités de spéléo, escalade et via ferrata.

À proximité

PREMIER PRIX

Auberge Marle – *7 r. Georges-Colomb - 25440 Myon -* 📞 *03 81 63 78 47 - www.auberge-marle.fr -* 🅿

📶 *- rest. fermé 10 j. fin sept. et dim. soir - 5 ch. 54/58 € -* 🍵 *8 € -* 🍴 *formule déj. 13 € - 22/32 €.* Cette auberge, tenue par la même famille depuis 5 générations (1863), doit sa longévité à son cadre rustique ainsi qu'à sa cuisine à base de produits frais. Quel plaisir de savourer les incontournables spécialités maison : la croûte forestière aux huit champignons ou le filet de sandre aux noisettes.

ACTIVITÉS

Lison Accueil – *7 Grande-Rue -* 📞 *03 81 86 50 79 - http://lison. accueil.free.fr/.* Outre les activités liées à l'escalade aménagée (via ferrata et via corda), vous pourrez pratiquer ici la spéléologie. Location de matériel *(pour la via ferrata : 15 €).*

Ornans

4 357 Ornanais – Doubs (25)

Surnommée « la petite Venise comtoise », Ornans est la capitale de la vallée de la Loue, dont elle constitue l'attrait majeur. Elle doit son succès à l'une des plus belles rivières de Franche-Comté qui a fasciné les peintres, particulièrement Courbet. Sa double rangée de vieilles maisons sur pilotis, ses ponts et ses superbes reflets dans la Loue font la renommée de cette petite ville.

☺ NOS ADRESSES PAGE 99
Hébergement, restauration, achats, activités, etc.

🛈 S'INFORMER
Office du tourisme du Pays d'Ornans Loue Lison – *7 r. Pierre-Vernier - 25290 Ornans - ✆ 03 81 62 21 50 - www.destinationlouelison. com - juil.-août : 9h-12h30, 13h30-18h, dim. et j. fériés 9h30-13h ; avr.-juin et sept.-oct. : tlj sf dim. 9h30-12h, 14h-18h, j. fériés 9h30-13h ; reste de l'année : tlj sf dim. et j. fériés 9h30-12h,14h30-17h30, sam. 9h30-12h, 14h-18h - fermé 1er janv., lun. de Pâques, 1er et 11 Nov., 25 déc.*

▶ SE REPÉRER
Carte de microrégion C2 (p. 30). Il est facile de venir de Besançon (26 km vers le sud, par la D 67), mais il serait

dommage d'éviter la vallée de la Loue (🕭 p. 80 et 98).

☺ À NE PAS MANQUER
Le musée Courbet, la Ferme Courbet à Flagey ; le Grand Pont et sa vue sur les maisons à pilotis du bord de la Loue ; l'immense salle souterraine du gouffre de Poudrey.

🕐 ORGANISER SON TEMPS
Comptez 2 jours pour découvrir entièrement la ville et ses environs.

👫 AVEC LES ENFANTS
Le spectacle « Musique et lumière » du gouffre de Poudrey ; le Dino-Zoo avec son cinéma 4D sensitif et les animations préhistoriques !

Se promener

Grand Pont
C'est le site le plus célèbre d'Ornans. Comme la passerelle, il offre une **vue★** très pittoresque sur les vieilles maisons de la cité reflétées par la Loue.
En vous dirigeant vers l'église, admirez au n° 7 la cour restaurée de l'**hôtel Bauquier-Doney** (16e s.), avec sa tour octogonale ; au n° 26, la façade et la grille de l'**hôtel Sanderet de Valonne** (17e s.). Ne manquez pas non plus l'**hôtel de Grospain** (15e s.), qui servit longtemps d'hôtel de ville.

Église St-Laurent
2 r. Champliman - ✆ 03 81 62 21 50 - http://besancon.mondio16.com - juil.-août : 13h30-18h - possibilité de visite guidée.
Reconstruite au 16e s., elle a conservé de l'ancien édifice roman le bas du clocher (12e s.). Le dôme et le lanternon datent du 17e s. Due au chancelier et au cardinal de Granvelle (🕭 p. 38), l'église abrite, sous une voûte élégante, un beau mobilier, dont un superbe **buste du Christ★** attribué au Bernin. Au

Ornans, traversé par la Loue.
H. Lenain/hemis.fr

chevet se trouve la tombe de l'abbé Bonnet, officiant du tableau *Un enterre-ment à Ornans* peint par Courbet.
Au-delà de l'église, prenez la rue du Champliman et longez la rivière.

★ **Musée Gustave-Courbet**

1 pl. Robert-Fernier - 📞 03 81 86 22 88 - www.musee-courbet.fr - ♿ - juil.-sept. : 10h-18h ; avr.-juin : 10h-12h, 14h-18h ; reste de l'année : 9h-12h, 14h-17h - fermé mar., 1ᵉʳ janv., 1ᵉʳ Mai, 1ᵉʳ nov., 25 déc. - possibilité de visite guidée (1h) - 6 € (-13 ans gratuit) - 8 € (-13 ans gratuit) expositions - gratuit 1ᵉʳ dim. du mois - audioguide disponible.
Depuis 2003, le conseil départemental du Doubs met en œuvre un projet ambi-tieux nommé *Pays de Courbet, pays d'artiste*. Au cœur de ce projet, le musée

---

ORNANS AU MOYEN ÂGE

Le « magistrat » – Ornans, mentionné au début du Moyen Âge, reçoit dès 1244 une charte du souverain de la Comté. Elle est administrée par un conseil municipal, le « magistrat », élu chaque année par les chefs de famille du village et qui désigne 12 notables pour surveiller la gestion communale. La ville possède le **droit d'asile** et en exige le respect, même du Parlement. Celui-ci ayant fait saisir un réfugié, le magistrat porta l'affaire devant Charles Quint et obtint la restitution du prisonnier. La chicane est d'ailleurs en honneur à Ornans, comme dans toute la Comté !

La milice – Les hommes sont armés et forment la milice. Ils entretiennent les défenses du château, assurent le guet et constituent la garnison en cas d'attaque. Un concours annuel permet au vainqueur d'être exempté d'impôts pour l'année ; s'il triomphe trois fois de suite, il l'est définitivement.

Les processions – C'étaient les grandes fêtes locales. En tête, le curé et ses 20 chapelains chantaient ; suivis des corps de métier, bannières au vent : confréries de St-Vernier (vignerons), St-Fiacre (jardiniers), St-Crépin (cor-donniers), St-Éloi (serruriers), St-Étienne (tailleurs), St-Antoine (bouchers), St-Michel (marchands), St-Yves (gens de loi).

Sur les pas de Courbet

« Je n'ai pas plus voulu imiter les uns que copier les autres : ma pensée n'a pas été davantage d'arriver au but oiseux de "l'art pour l'art". Non ! [...] Être à même de traduire les mœurs, les idées, l'aspect de mon époque, selon mon appréciation, être non seulement un peintre, mais comme un homme, en un mot, faire de l'art vivant, tel est mon but. » Ces phrases, extraites de la brochure que Gustave Courbet composa pour accompagner les œuvres qu'il exposait en marge de l'Exposition universelle de 1855, illustrent bien le caractère véhément et volontier frondeur du peintre natif d'Ornans. Son œuvre scandalisa en son temps, car elle rompait avec les sujets convenus et le traitement lisse qui prévalait alors en peinture. Aujourd'hui, ses tableaux retiennent les regards pour d'autres raisons : ses scènes de genre expriment une observation fine et personnelle de la comédie humaine ; ses paysages invitent à regarder avec plus d'attention la nature d'un pays qui fut pour le peintre une source d'inspiration continue.

LE MAÎTRE DU RÉALISME

Courbet naît à Ornans en 1819, dans une famille de vignerons. On le destine au notariat, mais il abandonne rapidement le droit pour le chevalet. Dès le salon de 1849, ses œuvres soulèvent des tempêtes d'éloges et de critiques. Très attaché à Ornans, il y puise la plupart de ses sujets. Ses paysages reflètent la nature sauvage et attachante de la Franche-Comté : *Le Château d'Ornans*, *La Source de la Loue*. Il prend ses modèles parmi sa famille et ses amis : pour *L'Enterrement à Ornans*, exposé au Salon de 1850, tous les habitants d'Ornans, du maire au fossoyeur, ont posé. Outre le choix du grand format, habituellement réservé aux scènes historiques, le tableau sidère par le soin apporté à l'expression de chaque personnage. La satire sociale vient bien après la recherche de vérité. Le sujet peut être laid, la beauté naît de l'attention portée au sujet, que souligne la maîtrise superbe des coloris. « Regardez l'ombre dans la neige, comme elle est bleue… Voilà ce que les faiseurs de neige en chambre ne savent pas », note l'auteur de *L'Hallali du cerf*. Les impressionnistes appliqueront cette remarque au pied de la lettre en allant peindre en pleine nature, sur le motif.

DE GRANDES AMBITIONS

Tout au long de sa carrière, le peintre orchestra scandales et polémiques. Aussi révolutionnaire en politique qu'en peinture, il prend part à la Commune en 1871. Président de la commission nommée par les artistes, il propose d'abattre la colonne Vendôme, « monument dénué de toute valeur artistique, tendant à perpétuer par son expression les idées de guerre et de conquêtes que réprouve le sentiment d'une nation républicaine » ! Après l'effondrement de la Commune, il est condamné à six mois de prison et au remboursement des 323 000 francs qu'a coûté la remise en place de la colonne abattue. Ruiné, ne pouvant plus exposer – le Salon lui retourne ses toiles sans examen –, Courbet s'exile en Suisse. En 1877, il meurt près de Vevey, à La Tour-de-Peilz (sa dépouille fut transférée à Ornans en 1919).

Le succès que remportent ses œuvres auprès du public depuis plus d'un siècle est à la mesure des ambitions de celui qui n'hésitait pas à intituler l'une de ses toiles les plus célèbres : *L'Atelier du peintre. Allégorie réelle déterminant une phase de sept années de ma vie artistique et morale* ! (musée d'Orsay).

d'Ornans présente le parcours du peintre, en s'attardant particulièrement sur les **années de jeunesse et de formation** et sur les **paysages** qui inspirèrent le peintre longtemps après son départ pour Paris en 1840.

Installé au bord de la Loue, dans l'élégant **hôtel Hébert**, maison natale de Gustave Courbet, le musée s'est agrandi avec l'annexion des deux bâtiments contigus, également du 18e s. Ici et là des caisses en verre font office de balcons ouvrant sur la ville et ses alentours, invitant à faire des va-et-vient entre les tableaux et l'observation de la nature environnante. L'atmosphère de la maison et les portraits des proches du jeune Courbet laissent entrevoir la vie à la fois modeste et complexe d'une ville comme Ornans au 19e s. Celle-ci, sous le pinceau du peintre désireux de « révéler l'homme à lui-même », devint un sujet de tableau à part

SENTIERS DE COURBET
Huit parcours de randonnées autour du peintre du 19e s. sont proposés à Ornans et ses environs. Un livret sur ces itinéraires pédestres est en vente à la boutique du musée Courbet. Au choix, une visite de la ville sur les pas de l'artiste, découverte de la source de la Loue, balade vers Nans-sous-Sainte-Anne…

entière, loin des représentations volontiers idylliques du monde paysan qui prévalaient alors dans les tableaux de genre (de petit format).

Si les tableaux les plus célèbres (les nombreux autoportraits que fit Courbet au cours de sa vie, *L'Enterrement à Ornans*, *L'Origine du monde*, *Le Sommeil*…) sont absents des collections permanentes, ils sont présentés par d'autres biais : vidéos, projections et reproductions ponctuent le parcours. Les dessins exposés et plusieurs tableaux, accompagnés d'explications qui guident le regard dans la découverte de l'œuvre, expliquent succinctement le travail de l'artiste en quête d'une nouvelle esthétique dite réaliste et les engagements politiques qui lui valurent l'exil après 1873 *(👁 page ci-contre)*. Dans le cadre des expositions temporaires, des œuvres extérieures à la collection permanente sont présentées. Un agréable jardin, à la mode du 19e s., clôt la visite.

👁 **Bon à savoir** – Le musée des Beaux-Arts de Besançon expose plusieurs œuvres majeures de Gustave Courbet *(👁 p. 478)*.

Musée du Costume et des Traditions comtoises

7 r. Édouard-Bastide - 📞 03 81 62 40 33 - www.ornans.fr - juil.-août : 14h-18h ; sept. : sur demande préalable - possibilité de visite guidée sur demande (45mn) - 3 € (-12 ans gratuit).

Installé dans l'ancienne chapelle de la Visitation, il présente les costumes d'époque de différentes régions de la Franche-Comté. Vous verrez notamment une belle collection de « coiffes à diairi » de la région de Montbéliard ainsi que des dentelles de Luxeuil-les-Bains. Scénographie de la vie paysanne ou bourgeoise et costumes expliqués par un audioguide.

Miroir de la Loue

C'est le nom donné au plan d'eau tel qu'on le voit du pont situé en aval de la ville. L'église, la ville et les falaises se reflètent à la surface de la Loue.

MÉFIEZ-VOUS DE L'EAU QUI DORT
La Loue distille un charme indéniable à travers la ville. Mais toute médaille a son revers, et la rivière envahit régulièrement Ornans lors de ses **crues** : la plus forte date de 1953. Dernière en date, celle de janvier 2018 qui, avec un pic de 2,60 m, restera une crue majeure.

1

Le Musée Courbet à Ornans, Architectes : Ateliers 2/3/4/, 2011.
H. Lenain/hemis.fr

À proximité Carte de microrégion p. 30

Vuillafans D2

 7 km au sud-est par la D 67.

De vieilles demeures bourgeoises et seigneuriales y subsistent. Un pont charmant du 16ᵉ s. enjambe la Loue.

Ferme Courbet à Flagey C3

 12 km au sud. Quittez la ville par la route de Chantrans (D 492). À Silley-Amancey, prenez la D 334 à droite - 28 Grande-Rue - ℘ 03 81 53 03 60 - www. musee-courbet.fr - ⚘ - avr.-sept. : 11h-12h15, 13h-19h ; mars : tlj sf lun. 13h-17h - fermé mar. - expositions, ateliers, animations, etc.

Au cours de son emprisonnement en 1871, Gustave Courbet aimait à évoquer « les prés de Flagey où j'allais avec ma mère aux noisettes, les bois de sapins de Reugney où j'allais aux framboises… ». Il séjournait alors dans cette paisible ferme, propriété de sa famille. Aujourd'hui, le bâtiment rénové accueille des expositions d'art contemporain, un café-librairie et un plaisant jardin-potager.

★ Point de vue du Château d'Ornans C2

 2,5 km au nord par une petite route en forte montée.

Du promontoire qui porte l'ancienne forteresse, belle **vue** sur Ornans et la vallée de la Loue.

Grotte de Plaisir Fontaine C2

 8,5 km au nord. Quittez Ornans à l'ouest par la D 67. Dans un virage, à 5,5 km d'Ornans, prenez à droite la D 280 qui remonte le ravin ; là prenez à gauche vers la grotte.

Après la vallée de la Loue, la route suit celle de la Brême dite **ravin du Puits Noir**. Ses sites ombragés et le joli paysage inspirèrent à Courbet de nombreuses toiles qui comptent parmi ses plus belles. Au-delà du parking, poursuivez à pied jusqu'à l'établissement de pisciculture ; juste avant s'amorce à gauche le sentier qui s'élève vers la grotte *(15mn à pied)*. De celle-ci naît une résurgence dont les eaux vont se mêler à celles de la Brême, affluent de la Loue.

Malbrans C2

◗ *6,5 km au nord-ouest. Quittez Ornans par la D 67, puis prenez à gauche la D 260.*

Au lieu-dit les Combes de Punay, à droite, se trouve une ancienne **tuilerie**. Construite en 1839 et équipée d'une machine à vapeur en 1846, elle a fonctionné jusqu'en 1928, puis a été transformée en scierie ; celle-ci a fermé ses portes en 1965. Les anciens bâtiments de la tuilerie ont été conservés : on discerne les lieux destinés au façonnage et au séchage, à la cuisson et au stockage.

Trépot C2

◗ *12,5 km au nord. Quittez Ornans à l'ouest par la D 67. À 8,5 km, prenez à droite par Foucherans.*

Fromagerie-musée – *3 pl. de la Mairie - ℘ 03 81 86 71 06 - www.fromagerie-musee-trepot.fr - ⅙ - visite guidée (1h30) juil.-août : 14h-18h ; juin : dim. 14h-18h - 5 € avec dégustation de comté et vins de Vuillafans.* La fromagerie fut fondée en 1818. Huit ou neuf cultivateurs y apportaient le lait nécessaire à la fabrication quotidienne de quatre comtés. Une baisse de la production et de la qualité laitières a entraîné sa fermeture en 1977. Le matériel et les outils (chaudrons en cuivre rouge, presses, tranche-caillé, barattes) sont restés. Film documentaire.

Dino-Zoo D2

◗ *12,5 km au nord-est. Quittez Ornans à l'est par la D 67. Prenez à gauche la D 492 vers Saules ; suivez-la encore sur 3 km après le village, puis prenez à gauche la D 387. R. de la Préhistoire - ℘ 03 81 59 27 05 - www.dino-zoo.com - juil.-août : 10h-19h ; reste de l'année : horaires, se rens. - fermé de la fin des vac. de la Toussaint aux vac. de fév. - 12,50 € (-12 ans 9,50 €).*

👥 Quoi de plus naturel qu'un parc jurassique en Franche-Comté quand on sait que le Jurassique provient de « Jura », où furent trouvés des sédiments calcaires issus de cette période ? Ce parc de 12 ha est né de la passion de **Guy Vauthier** pour la paléontologie. Des panneaux explicatifs jalonnent la promenade et sont illustrés par des reproductions grandeur nature des dinosaures. Au détour des vallons, surgissent une libellule de 70 cm d'envergure, un mille-pattes de 1,80 m, le **dimétrodon** (4,50 m) avec sa voilure dorsale ; le gigantesque **tyrannosaure**, patibulaire carnivore (15 m de long, 6 m de haut, pesant 5 t !)… Et bien d'autres créatures dans leur environnement végétal reconstitué. Plus proche de nous, l'homme de **Néandertal** et celui de **Cro-Magnon** apparaissent dans des scènes de chasse, repas, sépulture, technique de peinture… Le cinéma 4D sensitif « évolution », l'Arbreville, le manège « Dino-Galopant » et les animations préhistoriques (production de feu, tir au propulseur, peinture rupestre, rivière aux fossiles, fouilles…) viennent compléter ce voyage plurimillénaire.

Gouffre de Poudrey D2

◗ *14 km au nord-est. Quittez Ornans à l'est par la D 67, puis prenez à gauche la D 492 vers Saules. Suivez cette route et traversez la N 57. Prenez ensuite à gauche au premier carrefour. 1 lieu-dit Puits-de-Poudrey - ℘ 03 81 59 22 57 - www.gouffredepoudrey.com - visite guidée (1h) des vac. de fév. aux vac. de Toussaint : horaires, se rens. - 7,50 € (-12 ans 5,50 €) - spectacle son et lumière - tarif préférentiel sur présentation du ticket du Dino-Zoo - prévoir un vêtement chaud.*

👥 C'est dans ce **gouffre** descendant à 70 mètres sous terre *(150 marches)*, que le professeur Fournier pénétra le 5 février 1899, avant d'y revenir avec le célèbre spéléologue **Édouard-Alfred Martel**. La cavité ouvre dans le plateau jurassien une immense salle souterraine d'effondrement dont le périmètre se développe sur 600 m et dont le **plafond**★, très régulier, est à 200 m du sol. Au fond de la salle, stalactites et stalagmites sont mises en valeur par un spectacle « musique et lumière ». La variété des formes est étonnante et souvent évocatrice : méduse, orgues, sapins, tour de Pise. Le ruisseau souterrain qui parcourt ce gouffre alimente une résurgence distante de 15 km, la source de la Brême, affluent de la Loue.

Circuit conseillé Carte de microrégion p. 30

D'ORNANS À QUINGEY

▶ *Circuit de 65 km tracé en violet sur la carte de microrégion – Comptez 5h.*
Exception faite des derniers kilomètres sur la N 83, on suit une série de petites routes amusantes qui, tour à tour, longent la Loue et s'en éloignent pour retrouver la rivière à Quingey. Mais c'est entre Cléron et le confluent de la Loue et du Lison que le parcours est le plus pittoresque.
Quittez Ornans à l'ouest par la D 67. Après 2,5 km, prenez à gauche la D 101.

Chapelle de N.-D.-du-Chêne C2
Visible de la D 101.
Elle est dédiée à une statue de la Vierge découverte au creux d'un chêne en 1803 après sa révélation à une jeune fille du pays ; une fois ouvert, l'arbre livra une Notre-Dame en terre cuite cachée antérieurement et sur laquelle l'écorce s'était refermée. Elle est l'objet de pèlerinages le lundi de Pentecôte, le dimanche de la Fête-Dieu, le 15 août et mercredi suivant, le premier dimanche de septembre. À l'emplacement du chêne, se dresse une Vierge en bronze.

Miroir de Scey C2
Accès signalé de la route. On appelle de ce nom un passage de la Loue dont le cours dessine une belle courbe, où se mirent la végétation des rives et les ruines d'un château féodal, le Châtel-St-Denis.
Après Scey-Maisières, bifurquez à gauche dans la D 9 en direction de Cléron.

Cléron C2
Du pont qui franchit la Loue, on aperçoit, vers l'aval, un **château**★ des 14e et 16e s. (𝄞 03 81 62 19 03 - *visite guidée juil.-août : 14h30-18h - fermé lun. - 3 € - visite des extérieurs uniquement - voir aussi l'ABC d'architecture p. 471*), superbement restauré. Le reflet de ses tours dans les eaux de la Loue et son parc composent un paysage ravissant. Vers l'amont, la vallée offre une belle **vue**.
Franchissez la Loue à Cléron et poursuivez vers le sud sur la D 103, vers Amondans, puis Lizine, où vous emprunterez la D 135 à droite.
Entre Lizine et le confluent de la Loue et du Lison, trois belvédères aménagés *(parkings)* au bord des escarpements dominant la vallée étroite et déserte.

Belvédère de Gouille Noire C2
Vue plongeante sur le ruisseau d'Amondans, petit affluent de la Loue, qui coule entre deux éperons rocheux.

★ Belvédère de la Piquette C3

15mn à pied AR à partir de la D 103. Suivez un large chemin sur 100 m, puis prenez un sentier à droite; au bord de l'escarpement, tournez à droite.
Vue sur un méandre encaissé de la Loue autour d'un éperon boisé.

★ Belvédère du Moulin Sapin C3

Belle **vue** sur la tranquille vallée du Lison.
Le pont franchit le Lison tout près de sa jonction avec la Loue. Le **site★** du confluent est empreint d'une grandeur paisible. Sa source, près de Nans-sous-Ste-Anne (*p. 88*), est célèbre.
La route fait ensuite apprécier le site des anciennes forges de Châtillon. En amont du barrage, joli coup d'œil sur les petites îles boisées.
Continuez sur la D 135 jusqu'au carrefour avec la D 101 que vous prendrez à gauche vers Courcelles et Quingey.

Quingey C2

Il est difficile, en flânant dans cette petite ville, d'imaginer le riche passé de la cité qui aurait vu naître Guy de Bourgogne, plus connu sous le nom de **Calixte II**. Ce pape est à l'origine du concordat de Worms et du premier concile œcuménique de Latran (1123). Une promenade, plantée de platanes, borde la rive gauche de la Loue. De là, on a – surtout le matin – une jolie vue du bourg qui, de la rive opposée, se reflète dans la rivière.

NOS ADRESSES À ORNANS

HÉBERGEMENT

BUDGET MOYEN

Le Jardin de Gustave – *28 r. Édouard-Bastide - 03 81 62 21 47 - www.lejardindegustave.fr - - 4 ch. 80/105 € - 30/35 € bc.* Un accueil des plus sympathique vous attend dans cette maison. Les chambres baptisées Champêtre et Gustavienne ouvrent leurs fenêtres sur le jardin et la Loue. Petit-déjeuner personnalisé et cuisine au goût du jour. Canoës à disposition.

Hôtel de France – *51-53 r. Pierre-Vernier - 03 81 62 24 44 - www.hoteldefrance-ornans.com - P - 22 jan.-3 mars lun.-jeu. 8h-20h, 1er avr.-21 déc. tlj 8h-22h - 24 ch. 89/99 € - 12 € - formule déj. 17,50 € - 26/38 €.* Hôtel traditionnel au cœur d'Ornans. Chambres de tailles variées rénovées sur le thème des rivières mythiques de pêche à la mouche dont la Loue. Parcours privé de pêche mondialement réputé. Face à la rivière et son Grand Pont, agréable restaurant au cadre rustico-bourgeois.

RESTAURATION

BUDGET MOYEN

Le Courbet – *34 r. Pierre-Vernier - 03 81 62 10 15 - www.restaurantlecourbet.com - fermé vac. de Noël, mi fév.-mi mars et lun., mar. soir, dim. soir - formule déj. 14 € - 29/42 €.* À deux pas de la maison natale de Courbet, hommage au peintre dans la salle (reproductions de tableaux) et honneur à une délicieuse cuisine actuelle. Terrasse bordant la Loue.

À proximité

BUDGET MOYEN

Auberge de Poudrey – *25580 Étalans - 2 puits de Poudrey - 03 81 59 35 61 - P - fermé lun., sam. midi - formule déj. 13,50 € -*

19/34 €. Cet établissement situé à côté du gouffre de Poudray se limite à une cuisine classique, mais variée. Entre les salades, les viandes, les poissons et les pizzas, il y en a pour tous les goûts. Possibilité de manger en terrasse aux beaux jours.

Ferme-auberge La Faye – *25620 Foucherans - à 4 km à l'E de Foucherans, accès par la route de Bonnevaux -* ☎ *03 81 59 27 34 - www.fermeauberge-lafaye.com -* **P** *- juil.-août : tlj ; reste de l'année : vend. soir-dim. midi - formule déj. 23 € - 20/28 €.* Tranquillité assurée dans cette ferme du 19e s. mais toujours en activité. Salle très pittoresque, où l'on savoure les viandes de l'exploitation et légumes de saison issus du potager. Fondue, raclette et autres spécialités sur commande. Autre option : l'établissement ouvre aux groupes et familles quelques chalets, fonctionnant comme des salles à manger privatives : tous les ingrédients du menu choisi sont fournis, il ne reste plus qu'à les préparer puis les déguster…

La Griotte – *3 r. des Cerisiers - 25580 Saules -* ☎ *03 81 57 17 71 - www.lagriotte.fr - janv.-avr. et oct.-déc. : merc. midi, jeu.-dim. midi ; mai-sept. : mar.-dim. sf merc. soir - menu déj. 16 € - 25/37 €.* Un clocher et des champs alentour, une véranda plongeant sur un jardin verdoyant… cette ferme revêt de forts jolis atours ! Tradition, saveurs de saison et spécialités régionales : voilà bien une belle Griotte, tendre et goûteuse. Cerise sur le gâteau : l'accueil souriant et l'addition sans acidité.

PETITE PAUSE

Café Juliette – *Ferme de Flagey -* ☎ *03 81 53 03 60 - www.musee-courbet.fr - avr.-sept. : tlj sf mar. 11h-12h15, 13h-19h ; oct. :* *merc.-dim. 13h-17h.* Du nom de la sœur de Courbet qui préserva la ferme, ce café littéraire propose rafraîchissements ou boissons chaudes à déguster en feuilletant des livres d'art ou d'histoire. Vente d'ouvrages et de DVD.

ACHATS

À proximité

Le Hameau du fromage – *7 lieu-dit « zone artisanale » - 25330 Cléron -* ☎ *03 81 62 41 51 - www.hameaudufromage.com - mar.-dim. 9h-19h (dernière visite 18h) sf juin-août tlj 9h-19h - fermé 1er janv. et 25 déc.* En ajoutant à la fromagerie d'origine une boutique et un restaurant tout en ouvrant à la visite les salles de fabrication, les fils Perrin ont créé un superbe ensemble, chaleureux et authentique, à la gloire du fromage. À la carte, petits plats du terroir, avec ou sans fromages, mais toujours bien garnis.

ACTIVITÉS

Évolution 2 – *Rte de Montgesoye -* ☎ *03 81 57 10 82 - www. evolution2-gorgesdelaloue.com - Pâques-Toussaint : 9h30-18h - fermé nov. mars et selon météo.* Cette base de loisirs propose de nombreuses activités : canoë-kayak, canyoning, rafting, via ferrata, escalade, VTT, « parcours aventure », dragon boat… Café-restaurant doté d'une terrasse au bord de la rivière.

Centre aqualudique Nautiloue – *Allée de la Tour-de-Peilz -* ☎ *03 81 57 58 59 - www.nautiloue. fr - juil.-août : 11h30-19h ; hors sais. : se rens. - été : 6 € (enf.4 €), hiver : 4,50 € (enf. 3 €).* Piscines et espaces ludiques intérieurs et extérieurs, pentaglisse. Espace détente et aquafitness.

Mouthier-Haute-Pierre

★

212 Guilloux – Doubs (25)

Niché au centre d'un vaste amphithéâtre rocheux, Mouthier est, avec Ornans, le site le plus attachant de la vallée de la Loue. Mouthier-Bas est baigné par la rivière, que franchit un vieux pont, tandis que Mouthier-Haut couronne la colline, en groupant autour de son église nombre de maisons anciennes. Fin avril, début mai, les cerisiers en fleur donnent à la vallée un merveilleux air de fête, accompagné du kirsch du pays.

😊 NOS ADRESSES PAGE 105
Hébergement, restauration, achats, activités, etc.

S'INFORMER
Office de tourisme du Pays d'Ornans Loue Lison – *7 r. Pierre-Vernier - 25290 Ornans - ☎ 03 81 62 21 50 - www.destinationlouelison. com - juil.-août : 9h-12h30, 13h30-18h, dim. et j. fériés 9h30-13h ; avr.-juin et sept.-oct. : tlj sf dim. 9h30-12h, 14h-18h, j. fériés 9h30-13h ; reste de l'année : tlj sf dim. et j. fériés 9h30-12h, 14h30-17h30, sam. 9h30-12h, 14h-18h - fermé 1ᵉʳ janv., lun. de Pâques, 1ᵉʳ et 11 Nov., 25 déc.*

▶ SE REPÉRER
Carte de microrégion D3 (p. 30). Mouthier-Haute-Pierre se trouve à 14 km au sud-est d'Ornans, par la D 67.

😊 À NE PAS MANQUER
La découverte des gorges de la Loue et des points de vue qui surplombent ses méandres : belvédères de Mouthier et, surtout, du Moine de la Vallée ; la splendide source de la Loue débouchant au pied d'une falaise.

⏱ ORGANISER SON TEMPS
Comptez une journée pour explorer ce site naturel de toute beauté, dont près de 5h pour le circuit des gorges de la Loue.

👫 AVEC LES ENFANTS
Racontez-leur l'histoire de la Vouivre, figure du bestiaire mythologique franc-comtois, en visitant son repaire : les sauvages gorges de Nouailles ; à Lods, la cachette secrète dans la cave du musée de la Vigne et du Vin.

1

Se promener

Église
Édifiée au 15ᵉ s., agrandie au 16ᵉ s. et comblée de dons par le cardinal de Granvelle (le clocher et sa flèche en pierre de tuf de la région). À voir les boiseries (retable, stalles, confessionnal, chaire) et les statues en bois (13ᵉ-14ᵉ s.).

À proximité Carte de microrégion p. 30

★ Point de vue de la Roche de Hautepierre D3
▶ *5 km, puis 30mn à pied AR. À Mouthier-Haute-Pierre, suivez la D 244 jusqu'à l'entrée de Hautepierre-le-Châtelet. Laissez votre voiture à hauteur du cimetière. Après le cimetière, un escalier mène au belvédère.*

🐾 *Là, prenez un sentier pierreux un peu raide, qui devient herbeux et plat en suivant en retrait la crête des rochers.* À 882 m d'altitude, après la chapelle votive de la Croix-de-la-Roche, le regard s'étend sur le plateau, entaillé nettement par les gorges et la vallée de la Loue ; au loin se dressent les premiers chaînons du Jura et, par temps clair, la silhouette du mont Blanc.

Lods D3

🔵 *2 km à l'ouest, par la D 67.*

Ce village (prononcez *Lô*) est situé au bord de la Loue dont le cours est coupé par des chutes, fort belles en hautes eaux. Sur la rive opposée, bâtiments des anciennes forges de Lods. Ancien village vigneron, Lods conserve des maisons vigneronnes des 16e et 17e s., imbriquées les unes dans les autres.

Musée de la Vigne et du Vin – 📞 03 81 60 90 11 - www.museedelavigneetduvin-lods.fr - juil.-août : merc., jeu. et w.-end 14h30-18h ; 1er-15 sept. : w.-end 14h30-18h - tarif non communiqué - possibilité de visite guidée et de visite nocturne avec dégustation, se rens.

👥 Avant la crise du phylloxéra en 1885, la vigne couvrait, dans cette partie de la vallée de la Loue, 130 ha. Aujourd'hui, elle ne se récolte plus qu'à Vuillafans. Dans une ancienne maison vigneronne, autour du tuyé, outils et objets vinicoles retracent ce savoir-faire. La visite continue avec la descente dans la cave, dotée d'une cachette secrète. Saurez-vous la trouver ?

Église St-Théodule – Construite au 18e s., cette église surprend par son clocher pointu en tuf et sa richesse. Boiseries et sculptures du maître-autel ont été réalisées par Fauconnet. Jolie chaire sculptée.

Circuit conseillé Carte de la source de la Loue p. 104

★★ GORGES DE LA LOUE

🔵 *Circuit de 40 km tracé en rouge sur la carte p. 104 – Comptez 4h30.*

Belle entrée en matière que ces mots de Courbet : « Pour peindre un pays, il faut le connaître. Moi, je connais mon pays, je le peins. Les sous-bois, c'est chez nous. Cette rivière, c'est la Loue, allez-y voir et vous verrez mon tableau… » C'est entre la source de la Loue et Ornans que la vallée présente le plus d'intérêt : en 20 km, la rivière perd 229 m d'altitude. La Loue, au débit régulier, est facile à descendre en canoë depuis Mouthier-Haute-Pierre jusqu'à son confluent avec le Doubs. Son cours capricieux, les quelques rapides qui l'accidentent, ses eaux toujours limpides, le charme et le pittoresque de ses rives rendent le parcours très attrayant. Elle coule au fond de gorges souvent boisées, taillées vigoureusement dans le plateau jurassien. En mai, les coteaux sont blanchis par les cerisiers en fleur ; en été, le meilleur éclairage se présente en fin d'après-midi. La Loue fait également le bonheur des pêcheurs puisqu'elle est notamment classée parmi les plus belles rivières d'Europe pour la pêche à la truite et à l'ombre.

Cascade de Syratu D3

Quittez Mouthier par la D 67 en direction de Pontarlier.

En remontant la vallée remarquez, à la sortie de Mouthier-Haute-Pierre, la cascade de Syratu tombant d'une haute falaise.

Source du Pontet et grotte des Faux-Monnayeurs D3

🐾 *45mn à pied AR à partir de la D 67.*

On y aurait fabriqué de la fausse monnaie au 17e s., d'où son nom ! Elle s'ouvre à une trentaine de mètres au-dessus : c'est l'ancienne issue de la rivière. La

La cascade de Syratu aux alentours de Mouthier-Haute-Pierre.
R. Weber/Prisma/age fotostock

promenade s'effectue en grande partie sous bois, en gravissant quelques pentes raides. On pénètre dans les deux grottes par des échelles de fer. Celle des Faux-Monnayeurs n'est pas à conseiller à ceux qui craignent le vertige. La source du Pontet est une résurgence qui sourd d'une grotte, au fond d'un creux boisé.

★★ **Belvédères** – On rencontre successivement deux belvédères au bord de la D 67, d'où l'on voit le plus beau des méandres des gorges ; on domine le lit du torrent de 150 m. En contrebas, à 300 m, autre point de vue connu encore sous le nom de **belvédère de Mouthier**. La **vue**★★ est remarquable sur Mouthier et la haute vallée de la Loue, à la sortie des gorges de Nouailles. Dans le creux, on aperçoit l'usine hydroélectrique de Mouthier.

★ Gorges de Nouailles D3

Ces gorges étaient le repaire favori de **la Vouivre**, serpent ailé des légendes comtoises qui glisse dans l'air comme une lueur rapide. L'escarboucle qu'elle portait au front fut souvent convoitée par d'audacieux paysans avides de richesse.

🐾 *Du lieu-dit La Creuse, on peut faire la promenade (1h30 à pied AR) à la source de la Loue par le sentier des gorges qui s'embranche sur la D 67. Le sentier serpente sous bois, accroché au flanc de la falaise à pic.* Ce sentier offre de belles **échappées**★ sur les gorges, profondes de plus de 200 m. On descend ainsi jusqu'au fond du cirque où naît la Loue. Une passerelle pour piétons permet d'accéder à la grotte d'où sort la rivière.

★★ Source de la Loue D3

🐾 *Accès le plus direct. Rejoignez Ouhans et gagnez la source par la D 443 en forte pente. Laissez votre voiture au parc aménagé devant la buvette du Chalet de la Loue, puis descendez (30mn à pied AR) le chemin tracé au fond du vallon. Aires de pique-nique.*

Ce site est l'un des plus beaux du massif du Jura. Brusquement, après un tournant, l'hémicycle impressionnant où se produit la résurgence de la Loue

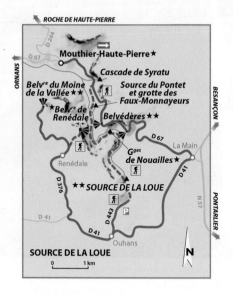

SOURCE DE LA LOUE

apparaît. La source débouche d'une vaste grotte qui s'ouvre au pied de la falaise, haute d'une centaine de mètres. Quand il pleut, les eaux grossissent rapidement ; elles restent troubles quelque temps, alors qu'en régime normal elles sortent très limpides. La Loue est, en outre, alimentée par des pertes du Drugeon et par l'infiltration des pluies que reçoit le plateau. Son débit ne tombe donc jamais très bas. Aussi est-on assuré de toujours voir jaillir une belle masse liquide.

C'est aussi ce qui explique la présence d'une usine EDF (plus discrète que les câbles qui s'en échappent) et de la Maison de la source qui l'accompagne et en indique le fonctionnement.

Revenez à Ouhans et prenez à droite la D 41 en direction de Levier, puis de nouveau à droite, la D 376. Au sortir de Renédale, laissez votre voiture à proximité du portail d'entrée du sentier qui conduit au belvédère.

★ Belvédère de Renédale D3

🚶 *15mn à pied AR.*

Dominant un à-pic de 350 m sur les gorges de Nouailles, ce sentier, d'un parcours agréable, aboutit à une plate-forme d'où l'on a une belle **vue** plongeante sur les gorges et, en face, sur les falaises au flanc desquelles serpente la D 67.

Reprenez la D 376 vers le nord ; après 2,5 km, la route se termine au pied d'un relais de télévision et devant un belvédère aménagé.

★★ Belvédère du Moine de la Vallée D3

Superbe **panorama** sur la vallée de la Loue jusqu'à Vuillafans, au nord-ouest, sur la montagne de la Roche et le village de Mouthier-Haute-Pierre.

Revenez sur vos pas à Ouhans et regagnez Mouthier.

😊 NOS ADRESSES À MOUTHIER-HAUTE-PIERRE

HÉBERGEMENT

PREMIER PRIX

Hôtel La Cascade – *4 rte des Gorges-de-Nouailles -* ☏ *03 81 60 95 30 - www.hotel-lacascade.fr -* 🅿 ♿ *- fermé fin nov.-début déc., vac. de Noël, lun. et dim. sauf juil., août - 18 ch. 74/84 € -* ☕ *11/12 € - 1/2 P. 72 €/pers. -* ✗ *formule déj. 16 € - 24/43 €.* Cet hôtel tourné vers la vallée de la Loue abrite des chambres modernes et bien tenues ; la plupart avec balcon ou loggia. Au petit-déjeuner : pain, croissants et confiture, tout de fabrication maison. Cuisine régionale servie dans le restaurant panoramique.

RESTAURATION

À proximité

BUDGET MOYEN

Ferme-auberge du Rondeau – *25580 Lavans-Vuillafans - à 15 km au N de Mouthier-Haute-Pierre par D 67 vers Vuillafans puis D 27 -* ☏ *03 81 59 25 84 - www. ferme-rondeau.fr -* 🍴 🅿 *- mar.-dim. - réserv. obligatoire - 32/60 € - 7 ch. 60/85 €* ☕. Ce chalet franc-comtois érigé au milieu des champs abrite une ferme pratiquant l'agriculture biologique. À table, savourez la cuisine familiale préparée avec les fruits et légumes du jardin, les chèvres et sangliers élevés ici, le pain et les charcuteries maison. Sept chambres douillettes lambrissées du sol au plafond.

ACTIVITÉS

AAPPMA La Truite de Mouthier-Lods – *Mouthier-Haute-Pierre - Parcours de 8,3 km - L'achat de la carte de pêche sur www. cartedepeche.fr donne accès à la réglementation et au plan du parcours. Jusqu'à fin 2018, l'hôtel La Cascade est dépositaire de cartes de pêche.* ☏ La Loue compte parmi ses hôtes la fameuse truite fario, mais également d'autres espèces comme l'ombre ou le chabot. Le guide de pêche du Doubs (disponible dans tous les offices de tourisme du département) donne accès à toutes les informations sur la vie de ces poissons. En 2018, la pêche « no kill » s'est généralisée pour la truite fario et l'ombre commun sur la Loue et ses affluents. Par ailleurs, pour protéger la reproduction des salmonidés, la pêche en marchant est interdite du 10 mars au 30 avril.

1

Vallée de la Saône 2

Carte Michelin Départements 314 – Haute-Saône (70)

Cabanes des Grands Lacs à Val de Bonnal.
meczek/Fotosearch LBRF/age fotostock

VALLÉE DE LA SAÔNE

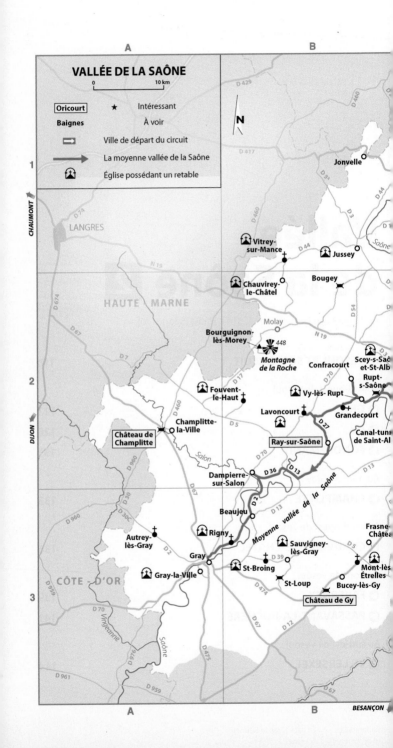

VALLÉE DE LA SAÔNE

0   10 km

Oricourt ★	Intéressant
Baignes	À voir
⇨	Ville de départ du circuit
➡	La moyenne vallée de la Saône
🏠	Église possédant un retable

CHAUMONT

LANGRES

HAUTE MARNE

CÔTE D'OR

DIJON

BESANÇON

Jonvelle

Vitrey-sur-Mance

Jussey

Chauvirey-le-Châtel

Bougey

Molay

Bourguignon-lès-Morey

448

Montagne de la Roche

Confracourt

Scey-s-Saôet-St-Alb

Fouvent-le-Haut

Vy-lès-Rupt

Rupt-s-Saône

Lavoncourt

Grandecourt

Champlitte-la-Ville

Château de Champlitte

Ray-sur-Saône

Canal-tunn de Saint-Al

Dampierre-sur-Salon

Moyenne vallée de la Saône

Beaujeu

Autrey-lès-Gray

Rigny

Frasne-Châtea

Gray

Sauvigney-lès-Gray

Gray-la-Ville

St-Broing

Mont-lès-Étrelles

St-Loup

Bucey-lès-Gy

Château de Gy

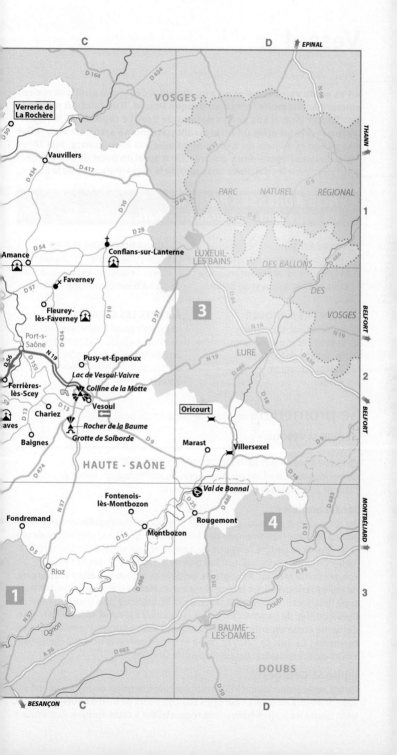

EPINAL

THANN

VOSGES

PARC NATUREL RÉGIONAL

DES BALLONS

DES

VOSGES

BELFORT

Verrerie de La Rochère

Vauvillers

Amance

Conflans-sur-Lanterne

LUXEUIL-LES-BAINS

Faverney

Fleurey-lès-Faverney

Port-s-Saône

LURE

BELFORT

Pusy-et-Épenoux

Lac de Vesoul-Vaivre

Ferrières-lès-Scey

Colline de la Motte

Vesoul

Oricourt

Chariez

aves

Rocher de la Baume

Grotte de Solborde

Marast

Villersexel

Baignes

HAUTE - SAÔNE

Val de Bonnal

MONTBÉLIARD

Fontenois-lès-Montbozon

Fondremand

Rougemont

Montbozon

Rioz

Doubs

BAUME-LES-DAMES

DOUBS

BESANÇON

Ognon

Vesoul

15 058 Vésuliens – Haute-Saône (70)

« T'as voulu voir Vesoul et on a vu Vesoul. » Ce refrain entêtant revient souvent en mémoire lorsqu'on évoque Vesoul. Il ne faudrait pourtant pas limiter Vesoul aux seules paroles de Brel. La capitale de la Haute-Saône recèle en effet un intéressant patrimoine architectural, reflet des périodes de paix qu'a connues la ville à la Renaissance, aux 18ᵉ et 19ᵉ s. ou dans l'Entre-deux-guerres. C'est aussi un point de départ idéal pour découvrir les paisibles paysages de la moyenne vallée de la Saône.

😎 NOS ADRESSES PAGE 120
Hébergement, restauration, achats, activités, etc.

◗ SE REPÉRER
Carte de microrégion C2 (p. 108).
À 43 km au nord de Besançon, par la N 57, et à 65 km à l'ouest de Belfort par la N 19.

◑ À NE PAS MANQUER
Le vieux Vesoul ; la colline de la Motte et son panorama sur le plateau de Langres, les monts du Jura et les Vosges.

◔ ORGANISER SON TEMPS
Comptez une journée pour visiter la ville et consacrez un jour ou deux de plus à la découverte de la petite Saône.

👫 AVEC LES ENFANTS
Le lac de Vesoul-Vaivre, avec sa base de loisirs nautiques et sa réserve ornithologique ; le chemin de halage le long de la Saône, à suivre à vélo.

Se promener Plan de ville page ci-contre

★ LE VIEUX VESOUL

◗ *Circuit tracé en vert sur le plan de ville – Comptez 2h30.*
Garez-vous sur le parking des Allées, près du Jardin anglais. Autres possibilités : place de la République ou place Pierre-Renet.

Jardin anglais B1
Au 18ᵉ s., alors que Vesoul connaît un fort essor urbain, des espaces verts sont aménagés, telle la promenade des Allées. Au 19ᵉ s., celle-ci est prolongée par la création d'un jardin à l'anglaise dessiné par le paysagiste Brice Michel (1822-1889). Ce jardin abrite aujourd'hui plus de 1 000 espèces végétales.
Longez la rue Meillier, à l'angle de laquelle se trouve la **Caisse d'épargne**, de style Art nouveau. En face se dressent les **Halles** (1869), à la charpente de type Polonceau. Traversez la place de la République puis gagnez la rue du Breuil, bordée de commerces, qui vous conduira à la **rue d'Alsace- Lorraine**. Cette rue commerçante compte quelques belles bâtisses. Plusieurs sont en pierre de Chailluz, ce calcaire jaune et bleu que l'on retrouve à Besançon. Voyez au n° 9 la maison natale du peintre Gérôme.

Église St-Georges A1
Ce bel édifice classique (1745) symbolise, avec le palais de justice, le renou-veau de Vesoul au 18ᵉ s. La nef et les bas-côtés sont de même hauteur, comme dans toutes les églises-halles de la région bâties à cette époque. Remarquez

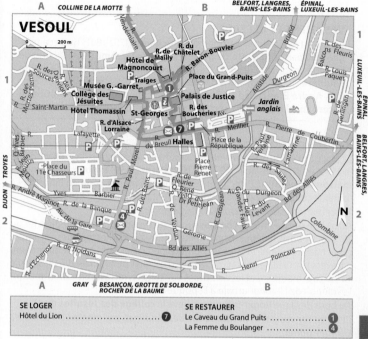

SE LOGER	SE RESTAURER
Hôtel du Lion .... ❼	Le Caveau du Grand Puits .... ❶
	La Femme du Boulanger .... ❹

la chapelle du St-Sépulcre, qui abrite une belle *Mise au tombeau* (16ᵉ s.) et la sculpture en marbre baptisée *La Foi*, en fait une statue de Vénus et Cupidon, longtemps attribuée par erreur à Canova. À gauche du chœur recouvert de boiseries, une imposante Assomption baroque ; elle provient du couvent de Dames de Battant, à Besançon. Belles orgues du 18ᵉ s.

NAISSANCE D'UNE CAPITALE

La colline de la Motte, qui domine Vesoul au nord, est occupée dès l'âge néolithique. Plus tard, un camp romain y est installé, pour surveiller la route de Luxeuil à Besançon. À la fin du 9ᵉ s., Vesoul est mentionné comme **Castrum Vesulium**. Un château est construit sur la colline et un petit bourg s'implante à proximité, entouré de murailles au 13ᵉ s. Ce dernier devient vite un important marché où se négocient bétail, produits agricoles et vins de la Motte. Une communauté juive s'y installe, jusqu'à son expulsion en 1350. La population s'étale dans la plaine et Vesoul s'impose comme un centre commercial, religieux et militaire actif. Sa fonction de capitale du **bailliage d'Amont** de 1333 à la Révolution lui confère une vocation administrative. Assailli à plusieurs reprises, le château est finalement démantelé en 1595. Vesoul, avec la Franche-Comté, est rattachée à la France en 1678. Siècle de paix, le 18ᵉ s. est une période de grande prospérité. En 1790, l'ancienne capitale du bailliage d'Amont est choisie comme chef-lieu du département de la Haute-Saône. Au 19ᵉ s., l'industrialisation ne prend pas vraiment ; il faut attendre les années 1950 et l'implantation de l'usine Peugeot pour assister au décollage industriel de la ville, qui s'accompagne d'un essor démographique et urbain.

> **VÉSULIENS ET CÉLÈBRES**
> Vesoul est la patrie de l'astronome **Beauchamp** (1752-1801), qui accompagna Bonaparte en Égypte, du peintre-sculpteur **Gérôme** (1824-1904) et de l'ingénieur édouard Belin (1876-1963). De même, la comédienne **Edwige Feuillère** (1907-1998), qui a donné son nom au théâtre de Vesoul, l'écrivain **André Blanchard** (1951-2014) et le champion de moto **Stéphane Peterhansel** (né en 1965, multiple vainqueur du Paris-Dakar).

★ Hôtels particuliers A1

La place de l'église est entourée de maisons et hôtels particuliers élevés entre le 15e et le 18e s., tels au n° 18 la **maison Parat** (15e s.) et au n° 2 l'étonnante **maison Baressols** (15e-16e s.) et ses fenêtres à meneaux ou en lancette. La fontaine contemporaine (1985) d'Aline Bienfait s'intitule *La Rencontre*.
Faites une incursion à gauche dans la rue Roger-Salengro.
Au n° 5 se dresse l'**hôtel Thomassin.** Cette maison bourgeoise de la fin du 15e s., aux portes, fenêtres et gouttières ornées d'élégantes torsades, fut agrandie et transformée au 18e s. en un bel hôtel particulier, dont on peut surprendre à travers le portail en fer forgé la tour d'escalier polygonale du 15e s., l'aile 18e, la cour intérieure et les communs aux toits vernissés. L'ensemble montre l'évolution de l'habitat urbain à l'époque moderne.
Au bout de la rue Roger-Salengro s'élève le **collège des Jésuites** du 17e s.
Revenez sur vos pas et prenez la rue des Ursulines, qui monte vers le musée Georges-Garret.

Musée Georges-Garret A1

1 r. des Ursulines - ℰ 03 84 76 51 54 - www.vesoul.fr - 14h-18h - fermé mar. et j. fériés, vac. de Noël, 25 nov. - possibilité de visite guidée sur demande - gratuit.
Installé dans l'ancien couvent des Ursulines (fin 17e s.), il s'étend sur deux niveaux : au premier, outre les expositions temporaires, une section archéologique comportant une admirable collection de **stèles funéraires** gallo-romaines ; au second, peintures et sculptures, dont un bel ensemble d'œuvres de l'artiste vésulien **Gérôme** (1824-1904). Beau Christ aux liens (16e s.) à l'entrée.
Prenez à droite la rue des Annonciades, dont le couvent du 17e s. (comme celui des Ursulines et des Jésuites) a été ravagé par un incendie.
Empruntez le passage des Annonciades à droite puis tournez tout de suite à gauche.

★ Traiges A1

Véritable dédale entre la rue des Annonciades, la rue Gevrey et la rue Paul-Petitclerc, ce « traige » ou passage relie cours, escaliers et jardinets imbriqués entre des maisonnettes des 16e et 17e s.
Une fois rue Paul-Petitclerc, prenez à gauche la rue Vendémiaire qui vous conduira à la colline de la Motte. Remarquez les grilles de fer forgé et les ouvertures basses des caves qui signalent d'anciennes maisons de vignerons. À l'intersection de la rue Vendémiaire et Charrière-des-Grands-Murs, on aperçoit les murs des anciens jardins des couvents.

Colline de la Motte Hors plan par A1

🚶 45mn à pied AR depuis le bas de la rue Vendémiaire.
Cette butte témoin (alt. 378 m) domine la plaine du Durgeon d'environ 160 m. La montée en lacet, qui suit un chemin de croix, passe à travers les anciens vignobles qui ont fait la fortune de Vesoul du Moyen Âge à l'épidémie de

Les quais de Vesoul.
G. Lenz/Arco images/age fotostock

phylloxéra en 1880-1890 et qu'Albert Decaris a immortalisés sur les fresques de l'hôtel de ville (1937). Le château qui couronnait la colline fut démantelé à la fin du 16e s. Depuis 1857, c'est une statue de la Vierge qui veille sur le sommet de la Motte ; elle fut érigée après que Vesoul eut été épargnée par l'épidémie de choléra qui sévissait dans la région.

De la terrasse, beau **panorama★** à l'ouest sur le lac de Vesoul-Vaivre et le plateau de Langres, à l'est sur les Vosges et au sud sur les monts du Jura et parfois sur les sommets des Alpes *(table de lecture en relief, en forme de spirale). Redescendez par la rue Vendémiaire et prenez à gauche la rue de Mailly.*

Rue de Mailly A1

L'**hôtel de Magnoncourt★** construit en 1530 et remanié au 18e s. a gardé sa belle tour d'escalier. Plus bas, deux autres hôtels de même époque, le second étant protégé par une belle porte de bois.

Rues du Châtelet et Baron-Bouvier AB1

Les Thomassin étaient trois frères issus d'une riche famille bourgeoise. Leurs demeures rivalisaient de beauté et d'opulence. L'un d'eux possédait l'hôtel du même nom, le deuxième l'hôtel de Magnoncourt et le troisième la grande maison Renaissance (avec une tourelle d'escalier) sise au n° 5 de la rue du Châtelet.
Au fond de l'impasse, prenez à droite.

La rue du Baron-Bouvier est bordée de bancs d'échoppes, signe que la rue fut commerçante. Remarquez, au n° 2, l'élégant **hôtel de Montgenet** (1549) et en face, la **maison Cariage** à colombages (15e s.).
Prenez à gauche.

Place du Grand-Puits A1

Le 18e s. a été prolifique à Vesoul, particulièrement dans ce quartier où l'on repère de nombreuses constructions aux lignes harmonieuses et symétriques : sur la place du Grand-Puits, l'**hôtel Lyautey de Colombe★**, avec ses grilles ouvragées et son escalier intérieur, et l'**hôtel Raillard de Granvelle**.

Les retables de Haute-Saône

QUELQUES REPÈRES HISTORIQUES

On ne peut comprendre l'importance des retables de Haute-Saône sans les replacer dans le conflit entre protestantisme et catholicisme et le rattachement de la Franche-Comté à la France. Pour contrer l'influence du protestantisme bien implanté dans le pays de Montbéliard, les archevêques de Besançon, dans un **esprit de reconquête** hérité du mouvement de la Contre-Réforme et du concile de Trente (1545-1563), encouragèrent l'édification de nouveaux monuments religieux. La Haute-Saône se couvrit alors d'églises aux somptueux retables baroques.

La **guerre de Trente Ans**, née de l'opposition religieuse et politique entre catholiques et protestants de l'Europe centrale et du Saint Empire romain germanique, a touché la Franche-Comté durant dix ans, de 1634 à 1644, détruisant une partie du patrimoine dont les églises catholiques. À l'issue de la guerre, à la fin du 17e s., après le rattachement de la région à la France, s'ouvre à nouveau une période de dynamisme économique et démographique qui s'accompagne d'une politique de construction et reconstruction.

L'ART, SERVITEUR DE LA FOI

Le retable est un élément essentiel de cette reconquête liturgique. Oui, mais qu'est-ce qu'un retable ? C'est un ensemble architectural, en bois ou en stuc, mêlant peintures et sculptures, situé juste derrière l'autel. À l'époque baroque, sa taille devient monumentale.

Le retable accueille en son centre le **tabernacle**, le lieu le plus sacré de l'église puisqu'il renferme le ciboire contenant les hosties qui seront distribuées aux fidèles pendant la communion. Face au protestantisme, le Concile de Trente a réaffirmé le dogme de la transsubstantiation, c'est-à-dire le changement de substance du pain et du vin en corps et sang du Christ et donc en la présence réelle du Christ dans les hosties et le vin consacrés.

L'autre fonction du retable est de représenter sous une forme imagée les principaux dogmes de l'Église catholique et ce faisant de les rendre accessibles à tous, y compris à ceux qui ne savent pas lire. Les retables sont ornés de peintures et de sculptures figurant des scènes bibliques, montrant le Père éternel, le Saint-Esprit, le Christ, la Vierge Marie, les anges et les saints paroissiaux. Le retable s'apparente donc à un **catéchisme en images**.

RÉFORME CATHOLIQUE ET APPARATS BAROQUES

Le style **baroque**, à la fois riche et fantaisiste avec son iconographie simple et dramatique tel un décor de théâtre, n'a pas son pareil pour éveiller les sens, susciter l'admiration et ainsi renforcer la dévotion. Nuée rayonnante, cohorte d'angelots, dorures, trompe-l'œil, bois polychrome, toiles aux couleurs chatoyantes, décor végétal ou draperies, colonnes torses ou cannelées viennent magnifier le retable.

De la fin du 17e s. à la fin du 18e s., différents courants et écoles artistiques vont apposer leurs empreintes sur les retables de Haute-Saône. Ceux de Mont-lès-Étrelles et de Rigny sont attribués aux **frères Marca**, des stucateurs italiens au style exubérant (© p. 129). Le retable de Lavoncourt, remarquable par le caractère vivant de ses sculptures, sort pour sa part des ateliers de Besançon. Les productions de la fin du 18e s. seront plus sobres.

Palais de justice A1

C'est sur l'ancienne place du marché qu'on érigea entre 1765 et 1771 le palais de justice en belle pierre de taille. Au 18e s., Vesoul était un grand centre administratif et judiciaire, qui comptait pas moins de 40 avocats !

Sur la place du Palais, la **maison Barberousse** (16e s.) est reconnaissable à son toit pentu, son arcade en anse de panier et son cadran solaire.

Longez le palais par sa droite en prenant la Petite-Rue-du-Palais puis continuez presque en face dans la rue des Boucheries.

Elle compte, au n° 14, un bel **hôtel** qui fut construit en 1525 par **Simon Renard**, ambassadeur de Charles Quint.

Tournez à gauche rue Georges-Genoux et rejoignez le parking.

À proximité Carte de microrégion p. 108

Pusy-et-Épenoux C2

◐ *5 km au nord par la D 10, puis la D 118A à gauche.*

Le village a restauré son petit **château** (mairie), construit fin 18e-début 19e s., pour la famille Bureaux de Pusy. Lignes classiques et épurées évoquant le style Louis XVI. L'**église★** (*Pl. St-Martin - www.la-haute-saone.com - 7h30-18h - visite guidée (1h) sur demande auprès de la mairie au ☎ 03 84 75 39 95*) abrite trois retables. Celui du chœur, de grande qualité, réalisé à la fin du 17e s., est dédié à saint Martin ; ses colonnes torses sont abondamment décorées : une vision du paradis traitée selon les canons de la Réforme catholique. Les deux retables latéraux sont un peu plus sobres. L'ensemble est associé à un mobilier liturgique contemporain épuré. Remarquez aussi les boiseries, *La Vierge à l'Enfant* et la scène de l'Enseuelissement du Christ, comme surpris dans un ovale de bois (18e s.).

Grotte de Solborde et rocher de la Baume C2

◐ *5 km au sud. Quittez Vesoul vers Échenoz-la-Méline. Au niveau de la Providence, prenez à droite.*

◔ *45mn AR.* Ces grottes, voisines, valent surtout par le site très agréable où elles se trouvent et les promenades à faire dans les bois environnants.

À la **grotte de Solborde**, dans un cadre frais et verdoyant, une chapelle dédiée à N.-D.-de-Solborde possède une charpente de bois apparente. Tout près de là, le **rocher de la Baume** offre une vue sur le site. Le long du chemin, vous trouverez également le **rocher des Douze Apôtres**, bel ensemble de roches calcaires. La promenade à travers bois se poursuit jusqu'à une jolie **vue★** sur le bassin de Vesoul, avec la cité au pied de la colline de la Motte et, sur la droite, le fond de la reculée au débouché de laquelle s'est étendue Vesoul.

Lac de Vesoul-Vaivre C2

◐ *3 km à l'ouest par la D 13.*

👥 Situé à deux pas de Vesoul, ce lac artificiel (86 ha) a été aménagé en base de loisirs, avec piscine et parc aquatique. Détente assurée pour les amateurs

2

PUSY, DE VESOUL À NEW YORK

Jean-Xavier Bureaux de Pusy (1750-1806), ingénieur militaire de formation, député de la noblesse de Vesoul aux États généraux en 1789, et rapporteur en 1790 du projet de division de la France en départements, fut président de l'Assemblée constituante à trois reprises. Ami de Lafayette, il fonda en 1799 avec **Pierre Samuel Dupont de Nemours** la Compagnie américaine puis, sur requête du Congrès américain, conçut la défense du port de New York.

de baignade ou de voile. Un sentier agréable de 5 km en fait le tour ; des panneaux didactiques expliquent la richesse de cette zone écologique, qui abrite différentes espèces d'oiseaux migrateurs ou sédentaires et où ont été introduites des vaches de l'espèce highland afin d'en préserver les prairies humides.

Chariez C2

▶ *10 km à l'ouest par la D 13, puis la D 104A à gauche.*

Blotti au fond d'une vallée, ce village présente une ancienne et ravissante architecture rurale, dont des maisons de vignerons (il n'y a plus de vignes aujourd'hui) remontant jusqu'au 15ᵉ s., facilement reconnaissables à leurs caves et entrées en demi-niveau. Au centre de la localité, rare **croix** à double face (17ᵉ s.). Dans l'église-halle (1783), Vierge de pitié bourguignonne (16ᵉ s.), une représentation de sainte Claire (17ᵉ s.) en bois sculpté et une belle toile de Gérôme : *La Vierge et l'Enfant.*

Le village est dominé par les **roches du camp de César**, que l'on atteint par un chemin en mauvais état. Ce site, qui, contrairement à ce qu'indique son nom, ne reçut pas la visite de César, fut occupé dès le paléolithique. Du haut de ces falaises calcaires, belle **vue** sur le village et la vallée.

Baignes C2

▶ *12 km au sud-ouest par la D 13, puis la D 106 à gauche.* Une forte tradition sidérurgique a longtemps animé cette commune qui conserve de magnifiques **bâtiments de forges★** du 18ᵉ s. *(visite guidée sur demande préalable (1h15) juil.-août : 1ᵉʳ et 3ᵉ vend. ; mai-juin et sept.-oct. : 1ᵉʳ vend. du mois - participation libre demandée.).* Leur architecture révèle de nombreux points communs avec la Saline royale d'Arc-et-Senans : chaînages, utilisation de l'arc de cercle… Le site, abandonné depuis 1963, attend sa renaissance.

Circuit conseillé Carte de microrégion p. 108

LA MOYENNE VALLÉE DE LA SAÔNE

▶ *Circuit de 90 km tracé en vert sur la carte de microrégion – Comptez une journée. Quittez Vesoul à l'ouest par la N 19. À Port-sur-Saône, prenez à gauche, juste après le troisième pont, la D 56.*

De Vesoul aux portes de la Bourgogne, ce circuit permet de profiter d'une nature sauvage et préservée. Vous découvrirez plusieurs châteaux dominant la Saône et des églises au clocher coloré.

Ferrières-lès-Scey C2

À l'arrière de la fontaine dessinée par Louis Moreau en 1829, on aperçoit le vieux château *(privé)*. La fontaine en arc de cercle est dédiée à saint Martin, dont la statuette, contemporaine, trône au centre.

Traversez le village en direction de Scey-sur-Saône-et-St-Albin.

Scey-sur-Saône-et-St-Albin B2

🛈 *12 r. Armand-Paulmard - 70360 Scey-sur-Saône-et-St-Albin - ☎ 03 84 68 89 04 - www.tourisme-scey-valdesaone.fr - juil.-août : 9h-12h30, 13h30-18h, sam. 9h-18h, lun. 13h30-18h ; mai-juin et sept. : tlj sf lun. 9h-12h30, 13h30-18h, sam. 9h-12h30, 13h30-16h30 ; reste de l'année : tlj sf lun. 9h-12h30, 13h45-17h30, merc. 9h-12h30, 13h45-16h, sam. 9h-12h30 - fermé dim., de fin déc. à déb. janv., certains j. fériés.*

Scey-sur-Saône réunit deux villages, Scey-l'église et Scey-le-Bourg, ce qui explique sa physionomie bicéphale. St-Albin fut pour sa part rattaché à Scey-sur-Saône en 1807.

Scey-le-Bourg compte de belles maisons à tourelles (16ᵉ-18ᵉ s.), telle la maison Bel, rue d'Enfer, qui donne sur la rivière et qui aurait appartenu à Nicolas de Granvelle (👣 p. 38). Voyez aussi les sculptures de la façade de l'ancienne forge, rue Paulmard.

Comme la plupart des églises saônoises, l'église St-Martin a été édifiée au 18ᵉ s. Son clocher-porche relié à l'église par des murs incurvés lui donne une allure particulière. Notez le beau mobilier, les fers forgés et surtout les peintures du 18ᵉ s., ainsi qu'une Crucifixion du 16ᵉ s. Le retable comme l'autel datent du 18ᵉ s. Le château de Scey des princes de Bauffremont (18ᵉ s.) fut ravagé par les flammes en 1795. De ses cendres, seules les écuries renaquirent au 19ᵉ s. ; elles abritent aujourd'hui un centre équestre.

Sortez du bourg par la D 23. Dépassez St-Albin, prenez à gauche la D 8, puis à Ovanches à droite la D 8ᴱ.

Canal-tunnel de St-Albin B2

Commencés en 1837, les travaux furent achevés en 1880 après une longue période d'interruption. Les entrées de ce tunnel long de 681 m sont aménagées en terrasses, comme les quais urbains d'un port.

Poursuivez sur la D 8ᴱ.

Château de Rupt-sur-Saône B2

5 r. de la Garenne - 📞 *03 84 92 70 41 - de mi- à fin juil. : 10h-12h, 14h-18h ; de déb. avr. à mi-juil. et août-oct. : sam.-lun. et j. fériés 10h-12h, 14h-18h - possibilité de visite guidée sur demande (1h30) - gratuit - pique-nique autorisé.*

De la D 8ᴱ, on aperçoit la **tour** haute de 33 m de l'ancien **château** (fin 12ᵉ s.), situé sur une des trois collines du village. Son chemin de ronde, auquel on accède par un escalier raide et étroit construit dans l'épaisseur du mur, offre une belle **vue** sur la vallée. Dans le **parc**, remarquez le petit château (début 16ᵉ s.), la ferme à l'italienne prévue pour pouvoir vivre en autarcie (début 19ᵉ s.) et le rendez-vous de chasse néogothique agrémenté d'un billard.

🚶 Une jolie balade balisée, reliant la fontaine au lion (1884), l'église du 18ᵉ s. et le château aux rives de la Saône, permet de faire le tour du village *(brochure disponible à l'office du tourisme de Scey-sur-Saône - comptez 30mn.).*

Prenez la D 23 vers le sud, puis à droite la D 224.

Vy-lès-Rupt B2

L'église, bien restaurée, abrite un remarquable **mobilier** néoclassique (18ᵉ s.).

Traversez le village, puis prenez à droite vers Confracourt.

Confracourt B2

La **fontaine★** de la rue de l'Église, conçue en 1834 par Lebeuffe, a servi de prototype à une série de fontaines de carrefour. Remarquez le sens du détail dans le travail du bois et les ouvertures en forme de temple grec. De l'exploitation lucrative de 996 ha de bois, la commune a hérité de deux autres fontaines monumentales (l'une est transformée en hangar) et l'une des plus grandes églises néogothiques de Haute-Saône, restaurée après l'incendie de 2009.

Faites demi-tour et prenez à droite vers Grandecourt.

Grandecourt B2

Église Ste-Marie-Madeleine – Cette église romane (12ᵉ s.) de campagne est d'une simplicité émouvante. Il s'agit là d'un des très rares édifices romans de Haute-Saône. La nef unique, couverte d'une charpente apparente (18ᵉ s.), aboutit au chœur éclairé par trois oculi qui conserve son bel autel de pierre du 12ᵉ s. ; les fresques (13ᵉ s.) représentent un saint, un évêque et, au centre, le Jugement dernier. Le christ de bois date du 14ᵉ ou 15ᵉ s. Sous le chœur, une **crypte** du 11ᵉ s., d'une grande humilité, elle aussi.

2

Prenez à gauche à la sortie du village, vers Theuley. À Theuley, prenez à droite, puis à gauche vers Lavoncourt. L'église est sur la D 27, à la sortie du village vers Renaucourt.

Église de Lavoncourt B2

Reconstruite en 1670 avec un clocher coiffé à l'impériale, elle abrite en son chœur un beau **retable** en bois polychromé et doré, figurant saint Valentin, le patron de la paroisse, ainsi que de remarquables **boiseries★** dues aux ateliers de Besançon (18e s.), représentant des « trophées d'Église » (croix, tiares, etc.). À voir sur le tabernacle la Cène, encadrée par les noces de Cana à gauche et une représentation de la pâque juive à droite (les personnages mangent debout, la ceinture aux reins et le bâton à la main).

Revenez vers le centre pour prendre à gauche la D 70, puis à droite la D 27.

★ Ray-sur-Saône B2

Ce joli village compte de nombreuses maisons anciennes et plusieurs exemples intéressants de patrimoine vernaculaire : remarquez notamment, devant l'église, un **lavoir** couvert de forme ovale et un **calvaire** à double face (17e s.).

Église St-Pancras (13e-18e s.) – Coiffée d'un clocher-porche à bulbe typiquement comtois, elle abrite une belle *Mise au tombeau* de l'école troyenne (début 16e s.) et, à gauche du chœur (13e s.), un Christ aux liens en pierre polychrome (16e s.). Le bas-relief en pierre de l'autel est d'influence champenoise et représente l'Annonciation, la Nativité et l'adoration des Mages. Remarquez le bénitier roman *(à gauche en entrant)*, les pierres tombales et les boiseries Louis XIV. Venant du village, on accède au château soit par une petite grille située au début du mur d'enceinte, soit plus haut par la gauche d'une large avenue tracée dans un **parc** remarquablement entretenu. Légèrement en contrebas, on aperçoit l'ancienne **poterne** (restaurée au 18e s.) et les vestiges des fortifications.

Château – ☎ 03 84 95 76 50 - *visite guidée juil.-août : tlj sf lun.-mar. 10h-12h, 14h-17h30, w.-end et j. fériés 14h-17h30 ; 5 mai-30 juin : w.-end 14h-17h30 - accès libre au parc tte l'année - 6 € (-16 ans gratuit).* Le terre-plein situé en contrebas de ce château dominant la vallée de la Saône offre une **vue** très lointaine vers les Vosges, le plateau de Langres et les monts du Jura. Il suffit d'arriver de Vellexon ou de Charentenay pour comprendre la situation stratégique de cette place forte. Détruit durant les combats de la guerre de Dix Ans (1634-1644), le château de Ray-sur-Saône fut reconstruit au 18e s. par la **duchesse de Holstein**, avec une cour d'honneur offrant un bel exemple de symétrie architecturale. Sur la vallée, il a conservé son allure médiévale, avec ses deux tours rondes. Au milieu de la forteresse, dans la cuisine, un **puits** très profond marque l'emplacement du donjon imposant qui s'élevait jadis au-dessus.

Reprenez la D 27 vers Vellexon, puis la D 13 à droite. Prenez la D 5 à droite, puis la Saône passée, la D 36 à gauche vers Dampierre-sur-Salon.

Dampierre-sur-Salon B2

🛈 *2 bis r. Jean-Mourey - 70180 Dampierre-sur-Salon - ☎ 03 84 67 16 94 - www.entresaoneetsalon.fr - juil.-août : 10h-12h, 14h-18h, mar. et jeu. 9h-12h, 13h30-18h, dim. et j. fériés 10h-15h ; reste de l'année : mar. et jeu. 9h-12h30, 13h30-18h, vend.-sam. 9h-12h - fermé dim. et j. fériés (sf 8 Mai).*

Les origines de Dampierre sont anciennes, le bourg possède un cimetière mérovingien et les ruines du château féodal sont visibles. Outre des maisons et tours du 16e s., on peut y admirer une maison de maître de forges et surtout une **mairie-lavoir** agrémentée d'un beau bassin (19e s.).

Musée des Sciences de la Terre - Pierre-Cretin – *2 r. Champ-Martin - ouv. sur réserv. au 06 31 58 62 55 (Laurent Corne) ou par email l.corne@laposte.net - 3 €*

À Ray-sur-Saône, le clocher à l'impériale de l'église St-Pancras domine la Saône.
H. Hughes/hemis.fr

(gratuit -10 ans, 11-17 ans 1,50 €). Dans la cave du château Couyba, maison natale du poète et sénateur **Charles Couyba** (1866-1931), découvrez une petite exposition de fossiles et minéraux joliment mise en lumière sous la voûte.
Quittez Dampierre par le sud et empruntez la D 2 à droite, par Autet.

Beaujeu B3
Son **église** à jolie toiture de tuiles vernissées a été presque entièrement reconstruite à la fin du 19ᵉ s. dans le style néogothique. À l'intérieur, la lumière pénètre dans le chœur à travers une baie flamboyante ornée d'un beau vitrail de la fin du 15ᵉ s., le plus ancien de Franche-Comté illustrant l'Annonciation. Quant à la **mairie-lavoir**, elle fut construite en 1830 sur le modèle d'une petite villa italienne Renaissance. Comme beaucoup de fontaines de Haute-Saône, elle est l'œuvre de Louis Moreau (1790-1862), père de Gustave Moreau. On aperçoit, à l'arrière, le donjon, seul vestige de la forteresse du 12ᵉ s.
Continuez par la D 2.

Rigny B3
Les frères Marca (🕐 p. 129) sont les auteurs du **retable** en stuc (vers 1730) du chœur de l'église. On reconnaît au centre la lapidation de saint Étienne, surmontée par une Trinité (le Père, la colombe du Saint-Esprit et la Croix du Christ) blanche et or environnée d'angelots. Sur la porte du tabernacle, le pélican – se perçant le cœur pour nourrir ses petits – symbolise le Christ.
Le château de Rigny (17ᵉ s.) abrite un bel hôtel-restaurant (🕐 *Nos adresses*).
Continuez sur la D 2.

Gray (🕐 p. 123)
Revenez à Vesoul par la D 474.

😊 NOS ADRESSES À VESOUL

HÉBERGEMENT

PREMIER PRIX

7 **Hôtel du Lion** – A1 - *4 pl. de la République* - ☎ 03 84 76 54 44 - www.hoteldulion.fr - **P** 🛜 - *fermé 3 sem. en août et Noël-Nouvel An* - *18 ch. 68 €* - *[DEJ 7,50 €*. Petit hôtel familial à proximité des commerces du centre-ville. Chambres simples, scrupuleusement tenues.

À proximité

PREMIER PRIX

Camping International du Lac – Hors plan - *Av. des Rives-du-Lac - 70000 Vaivre-et-Montoille - à 2,5 km à l'O* - ☎ 03 84 76 22 86 - www.camping-vesoul.com - ♿ - *160 empl. - campeur 4,50 €, - 7 ans 2,35 €, emplacement 4,35 €, véhicule 3,25 €*. Situation idéale pour ce camping sur les berges du lac de Vesoul-Vaivre. Vaste zone de loisirs juste à côté pour faire le plein d'activités sportives.

Chambre d'hôte Le Tilleul de Ray – Hors plan - *14 r. Ste-Anne - 70130 Ray-sur-Saône - à 35 km au SO de Vesoul* - ☎ 03 84 78 97 55 - www.letilleulderay.eu - *5 ch. 75/95 €* 🍽 - ✗ *table d'hôte 29 €*. Dans le beau village de Ray-sur-Saône, une maison ancienne joliment rénovée. Vaste salle commune aux pierres apparentes et aux poutres imposantes.

POUR SE FAIRE PLAISIR

Chambre d'hôte Château d'Épenoux – Hors plan - *5 r. Ruffier-d'Épenoux - 70000 Pusy-et-Épenoux - à 5 km au N* - ☎ 03 84 75 19 60 - www.chateau-epenoux. com - **P** 🛏 - *fermé 1 sem. début janv.* - *5 ch. 149/169 €* 🍽. Petit château du 18e s. caché dans un parc planté d'arbres centenaires. Meubles et lustres anciens personnalisent les chambres spacieuses. Grand salon feutré et élégante salle à manger. Cuisine bourgeoise. Propose aussi six meublés de tourisme (480 € pour 3 nuits), dont l'un est installé dans la chapelle du château. Boxes pour les chevaux.

Hôtel Château de Rigny – Hors plan - *70 r. des Époux-Blanchot - 70100 Rigny - à 51 km au SO de Vesoul* - ☎ 03 84 65 25 01 - www.chateau-de-rigny. com - **P** 🛜 - *28 ch. 98/240 €* - 🍽 *14 €* - ✗ *39/55 € - 1/2P possible*. Tranquille maison de maître des 17e et 18e s. dotée d'un grand parc ombragé, en bord de la Saône. Boiseries, tapisseries et meubles anciens. Chambres personnalisées. Jardin d'hiver pour apprécier votre petit-déjeuner en pleine nature.

RESTAURATION

BUDGET MOYEN

4 **La Femme du Boulanger** – A2 - *1 r. du Cdt-Girardot* - ☎ 03 84 76 38 11 - http:// restaurantlafemmeduboulanger.fr - ♿ - *fermé dim. et mar. soir - réserv. conseillée, surtout à midi - 22/38 €*. Avec sa devanture rétro, ses boiseries et son comptoir-vitrine, cette boulangerie-salon de thé perpétue le souvenir de l'ancienne coutellerie qui occupait ces murs. Salades copieuses, tartines, galettes, plats, desserts. Jolie terrasse en bord de rivière.

1 **Le Caveau du Grand Puits** – A1 - *R. de Mailly* - ☎ 03 84 76 66 12 - *fermé 3 sem. de la mi-août à début sept., entre Noël et le Nouvel An, merc. soir, sam. midi, dim. et j. fériés - 16/25 € - plat du jour : 9,80 €*. Dans une ruelle de la vieille ville, une cave voûtée aux murs de pierres complétée d'une seconde salle avec mezzanine, où savourer des plats de tradition. Courette intérieure pour les beaux jours.

À proximité

BUDGET MOYEN

Le Saint-Jacques – Hors plan - 2 imp. Bel-Air - 70000 Frotey-lès-Vesoul - ℘ 03 84 75 49 49 - www.le-saintjacques.fr - tlj sf dim. 11h-14h, 19h-22h - formule déj. 15,90 € - 31,90/41,90 €. Le restaurant de l'Eurotel abrite une bonne table où le chef Jean-Marc Harroué met à l'honneur uniquement des produits frais et de saison. Cuisine savoureuse et inventive.

POUR SE FAIRE PLAISIR

Le Balcon – Hors plan - 2 Grande-Rue - 70120 Combeaufontaine - à 26 km à l'O de Vesoul - ℘ 03 84 92 11 13 - http://le-balcon-70.fr - fermé 10 j. fin juin et 3 sem. de la fin déc. à la mi-janv., dim. soir, mar. midi et lun. - 30/66,50 € - ch. 65/85 €. Auberge à l'intérieur soigné (nappes blanches, cuivres et meubles cirés) ; goûteuse cuisine classique d'excellente facture. Réservez une chambre sur l'arrière, au calme.

PETITE PAUSE

Chocolaterie Mickaël Azouz – 22 r. Alsace-Lorraine - ℘ 03 84 75 05 93 - www.azouz.com - mar.-sam. 9h-12h30, 14h-19h - salon de thé fermé en déc. et à Pâques. Ce champion du monde de chocolaterie et pâtisserie (1989) décline ses chocolats en parfums insolites (tabac, jasmin…). Parmi ses spécialités : ganaches au Madagascar 1er cru, ou les Élégantes de Vesoul, des griottes macérées. Le salon de thé fait aussi office de galerie d'art.

ACHATS

Le Voyageur – 33 r. Alsace-Lorraine - ℘ 03 84 75 76 13 - www.franchecomte-epicerie.fr -

mar.-sam. 9h30-12h30, 14h30-19h30, dim. 9h30-12h30. On y trouve de tout : épicerie fine, vins du monde, produits locaux, et même du safran saônois !

Les Comptoirs Thé Café – 17 r. Paul-Morel - ℘ 03 84 96 94 25 - www.comptoirs-the-cafe.com - lun. 14h-18h, mar.-sam. 9h30-12h, 14h-19h. Large choix de thés, de cafés torréfiés artisanalement et de spécialités régionales : biscuits de Montbozon, caramels, terrine de canard au kirsch, produits de l'Institut Griottines, etc.

ACTIVITÉS

Vélorails de Vesoul – 70000 Vaivre-et-Montoille - Sur la D 13, à 500 m de la sortie de Vaivre - ℘ 03 84 78 02 28 - ℘ 06 67 50 07 23 - www.velorailvesoul.com - 🚫 ♿ - juil.-août : tlj, avr.-mai et sept.-oct. : w.-end et J. fériés sur réserv. - 25 €. Un parcours de 9 km aller-retour (environ 1h30) sur une ancienne voie ferrée à bord d'un drôle d'engin qui peut accueillir 2 pédaleurs et 2 adultes ou 3 enfants à l'arrière.

Promenade sur les rives de Saône – Carte téléchargeable sur www.entresaoneetsalon.fr et plus de renseignements sur www.france-voyage.com/balades/vesoul-commune-28131.htm. De Port-sur-Saône à Rigny, le chemin de halage a été aménagé pour vous offrir 80 km de balades à pied, à vélo ou à cheval.

Chemin vert – 27 km de chemin aménagés sur une ancienne voie ferrée, de Vesoul à Loulans-Verchamp. Relié à l'Eurovélo 6, au niveau de Laissey.

Poney-Club Les Boulingrins – 70360 Scey-sur-Saône - ℘ 03 84 92 70 25 - www.boulingrins.ffe.com. Ce centre équestre, qui occupe le parc (120 ha) de l'ancien château de Scey, propose des cours, des

2

balades à poney ou à cheval et des stages avec hébergement sous tipi. Pour les tout-petits, une mini-ferme (3 €, gratuit -2 ans, janv.-juin et sept.-déc. : merc. et sam. 14h-18h ; juil., août : lun.-vend. 10h-18h) avec des oies, des lapins, des daims, des sangliers et même des kangourous. Possibilité d'hébergement en roulotte.

Bateau – Pour tous ceux qui ont envie de découvrir la Saône et le Doubs en bateau, le Comité régional du tourisme de Franche-Comté a mis au point une brochure très bien faite « Franche-Comté – tourisme fluvial », disponible dans tous les offices de tourisme de la région ou téléchargeable sur www.franche-comte.org. Vous y trouverez tous les renseignements nécessaires. Sur le circuit de la moyenne vallée de la Saône, vous pourrez louer au week-end ou à la semaine des bateaux sans permis à Scey-sur-Saône : - **Locaboat Holidays** – *Port de plaisance de Scey-sur-Saône - 70360 Chassey-lès-Scey -* 🕿 *03 84 68 88 80 -* 🕿 *03 86 91 72 72 - www. locaboat.com.* Croisières en pénichette ; ou à Seveux : - **Saône**

Plaisance – *Port de Savoyeux - 70130 Seveux -* 🕿 *03 84 67 00 88 - www.saone-plaisance.com.* Location de bateau sans permis. Pour les promenades à l'heure ou à la journée, rendez-vous à Gray (♿ *p. 123*).

Possibilité également de louer à la journée à Port-sur-Saône : **Franche-Comté Nautic** – *La Maladière - 70170 Port- sur-Saône -* 🕿 *03 84 91 76 36 - www.fcnautic. com.* Croisières sur la Saône) Pour relier Scey-sur-Saône à Gray en bateau, comptez 4-5 jours aller-retour.

AGENDA

Festival des cinémas d'Asie – *Déb. fév. -* 🕿 *03 84 76 55 82 - www. cinemas-asie.com.* Une soixantaine de films projetés.

Festival Jacques Brel – *Fin sept.-déb. oct. - théâtre Edwige Feuillère -* 🕿 *03 84 75 40 66 - www. theatre-edwige-feuillere.fr.* Un festival de chansons françaises et un concours pour découvrir de nouveaux talents.

Foire de la Ste-Catherine – *25 nov.* Une fête célébrée depuis 1293 !

Gray

5 484 Graylois – Haute-Saône (70)

Bâti en amphithéâtre sur une colline dominant la Saône, Gray est d'abord un port entre Rhin et Rhône. Sur ses quais on chargeait et déchargeait autrefois céréales, bois, fonte, fer, vins… Le commerce fluvial, auquel la ville doit sa prospérité dès la Renaissance, atteignit son apogée au 19e s., avec un trafic estimé à 200 000 tonnes en 1837. Aujourd'hui, Gray est devenue une étape très prisée des plaisanciers, où se dessine, dans la ville haute, le superbe toit de tuiles vernissées de l'hôtel de ville.

😊 NOS ADRESSES PAGE 127
Hébergement, restauration, achats, activités, etc.

🛈 S'INFORMER

Office du tourisme du Val de Gray – *3 quai Mavia - 70100 Gray - 📞 03 84 65 18 15 - www.tourisme-valdegray.com - juil.-août : 9h-12h, 13h30-18h ; reste de l'année : tlj sf sam. 9h-12h, 13h30-17h30 - fermé j. fériés - 2e bureau Écluse n°16 - quai Vergy - juil.-août : 10h-13h, 15h-18h.*

Visites guidées – *Visite et dégustation juil.-août : mar., sur réserv. à l'office de tourisme (5 €, -16 ans 2,50 €).* 👣 *aussi « Nos adresses » p. 127.*

📍 SE REPÉRER

Carte de microrégion A3 (p. 108). Gray se situe à 52 km à l'est de Dijon par la D 70 et à 43 km au nord-ouest de Besançon par la D 67, à 19 km au nord de Pesmes par la D 475 et à 60 km au sud-ouest de Vesoul par la D 474.

🅿 SE GARER

Parking place Boichut : gagnez la vieille ville par la rue Maurice-Signard.

😊 À NE PAS MANQUER

L'hôtel de ville, un trésor de la Renaissance comtoise ; la tour du Paravis et les riches galeries du musée Baron-Martin ; « le tour St-Pierre-Fourier ».

🕐 ORGANISER SON TEMPS

Consacrez une journée à la découverte de la ville et de ses environs.

👫 AVEC LES ENFANTS

La forêt domaniale des Hauts-Bois ou les rives de la Saône.

2

Se promener Plan de ville p. 124

LA VIEILLE VILLE

○ *Circuit tracé en vert sur le plan de ville – Comptez 45mn.*

★ Hôtel de ville A1

Ce superbe édifice à arcades de style Renaissance (1568-1572) est orné de gracieuses colonnes en marbre rose de Sampans (Jura), et coiffé d'un beau toit bourguignon de tuiles vernissées (👣 *ABC d'architecture p. 472*). Il constitue l'un des chefs-d'œuvre de la Renaissance en Franche-Comté. Au centre se trouvent les armes et la devise de la ville. Au 16e s., le rez-de-chaussée du bâtiment abritait des boutiques.

À gauche de la façade, le cadran solaire déclare *Lucem demonstrat umbra*, qui peut se traduire par « l'ombre dénonce la lumière ».

Empruntez la rue de l'Église.

Basilique Notre-Dame A1

Pl. de la Sous-Préfecture - ☎ 03 84 65 18 15 - www.tourisme-valdegray.com - ♿ - mar.-oct. : 8h-18h ; reste de l'année : 8h-17h - 3,40 € - possibilité de visite guidée sur demande (30mn) uniquement dans le cadre de la visite de la ville-haute - plan légendé et éclairé de l'église en entrant à gauche. Commencé à la fin du 15ᵉ s., l'édifice de style gothique comtois finissant est surmonté, à la croisée du transept, d'un lanternon baroque, à triple toiture de tavaillons. Il s'ouvre par un portail achevé en 1863. Remarquez le **Christ au tombeau** attribué à Lullier (16ᵉ s.), le crucifix (16ᵉ s.) et l'arbre de Jessé composant la structure de pierre du vitrail axial. Les murs couverts d'ex-voto témoignent de la dévotion à la Vierge miraculeuse. La chapelle de droite abrite le cœur de saint Pierre Fourier. Buffet d'orgues en bois sculpté (18ᵉ s.).

> **ARMES DE FEU**
> Outre le lion de Franche-Comté, le **blason de la ville** arbore trois flammes d'or pour les trois terribles incendies auxquels la cité a réchappé en 1324, 1440 (par les écorcheurs) et 1477 (par les troupes de Louis XI). D'où sa devise « trois fois victorieuse des flammes ».

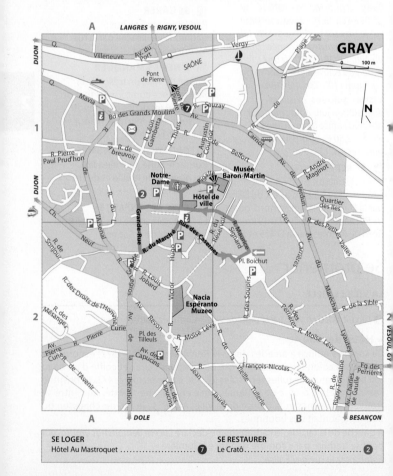

> ### ESPERANTO
> La ville de Gray a la singularité d'être un **centre espérantiste**. Le Nacia Espéranto Muzeo retrace l'histoire de cette langue dite « internationale » depuis sa création en 1887 et constitue un centre d'archives et de documentation unique en son genre. *19 r. Victor-Hugo - maison pour Tous - ☎ 03 84 64 87 30 - www.naciaesperantomuzeo.fr - visite guidée sur demande préalable (1h30) horaires, se rens. - gratuit.*

Contournez l'église pour voir la **tour du Paravis**. Datant des 13ᵉ et 14ᵉ s., elle constitue l'un des derniers vestiges de la forteresse de Gray, et marque aujourd'hui l'entrée du musée Baron-Martin.

★ Musée Baron-Martin B1

6 quai Edmond-Pigalle - ☎ 03 84 65 69 10 - www.musee-baronmartin.fr - juil.-sept. : 10h-12h, 14h-18h ; mai-juin : 10h-12h, 14h-18h, w.-end 14h-18h ; reste de l'année : 14h-17h - fermé mar., 1ᵉʳ janv., lun. de Pâques, 1ᵉʳ Mai, 25 déc. - possibilité de visite guidée - 5,50 € (-12 ans gratuit) - gratuit 1ᵉʳ dim. du mois et J. de l'archéologie (juin) - atelier enf. (1,50 €).

Ce beau musée est installé dans le château du comte de Provence (frère de Louis XVI et futur Louis XVIII). L'édifice remplaça au 18ᵉ s. la forteresse féodale des ducs de Bourgogne, dont subsistent la tour du Paravis et les caveaux, tous deux du 14ᵉ s. Les caveaux voûtés abritent une collection d'antiquités gréco-romaines et d'objets archéologiques retrouvés pour la plupart dans la région. Peintures, dessins et scuplures sont exposés dans les salons. Après les salles consacrées aux primitifs des différentes écoles occidentales, suivent les écoles italienne (16ᵉ au 18ᵉ s.), flamande (17ᵉ s.), hollandaise (17ᵉ s.) – dont quelques gravures de Rembrandt – et française (16ᵉ au 19ᵉ s.), représentée notamment par François Boucher. Ce parcours dans le temps se prolonge jusqu'à la fin du 19ᵉ s. et le début du 20ᵉ s. : pierres lithographiques de Fantin-Latour, tableaux de Tissot, Steinlen, Albert Besnard et Aman-Jean. Ne partez pas sans avoir vu la belle **collection de pastels et dessins★** de P.-P. Prud'hon (1758-1823), dont les trois portraits exécutés au château même lors de sa retraite en 1795 et 1796. À l'étage, plusieurs expositions temporaires sont organisées chaque année.
Revenez vers l'hôtel de ville et tournez à droite dans la rue des Terreaux.
Notez, au n° 20, la porte Renaissance.

Grande-Rue A1-2

Au n° 71 se dresse l'**hôtel de Conflans** (16ᵉ s.) et sa belle « viorbe » ou tour d'escalier *(visite guidée (30mn) uniquement dans le cadre des visites guidées de la ville et des J. du patrimoine.)*. En descendant, remarquez aussi la porte Louis XIV au n° 54, et entrez au n° 32 pour jeter un œil à l'**hôtel-Dieu** (1747), qui abrite toujours un centre de soin *(visites sur demande auprès de l'office de tourisme.)*. À l'intérieur, la chapelle, avec son autel et son tabernacle du 18ᵉ s., est ceinte de verrières de 1930. Dans un décor de boiseries, l'**apothicairerie** de l'hôtel-Dieu recèle des objets rares, dont 119 pièces de faïences datant des 17ᵉ, 18ᵉ et 19ᵉ s.
Reprenez la Grande-Rue en sens inverse jusqu'à la rue du Marché, que vous suivez.

> ### PIERRE FOURIER
> Instruit à l'université jésuite de Pont-à-Mousson, Pierre Fourier (1565-1640) devient en 1597 curé de Mattaincourt, en Lorraine. Il se voue à son office et au service de ses paroissiens. Il fonde une congrégation de Chanoinesses (Notre-Dame) pour l'instruction des filles. Mais, fidèle au duc de Lorraine, il s'oppose à Richelieu qui le force à l'exil en Franche-Comté espagnole. Il s'installe à Gray et meurt quatre ans après. Il est béatifié en 1730.

Rue du Marché A2

Voyez la statue de saint Pierre Fourier (⏱ *encadré p. 125*) par Grandgirard et, au n° 10, l'ancien grenier public (16e s.), avant de gagner au n° 4 l'**hôtel Gauthiot d'Ancier** achevé en 1548 *(visite guidée sur demande à l'OT)*. Ce bâtiment prestigieux abrite à l'arrière un exemplaire unique d'escalier en bois pivotant : le **tour St-Pierre-Fourier★**, qui dessert un cabinet secret, sans doute aménagé par Simon Gauthiot d'Ancier, lequel fut cogouverneur de Besançon avant d'être disgracié et banni par Charles Quint. Saint Pierre Fourier aurait également vécu dans cette cellule lors de son exil.

Prenez à droite la rue des Casernes.

S'y trouve l'ancien **hôtel des Gouverneurs**, aux portes, fenêtres et lucarnes ornées, qui abrite désormais une école. En face, chapelle des Carmélites.

À proximité Carte de microrégion p. 108

Gray-la-Ville A3

⏱ *1,5 km à l'ouest par la D 39.*

Comme son nom l'indique, Gray-la-Ville est à l'origine de la ville de Gray. Ce n'est que vers la fin du 10e s. que les villageois la délaissèrent petit à petit au profit de la forteresse et du bourg castral, plus sûrs, dominant la Saône.

Église St-Maurice – *R. de l'Église - ☎ 03 84 65 18 15 - www.tourisme-valdegray. com - visite guidée (30mn) sur demande à l'office de tourisme.* Réalisé par Jean Ligier en 1697, le **retable★** en bois de la basilique N.-D. de Gray est conservé ici. On y reconnaît à gauche des scènes du Nouveau Testament, à droite, des scènes de l'Ancien. Admirez sur le tabernacle les détails de la Cène, encadrée par le lavement des pieds et le don de la manne (représentée comme un gros pain) au désert. Au centre, *L'Assomption* (1701) de Louvain Lambert Blendeff.

Autrey-lès-Gray A3

⏱ *8,5 km au nord-ouest. Quittez Gray par le nord et prenez à gauche la D 2.*

L'église, dédiée à saint Didier, date du 12e s. et a été transformée du 17e au 19e s. Remarquez le confessionnal en bois et, dans la première travée, la belle statue en pierre polychrome du 15e s. de saint Didier tenant sa tête dans ses mains.

Église de St-Broing B3

⏱ *9,5 km à l'est par la D 39. Visite, s'adresser à la mairie au ☎ 03 84 32 71 80.*

Le **retable★** des stucateurs, les frères Marca (⏱ *p. 129*), a retrouvé en 2004 sa finesse de tons d'origine. Il illustre une Sainte Famille inhabituelle, Jésus enfant étant tenu par la main par ses parents sous un Sacré Cœur rayonnant.

Château de St-Loup B3

⏱ *À St-Loup-Nantouard, 15 km à l'est par la D 474. À Velesmes, tournez à gauche en direction de St-Loup. Continuez 2 km en direction de Sauvigney-lès-Gray.* ☎ *03 84 32 75 69 - www.chateau-saintloup.com - de mi-mai à mi-sept. : 14h-18h ; reste de l'année : 14h-16h - fermé merc. et sam., certains j. fériés - possibilité de visite guidée (45mn) - 5 € (-10 ans 2 €) - en hiver, les visites se font uniquement sur réserv.*

C'est un agréable exemple de propriété familiale, largement remaniée au 19e s. L'un de ses propriétaires, le baron de Klinglin (1785-1863), a en effet réalisé au début du 19e s. d'importants aménagements qui constituent un ensemble intéressant de décorations. Dans le grand salon, les décors en stuc seraient des frères Marca. Les communs ont disparu, excepté un curieux bâtiment qui fait face au château et dont la fonction reste inconnue.

😊 NOS ADRESSES À GRAY

♿ *Voir aussi nos adresses à Vesoul.*

VISITES GUIDÉES

L'office de tourisme organise des visites guidées tte l'année : hôtel-Dieu, basilique, hôtel de ville, tour St-Pierre-Fourier, théâtre à l'italienne… En juil.-août, il propose des visites suivies de dégustations le mar. et des balades théâtralisées certains mar. 15h. Possibilité de voir le fonds ancien de la bibliothèque sur demande au musée Baron-Martin.

HÉBERGEMENT

PREMIER PRIX

7 Hôtel Au Mastroquet – A1 - *1 av. Carnot -* ☎ *03 84 64 53 50 - www.hotel-restaurant-mastroquet.com -* 🅿 *- rest. fermé jeu. et dim. soir hors sais.; brass. fermée jeu., sam. soir et dim. - 12 ch. 60 € -* 🍽 *8 € - formule déj. brass. 9,60/14,50 € -* ✕ *25 €.* Cet hôtel-brasserie-restaurant ouvrant sur le jardin public a une forte personnalité. La brasserie affiche complet tous les midis et le restaurant combine élégance et raffinement. L'hôtel est plus modeste mais fort convenable. Cabaret-spectacle le samedi soir.

RESTAURATION

BUDGET MOYEN

2 Le Cratô – A1 - *65 Grande-Rue -* ☎ *03 84 65 11 75 - www.restaurantlecrato.fr - fermé 1 sem. en fév., 2 sem. en août, mar. soir, merc. - 30/38,50 €.*

Dans ce restaurant au décor contemporain, la dégustation des plats mérite toute votre attention. Le chef, originaire de Vesoul, est fier de confier le choix de ses vins à un œnologue local.

EN SOIRÉE

Théâtre à l'italienne – *30 r. Victor-Hugo - www.gray.fr - visite sur demande à l'office de tourisme.* Regardez sur le site de la mairie *(www.cc-valdegray.fr)* si un spectacle de théâtre ou de musique n'y est pas programmé. Ce serait l'occasion de voir l'intérieur de ce superbe théâtre à l'italienne construit entre 1846 et 1849 et rénové en 2006.

ACTIVITÉS

Bateau-promenades le Coche d'eau – ☎ *06 83 24 57 32 - mai-oct. - 6 € par pers. (enf. 2,30 €) - réserv. obligatoire.* Départ route de la Plage face au camping et du restaurant de la Plage. Nocturnes en juil., août.

👥 **Randonnées** – Dans la forêt domaniale des Hauts-Bois ou sur les rives de la Saône, balades à pied, à vélo, à cheval. Rens. à l'office de tourisme.

AGENDA

Expositions temporaires – Organisées par le musée Baron-Martin autour d'œuvres et d'artistes célèbres.
Festival Rolling Saône – *http://www.rolling-saone.com - mi-mai.* Festival de musiques actuelles.

Gy

1 089 Gylois – Haute-Saône (70)

À l'orée du massif forestier qui inclut le bois de Plumont, surplombant la route de Gray à Vesoul, Gy est dominée par le château des archevêques de Besançon, anciens propriétaires des lieux. La cité a réussi à unir harmonieusement sa ville haute, construite au 12ᵉ s. sur un éperon rocheux, et sa ville basse, plus moderne et commerçante, développée à partir du 14ᵉ s.

😊 NOS ADRESSES PAGE 130
Hébergement, restauration, achats, activités, etc.

🗊 S'INFORMER

Office du tourisme de Gy – *11 Grande-Rue - 70700 Gy - ☎ 03 84 32 93 93 - www.ot-montsdegy.com - juil.-août : 9h-12h, 15h-18h, sam. 9h-12h, lun. 15h-18h ; reste de l'année : tlj sf lun. 10h-12h, 14h-17h, sam. 10h-12h - fermé dim. et j. fériés.*

▶ SE REPÉRER

Carte de microrégion B3 (p. 108). Gy se situe à 18 km à l'est de Gray par la D 474 et à 24 km

au nord-est de Pesmes par la D 12.

😊 À NE PAS MANQUER

L'impressionnant château et son surprenant « tour de château » ; l'église St-Symphorien, reconstruite « à la mode de Versailles » ; les maisons vigneronnes et les ruelles tortueuses de la ville haute.

🕐 ORGANISER SON TEMPS

Comptez une demi-journée pour découvrir le village et ses environs.

Se promener

★ Château

1 cours du Château - ☎ 06 44 73 33 39 - du w.-end de Pâques à la Toussaint. : 14h-18h ; reste de l'année : sur demande préalable (3-4 pers. mini) - possibilité de visite guidée sur demande (1h30) - 5 € (-18 ans gratuit).

À l'ouest du bourg, cet imposant château (16ᵉ-18ᵉ s.) domine toujours la ville. Il garde fière allure grâce à sa belle **tour octogonale★** (15ᵉ s.) de style flamboyant. Remarquez un rare **tour de château★** en acier et ébène, avec ses poignées d'ivoire, qui servait tant pour le travail du bois que pour l'horlogerie.

La tour du Trésor, construite en même temps que la tour octogonale, abrite d'anciens coffres-forts aux multiples serrures. La salle des chasses aux multiples trophées est telle qu'elle a été conçue au 16ᵉ s. Admirez enfin la table dressée dans la pièce suivante : elle rappelle que le prince archevêque de Choiseul-Beaupré fut le premier à importer en Franche-Comté cette mode versaillaise de la salle à manger, et son exposition ostentatoire de vaisselle et de victuailles. Il transforma le château en résidence princière, en le pourvoyant de boiseries, cheminées, alcôves, escaliers et jardins exotiques. La succession des archevêques nécessitait des inventaires précis, ce qui a permis de reconstituer le mobilier des salles de réception ou de la chambre.

Avant les ravages du phylloxéra, on cultivait 450 ha de vignes à Gy. Les caves du château abritent un **musée du Vin** rappelant les méthodes anciennes de culture et de vinification.

LA CITÉ DES ARCHEVÊQUES

C'est à la fin du 11ᵉ s. que le comte de Bourgogne vend à son frère, archevêque de Besançon, ses terres gyloises. Gy se trouve dès lors en position stratégique, au contact du domaine des puissants comtes de Chalon et d'Oiselay. C'est un archevêque, **Guillaume de La Tour**, qui fait élever le premier donjon en 1250 ; les fortifications serviront par la suite à résister aux assauts des Montfaucon, des Rougemont et du duc de Bourgogne. En 1348, **Hugues de Vienne** octroie aux Gylois une charte de franchise ; le commerce, l'artisanat et le vignoble se développent. Les archevêques sont parfois plus en sécurité à Gy qu'à Besançon et y transfèrent par périodes leurs ateliers monétaires ou le siège de leur tribunal (officialité). Elle restera leur cité de repli jusqu'à la Révolution.

Bourg-dessus

Les ruelles ont gardé le tracé sinueux du hameau médiéval qui accueillait, autour des archevêques, les nobles et les bourgeois. Remarquez quelques jolies maisons des 16ᵉ, 17ᵉ et 18ᵉ s. dans les rues du château et du bourg. Sur le chemin de l'église à droite, notez le charmant presbytère.

Église St-Symphorien – Le cardinal de **Choiseul-Beaupré**, entre 1769 et 1774, fait reconstruire l'église St-Symphorien à la mode de Versailles. Elle adopte le plan basilical des églises parisiennes de la même époque.

L'intérieur est remarquable par sa luminosité, des fenêtres hautes et de grandes baies ajourant les bas-côtés. Baldaquin monumental (18ᵉ s.), chaire en forme de bonbonnière par le stucateur Charles Marca et beau rosaire sur bois (fin 16ᵉ s.). La cuve baptismale de pierre date du 15ᵉ s.

Ville basse

Elle s'est développée à partir du 14ᵉ s. à l'intérieur d'une seconde enceinte, bénéficiant de la protection du château et de la proximité du port de Gray. Elle reste aujourd'hui la partie commerçante de Gy.

L'**hôtel de ville** (1846-1848), pharaonique, surprend avec sa façade de 40 m de long ponctuée de colonnes doriques. Il témoigne du dynamisme et de l'ambition de Gy au milieu du 19ᵉ s. La **Grande Fontaine**, en forme de portique antique, achevée par le même architecte bisontin Alphonse Delacroix, a été conçue dans un but identique de prestige municipal.

2

LES MARCA

Difficile de savoir combien ils sont : Joseph-François est peut-être le Charles-Joseph naturalisé à Besançon en 1783, il y a aussi Joseph-Marc et Joseph-Marcel… Toujours est-il que cette famille de **stucateurs**, originaire d'Italie, intervint souvent au 18ᵉ s. dans les églises de Franche-Comté, et particulièrement en Haute-Saône. Le stuc, imitation du marbre à base de plâtre et de colle, autorisait des décors à moindre coût et remporta donc l'adhésion de nombreuses paroisses. Le retable de Mont-lès-Étrelles (attribué à Joseph Marca…) et l'étonnante chaire de Gy témoignent de leur créativité.

À proximité Carte de microrégion p. 108

Bucey-lès-Gy B3

◗ *3,5 km au nord-est, par la D 12.*

Le village faisait partie des terres cédées à son frère par le comte de Bourgogne en 1093. On y reconnaît, à leurs portes, de nombreuses maisons vigneronnes. La **mairie-lavoir** repose sur trois voûtes à croisée d'ogives. Datant de 1828, elle est l'œuvre de Louis Moreau.

Frasne-le-Château B3

◗ *11 km au nord-est, par la D 474.*

On y arrive face à un joli petit château classique du 18ᵉ s., mais ce n'est pas celui qui a accolé son nom au village. Ce dernier, à proximité de l'église, possède une façade Renaissance due à Hugues Sambin, mais il est difficile à apercevoir *(privé)*. En plein centre, une **fontaine-lavoir** (1833), formée de deux bâtiments et couronnée par un coq, capte la source de la Jouanne.

Église de Mont-lès-Étrelles B3

◗ *9,5 km au nord-est, par la D 474. Visite guidée sur demande auprès de Mme Humbert au ℘ 03 84 32 41 23.*

Son chœur abrite un **retable** (1730) des stucateurs, les frères Marca (◖ p. 129). On reconnaît la Sainte Famille, surmontée par une représentation de la Trinité : la colombe de l'Esprit, le buste du Père éternel et trois anges portant la Croix.

☺ NOS ADRESSES À GY

HÉBERGEMENT

PREMIER PRIX

Hôtel Pinocchio – *R. Beauregard -* ℘ *03 84 32 95 95 - www. hotelpinocchio.fr -* 🅿 📶 *- 14 ch. 70/85 € -* ⌷ *7 € -* ✕. Cette jolie maison régionale, restaurée dans un style moderne, est décorée sur le thème de la célèbre marionnette. Chambres pratiques, dont certaines prévues pour les familles.

RESTAURATION

BUDGET MOYEN

Le Charlemagne – *13 Grande-Rue -* ℘ *03 84 32 82 92 - ouvert sam. soir et tous les midis sf lun., - formule déj. 14,50 € (en sem.) - formule régionale 15,50 € - menu 20/28,50 € - dim. : menu 30 €.* On ne pourra pas manquer la façade rustique de ce restaurant situé Grand-Rue, en plein centre du bourg. Décorées dans un style proche des auberges de campagne, les deux salles invitent à la dégustation d'une cuisine traditionnelle, goûteuse et soignée. Bon accueil et service fort aimable.

ACTIVITÉS

VTT – Sept circuits balisés (126 km) vous permettent de découvrir les villages et paysages des Monts de Gy. Rens. et carte des circuits disponibles à l'office de tourisme.

Randonnée pédestre – Quatre circuits de 10 à 17 km au dép. de Gy, de Roche-les-Bucey ou de Frétigney pour des balades en pleine nature. Livret des circuits et programme des randonnées thématiques disponibles, organisés selon les saisons, à l'office de tourisme.

La source de la Romaine et le donjon.
H. Hughes/hemis.fr

Fondremand

188 Romanifontains – Haute-Saône (70)

Un imposant donjon du 11ᵉ s., nombre de maisons des 15ᵉ et 16ᵉ s., une charmante source vauclusienne aménagée au 19ᵉ s. : la petite ville ne manque pas d'atouts ! Depuis quelques années, les habitants se mobilisent pour restaurer, avec goût, les maisons et petits châteaux du village.

😊 NOS ADRESSES PAGE 132
Hébergement, restauration, achats, activités, etc.

🛈 S'INFORMER

Office du tourisme du Pays des 7 Rivières - Rioz –*Pl. du Souvenir-Français - 70190 Rioz - ☎ 03 84 91 84 98 - www. tourisme7rivieres.fr - de mi-juil. à mi-août : 9h-12h, 14h-17h, sam. 9h-13h ; reste de l'année : tlj sf sam. 9h-12h, 14h-17h - fermé dim. et j. fériés, 26 déc.*

▶ SE REPÉRER

Carte de microrégion C3 (p. 108). À environ 22 km au sud-ouest de Vesoul par la D 474, puis la D 33 à gauche par

Grandvelle-et-le-Perrenot et Maizières.

😊 À NE PAS MANQUER

Les maisons bourgeoises ou vigneronnes et les petits châteaux restaurés avec tendresse par les habitants du village ; l'église et ses élégantes stalles à arcatures ; l'huilerie-moulin, proche de la source résurgente de la Romaine, exemple réussi d'un passé médiéval revivifié.

🕐 ORGANISER SON TEMPS

Comptez une demi-journée pour le village et son moulin.

Se promener

Église

w.-end 9h-18h - possibilité de visite guidée sur demande.

Au 13e s., cet édifice appartenait au château. À la belle rosace romane de la façade répond un chœur ogival primitif abritant une pierre tombale sculptée en haut relief (16e s.) et deux délicieuses stalles à arcatures. Dans la nef, Vierge aux raisins et Vierge de douleur (16e s.).

Château de Fondremand

3 r. du Château - ☎ 07 50 93 47 52 - http://chateau.fondremand.pagespro-orange. fr - visite guidée (50mn) sur demande préalable horaires, se rens. - 4 €. La visite se concentre sur le donjon du 11e s. : un escalier taillé dans la muraille mène à la salle des gardes et aux cachots. L'escalier à vis (15e s.) permet d'accéder aux salles et à la charpente en chêne. Le 3e étage est occupé par un petit musée des objets de la vie courante, artisanale et agricole des années 1850 à 1950. On peut aussi voir la cuisine (15e-16e s.) et l'écurie (19e s.).

Source de la Romaine

Au pied du donjon, la source résurgente de la Romaine, petit affluent de la Saône, aménagée en 1831. La façade néoclassique du lavoir ouvre sur un bassin circulaire (très apprécié des enfants !) par une variante de « serlienne » (baie cintrée encadrée de deux baies droites plus étroites, ici au nombre de quatre).

😊 NOS ADRESSES À FONDREMAND

RESTAURATION

BUDGET MOYEN

L'Amphytrion – *5 imp. de l'Église -* ☎ *03 84 78 99 10 - http:// restaurant-amphitryon.fr/- fermé lun.-mar., merc. soir, jeu. soir, dim. soir - formule déj. 16 €, 25/38 €.* Ce restaurant convivial, situé au cœur du village, propose des plats régionaux savoureux préparés avec des produits locaux. Accueil chaleureux.

ACTIVITÉS

Sports nautiques

Voray CK – *8 r. du Moulin - 70190 Voray-sur-l'Ognon -* ☎ *03 81 56 89 29 - http://vorayck. free.fr - avr.-oct. - 15 € la 1/2 journée, 20 € la journée.* Descente en canoë-kayak et initiation. Location de matériel : Voir aussi nos adresses à Villersexel et Montbozon.

AGENDA

Journée modélisme – *Mai -* ☎ *03 84 78 27 42 - www. fondremand.com.*

Château de Champlitte.
D. Bringard/hemis.fr

Champlitte

1 711 Chanitois – Haute-Saône (70)

Son nom rappelle l'histoire mouvementée qu'elle doit à sa position frontalière : au 3ᵉ s., fuyant l'invasion des Alamans, les Lites s'y établirent et le lieu devint « Champ des Lites ». Du legs du passé subsistent un harmonieux château Renaissance remanié au 18ᵉ s. et de belles bâtisses anciennes, dont des maisons vigneronnes et la maison dite « espagnole ».

😊 NOS ADRESSES PAGE 135
Hébergement, restauration, achats, activités, etc.

🛈 S'INFORMER

Office du tourisme de Champlitte – *2 allée du Sainfoin - 70600 Champlitte -* 📞 *03 84 67 67 19 - www.ot-champlitte.fr - juil.-août : 10h-12h, 14h-18h, mar. et jeu. 9h-12h30, 13h30-18h, dim. et j. fériés 10h-15h ; reste de l'année : tlj sf dim. et j. fériés 14h-18h, mar. et jeu. 9h-12h30, 13h30-18h - fermé lun.*

◉ SE REPÉRER

Carte de microrégion A2 (p. 108). Frôlant la Côte-d'Or, Champlitte n'est qu'à 64 km au nord-est de Dijon par la D 960 et Fontaine-Française et qu'à 21 km au nord-ouest de Gray (D 67).

😊 À NE PAS MANQUER

L'élégant château Renaissance et son musée, très complet, des Arts et Traditions populaires ; le musée départemental des Arts et Techniques.

🕐 ORGANISER SON TEMPS

Comptez une demi-journée pour la ville et ses maisons vigneronnes.

👫 AVEC LES ENFANTS

Cherchez la source du « Trou de Jaleux » dans un pré de Champlitte-la-V.

Se promener

Église

Reconstruite à la fin du 18ᵉ s. et au début du 19ᵉ s., cette église à la façade néo-classique a conservé une chapelle du 15ᵉ s. et un beffroi gothique (1437), qui atteignait jadis 80 m de hauteur. À l'intérieur, vous verrez une cuve baptismale du 12ᵉ s. et de très belles statues qui témoignent de l'importance de l'art sacré dans une ville qui ne comptait pas moins de six couvents.

★ Château

De la Renaissance seule subsiste l'élégante façade sur cour à deux ordres superposés, ionique et corinthien (16ᵉ s.). Les arcades du rez-de-chaussée ont été fermées au 18ᵉ s. lors de la reconstruction entreprise par l'architecte bisontin Claude-Joseph-Alexandre Bertrand, auteur du château de Moncley (👣 p. 58). L'édifice, dont la façade sur jardin possède un avant-corps central en rotonde, abrite le musée des Arts et Traditions populaires.

★ Musée départemental Albert-et-Félicie-Demard des Arts et Traditions populaires – *7 r. de l'Église - ☎ 03 84 95 76 50 - http://musees.haute-saone.fr - 🔥 - juil.-août : 9h30-12h, 14h-18h, w.-end 14h-18h ; avr.-juin et sept. : tlj sf mar. 9h30-12h, 14h-18h, w.-end 14h-18h ; reste de l'année : tlj sf mar. 14h-17h - fermé de mi-nov. à mi-fév., 1ᵉʳ Mai, 1ᵉʳ et 11 Nov., 25 déc. - possibilité de visite guidée sur demande - 6 € (-16 ans gratuit) - billet donnant accès au musée départemental des Arts et Techniques - gratuit RV aux Jardins (juin).*

Il présente les activités et les objets de la région de Haute-Saône et des collines sous-vosgiennes : mobilier et souvenirs du terroir – dont le lit-alcôve, caractéristique de la région de Champlitte –, petits métiers ambulants, ateliers soigneusement reconstitués (travail du cuir, du chanvre, du fer…) ainsi que divers lieux de la vie villageoise tels que l'épicerie, l'école ou le café. Un intérêt particulier est porté à la médecine populaire, la pharmacie et leur usage à l'hospice. Remises à l'honneur par **Albert Demard**, créateur du musée, les traditions populaires connaissent un réel succès dans la région, comme la fête de la St-Vincent (saint du cep et des pampres, *voir encadré ci-dessous et Agenda ci-contre*) par exemple. Le musée possède aussi un important fonds photographique, qui n'est pas exposé pour l'instant.

Musée départemental des Arts et Techniques – *R. des Lavières - ☎ 03 84 67 62 90 - http://musees.haute-saone.fr - 🔥 - juil.-août : 9h30-12h, 14h-18h, w.-end 14h-18h ; avr.-juin. et sept. : tlj sf mar. 9h30-12h, 14h-18h, w.-end et j. fériés 14h-18h ; reste de l'année : tlj sf mar. 14h-17h - fermé déc.-fév., 1ᵉʳ Mai, 1ᵉʳ nov. - possibilité de visite guidée - 6 € (-16 ans gratuit) - billet donnant accès au musée d'Arts et Traditions populaires.*

Deux « rues » bordées d'ateliers évoquent les progrès techniques qu'a pu connaître un bourg du début du 20ᵉ s.

SAINT VINCENT, PATRON DES VIGNERONS

À la fin du 3ᵉ s., alors que les chrétiens sont pourchassés dans l'Empire romain, le jeune Vincent exerce comme diacre à Saragosse et prêche la foi chrétienne. Il est emprisonné et torturé ; malgré plusieurs miracles lui sauvant la vie, il meurt le 22 janvier 304. C'est au Moyen Âge que les vignerons le prennent comme saint patron, son culte s'imposant d'abord en Bourgogne. Des confréries se créent alors, et la St-Vincent devient l'occasion de grandes réjouissances avant le retour des travaux viticoles.

À proximité Carte de microrégion p. 108

Champlitte-la-Ville A2

▶ *1 km à l'est par la D 103.* Outre son gracieux portail (14e s.) à culots figurés, l'église possède une attrayante cuve baptismale monolithique (11e s.) décorée de sculptures symboliques.

Église de Fouvent-le-Haut B2

▶ *15 km à l'est par la D 103.*

Voici une œuvre de jeunesse, classique, de **Claude-Nicolas Ledoux** (◔ p. 477), achevée vers 1775, couronnée par une toiture à l'impériale. À l'intérieur, le retable de 1728 a été réinstallé dans l'église, ce qui explique qu'il soit un peu sous-dimensionné. Il représente, en haut relief, l'Assomption de la Vierge.

😋 NOS ADRESSES À CHAMPLITTE

HÉBERGEMENT ET RESTAURATION

PREMIER PRIX

Camping Municipal – *Rte de Leffond -* ☎ *06 82 25 31 61 -* ⓖ ⌆ - *mi-avr.-mi oct. - 21 empl. 16 € pour 2 pers. avec électricité -* ✗ *snack - fermé lun.* Ce petit camping ombragé et tranquille offre une halte agréable sur la route de vos vacances. Une aire de service est à la disposition des camping-cars.

Henri IV – *15 r. du Bourg -* ☎ *03 84 31 28 86 - www. hotelrestauranthenri4.com -* ⌆ *- 10 ch. 49/68 €, suite Henri IV 78 € -* ⌁ *8 € - 1/2 P. 61 €/pers. -* ✗ *24,50/31 € - 12h-14h, 19h-21h.* Cette maison de vignerons du 16e s. a été rénovée pour offrir des chambres confortables aux styles tous différents et trois salles de restaurant.

Hôtel Le Donjon – *46 r. de la République -* ☎ *03 84 67 66 95 - www.hotel-restaurant-champlitte. com -* 🅿 ⌆ *- hôtel fermé Noël-1er janv.; fermé lun. de mi-juin à fin sept., fermé vend. soir et sam. midi d'oct. à mi-juin - fermé dim. soir tte l'année - 12 ch. 42/53 € -* ⌁ *7 € -* ✗ *formule déj. 13 €,*

13/28 €. Sur l'axe principal, un peu bruyant, cet hôtel entièrement rénové compte 12 chambres de confort actuel, colorées et bien tenues. On savourera avec plaisir le menu régional, servi dans la salle aménagée dans deux caves voûtées contiguës. Excellent accueil des propriétaires, dynamiques et affables.

AGENDA

St-Vincent – *22 janvier.* C'est l'occasion d'une grande cérémonie religieuse, organisée par la confrérie St-Vincent, créée par Albert Demard, qui œuvre à la conservation des traditions chanitoises. La statue de saint Vincent, confiée à une famille pour l'année, est rendue et part en cortège vers l'église, précédée par les « Épousés », pour être bénite lors d'une messe. Elle rejoint ensuite une autre famille pour une nouvelle année. Le long du parcours, on déguste beignets, brioches et vin; les participants sont en costume. La journée se termine par un dîner traditionnel servi par les restaurants du bourg et s'achève par la fameuse tarte à la courge !

2

Chauvirey-le-Châtel

121 Chavirois – Haute-Saône (70)

Entouré de bois, ce modeste village situé sur l'Ougeotte connut des heures de gloire au temps des Chauvirey, l'une des plus puissantes familles de la région. Des deux châteaux fortifiés, il ne reste que la belle chapelle construite au 15e s. pour accueillir le célèbre olifant de saint Hubert.

😎 NOS ADRESSES PAGE 138
Hébergement, restauration, achats, activités, etc.

▶ **SE REPÉRER**
Carte de microrégion B2 (p. 108).
Chauvirey-le-Châtel se situe à 42 km au nord-ouest de Vesoul, par la N 19, puis la D 1 vers le nord, à Cintrey.
À 32 km au nord-est de Champlitte, par la D 17 puis la D 1.

✋ **À NE PAS MANQUER**
L'intérieur richement décoré de la chapelle St-Hubert ; l'église de la Nativité-de-N.-D., avec son autel en bois polychrome et son clocher carré ; le superbe maître-autel de l'église St-Pierre de Jussey.

🕐 **ORGANISER SON TEMPS**
Comptez une demi-journée pour visiter le village et ses alentours.

Se promener

Chapelle St-Hubert

Du château ne subsiste que cette ancienne chapelle castrale dédiée à saint Hubert. Conçu sur plan d'abside gothique et de style flamboyant, l'édifice daterait de 1484. L'intérieur, remarquable pour la richesse de sa décoration, a perdu beaucoup de son intérêt avec le vol du **retable de saint Hubert** en pierre.

En 1934, la chapelle fut achetée par la famille Rockefeller, désireuse de la voir aboutir au Metropolitan Museum à New York, projet que des pétitions firent avorter. Une niche contenait l'**olifant de saint Hubert**. En or émaillé incrusté d'ivoire et d'ambre, il aurait appartenu à saint Hubert et aurait été donné à Charles le Téméraire par l'évêque de Liège. Acheté par Richard Wallace en 1879, cet objet est aujourd'hui visible à la Wallace Collection à Londres.

Église de la Nativité-de-N.-D.

R. Emard - ♿ *- juin-sept. : 10h-17h - visite sur demande préalable auprès de Roland Drouhot au* ☎ *03 84 68 90 28.*

L'édifice à chevet plat est surmonté d'un clocher carré. À l'intérieur, l'autel en bois sculpté est entouré des deux statues en bois polychrome du 17e s. de saint Sébastien et de saint Roch ; au-dessus de l'autel, retable imposant du 18e s. La chapelle à gauche du chœur formant un bras du transept renferme une statue de sainte Anne, du 15e s.

CALVAIRE ET PLACE FORTE

Le nom de Chauvirey aurait pour origine un calvaire, tandis que « le Châtel » témoigne de la présence d'une place forte dont il reste quelques vestiges.

Église de la Nativité-de-N.-D.
Mairie de Chauvirey

À proximité Carte de microrégion p. 108

Vitrey-sur-Mance B1

◉ *2,5 km au nord par la D 1.*

Église St-Laurent – Le **retable** blanc et or date du premier tiers du 18ᵉ s., mais reprend un autel coffre vraisemblablement plus ancien. Le tabernacle, la niche d'exposition et les médaillons qui les entourent sont particulièrement soignés (et feraient presque oublier la redoutable chaudière, à droite du chœur). Remarquez, à droite du porche principal, d'étranges graffitis datés de 1901, 1911 et 1926, accompagnés d'un casque à pointe, et dont on ne connaît à ce jour ni la signification ni l'origine.

Château de Bougey B2

◉ *9 km à l'est. 2 r. des Fourches - ☏ 06 51 20 36 83 - www.chateau-de-bougey. com - visite guidée (1h) de déb. avr. à mi-nov. : 10h-12h, 14h-18h - fermé mar. - 2 € (-18 ans 0,50 €) - en cas d'absence ou pour des visites sur demande, s'adresser à M. André Billy au ☏ 03 84 68 04 01.*

En cours de sauvetage, ce château (15ᵉ-17ᵉ s.) étonne par son architecture originale qui combine des styles très différents ; remarquez par exemple l'étonnant clocheton qui surmonte la tour de guet.

Jussey B1

◉ *12 km à l'est par la D 46.*

🛈 *10 r. Gambetta - 70500 Jussey - ☏ 03 84 92 21 42 - www.jussey-tourisme.com - juil.-août : tlj sf dim.-lun. 9h-12h30, 13h30-17h ; mai-juin et sept. : tlj sf dim.-lun. 9h-12h30, 13h30-17h, sam. 9h-12h30 ; reste de l'année : mar.-jeu. 9h-12h30 - fermé j. fériés - découvrir les balades à l'aide d'une application numérique Baludik.*

La petite ville tient lieu de capitale des Hauts du Val de Saône. Ses anciennes **halles aux grains** (1867) alignent une belle façade classique à arcades ; elles abritent l'office de tourisme. Si l'eau est omniprésente en Haute-Saône, le nombre de fontaines, lavoirs (fermés ou à ciel ouvert) et abreuvoirs est particulièrement élevé à Jussey. Des statues en bronze représentant tantôt un lion, tantôt des anges, ici Marianne, là Cérès, ornent les fontaines des 18e et 19e s.

Église St-Pierre – Reconstruit au 18e s. par l'architecte bisontin Nicole, l'édifice a conservé son chœur du 16e s. À l'intérieur, remarquez le **maître-autel★** en bois doré, réalisé par le sculpteur lorrain Gerdolle, le lutrin en forme d'aigle, la grille de communion en fer forgé, de belles stalles et un buffet d'orgues du 18e s.

Montagne de la Roche B2

◐ *8 km au sud par la D 1 puis à droite la D 17 jusqu'à Molay.*

🐾 Depuis Molay, un sentier de randonnée rejoint le sommet de la montagne de la Roche, d'où l'on a un beau **panorama** sur la plaine et les Vosges. Dans la montée, vous passez à côté de la **Pierre qui vire**, bloc calcaire détaché de la paroi : elle a la réputation de tourner une fois tous les cent ans !

En revenant sur Molay, voyez le mur du **site néolithique de Bourguignon-lès-Morey**, rempart défensif de plus de 6 000 ans.

En voiture, poursuivez la D 17 jusqu'à Bourguignon-lès-Morey.

La **Maison du patrimoine** (*R. de la Mairie - ☏ 03 84 91 01 38 - horaires, se rens. - possibilité de visite guidée sur demande - 1 €.*) présente des objets issus des fouilles sur la montagne et des maquettes permettant de comprendre la vie quotidienne des habitants de la région au néolithique (4200 av. J.-C.).

😊 NOS ADRESSES À CHAUVIREY-LE-CHÂTEL

RESTAURATION

PREMIER PRIX

À proximité
Ferme-auberge La Ludore – *5 r. des Nouveaux - 70500 Aboncourt-Gésincourt - ☏ 03 84 68 71 28 - www.laludorefermeauberge. fr - 🍴 P - fermé Noël-Nouvel An - fermé merc. - réserv. obligatoire - 17,50/28 €.* Ce charmant corps de ferme tapissé de vigne vierge abrite deux salles aménagées dans l'écurie et la grange. Selon les saisons, on y dégustera une terrine de lapin, du jambon au foin (jambon maison cuit dans le foin avec une sauce madère) ou un canard au cassis. Chambres d'hôte dans la ferme voisine.

ACHATS - ACTIVITÉS

Brasserie Redoutey – *R. de Chanois - 70120 Lavigney - ☏ 03 84 92 14 97 - www. brasserieredoutey.com - merc. et sam. 9h-12h, vend. 16h-19h - visite et dégustation sur réserv.* Cette brasserie a déjà gagné plusieurs médailles d'or avec ses quatre bières artisanales aux jolies étiquettes illustrées.

AGENDA

Foire – *Dernier mardi de chaque mois 9h-12h à Jussey.* Les foires en été peuvent rassembler plus d'une centaine d'exposants. Au mois d'août a lieu le concours départemental des chevaux comtois.

Faverney

941 Favernéens – Haute-Saône (70)

Miracle ! Nous sommes en 1608 et deux hosties ont échappé à un incendie. La ville, connue pour son abbaye fondée au 8ᵉ s., devient un haut lieu de pèlerinage ; les plus grands du royaume viennent s'y prosterner. L'une des hosties est transférée dans la collégiale de Dole, où une chapelle lui est consacrée. Aujourd'hui, le succès des fèves a remplacé celui des hosties !

> **☺ NOTRE ADRESSE PAGE 140**
> **Hébergement, restauration, achats, activités, etc.**

🛈 S'INFORMER

Office du tourisme Terres de Saône - Bureau de Port-sur-Saône – *73 r. François-Mitterrand - 70170 Port-sur-Saône - ℰ 03 84 78 10 66 - www.cc-terresdesaone.fr - 8h30-12h, 13h30-17h - fermé w.-end et j. fériés.*

▶ SE REPÉRER

Carte de microrégion C2 (p. 108). Faverney se situe à 19 km au nord de Vesoul, par la N 19, puis la D 434 vers le nord, qui conduit à Faverney par Bougnon.

☺ À NE PAS MANQUER

La visite de l'église abbatiale, qui abrite la sainte hostie du miracle.

🕐 ORGANISER SON TEMPS

Vous aurez fait le tour du village et de son église en 1h.

2

Visiter

Église abbatiale

📖 *ABC d'architecture p. 468.* Élevée au 11ᵉ s., elle se signale de loin par sa vaste toiture et ses deux clochers. Victime des guerres, d'incendies et, semble-t-il, d'un tremblement de terre en 1682, elle a été plusieurs fois remaniée : le porche au 13ᵉ s., le chœur et le transept aux 14ᵉ et 15ᵉ s. Mais, on retrouve à l'intérieur l'alternance de piliers ronds, octogonaux et carrés (11ᵉ s.), comme à Baume-les-Messieurs. La chapelle à gauche du chœur abrite l'hostie du miracle. Dans celle de droite, une statue du 15ᵉ s. (manteau de bois doré du 17ᵉ s.) figure N.-D.-la-Blanche, vénérée depuis le 8ᵉ s. Près du maître-autel, une **mise au tombeau** du 16ᵉ s. (influence champenoise) en bois polychrome avec personnages en tenues d'époque.

LE MIRACLE DES HOSTIES

Comme chaque année, en 1608, les religieux du monastère de Faverney organisèrent la cérémonie d'adoration du Saint sacrement pour la Pentecôte. Après celle-ci, ils refermèrent l'église en laissant sur un petit autel l'ostensoir contenant deux hosties et des reliques de sainte Agathe, ainsi que deux lampes à huile allumées. Le lendemain, un incendie avait détruit l'autel. L'ostensoir, resté miraculeusement en suspens dans l'air, serait revenu se poser sur l'autel pendant la messe, sous le regard stupéfait des fidèles. L'enquête épiscopale conclut à un miracle…, lequel serait authentifié par le pape en 1864. Les paroissiens de Faverney vénèrent encore chaque année l'hostie miraculeuse.

LA CAPITALE DE LA FÈVE

Faverney abrite aussi une entreprise dont le récent développement tient du miracle : la société Prime, qui produit les fèves des galettes de l'Épiphanie ! En 1989, elle lance sur le marché des fèves en porcelaine (en plastique jusque-là), peintes à la main et inspirées du bicentenaire de la Révolution. Le succès rencontré encourage l'innovation : les fèves Tortues Ninja, Peugeot, Champions du monde remplacent les traditionnels santons. Prime lance aussi des couronnes holographiques, puis des packages (couronne, sac, présentoir adaptés)… Elle fabrique aussi à la demande, comme cette fève « Veux-tu m'épouser ? » produite pour une cliente franco-suédoise…

À proximité Carte de microrégion p. 108

Fleurey-lès-Faverney C2

▶ *4,5 km au sud.*

Malheureusement repeint, le **retable** (1758) de l'église est l'œuvre des frères Deschamps. Remarquez pourtant la dynamique et la finesse de sculpture des boiseries, particulièrement de la gloire d'où surgit Dieu le Père, parmi les chérubins et les anges agenouillés.

Amance C1

▶ *6 km au nord-ouest par la D 434.*

Le village garde dans sa rue principale quelques belles maisons Renaissance, particulièrement la maison Bûcheron et la maison Espagnole. L'église Saint-Laurent, construite au 18e s. abrite un mobilier d'époque, des habits sacerdotaux brodés et du linge sacré du 18e s.

Conflans-sur-Lanterne C1

▶ *11 km au nord-est par la D 28.*

Autrefois rattachée à un comté de Lorraine, Conflans bénéficia de sa situation frontalière.

Église St-Maurice – ✆ *03 84 49 80 03 -* ♿ *- du dim. de Pâques à la Toussaint : 9h-18h - sur demande (1h) auprès de M. Grandemange ou à la mairie.* Cette église (14e-18e s.) abrite, dans le chœur, un retable orné de double colonnes torses. Les torsades inversées, enguirlandées ou non de fleurs et de fruits, symbolisent la prière, qui monte nue vers Dieu, et l'exaucement, qui redescend avec les grâces demandées. Les retables de gauche et de droite sont dédiés à sainte Barbe et au Rosaire (toile du 17e s.).

😊 NOTRE ADRESSE À FAVERNEY

HÉBERGEMENT

POUR SE FAIRE PLAISIR

Château de la Presle – *3 r. Louis-Pergaud - 70160 Breurey-lès-Faverney -* ✆ *03 84 91 41 70 - www.chateaudelapresle.com - 5 ch. 120/155 € ⬜ -* ✗ *50 € bc.* Vous rêvez d'un week-end de charme à la campagne ? Ce château du 19e s., dans un parc de 6 ha, devrait vous plaire ! Les chambres sont ravissantes (toile de Jouy, style gustavien, etc.), sans parler du salon avec piano, du billard sous les combles et de l'espace bien-être. Cuisine bourgeoise servie dans une salle élégante. Bornes de recharge pour voitures électriques.

Rebruleuse en action, à la verrerie de Passavant-la-Rochère.
La Rochère

Passavant-la-Rochère

616 Passavantais – Haute-Saône (70)

Caché à l'extrême nord de la Haute-Saône et bordé de vastes forêts, Passavant est pourtant connu pour sa très ancienne verrerie qui perpétue depuis des siècles le savoir-faire des maîtres verriers.

☺ NOS ADRESSES PAGE 143
Hébergement, restauration, achats, activités, etc.

🛈 S'INFORMER

Office du tourisme des Hauts du Val de Saône – *10 r. Gambetta - 70500 Jussey - ℘ 03 84 92 21 42 - www. jussey-tourisme.com - juil.-août : tlj sf dim.-lun. 9h-12h30, 13h30-17h ; mai-juin et sept. : tlj sf dim.-lun. 9h-12h30, 13h30-17h, sam. 9h-12h30 ; reste de l'année : mar.-jeu. 9h-12h30 - fermé j. fériés - découvrir les balades à l'aide d'une application numérique Baludik.*

▶ SE REPÉRER

Carte de microrégion C1 (p. 108). À 42 km au nord-ouest de Luxeuil-les-Bains par la N 57, la D 64 vers Magnoncourt, la D 417 vers l'ouest et enfin la D 7 vers le nord à Demangevelle. Situé près d'un massif forestier (forêts de Selles-et-Passavant et de Darney), et très proche du canal de l'Est.

👁 À NE PAS MANQUER

Le travail des maîtres verriers de La Rochère ; les thermes gallo-romains de Jonvelle et les vestiges de son pavage de mosaïque.

🕐 ORGANISER SON TEMPS

Comptez 2h à 3h pour visiter les ateliers et assister au travail des maîtres verriers, parcourir l'exposition-vente, la galerie d'art contemporain et vous promener dans le jardin japonais.

👫 AVEC LES ENFANTS

La magie du verre en fusion et de sa fabrication traditionnelle à découvrir à la verrerie et cristallerie de La Rochère.

Se promener

★ Verrerie et cristallerie de La Rochère

4 r. de la Verrerie - ☎ 03 84 78 61 13 - www.larochere.com - ♿ - atelier avr.-sept. : 10h-12h, 14h30-18h, dim. et j. fériés 14h30-18h ; reste de l'année : 14h-17h30, dim. et j. fériés 14h30h-18h - fermé j. fériés (nov.-mars) - gratuit - possibilité de visite commentée jeu.-dim. - diverses expositions et vidéos.

À la fin du 15e s., le travail du verre démarre ici, car tous les matériaux nécessaires à sa fabrication sont sur place : la silice comme corps vitrifiant, la potasse issue des cendres de fougères comme fondant, le bois comme combustible, la chaux et l'eau.

À la frontière entre artisanat et industrie, la plus ancienne verrerie d'art française (1475) encore en activité, gérée par la même famille depuis 1858, a su diversifier sa production. Elle a fait de la fabrication des dalles et tuiles de verre sa spécialité, tout en produisant des articles en verre pressé mécanique pour la restauration et des objets divers en cristallin créés selon les méthodes artisanales traditionnelles (verres de table, vases, lampes…).

👥 La visite des **ateliers des maîtres verriers** permet d'observer les différentes phases de travail du verre « fait main » et « soufflé bouche ». Au centre de la halle à bois du 17e s., l'exposition permet de découvrir, à travers plusieurs vidéos, les techniques, les outils, les savoir-faire essentiels de la verrerie et ses collaborations avec les designers.

Derrière les ateliers, le **caveau St-Valbert**, magnifique salle voûtée d'arêtes bâtie en pierre de grès de la forêt voisine au 17e s., abrite une belle collection de meubles anciens et de tapisseries d'Aubusson *(juil.-août : 10h-12h, 14h30-18h)*.

Ne manquez pas la **galerie d'art contemporain** *(1er juin-31 août : 14h30-18h)* et sa collection de lampes gravées La Rochère, et tout près, l'agréable **jardin japonais**.

À proximité Carte de microrégion p. 108

Vauvillers C1

◗ *9,5 km au sud-est par la D 50.*

Entre Comté et Lorraine, cette petite cité endormie possède d'immenses **halles** en chêne debout depuis le 17e s. et un **château** (1715-1723) aux tuiles vernissées, ouvert sur une vaste esplanade. Il est constitué de deux bâtiments qui en imposent par leur symétrie architecturale : d'un côté, le corps de logis seigneurial, aujourd'hui occupé par la mairie, de l'autre les communs. La maison du Cardinal Sommier (fin 16e-début 17e s.) se remarque à son échauguette et son portail à bossages. L'inventaire resterait incomplet sans la mention de deux édifices religieux, le vieux presbytère et l'église du 18e, dont la puissante façade est soutenue par des colonnes doriques surmontées d'un fronton curviligne interrompu.

Jonvelle B1

◗ *12 km au sud-ouest. De Passavant, ralliez la D 417 et suivez-la à droite sur 7 km.* Ce vieux bourg rural abrite une église plusieurs fois remaniée. Le chœur (fin 13e s.) est orné d'une chatoyante verrière, réalisée en 1868 par un élève de Viollet-le-Duc, et d'un élégant maître-autel du 17e s. en bois doré. Remarquez le passage creusé dans l'épaisseur du mur entre le chœur et le collatéral nord, ancienne chapelle seigneuriale : il permettait de suivre les offices depuis cette dernière.

SEIZE MAINS POUR UN VERRE

Le mot **place** désigne l'espace autour du four où travaille l'équipe de verriers. La réalisation d'un verre à jambe nécessite la collaboration de huit personnes :
– le **cueilleur-marbreur**
– le **maillocheur**
– le **mouleur**
– le **cueilleur de jambe**
– le **cueilleur de pied**
– le **poseur de jambe**
– le **poseur de pied**
– le **porteur à l'arche**.
Seul le poseur de jambe ou **chef de place** maîtrise tous les outils et chaque étape de la fabrication.

À 1,3 km à l'ouest du bourg, par la route du cimetière, les **thermes** d'une villa gallo-romaine du 2ᵉ s. ont été mis au jour en 1968 ; notez les soubassements de brique des piscines et l'élégante mosaïque qui pave encore l'une d'elles. *Rte de Villars-le-Pautel - 𝒫 03 84 92 52 72 - http://sites.google.com/site/museejonvelle - juil.-août : 14h-18h ; avr.-juin et sept. : dim. et j. fériés 14h-18h - fermé mar., 1ᵉʳ janv., 1ᵉʳ et 11 Nov., 25 déc. - possibilité de visite guidée sur demande (1h30) - 4 € (-15 ans 2 €).* Un **musée** de machines agricoles anciennes occupe un hangar voisin.

😊 NOS ADRESSES À PASSAVANT-LA-ROCHÈRE   2

RESTAURATION

À proximité

PREMIER PRIX

Au Pont Tournant – *7 r. de la Tuilerie - 70210 Selles - 𝒫 03 84 96 27 72 - www.au-pont-tournant.fr -* 🅿 *tlj sf dim. soir et lun. - formule déj. 14 € - 18/28 €.* Malgré sa façade à l'aspect peu engageant, ce restaurant-café de campagne bénéficie d'une bonne réputation grâce à sa carte ne comptant que des préparations maison. Une belle terrasse, au bord du canal, aux airs de guinguette en été.

ACHATS

Magasin d'exposition-vente La Rochère – *R. de la Verrerie - 𝒫 03 84 78 61 13 - www.larochere. com - avr. : tlj 10h-12h, 14h-16h30, mai-sept. : tlj 10h-12h, 14h-17h30 sauf lun. du 31 juil. au 21 août, oct. : 14h-16h30.* Dans un vaste bâtiment du 17ᵉ s. aux charpentes et poutres originelles, un magasin d'exposition et de vente propose des pièces réalisées à la verrerie attenante. Visite de la verrerie, muséographie et galerie d'exposition.

Villersexel

1 445 Villersexellois – Haute-Saône (70)

Connu pour son imposant château, Villersexel s'inscrit entre plateau et vallée, au confluent des rivières de l'Ognon et du Scey. Le village est au cœur d'un pays dynamique qui offre une large gamme de loisirs touristiques en profitant de sa position sur la vallée de l'Ognon.

😊 NOS ADRESSES PAGE 146
Hébergement, restauration, achats, activités, etc.

🛈 S'INFORMER

Office du tourisme du pays de Villersexel – *33 r. des Cités - 70110 Villersexel -* 📞 *03 84 20 59 59 - www.ot-villersexel.fr - juil.-août : 8h30-12h, 13h15-17h30, vend. 8h30-12h, 13h15-18h, sam. 14h-18h ; avr.-juin et sept. : tlj sf lun. 8h30-12h, 13h15-17h30, jeu. 13h15-17h30, sam. 14h-18h ; reste de l'année : se rens. - fermé dim. et j. fériés.*
Visite guidée – *Juil.-août : 16h - durée 1h30 - 2 € (-12 ans gratuit) - se rens. à l'office de tourisme.*

🧭 SE REPÉRER

Carte de microrégion D2 (p. 108). Villersexel se situe à 40 km à l'ouest de Montbéliard, par Héricourt au nord, puis la D 9 vers l'ouest, et à 26 km au sud-est de Vesoul par la D 9.

😍 À NE PAS MANQUER

Le château de Villersexel, ses tapisseries des Gobelins et son extraordinaire bibliothèque ; le château médiéval d'Oricourt (12e s.) avec sa haute et basse cour, son donjon et son colombier ; Rougemont et ses constructions en pierre blonde.

🕐 ORGANISER SON TEMPS

Prévoyez une bonne journée pour découvrir le village et ses environs.

👪 AVEC LES ENFANTS

Le musée de Paléontologie de Rougemont et sa collection de fossiles (mammouths, lions et ours des cavernes) découverts sur les lieux ; les activités nautiques et de plein air de la région.

Se promener

Château de Villersexel

63 pl. de l'Hôtel-de-Ville - 📞 *03 84 20 51 53 - www.villersexel.com - de mi-avr. à mi-oct. : 15h-16h30 - gratuit - possibilité de visite guidée sur demande (1h30, 8 €, -12 ans gratuit).*

Achevé en 1880 sur les ruines du précédent édifice, lui-même détruit pendant la fameuse bataille de Villersexel en 1871, le château des Grammont fut construit à l'aide de techniques contemporaines (ossatures métalliques de la salle à manger par **Gustave Eiffel**), mais dans un style Louis XIII (façade sud par **Garnier**).

À l'intérieur, remarquez les tapisseries des Gobelins (18e s.) et le beau plafond à caissons du grand salon. Le château abrite également une exceptionnelle bibliothèque riche de plus de 20 000 ouvrages. Les écuries furent dessinées par **Claude-Nicolas Ledoux** (🔎 *Arc-et-Senans p. 76*).

À proximité Carte de microrégion p. 108

Marast D2

🔵 *3 km à l'ouest.*

Ce village a conservé les vestiges d'un **prieuré roman** fondé en 1120 par des moines augustins venus des Vosges. L'église, l'un des rares édifices religieux romans subsistant en Haute-Saône, fut achevée en 1150. Les bas-côtés détruits au 18ᵉ s. ont été restaurés. On peut toujours admirer la charpente en bois (16ᵉ s.) de la nef. Le clocher carré fut coiffé d'un bulbe en 1718. L'abside possède de belles pierres tombales.

Oricourt D2

🔵 *9 km au nord-ouest par la D 486, puis à gauche la D 123.*

★ **Château médiéval** – *1 r. Nicolas-Rolin -* 📞 *03 84 78 74 35 - www.oricourt.com - de déb. mars à mi-nov. : 14h-18h ; reste de l'année : sur demande préalable - fermé mar. - possibilité de visite guidée sur demande (1h30) - 5 € (-12 ans 3 €).* Rare, mais authentique témoin de la construction militaire au 12ᵉ s., le château d'Oricourt dresse toujours fièrement ses hautes murailles fatiguées qui ont résisté aux guerres et au temps. Forteresse à double enceinte, la basse et la haute cour y sont bien visibles, tout comme le puits de 22 m de profondeur et la grande salle à manger. Le château présente d'importants vestiges de son enceinte fortifiée, précédée de fossés dont il est possible de faire le tour. La tour carrée de flanquement, haute de 25 m (12ᵉ s.), le corps de logis seigneurial (15ᵉ et 16ᵉ s.), les caves, la boulangerie et le pigeonnier illustrent l'ancienne importance d'Oricourt, dont le chancelier de Bourgogne **Nicolas Rolin**, peint par Van Eyck, fut propriétaire.

Val de Bonnal D3

🔵 *11 km au sud-ouest.*

Aménagés dans d'anciennes sablières, les plans d'eau sont réservés à la baignade et aux pêcheurs. 150 ha de verdure avec chemins de promenade, aires de pique-nique et une réserve d'oiseaux.

Rougemont D3

🔵 *12 km au sud-ouest par la D 486.*

Jadis entouré d'épais remparts et d'un château fort qui se dressait au sommet de la citadelle, cet ancien bourg castral est aujourd'hui dominé par l'ancien **couvent des Cordeliers** (15ᵉ s.). Dans la ville basse, vous remarquerez un ensemble de bâtiments (mairie, fontaine, halle et lavoir) en pierre blonde construits entre 1830 et 1850.

Au croisement des D 486 et D 113, vous noterez le **château Vorget** (18ᵉ s.) *(ne se visite pas)* et la porte du Vieux Moulin, dernier vestige des fortifications qui protégeaient la ville haute au 15ᵉ s.

Musée de Paléontologie, de Géologie et des Minéraux – *4 pl. du Marché -* 📞 *03 81 86 98 84 - www.cc-paysrougemont.fr -* ♿ *- juil.-août : 14h30-17h ; reste de l'année : sur demande préalable - fermé w.-end et j. fériés - possibilité de visite guidée (1h) - 4 € (-18 ans 2 €).*

👥 Aux alentours de Rougemont, près de **Romain**, les archéologues ont retrouvé une véritable mine d'ossements. À la préhistoire, des rhinocéros laineux, des mammouths, des lions des cavernes et des ours seraient tombés dans le piège naturel d'un aven effondré. Le musée commente ces découvertes et présente une vaste collection d'ammonites et d'ossements préhistoriques ainsi que les plus grands **septaria**★ qu'on ait trouvés en France : il s'agit de pierres qui se sont constituées au fond des mers autour de corps fossilisés, puis dissous. Ceux-ci, sciés et polis pour laisser apparaître l'empreinte cristallisée du fossile, mesurent jusqu'à 40 cm de diamètre.

Montbozon C3

▶ *20 km au sud-ouest par la D 486, la D 9 à droite, puis la D 49 à gauche, à hauteur d'Esprels.*

Après s'être régalé des biscuits de Montbozon, spécialité locale, on remarquera dans le village de belles maisons des 16ᵉ, 17ᵉ et 18ᵉ s. et une **fontaine** semi-circulaire de Louis Moreau (⚲ *p. 116*), adossée au mur de soutènement du parc du château (18ᵉ s.). L'**église** du couvent des Dominicains abrite un beau maître-autel du 18ᵉ s.

Fontenois-lès-Montbozon C3

▶ *3 km au nord-ouest de Montbozon, par la D 26.*

Se distinguant des séries de la région, le **lavoir circulaire** du village, couvert de zinc et couronné d'une pomme de pin, est unique (conçu par Well en 1828).

😊 NOS ADRESSES À VILLERSEXEL

HÉBERGEMENT

PREMIER PRIX

Camping Le Chapeau Chinois – *92 r. du Chapeau-Chinois - à 1 km au N par la D 486, rte de Lure et chemin à droite apr. le pont -* 🕿 *03 84 63 40 60 - www.pan-sarl.eu -* ♿ *- 30 mars-3 oct. - 82 empl. 9/22 €.* Voici un petit camping tout simple, en bordure de l'Oignon, avec emplacements ombragés, gîte d'étape (9 ch.), mobile homes et chalets nature. Baignade, pêche, canoë-kayak, parc accrobranche et complexe aquatique.

Hôtel La Terrasse – *1 r. du Quai-Militaire - (rte de Lure) -* 🕿 *03 84 20 52 11 - www.laterrasse-villersexel.com -* 🅿 📶 *- fermé pour Noël et Nouvel An - 11 ch. 74/80 € -* � *9 €, 1/2 P possible : 124 € -* ✖ *formule déj. 15 € - 26,50/36,50 €.* À deux pas de l'office de tourisme, cette coquette maison appartient à la même famille depuis 1921. Les chambres, simples et parfaitement tenues, se parent de mille couleurs… Comme autant de rayons de soleil résistant au mauvais temps !

À proximité

PREMIER PRIX

Camping Les Castels - Le Val de Bonnal – *1 ch. du Moulin - 25680 Bonnal -* 🕿 *03 81 86 90 87 - www.camping-valdebonnal.com -* 🏊 ♿ *- de déb. mai à déb. sept. - 320 empl. 23/54 €.* Implanté entre une rivière, un lac et des bois, ce camping sans prétention bénéficie d'une agréable situation. Vous pourrez y pêcher, pratiquer le ski nautique, la planche à voile, le canoë-kayak et même vous y baigner… à moins que vous ne préfériez la piscine.

UNE FOLIE

Les Cabanes des Grands-Lacs – *70230 Chassey-lès-Montbozon - La Forge de Bonnal -* 🕿 *03 84 77 06 72 - www.cabanesdesgrandslacs.com - 1ᵉʳ avr.-15 nov. - 22 cabanes - 145/255 €* ⊠*.* Vous rêvez de dormir dans une cabane perchée dans les arbres ou flottant au milieu d'un lac ? C'est l'occasion rêvée ! Cabanes duo ou famille, avec ou sans spa.

RESTAURATION

BUDGET MOYEN

Le Relais des Moines – *1 r. du 13-Septembre-1944 -* 📞 *03 84 20 50 50 - www.lerelaisdesmoines. fr - fermé vac. de Noël et dim. soir - 25,50/38 € - 23 ch. 72/105 € -* ☕ *10 €.* Cuisine d'influence régionale, pizzas et salaisons maison, servis dans l'une des salles à manger ou sur la terrasse. Hôtel familial composé de plusieurs bâtiments. Chambres rénovées.

À proximité

POUR SE FAIRE PLAISIR

Mon Plaisir – *22 lieu-dit Journal - 25190 Chamesol -* 📞 *03 81 92 56 17 - www.restaurant-mon-plaisir.com - fermé 29 août-13 sept., 19-27 déc., dim. soir, lun. et mar. sf midi fériés - 45/90 €.* À l'entrée du village, cette accueillante maison de pays est tout entière dédiée à votre plaisir : ambiance cosy (confortable salon, élégante salle à manger bourgeoise) et belle cuisine du chef, fine et harmonieuse.

ACTIVITÉS

Plein air nautisme – *47 r. des Forges - Centre PAN -* 📞 *03 84 20 52 26 - www.pan-sarl.eu - avr. - fin sept. sur réserv.* Sur les bases de Villersexel et Montbozon (r. du Pont) : descente de rivière en canoë-kayak, initiation et perfectionnement par moniteurs diplômés, location de matériel. À Villersexel, parcours aventure et trampolines (3-8 ans) ; Acro'cîmes sur la base de Thiénans (10 parcours dont 4 réservés aux enfants).

Randonnées pédestres – 4 sentiers de 6 à 20 km. Topoguides des sentiers disponible à l'office de tourisme ou en téléchargement sur le site Internet - gratuit.

AGENDA

Foire de Grammont – *Dernier sam. de fév. - www.foire-de-grammont.com.* Créée au début du 16e s., elle est la 2e plus importante de Franche-Comté, après celle de Vesoul.

👫 **Château en fête** – *1er w.-end de juil. à Oricourt - 4 € (-12 ans gratuit).* Grand marché artisanal autour du château. À l'intérieur, des ateliers présentant les activités et la vie d'autrefois. Animations, musique, contes, visites guidées.

Musique – *Printemps-été à Marast.* Plusieurs concerts de musique classique programmés dans l'église romane.

Les Mardis du Terroir – *Juil.-août.* Visite du village ou d'un site suivie d'une dégustation de produits locaux. *Inscription obligatoire à l'office de tourisme - 5 € (6-16 ans 2,50 €).*

2

Montbéliard, Belfort et les ballons des Vosges 3

Cartes Michelin Départements 314 et 321 – Doubs (25), Haute-Saône (70), Vosges (88), Territoire de Belfort (90)

Le lion de Bartholdi sous la citadelle de Vauban, à Belfort.
D. Bringard/hemis.fr

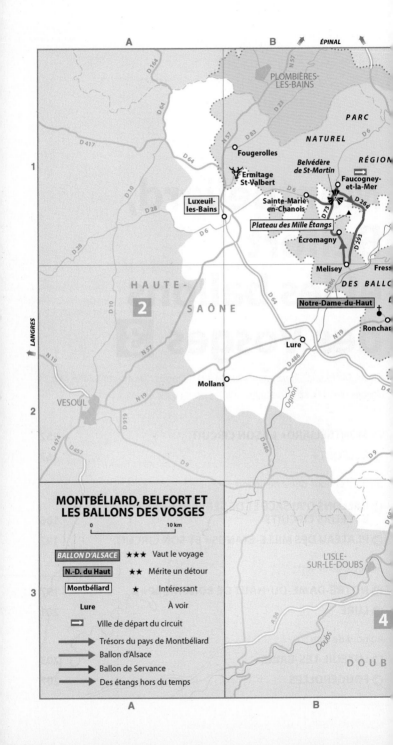

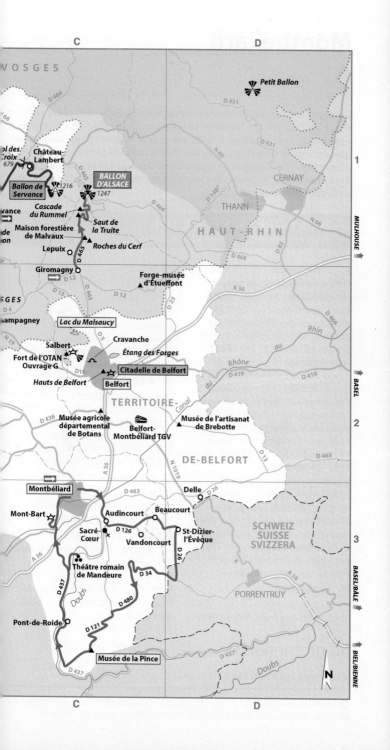

Montbéliard

25336 Montbéliardais - Agglomération : 108 768 habitants – Doubs (25)

L'acropole de Montbéliard constitue depuis des siècles un repère au cœur d'une agglomération bouleversée par son incroyable développement économique et industriel. La ville a conservé un patrimoine original largement influencé par le succès des thèses luthériennes dans l'ancienne principauté. La politique de recoloration des façades et l'abondance des fleurs rendent à la vieille ville les couleurs chaudes si particulières aux cités sous influence allemande.

😊 NOS ADRESSES PAGE 164
Hébergement, restauration, achats, activités, etc.

🛈 S'INFORMER

Office du tourisme du pays de Montbéliard – *1 r. Henri-Mouhot - 25200 Montbéliard - ☏ 03 81 94 45 60 - www.paysdemontbeliard-tourisme.com - de mi-juil. à mi-août : 9h-12h, 13h30-18h30, lun. 9h30-12h ; reste de l'année : tlj sf dim. 9h-12h, 13h30-18h, lun. 13h30-18h - fermé certains j. fériés - 2ᵉ bureau Capitainerie du Port de plaisance - r. Charles-Lalance - ☏ 03 81 94 45 60 - de mi-avr. à juin et sept. : lun.-sam. 8h30-10h, 16h-18h30 ; juil.-août : lun.-sam. 8h30-11h30, 15h-19h, dim. 8h30-10h30, 16h-19h.*

Visites guidées – *☏ 03 81 31 87 80 - www.patrimoine-pays-de-montbeliard.fr. Le pays de Montbéliard, qui porte le label Ville et Pays d'Art et d'Histoire, propose des visites-découvertes mars-déc. Visites nocturnes théâtralisées juil.-août : mar. Se rens. sur le site Internet.*

▶ SE REPÉRER

Carte de microrégion C3 (p. 150). À la limite nord du Doubs, Montbéliard

est desservie par l'A 36 qui la relie à Belfort (16 km) et Besançon (77 km).

🅿 SE GARER

La vieille ville étant en partie piétonne, il est conseillé de se garer devant la gare ou au pied du château. Parking gratuit place du Champ-de-Foire.

👁 À NE PAS MANQUER

Le vieux Montbéliard à l'architecture haute en couleur, avec ses « yorbes » et ses « tchâfas » ; les réalisations de l'architecte souabe Heinrich Schickhardt (sentier urbain) ; le musée de l'Aventure Peugeot.

🕐 ORGANISER SON TEMPS

Prévoyez deux jours pour découvrir les richesses de la ville et de ses alentours en toute tranquillité.

👥 AVEC LES ENFANTS

Le musée du château avec la galerie d'histoire naturelle Cuvier ; le parc du Près-la-Rose et le Pavillon des Sciences ; au musée de l'Aventure Peugeot, le parcours enfants avec jeux de piste.

Se promener Plans de ville p. 155 et 156

★ LE VIEUX MONTBÉLIARD Plan II

▶ *Circuit tracé en vert sur le plan de ville (p. 156) – Comptez 1h30. Garez-vous au pied du château, que vous atteindrez en empruntant la rue du Château.*

Deux tours du château de Montbéliard, vestiges de l'édifice des 15e et 16e s.
S. Carnovalli/Office de Tourisme du Pays de Montbéliard

Musée du château des ducs de Wurtemberg D1-2

Espl. du Château - 📞 03 81 99 22 61 - www.montbeliard.com - 10h-12h, 14h-18h - fermé mar. et j. fériés (sf 15 août) - possibilité de visite guidée (1h) - 6 € (-18 ans gratuit) - billet donnant accès au musée d'Art et d'Histoire - gratuit 1er dim. du mois.

En arrivant sur l'esplanade, remarquez le **logis des Gentilshommes**, qui possède un élégant pignon à volutes typique de l'architecture souabe. Œuvre de Heinrich Schickhardt, il abrite aujourd'hui le conservatoire de musique. Bâtie sur un promontoire rocheux, la place forte, déjà présente au 10e s., fut constamment transformée au cours des siècles. Du château, construit aux 15e et 16e s., il ne reste que deux tours massives surmontées d'un lanternon, la tour Henriette (1422-1424), la tour Frédéric (1572-1595) ainsi que le corps de logis (18e s.). Tous les autres éléments furent rasés au milieu du 18e s. pour faire place à des bâtiments de style classique. Une belle grille en fer forgé, œuvre de Jean Messagier (1920-1999), ferme le porche conduisant à la tour Henriette.

👥 **Musée du Château de Montbéliard** – Situé à l'intérieur du château, le musée vous conte l'histoire du pays de Montbéliard, de la préhistoire à nos jours. Ses anciennes cuisines, superbes salles voûtées très bien restaurées, abritent un **circuit historique**. La **galerie d'histoire naturelle Cuvier★** et la section archéologique possèdent d'intéressantes collections de la faune de Franche-Comté (beaux spécimens d'animaux naturalisés). On peut écouter les cris d'animaux (lynx… et nombreux oiseaux). Une autre partie est consacrée à

3

LE GRAND CLASSEMENT DES ANIMAUX

Né à Montbéliard, **Georges Cuvier** (1769-1832), après de brillantes études, enseigne dès 1795 à l'école du Panthéon puis au Collège de France, et entre à l'académie des Sciences. Il obtient la chaire d'anatomie comparée au Muséum en 1802. Membre de l'Académie française en 1818, il est considéré comme le créateur de l'anatomie comparée et de la paléontologie.

Le pays de Montbéliard

Dès le 10ᵉ s., le *Mons Beligardae* (du nom du bourg fortifié qui s'élève sur une éminence rocheuse, au confluent de la Lizaine et de l'Allan) contrôle le territoire des seigneuries d'Héricourt, de Châtelot, Clémont, Blamont et Étobon. Rassemblées pendant près de huit siècles sous une même autorité, elles forment la principauté de Montbéliard. Cette histoire commune confère au pays de Montbéliard un caractère singulier dans le paysage comtois.

UNE PRINCIPAUTÉ ALÉMANIQUE

Jusqu'au 14ᵉ s., se succèdent à la tête du comté de Montbéliard plusieurs familles, dont celle des Montfaucon. Dépourvu d'héritier mâle, le dernier des Montfaucon lègue le comté à l'une de ses petites-filles, Henriette d'Orbe, qui épouse en 1397 le prince Eberhard IV de Würtemberg (dont la capitale est Stuttgart). La principauté bascule dans l'ère d'influence germanique. Dès lors, bien qu'ils continuent de parler le français, les habitants, soumis à l'administration wurtembergeoise, privilégient la relation avec les pays alémaniques dans les domaines économique, culturel et religieux.

Ce statut d'enclave germanique indisposa souvent les rois de France, notamment quand commencèrent à se propager les idées de la Réforme, introduite à Montbéliard dès 1524 et officiellement adoptée dans la principauté au milieu du 16ᵉ s. Mais leurs différentes tentatives de mainmise échouèrent. Ce n'est qu'au 18ᵉ s. que la France vit le rattachement d'une partie du pays de Montbéliard (1748) puis de la cité de Montbéliard elle-même (1793).

LES GRANDES HEURES D'UNE CITÉ LUTHÉRIENNE

Sous le règne de Frédéric de Würtemberg (1581-1608), tandis qu'affluent les réfugiés huguenots, la ville se mue en une cité princière : elle s'agrandit avec la construction, au-delà des fortifications médiévales, de la Neuve Ville et se métamorphose sous la houlette de l'architecte **Heinrich Schickhardt** (1558-1635). La ville est dotée d'un collège, d'une académie universitaire… La culture du livre se développe, comme en témoigne la présence d'imprimeurs et de libraires. Si la population reste largement rurale, elle bénéficie déjà d'une instruction élémentaire. En hiver, les paysans se tournent vers une activité artisanale, développant un savoir-faire technique dans la fabrication d'outils.

L'ANNEXION ET LE DÉCOLLAGE INDUSTRIEL

Après 1793, les nouveaux débouchés offerts par le rattachement à la France, le dynamisme des voisins suisses, badois ou alsaciens, l'ouverture de la bourgeoisie luthérienne aux idées économiques anglo-saxonnes vont faire du pays de Montbéliard une région à vocation industrielle, offrant nombre d'exemples prestigieux comme **Peugeot** (*p. 158-159*) et **Japy** (*p. 161*). Pour pallier l'insuffisance de main-d'œuvre locale, un grand nombre de populations viennent des régions voisines, puis d'Italie, de Pologne, d'Espagne et du Maghreb. Ce brassage de populations, sensible dans la diversité des lieux de culte, fait de Montbéliard un lieu de brassage, d'invention, de renouvellement. Située aux confins des espaces français et germaniques, Montbéliard reste aujourd'hui un pont entre les deux cultures. N'est-ce pas la première ville à avoir osé, dès 1950, un « jumelage » avec une ville allemande, Ludwigsburg, à l'initiative de Lucien Tharradin, maire de Montbéliard et rescapé de Buchenwald ?

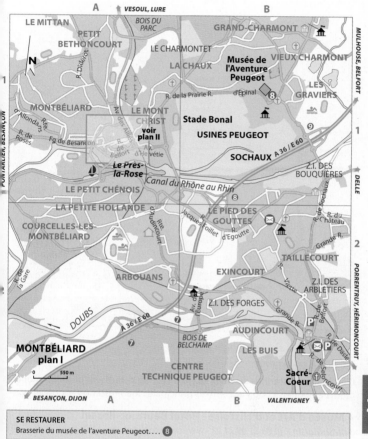

SE RESTAURER

Brasserie du musée de l'aventure Peugeot.... ⑧

la paléontologie, spécialité de Cuvier, où la muséographie se révèle moderne et ludique. D'ambitieuses expositions temporaires occupent les salles du rez-de-chaussée.

Redescendez vers la rue du Château, que vous prenez à gauche.

Vous passez le long de l'ancien hôpital (1758) et de ses belles grilles à tombeau. Prenez la rue de Belfort ; au coin, la maison natale du compositeur **Francis Lopez (1916-1995)**. Le quartier aligne des façades colorées. Tournez à droite à l'angle de celle sang-de-bœuf. Vous arrivez presque en face d'une **tchâfa** (au n° 22).

Suivez la rue Diemer-Duperret, prenez à droite celle de la Sous-Préfecture, puis à gauche le passage du Pont-du-Moulin. Remontez la rue des Febvres jusqu'à la place St-Martin, fléchée à gauche.

Le 19- CRAC D1

19 r. des Alliés - ℰ 03 81 94 43 58 - 14h-18h - fermé le lun. - gratuit.

Ce Centre régional d'art contemporain, ayant pour but de diffuser, de promouvoir et de soutenir la création contemporaine., présente des œuvres d'artistes amateurs ou confirmés. Peintures, expositions, sculptures, vidéos, photographies… La diversité des formes d'expression est au rendez-vous.

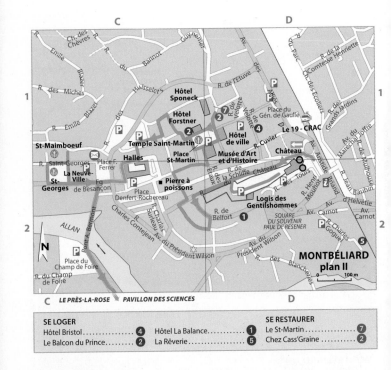

Place St-Martin CD1

C'est le cœur historique du vieux Montbéliard, où se dressent plusieurs monuments essentiels et où s'ancrent les principales manifestations populaires.

★ Musée d'Art et d'Histoire - Hôtel Beurnier-Rossel D1

8 pl. St-Martin - ☏ *03 81 99 24 93 - www.montbeliard.com - juin-sept. et déc. : tlj sf lun.-mar. 14h-18h ; reste de l'année : w.-end 14h-18h - fermé j. fériés (sf 15 août) - 6 € (-18 ans gratuit) - billet donnant accès au musée du château des ducs de Wurtemberg - gratuit 1ᵉʳ dim. du mois.*

Élevé en 1772-1773 par l'architecte Ph. de La Guêpière, l'hôtel Beurnier-Rossel offre l'aspect typique d'un hôtel particulier du 18ᵉ s. L'atmosphère est recréée par la présence de portraits de famille et de mobilier d'époque ; remarquez les meubles marquetés de l'ébéniste montbéliardais Couleru, le beau poêle en faïence créé par Jacob Frey, l'incontournable bibliothèque des encyclopédistes… Les deux derniers étages sont consacrés à l'histoire de la ville et de la région. Les collections sont variées : imagerie populaire des frères Deckherr, objets du culte luthérien, riche ensemble de « bonnets à diairi », jouets anciens, dont une grande maison de poupée, **automates** et boîtes à musique.

★ Temple St-Martin D1

Pl. St-Martin - ☏ *03 81 91 03 69 - www.patrimoine-pays-de-montbeliard.fr - possibilité de visite guidée sur demande - gratuit - été et marché de Noël : apr.-midi.*
Construit entre 1601 et 1607 par Schickhardt, c'est le plus ancien édifice de France affecté au culte réformé. L'architecture des façades s'inspire principalement de la Renaissance toscane. L'intérieur du temple St-Martin serait très austère s'il ne s'égayait des décors polychromes d'origine, récemment retrouvés, du **buffet d'orgues** (milieu du 18ᵉ s.) et de la tribune. Son plafond

à caissons et son escalier à vis valent le coup d'œil. Remarquez également le fac similé du *Retable de Montbéliard*, dont la copie originale, réalisée dans les années 1540 pour le comte Georges de Montbéliard, est exposée dans le Kunst Museum à Vienne, en Autriche.

Hôtel de ville D1

Il fut édifié de 1776 à 1778. À l'intérieur, l'escalier d'honneur précédé de colonnes de grès rose assez majestueuses est bordé d'une belle rampe en fer forgé. Devant la façade en grès rose, **statue de Cuvier** par David d'Angers (1835).

Hôtel Sponeck CD1

En retrait de la place, à gauche de l'hôtel de ville, cet hôtel particulier du 18e s. accueille **MA Scène nationale**, qui propose de multiples spectacles.

Hôtel Forstner C1

Cet hôtel particulier date sans doute de la fin du 16e s. Sur sa façade se déploie harmonieusement le registre décoratif de la Renaissance. Il abrite aujourd'hui des appartements privés et des chambres d'hôtes (🛏 *Nos adresses*).

Contournez le temple par sa droite et prenez à droite le passage des Fleurs.

Remarquez la façade recouverte de tavaillons à gauche. Le passage débouche face à la fresque de Nano, *Le Génie inventif*.

Prenez à gauche la rue Clemenceau. Au nº 23, empruntez le passage.

Vous découvrez en hauteur l'église St-Maimbeuf (1850) et, sur la place de la Lizaine, une « yorbe ».

Longez les maisons pour emprunter à gauche un passage qui conduit aux halles.

Halles C2

Ce bâtiment (16e et 17e s.) d'allure germanique se signale par une imposante toiture surmontée d'un clocheton et de longues façades ajourées de grandes fenêtres à doubles meneaux verticaux. Très vaste, il abritait avant 1793 le Conseil souverain, l'« éminage » (entrepôt des grains), le marché, la douane…

Sur la place Denfert-Rochereau, on peut voir la fameuse **pierre à poissons**, dalle du 15e s. qui servait d'étal les jours de marché. En 1524, Guillaume Farel, premier réformateur de Montbéliard, l'aurait utilisée pour ses prêches.

Gagnez la place Francisco-Ferrer, puis le fg de Besançon jusqu'au temple St-Georges.

On entre dans le faubourg, la **Neuve Ville**, dont la construction fut confiée à Schickhardt en 1598 pour faire face à l'arrivée massive de réfugiés huguenots.

Église St-Maimbœuf C1

Pl. St-Georges - ☎ 03 81 91 00 77 - www.patrimoine-pays-de-montbeliard.fr - ♿ - 9h-18h - possibilité de visite guidée sur demande.

Au-dessus du temple, l'église, bâtie de 1850 à 1875 pour affirmer la reconquête du catholicisme sur le luthérianisme, s'impose par sa position dominante et

3

YORBES, TCHÂFAS, PIGNONS ET VOLUTES

Mariant esprit germanique et influences italiennes, la ville de Montbéliard offre une architecture riche et colorée. Façades à pignons et rampants des toits ornés de volutes lui donnent un air d'outre-Rhin. Moins typiquement germaniques, mais tout aussi caractéristiques de la ville aux yeux des visiteurs sont la quarantaine de **yorbes** (tours d'escaliers en vis) et de nombreuses **tchâfas** (grandes lucarnes munies d'une poulie pour engranger le fourrage et autres provisions) que recèle le vieux Montbéliard.

ses richesses ornementales. L'intérieur de St-Maimbœuf est très théâtral : monumentale tribune à colonnes corinthiennes, abondants décors en bois stuqué, retables inspirés du baroque allemand, orgue de bois de 10 m de haut.

Temple St-Georges C2

Ce vénérable temple fut construit de 1674 à 1676 pour renforcer le temple St-Martin, devenu insuffisant. Il sert aujourd'hui de centre de conférences.

Revenez vers le château par le faubourg de Besançon. Avant d'arriver à la place Francisco-Ferrer, tournez à droite et prenez le pont qui enjambe l'Allan. Suivez la rue Charles-Lalance jusqu'au parc du Près-la-Rose.

Le Près-la-Rose Plan I A1

Concerts l'été, possibilités de restauration.

Presqu'île de 10 ha entre rivière et canal. Le parc **L'Île en mouvement,** qui se situe dans son prolongement, est dédié aux sciences et techniques mais aussi aux loisirs. Aménagé à deux pas du centre ancien, il est agrémenté de sculptures monumentales : le *Vaisseau*, l'étonnante *Fontaine Galilée*, etc.

Pavillon des Sciences – *1 imp. de la Presqu'Île -* ℘ *03 81 91 46 83 - www. pavillon-sciences.com -* ♿ *- visite guidée sur demande préalable (45mn) juil.-août : 10h-19h, w.-end et j. fériés 14h-18h ; reste de l'année : se rens. - fermé 1er janv., 1er Mai, 25 déc. - 4,50 € (-18 ans gratuit) - 10 € billet découverte (2 adultes + 2 enf.) pour l'ensemble des expositions - présence permanente d'animateurs dans les salles d'exposition.*

👥 Sous la houlette d'un animateur scientifique, des initiations à la culture scientifique et technique sont proposées aux visiteurs de tout âge. Découverte des cinq sens, chasse au trésor, jeux et mises en situation avec des objets du quotidien pour rendre les sciences amusantes et accessibles à tous.

Une passerelle traverse l'Allan et conduit à la rue des Blancheries. Prenez à gauche l'avenue du Président-Wilson, puis à droite la rue de la Chapelle.

SOCHAUX Plan I

Ce faubourg industriel s'est développé autour des **usines Peugeot,** la société ayant installé en 1912 dans la plaine de Sochaux-Montbéliard son plus important complexe de constructions automobiles.

★★ Musée de l'Aventure Peugeot B1

Carrefour de l'Europe - ℘ *03 81 99 42 03 - www.museepeugeot.com -* ♿ *- 10h-18h - fermé 1er janv., 25 déc. - possibilité de visite guidée sur demande - 9 € (-18 ans 5 €) - audioguide disponible.*

👥 Aménagé dans une ancienne brasserie, le musée de l'Aventure Peugeot invite à remonter le temps. La visite commence avec la présentation d'outils en acier laminé. Viennent ensuite les moulins, divers objets du quotidien,

---

UNE HISTOIRE DE FOOT

Sochaux, c'est aussi le jaune et le bleu, les deux couleurs de l'équipe de foot qui font vibrer le stade Bonal et la France depuis les années 1930 ! Cette prestigieuse équipe, lancée par Jean-Pierre Peugeot, a marqué l'histoire du ballon rond grâce à un parcours exceptionnel. De grands noms y ont laissé leur empreinte : François Remetter, Roger Courtois, Mecha Bazdarevic, Bernard Genghini, Franck Sauzée et plus récemment le gardien Teddy Richert, Michaël Isabey, Marvin Martin et Victor Glaentzlin… tandis que la relève se prépare au centre de formation, créé en 1972.

La marque au lion

L'emblème de Peugeot rappelle ce qui fit le succès des premiers produits de la marque : résistance des dents, souplesses des lames, rapidité de la coupe. Il ne s'agissait pas encore de voitures mais d'outils en acier laminé !

DE L'ACIER À L'AUTOMOBILE

En 1810, Jean-Pierre et Jean-Frédéric Peugeot, fils d'un tisserand d'Hérimoncourt, créent une fonderie d'acier. En 1850, l'entreprise est installée à Valentigney, Terre-Blanche, Pont-de-Roide, Beaulieu. La production se diversifie : moulins à café, machines à coudre, tondeuses à chevaux… À l'initiative d'Armand, petit-fils des fondateurs, démarre en 1885 la construction en série de vélos dans l'usine de Beaulieu. À l'Exposition universelle de 1889, Armand présente la première voiture de la maison, véhicule à trois roues et à vapeur. En 1891, c'est dans un quadricycle 4 places, doté d'un moteur à gazoline, qu'il suit la course cycliste Paris-Brest et retour, soit (si l'on part de Valentigney) plus de 2 000 km parcourus à une vitesse moyenne de 15 km/h !

Mais l'enthousiasme d'Armand ne fait pas l'unanimité : la famille Peugeot est divisée quant à l'opportunité d'investir dans l'automobile dont l'avenir semble encore hasardeux. Finalement naît en 1910 la Société anonyme des automobiles et cycles Peugeot. Pierre Peugeot reçoit une proposition d'Ettore Bugatti. Ce sont les plans de la Bébé-Peugeot, qui est commercialisée en 1912. Les ingénieurs que sont les Peugeot n'hésitent pas à fabriquer un modèle conçu par un autre. Il en ira de même pour le moteur diesel, la boîte de vitesse automatique ou la ligne des voitures. La marque peut en effet s'enorgueillir d'une longue collaboration avec le carrossier italien Pininfarina qui dessine en 1951 la ligne de la berline 403 (la célèbre voiture de Columbo !), ou encore la 406 coupé.

SOCHAUX, DE LA 201 À LA 3008 HYBRID

Le développement de Sochaux date de l'Entre-deux-guerres : inauguré en 1912, le site concentre 16 ans plus tard la construction des automobiles. C'est là qu'est produite la 201. Ce modèle robuste et économique permet à Peugeot de traverser les années de crise sans trop de pertes. Signe du succès, les modèles se diversifient et sont déclinés en versions berline, coupé et cabriolet.

Pendant la Seconde Guerre mondiale, Sochaux, placé sous le contrôle allemand, est un lieu de résistance : il s'agit de désorganiser la production sans éveiller les soupçons de l'ennemi. La Gestapo arrêtera néanmoins les 8 directeurs de l'usine. Le stade du FC Sochaux porte le nom de l'un d'entre eux : Auguste Bonal. Après la guerre, la reconstruction se fait lentement : la production atteint 14 000 véhicules en 1946 contre 47 000 avant guerre.

Au cours des dernières décennies, l'entreprise Peugeot connaît d'importants mouvements sociaux. Obligée comme tous les grands constructeurs de croître pour survivre, elle prend le contrôle de Citroën, ce qui aboutit en 1976 à la création du groupe PSA-Peugeot-Citroën. Parallèlement à son implantation à l'étranger, il continue de faire vivre le pays de Montbéliard (le site de Sochaux compte environ 10 000 salariés) et d'innover. La 3008 Hybrid, lancée en 2011, est la première voiture au monde combinant diesel et électricité. La DS5, une des dernières-nées de la marque Citroën, ainsi que la 5008 sont également fabriquées à Sochaux.

puis les voitures. Les plus anciennes ouvrent le bal dans une ambiance rétro, agrémentée d'affiches publicitaires. Des cartouches indiquent la puissance et l'autonomie croissante des véhicules, ainsi que le nombre d'exemplaires produits. Les modèles accompagnent l'évolution de la société française. La 201 inaugure le **système de numérotation à 3 chiffres** : autour du zéro central, le premier chiffre indique la gamme du véhicule et le troisième la génération du modèle. La plus féconde est la quatrième génération, avec 6 modèles (de la 104 à la 604). Des espaces dédiés aux utilitaires, cycles et motocycles complètent la visite. Le parcours s'achève sur l'évocation des courses automobiles, F1 et rallye.

Visite du site PSA Peugeot Citroën B1

Carrefour de l'Europe - ☏ 03 81 99 42 03 - www.museepeugeot.com - 10h-18h - fermé août et vac. de Noël - visite combinée de l'usine et du musée sur demande (22 €, -18 ans 15 €).

Berceau de Peugeot, l'usine de Sochaux a été fondée en 1912. La visite se compose d'un film sur les activités de l'usine, suivi d'un parcours dans les ateliers de fabrication. Elle est combinée à la visite du musée.

Circuit conseillé Carte de microrégion p. 150

TRÉSORS DU PAYS DE MONTBÉLIARD

◯ *Circuit de 86 km tracé en rouge sur la carte de microrégion – Comptez 4h. Quittez Montbéliard au sud-est en direction d'Audincourt.*

Audincourt C3

Les Forges – *À Audincourt, entre le Doubs, l'avenue Foch et la rue Jean-Jaurès.* Ce quartier témoigne de l'histoire industrielle d'Audincourt. En 1619 est construit au bord du Doubs un haut-fourneau pour produire de la fonte à partir du minerai de fer extrait dans la région. L'activité croît en dépit des soubresauts politiques et des troubles militaires. Au 19e s., la Compagnie des Forges d'Audincourt gère les forges : elle compte 350 salariés vers 1850 et reste l'usine la plus importante du pays jusqu'au début du 20e s. La **cité ouvrière** (rue du Magasin) est construite pour loger les ouvriers, venus d'Italie, d'Espagne, de Pologne. L'installation de cette population catholique marque le paysage (construction de l'**église de l'Immaculée-Conception** en 1930). Après l'arrêt de l'exploitation du haut-fourneau, les ateliers de tôlerie sont alimentés par les fours Martin (les bâtiments sont visibles dans la rue du même nom), qui développent une activité d'aciéries : fonte et ferraille sont transformées en lingots, eux-mêmes laminés en plaques de métal d'épaisseur variable. L'usine emploie 1 400 salariés après 1945 mais la conjoncture conduit progressivement à l'arrêt des activités en 1971.

★ **Église du Sacré-Cœur** – *R. du Pauvrement - ☏ 09 80 61 66 51 - www. patrimoine-pays-de-montbeliard.fr - possibilité de visite guidée sur demande.*

Œuvre de l'architecte Maurice Novarina (1907-2002) à laquelle collaborèrent les paroissiens, cette église consacrée en 1951 exprime bien les préoccupations des artistes contemporains de l'immédiat après-guerre. Elle est considérée comme l'un des hauts lieux de l'art sacré du 20e s. Le visiteur est accueilli par une mosaïque aux coloris vifs, due à Jean Bazaine (1904-2001) qui souhaitait que la façade « fût avant tout un appel, un appel joyeux et fort comme la rivière en été ». À l'intérieur, la nef est couverte d'une simple voûte de chêne à caissons illuminée par des **vitraux** de **Fernand Léger (1881-1955)**, qui a aussi

Sochaux, musée de l'Aventure Peugeot.
D. Bringard/hemis.fr

réalisé la tapisserie derrière le maître-autel. Dans le **baptistère**★ inondé de lumière aux tons jaunes et violets des vitraux de Bazaine, la grandeur rayonnante s'allie à la simplicité, avec pour tout ornement une cuve baptismale taillée dans un bloc de pierre de Volvic.
Continuez sur la D 126 en direction de Beaucourt.

Beaucourt C3

Devenue, depuis la guerre de 1870-1871, la troisième ville du Territoire de Belfort, Beaucourt a connu une période de prospérité au 19ᵉ s., grâce à l'implantation d'une usine d'horlogerie Japy.

Musée Japy – *16 r. Frédéric-Japy - ℘ 03 84 56 57 52 - www.ville-beaucourt. fr - & - 14h-17h - fermé lun.-mar., déc.-fév., 1ᵉʳ Mai, 1ᵉʳ nov. - possibilité de visite guidée sur demande (1h) - 3 € (-18 ans gratuit).* Aménagé dans l'ancien atelier d'horlogerie, il présente des ébauches de montres, des réveils, des horloges,

---

JAPY

Fils de maréchal-ferrant et passionné d'horlogerie et de mécanique, **Frédéric Japy** crée en 1777, dans sa ville natale de Beaucourt, un atelier d'horlogerie qui, durant 180 ans, entraînera le développement industriel de la région. Cet industriel de génie invente les premières machines pour la fabrication des montres, jusqu'alors réalisées entièrement à la main. Des usines s'implantent à la Feschotte, à L'Isle-sur-le-Doubs, à Voujeaucourt, à Anzin près de Lille, à Arcueil dans la banlieue parisienne. Au fil des ans, leurs activités se diversifient : l'élaboration de pièces d'horlogerie conduit à la production de matériel de quincaillerie, d'électromécanique, en passant par la confection de poupées dansantes, de miroirs à alouettes, etc. Japy fabrique dès 1910 des machines à écrire sous licence étrangère et, en 1955, commercialise sa propre production, devenue la Société belfortaine de mécanographie en 1967, toujours installée à Beaucourt.

Marché de Noël à Montbéliard.
argalis/iStock

des pendules de voyage et de cheminée et de nombreuses créations : articles de visserie, de lustrerie, des pièces en émail, des machines à écrire (production de 1910 à 1973), des moteurs, des pompes…

Au niveau de l'église, prenez la D 57 vers St-Dizier-l'Évêque.

St-Dizier-l'Évêque D3

Ce petit village a longtemps été un lieu de pèlerinage très fréquenté par les aliénés. Cette curieuse spécialité est liée à la sépulture de saint Dizier. Celui-ci, évêque du 7e s., fut attaqué et tué par des bandits de grand chemin près de Delle. Son sarcophage, placé dans la crypte de l'église, fut à l'origine de nombreux miracles et guérisons ; ce furent d'abord les maux de tête, puis tous les troubles de l'esprit. Il faut dire que le traitement était radical, car il se terminait par un court séjour dans le sarcophage, rebaptisé « la pierre aux fous ».

Quittez St-Dizier au sud par la D 26 jusqu'à Fahy, puis prenez à droite la D 34 jusqu'à Hérimoncourt. Tournez à gauche sur la D 480 qui longe la vallée du Gland jusqu'à Blamont. Gagnez Pierrefontaine, au sud, puis Montécheroux par la D 121.

★ Musée de la Pince C3

À Montécheroux - 𝄞 *03 81 92 68 51 - www.museedelapince.fr - visite guidée sur demande préalable (1h30) mai-oct. : 14h30-17h30 ; reste de l'année : sur demande préalable - fermé lun.-mar., certains j. fériés - 5 € (-16 ans gratuit).* Orienté depuis le 16e s. dans le travail du fer, le village de Montécheroux trouva sa fortune en se spécialisant, à partir de 1790, dans la production d'outils d'horlogerie. En se répartissant les tâches de forgeron, limeur, polisseur, trempeur, les « paysans-ouvriers » fabriquaient chez eux les précieux outils nécessaires aux horlogers, puis aux dentistes, électriciens, cordonniers, etc. Jusque dans les années 1950, plusieurs dizaines d'établissements étaient actifs. Le musée évoque cet illustre passé. Des pinces, des plus usuelles aux plus insolites, sont présentées ainsi

qu'une forge reconstituée, en état de marche. Une dernière usine du village conserve, avec difficulté, ce savoir-faire.

Rejoignez la D 437 à Noirefontaine en suivant la D 36E2. Remontez en direction de Montbéliard.

Pont-de-Roide C3

Dans un site agréable, Pont-de-Roide, sur les rives du Doubs, doit en partie son activité aux usines de fabrication d'aciers spéciaux Ugine. Son église recèle un bénitier de bronze du 15e s. et de beaux vitraux exécutés par la maison J. Benoît (Nancy). Dans la chapelle voisine N.-D. de Chatey, une Pietà du 14e s. Le bois de Chatey, tout proche, permet de belles promenades en forêt.

Poursuivez sur la D 437 pendant environ 6 km et bifurquez à droite vers Mandeure.

Théâtre romain de Mandeure C3

📞 03 81 31 87 80 - accès libre - programme des visites guidées sur www. patrimoine-pays-de-montbeliard.fr.

À l'époque romaine, *Epomanduodorum* se développe dans l'un des méandres du Doubs, à proximité d'un ancien lieu de culte celte. C'est alors la ville la plus importante de la région après *Vesontio* (Besançon). De la cité antique, il ne reste aujourd'hui que les vestiges d'un théâtre (2e s.), adossé à la colline. Celui-ci témoigne, par ses dimensions et sa capacité (12 000 personnes), de l'importance qu'avait la ville située sur l'axe reliant le Rhin à la Méditerranée. Les dernières recherches semblent indiquer que le théâtre de Mandeure était le deuxième plus grand théâtre de la Gaule, après Autun et, à ce titre, l'un des hauts lieux du culte impérial de ce côté-ci des Alpes.

Retournez à Mathay et tournez à droite vers Montbéliard. Après le premier passage de la voie ferrée, traversez le Doubs à droite puis tournez à gauche en direction de Bavans (D 663). Environ 400 m après le pont, prenez à droite la route étroite, en forte montée, qui traverse une partie de la forêt du Mont-Bart.

Fort du Mont-Bart C3

R. du Mont-Bart - 📞 03 81 31 87 80 - www.patrimoine-pays-de-montbeliard.fr - ♿ - juil.-août : tlj sf lun. 14h-18h ; avr.-juin et sept. : w.-end et j. fériés 14h-18h ; oct. : dim. 14h-18h - 3 € (-18 ans 1 €) - possibilité de visite guidée (2h) juil.-août : vend.-dim. 15h ; avr.-juin et sept. : w.-end 15h ; oct. : dim. 15h.

Alt. 497 m. Cet important ouvrage appartient au type des forts semi-enterrés en maçonnerie, dit « **Séré de Rivières** », conçu au début de la IIIe République par ce général pour répondre à l'invention du canon rayé et à l'augmentation des portées, de la précision et de la puissance de feu qui en découlait. Construit de 1873 à 1877, il a conservé certains éléments spectaculaires de son architecture, comme la casemate entièrement blindée dite « du commandant Mougin » (première casemate cuirassée de fonte dure, pesant 100 t) et la **rue intérieure couverte**, bordée par les bâtiments du casernement. La mise au point en 1885 de l'obus-torpille, puis celle en 1897 du canon de 75 font perdre beaucoup d'efficacité à ce type de construction et imposent de nouvelles solutions techniques, tels les carapaces en béton et les cuirassements en acier. Du sommet de la fortification (que l'on atteint en fin de visite), belle **vue** sur Montbéliard, la trouée de Belfort, la vallée du Doubs et sa confluence avec l'Allan, le canal du Rhône au Rhin…

Retournez à Montbéliard par la D 463.

3

😊 NOS ADRESSES À MONTBÉLIARD

TRANSPORT

Train – La gare Belfort-Montbéliard TGV se situe au nord de Montbéliard, entre Moval et Meroux. Pour s'y rendre en bus, consultez le site *www.ctpm.fr*.

Vélo – Toute l'année, location de vélos à l'office de tourisme à partir de 5 € la demi-journée.

VISITE

Pass Tourisme : *12 €* - Chéquier offrant une vingtaine d'avantages, dont l'entrée gratuite ou à tarif réduit dans de nombreux sites du pays de Montbéliard. En vente à l'office du tourisme du Pays de Montbéliard.

HÉBERGEMENT

PREMIER PRIX

4 **Hôtel Bristol** – D1 - *2 r. Velotte -* 🖉 *03 81 94 43 17 - www.hotel-bristol-montbeliard.com -* 🅿 🏊 *- 48 ch. 69/95 € -* 🍽 *14 €.* Hôtel des années 1930 scrupuleusement modernisé. Intérieur joliment décoré, chambres très cosy et véritable salon de thé. Piscine intérieure et sauna.

1 **Hôtel La Balance** – D2 - *40 r. Belfort -* 🖉 *03 81 96 77 41 - www.hotellabalance.com -* 🅿 ♿ *- 45 ch. 65/85 € -* 🍽 *11/12 €.* Cette maison du 16e s. hébergea le QG du général de Lattre de Tassigny en 1944. Son intérieur agréablement rénové préserve un bel escalier en bois sculpté et, dans la chaleureuse salle à manger, un joli parquet et des boiseries anciennes. Chambres confortables.

BUDGET MOYEN

5 **La Rêverie** – D2 - *11 r. Charles-Goguel -* 🖉 *03 81 94 06 00 - www.lareveriemontbeliard.fr -* 🅿 *- 5 ch.*

95 € 🍽. Au cœur d'un parc d'arbres centenaires, élégantes et spacieuses chambres d'hôtes dans une belle demeure avec vue sur le château de Montbéliard. Délicieux petit déjeuner.

2 **Le Balcon du Prince** – C1 - *21 pl. Saint-Martin -* 🖉 *06 85 30 40 09 - www.le-balcon-du-prince. com -* 📶 *- 2 ch. 80/90 € 🍽.* Ambiance Renaissance dans cette chambre d'hôtes aménagée au sein de l'hôtel particulier Forstner, en plein cœur historique de Montbéliard. Deux chambres grand confort, très bien équipées. Déco soignée et atmosphère cocooning.

À proximité

BUDGET MOYEN

La Maison de Juliette – Hors plan - *8 r. des Combes-St-Germain - 25700 Valentigney - à 10 km au S de Montbéliard -* 🖉 *03 81 91 88 19 - www.maisondejuliette.fr -* 🅿 *- 3 ch. 75/100 € 🍽 -* 🍴 *table d'hôte 28 € sur réserv.* Cette charmante maison bourgeoise ayant appartenu à la famille Japy offre 3 chambres élégantes et un joli parc. Vélos à disposition.

RESTAURATION

BUDGET MOYEN

2 **Chez Cass'Graine** – D1 - *4 r. du Gén.-Leclerc -* 🖉 *03 81 91 09 97 - https://restaurant-cassgraine.fr - lun.-vend. midi et soir - 10/30 €.* Ce petit restaurant offre, dans une ambiance feutrée, une cuisine de marché élaborée avec des produits frais et locaux. À ne pas manquer, l'assiette franc-comtoise composée des incontournables de la région : saucisses de Montbéliard, cancoillotte et grenailles (pommes de terre à l'ail).

UNE FOLIE

7 Le St-Martin – D1 - *1 r. Gén.-Leclerc - ℘ 03 81 91 18 37 - www.le-saint-martin.fr - fermé 3 sem. en été, 1 sem. en hiver., 1 sem. au printemps., sam. midi, dim., lun. et j. fériés sauf dim. Pâques - formule déj. 29 € - 78 €.* Dans un cadre contemporain, raffiné et cossu, le chef concocte une cuisine personnelle, évoluant au gré du marché et mêlant savamment les saveurs et les produits régionaux : déclinaison de foie gras, poularde aux morilles et risotto crémeux au vin jaune (hiver-printemps), crème brûlée à l'absinthe… Une étoile au guide Michelin.

À proximité

PREMIER PRIX

8 Brasserie du musée de l'aventure Peugeot – B1 - *Carrefour de l'Europe - 25600 Sochaux - ℘ 03 81 99 41 85 - www.musee-peugeot.com - fermé le soir - formule (en sem.) 14/19,90 €.* Brasserie sympathique qui vaut surtout pour son cadre puisqu'elle est installée au cœur même des collections du musée de l'aventure Peugeot : dépaysant !

BUDGET MOYEN

Au Fil des Saisons – Hors plan - *3 r. de la Libération - 25460 Étupes - ℘ 03 81 94 17 12 - www. aufildessaisons.eu - fermé 1 sem. en août, 2 sem. fin déc.-déb. janv., sam. midi, dim. midi des sem. paires, dim. soir, lun. et j. fériés soir - formule 25,90 € sf dim. et j. fériés - 29,90/40 €.* Enseigne-vérité : c'est une cuisine évoluant « au fil des saisons » et un bon choix de poissons qui composent la carte de ce restaurant familial. Salle agréable.

POUR SE FAIRE PLAISIR

Mon Plaisir – Hors plan – *22 lieu-dit Journal - 25190 Chamesol - ℘ 03 81 92 56 17 - www. restaurant-mon-plaisir.com - fermé 29 août-13 sept., 19-27 déc., dim. soir, lun. et mar. sf midi fériés - 45/90 €.* À l'entrée du village, cette accueillante maison de pays est tout entière dédiée à votre plaisir : ambiance cosy (confortable salon, élégante salle à manger bourgeoise) et belle cuisine du chef, fine et harmonieuse.

PETITE PAUSE

Gourmandise – *10 r. Georges-Clemenceau - ℘ 03 81 91 09 55 - tlj sf dim. et lun. matin 9h-12h, 14h-19h - fermé j. fériés.* Parmi les spécialités de cette confiserie-chocolaterie : les Montbéliardes (amandes enrobées de chocolat), les Cailloux du Doubs (amande, nougatine et chocolat), les Palets de la Cité des Princes (praliné, lait semi-liquide), et les Vaches (fourrées praliné).

EN SOIRÉE

Bowling Star Bowl – *25400 Audincourt - Site Espace Lumière - ℘ 03 81 30 33 84 - www. bowling-starbowl.com/- lun.-merc. 14h-0h, jeu. 14h-1h, vend.-sam. 14h-2h, dim. 10h-0h ; bowling 3,50/6 € (enf. 2,80/6 €), location chaussures 2 €.* 16 pistes de bowling, mini-golf intérieur 18 trous, billards, bar, etc. Enfants bienvenus.

ACHATS

☞ Bon à savoir – Dans le monde de la saucisse, la concurrence est rude ! La montbéliarde est promue depuis 1977 par la Confrérie des compagnons du boitchu, du nom d'un impressionnant couteau servant à hacher la viande.

Biscuits Billiotte – *5 r. Georges-Clemenceau - ℘ 03 81 94 92 20 - www.billiotte1897.fr - mar.-vend. 10h-12h, 14h-18h30, sam. 9h30-12h, 14h-18h30.* Madeleines, sablés,

3

sèches et macarons produits à Valentigney sont déclinés en différents parfums et vendus au poids dans cette boutique spatieuse qui fait aussi salon de thé.

Fromagerie de Montbéliard – *60 r. Jacques-Foillet - ☏ 03 81 91 37 85 - www. fromageriedemontbeliard.fr - lun.-sam. 9h-12h30, 14h-18h30, dim. 9h30-12h.* Un grand choix de fromages locaux dans cette coopérative agricole.

Boucherie Mercier – *50 r. Étienne-Oehmichen - 25700 Valentigney - ☏ 03 81 34 10 45 - http://boucherie-mercier. com - lun. 8h30-12h, 14h30-19h, mar.-vend. 8h-12h15, 14h-19h, sam. 7h30-19h, fermé dim. et j. fériés.* Beaucoup de monde, ce qui est déjà bon signe… Les salaisons et tous les produits sont fabriqués ici même : boudin artisanal aux oignons, pâté de foie, pâté de campagne, terrines, andouillettes, « brési », et bien sûr, saucisses de Montbéliard. Un pur bonheur.

Boutique du musée de l'Aventure Peugeot – *Carrefour de l'Europe - 25600 Sochaux - ☏ 03 81 99 42 03 - www. boutiquemusee.peugeot.com.* À défaut de repartir avec une voiture neuve, offrez-vous un moulin à poivre ou la voiture de vos rêves en miniature !

ACTIVITÉS

Coulée verte – *www.af3v.org.* Entre Montbéliard et Belfort, cet itinéraire de 26 km aménagé pour les cyclistes longe le canal de la Haute-Saône.

Football Club Sochaux-Montbéliard – *Stade Bonal - accès par l'A 36, sortie Sochaux - ☏ 0 892 70 12 25 - www.fcsochaux. fr - tlj sf dim. 9h30-12h30, 14h-18h30 - sam. 9h30-12h30, 14h-17h30 - fermé les apr.-midi de match - 7/53 €.* Entraînement

parfois ouvert au public, calendrier des matchs sur le site Internet. Billetterie sur place (8 jours avant le match).

Maison pour tous – *16 r. du Gén.-Herr - 25150 Pont-de-Roide - Bureau du tourisme - ☏ 03 81 99 33 99 - https://sites.google.com/site/ mptpontderoidevermondans/- tlj sf dim. 9h-12h, 14h-18h (19h juil.-août), sam. 9h-12h - cotisation 20 € dès 16 ans (enf. 12 €) à ajouter au prix de l'activité.* Propose différentes activités culturelles et sportives pour petits et grands. Gîte d'accueil (20 lits) au bord du Doubs.

Base de loisirs du pays de Montbéliard – *R. des Pâquis - 25600 Brognard - ☏ 03 81 31 84 70 - haute sais. : 10h-18h ; hors sais. : 8h30-12h, 13h30-17h.* Un agréable lieu de promenade et d'activités de plein air au bord de l'eau.

AGENDA

Rencontres et Racines – *Audincourt - dernier w.-end de juin - ☏ 0892 68 36 22 - http:// rencontresetracines.audincourt.fr - 13 €/j. en prévente (-12 ans accompagné gratuit), 15 € sur place, pass 3 j. 25 € en prévente, 30 € sur place.* 3 jours de festival célébrant la diversité culturelle du pays de Montbéliard. Groupes internationaux, artisanats et gastronomies du monde.

Festival des Mômes – *Fin août - ☏ 03 81 91 86 26 - www.festival desmomes.fr - différents forfaits.* Quatre jours de spectacles et ateliers créatifs réservés aux 2-13 ans.

Festival de la BD – *Fin nov. - Audincourt.*

Lumières de Noël – *Déc. - www. lumieres-de-noel.fr.* Pendant quelques jours, la ville de Montbéliard s'illumine et rétablit la tradition alémanique des marchés de Noël – bretzels, vin chaud et verts sapins à l'appui – autour du temple St-Martin.

Belfort

49 519 Belfortains – Territoire de Belfort (90)

Ce « fier coin de terre » doit à sa position frontalière une histoire rythmée par le son des canons. En témoignent encore la citadelle « imprenable » de Vauban et le célèbre Lion de Bartholdi, symbole du courage de ses défenseurs. Loin d'être une austère place forte ou une cité industrielle triste et grise, Belfort est une ville aux façades colorées où se retrouvent chaque année les festivaliers amateurs de musique. C'est aussi un point de départ agréable vers le Parc naturel régional des Ballons des Vosges.

🙂 NOS ADRESSES PAGE 181
Hébergement, restauration, achats, activités, etc.

ℹ️ S'INFORMER

Belfort Tourisme – *2 bis r. Georges-Clemenceau - 90000 Belfort -* 📞 *03 84 55 90 90 - www.belfort-tourisme.com - de déb. juin à mi-sept. : 9h-18h, sam. 10h-18h, dim. et j. fériés 10h-13h ; reste de l'année : tlj sf dim. 9h-12h30, 14h-17h30, lun. 14h-17h30.*
🎟️ *Le pass multisites donne accès à six sites : Lion de Belfort, musée d'Histoire, Espace Bartholdi, musée des Beaux-Arts, musée d'Art moderne et tour 46. 10 € (-18 ans, handicapés et 1er dim. du mois gratuit), 7 € oct.-mars.*
Visites guidées – *Belfort tourisme organise tte l'année de multiples visites guidées thématiques - 6 € (-18 ans 4 €).*

▶️ SE REPÉRER

Carte de microrégion C2 (p. 150).
À 16 km au nord de Montbéliard et 41 km au sud-ouest de Mulhouse, par la A 36, Belfort fait figure de carrefour interrégional.

🅿️ SE GARER

Nombreuses possibilités de parkings : parking du centre historique au pied du fameux Lion, celui du Site fortifié nord devant la porte de Brisach, celui du Site fortifié est au niveau de la citadelle, place de la République, Rouget de Lisle, Place de la Résistance…

😍 À NE PAS MANQUER

Le colossal Lion ; l'impressionnante citadelle ; la porte de Brisach, entrée privilégiée dans la vieille ville ; la remarquable collection de peintures du musée d'Art moderne ; le festival FIMU à la Pentecôte.

🕐 ORGANISER SON TEMPS

Comptez deux journées pour visiter Belfort et ses environs. Si vous disposez de davantage de temps, ne manquez pas la chapelle de Ronchamp, le plateau des Mille étangs et le Ballon d'Alsace voisins.

👫 AVEC LES ENFANTS

La citadelle, l'étang des Forges, les lacs de Malsaucy et de la Véronne, le musée agricole départemental de Botans, le musée artisanal de Brebotte, la forge d'Étueffont. Nombreuses animations dans les musées et la citadelle pendant les vacances. Une balade à vélo sur l'un des nombreux parcours balisés.

3

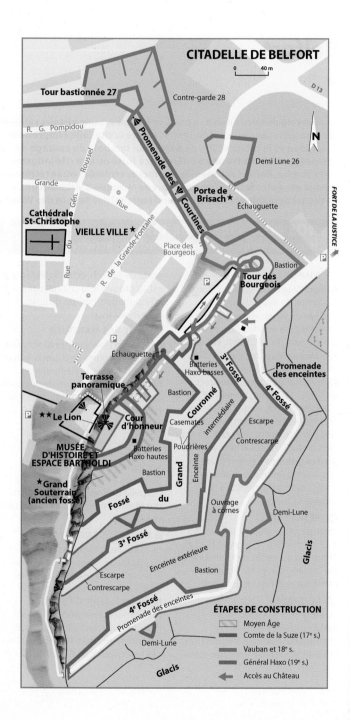

CITADELLE DE BELFORT

0   40 m

Tour bastionnée 27

Contre-garde 28

D 13

R. G. Pompidou

Demi Lune 26

Promenade des Courtines

Grande

Rue

Gén. Roussel

Porte de Brisach ★

Échauguette

FORT DE LA JUSTICE

Cathédrale St-Christophe

VIEILLE VILLE ★

Rue du

R. de la Grande-Fontaine

Place des Bourgeois

Tour des Bourgeois

Bastion

Échauguette

Batteries Haxo basses

3e Fossé

Promenade des enceintes

Terrasse panoramique

Bastion

Couronné

intermédiaire

4e Fossé

Escarpe

★★ Le Lion

Cour d'honneur

Casemates

Contrescarpe

MUSÉE D'HISTOIRE ET ESPACE BARTHOLDI

Batteries Haxo hautes

Poudrières

Enceinte

Grand

Bastion

Ouvrage à cornes

Demi-Lune

★ Grand Souterrain (ancien fossé)

Fossé

du

3e Fossé

Enceinte extérieure

Bastion

Glacis

Escarpe

Contrescarpe

4e Fossé

Promenade des enceintes

ÉTAPES DE CONSTRUCTION

Demi-Lune

Glacis

Moyen Âge

Comte de la Suze (17e s.)

Vauban et 18e s.

Général Haxo (19e s.)

Accès au Château

★★ Découvrir la citadelle

Plan page ci-contre

Le « bel fort » : dès le 12ᵉ s., un château défend la butte rocheuse de Belfort, dont le nom apparaît pour la première fois en 1226 dans le traité de Grandvillars. Devenue française à la signature des traités de Westphalie (1648), Belfort se voit confirmée dans son rôle de place forte avec les travaux entrepris par **Vauban** dès 1687. Vauban conserve le château, mais enserre la ville dans un système de fortifications pentagonal ancré à l'escarpement rocheux qui porte l'édifice. À partir de

> **GÉNÉRAL HAXO**
> Surnommé le « Vauban du 19ᵉ s. », Haxo (1774-1838) était un spécialiste de la guerre de siège. C'est lui qui conçut les forts des Dardanelles et qui, en 1822, présenta un plan d'ensemble visant à améliorer la défense du site de Belfort.

1815, prenant davantage en compte les exigences de la guerre de mouvement, le général **Lecourbe**, puis le général **Haxo** (dès 1825) renforcent les fortifications de Belfort et des hauteurs alentour afin de pouvoir mieux surveiller la trouée entre le Jura et les Vosges. Après la guerre de 1870, le général **Séré de Rivières** préconise le renforcement de quatre camps retranchés (Verdun, Toul, Épinal, Belfort) reliés par une ligne de forts.

Après 1885, à la suite des progrès observés dans l'efficacité des armements, les forts aux alentours de Belfort sont modernisés : le béton remplace la maçonnerie et l'artillerie est dispersée en batteries, moins repérables que les forts. En 1914, Belfort peut ainsi abriter 7 500 hommes en temps de paix, et dix fois plus en cas de conflit. La ligne défensive Belfort-Épinal joue alors pleinement son rôle.

Visite

R. Xavier-Bauer - ℰ 03 84 54 25 51 - www.belfort-tourisme.com - 9h-18h - fermé 1ᵉʳ janv., 1ᵉʳ nov., 25 déc. - possibilité de visite guidée sur demande (1h) - entrée libre.
Bon à savoir – Une partie du site est en accès libre (cour d'honneur, terrasse panoramique et promenade du parcours découverte).

3

LA GUERRE FRANCO-PRUSSIENNE DE 1870 VUE DE BELFORT

Suite à un accident diplomatique entre le Second Empire français et le royaume de Prusse concernant la succession d'Espagne, les deux États entrent en guerre. La Prusse réussit l'alliance des États allemands contre son ennemi français qui, mal préparé, voit son front toujours reculer.

Le Verdun de 1870 – Avec une garnison de 16 000 hommes, composée pour les trois quarts de gardes mobiles courageux, mais inexpérimentés, le colonel **Denfert-Rochereau** doit résister à 40 000 Allemands. L'ennemi a mis en batterie 200 gros canons qui, pendant 73 jours consécutifs, tirent plus de 400 000 obus, soit presque 5 000 par jour ! Mais la résistance ne fléchit pas d'une ligne. Le 18 février 1871, alors que l'armistice de Versailles est signé depuis 21 jours, le colonel consent enfin, sur l'ordre formel du gouvernement, à quitter Belfort après 103 jours de siège. Le retentissement de cette magnifique défense est grand, ce qui permet à **Thiers**, luttant de ténacité avec Bismarck, d'obtenir que la ville invaincue ne partage pas le sort de l'Alsace et de la Lorraine. On en fait le chef-lieu d'un « territoire » minuscule, mais dont l'importance économique va devenir considérable.

> **FRÉDÉRIC AUGUSTE BARTHOLDI (1834-1904)**
> Cet enfant de Colmar montre très tôt son goût pour le dessin. Son voyage en Égypte et en Orient influencera par la suite son œuvre. Après la guerre de 1870, il sculpte de nombreux monuments d'inspiration patriotique dont les plus célèbres sont le **Lion de Belfort** et **La Liberté éclairant le monde** (1886), dressée à l'entrée du port de New York.

La visite de la citadelle peut désormais s'effectuer en réalité augmentée, permettant de la visualiser dans différents contextes et sous divers aspects à travers les époques. À l'aide d'une application web téléchargeable sur son smartphone, on sélectionne une période historique et on visualise les évolutions des façades et des bâtiments. Animations numériques, plan interactif,

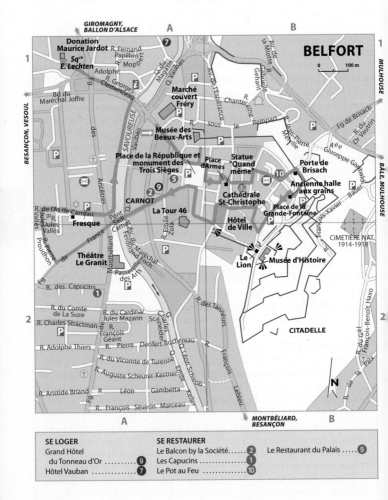

SE LOGER	SE RESTAURER	
Grand Hôtel	Le Balcon by la Société...... ❷	Le Restaurant du Palais ..... ❺
du Tonneau d'Or .... ❾	Les Capucins .... ❶	
Hôtel Vauban .... ❼	Le Pot au Feu .... ❿	

reconstitutions 3D, tout a été pensé pour appréhender la citadelle dans sa totalité et pour comprendre ses enjeux stratégiques et militaires. Au choix : le parcours « balisé » représenté par les 14 stations d'accueil ou la balade libre.

★ **Grand Souterrain** – ☎ 03 84 54 25 51 - *juil.-août : 10h-12h30, 14h-18h ; avr.-juin et sept. : tlj sf mar. 10h-12h30, 14h-18h - possibilité de visite guidée sur demande (1h) - Le parcours découverte inclut la visite de l'ensemble du site, depuis la cour d'honneur et la terrasse panoramique jusqu'au Grand Souterrain.* Pour l'atteindre, on débute dans les batteries Haxo basses et on poursuit dans le fossé du Grand Couronné, qui mène aux poudrières puis à la demi-lune fortifiée par Vauban, qui protégeait la porte de secours de la citadelle. Le Grand Souterrain, long de 160 m, fut couvert sous Louis XV pour que les civils s'y abritent. Était ainsi évitée la guerre psychologique, qui consistait à les bombarder afin qu'ils fassent pression sur les autorités militaires. Le parcours s'arrête dans les batteries Haxo hautes, où une boutique et un café-restaurant ont été aménagés. Dans la casemate voisine, on peut apercevoir le puits millénaire, dont la profondeur atteint 67 m ! La **cour d'honneur** est bordée par les batteries Haxo hautes et la caserne ou « château », qui abrite le musée d'Histoire et l'Espace Bartholdi.

> **LE MONUMENT DES TROIS MENTEURS**
> C'est le surnom que les Belfortains donnent au monument des Trois Sièges. En effet, vous remarquerez que Lecourbe se tient droit, que Denfert est en bronze et que Legrand est le plus petit des trois…

Terrasse panoramique de la Citadelle *(accès libre depuis la cour d'honneur, tables d'orientation et d'informations)* – Ce belvédère exceptionnel permet de visualiser l'environnement géographique et de mieux comprendre le système de défense. On devine le tracé du Grand Souterrain. Plus à l'est, on voit successivement le fossé du Grand Couronné et ses bastions, le fossé de l'enceinte intermédiaire (ou 3e fossé) et le fossé de l'enceinte extérieure (ou 4e fossé). Le **panorama★★** porte, au sud, sur les premiers chaînons du Jura au loin, à l'ouest sur la vieille ville, les zones industrielles et le fort du Salbert, au nord vers les Vosges méridionales où s'élèvent le Ballon de Servance, le Ballon d'Alsace, le Baerenkopf et le Rossberg, à l'est vers les enceintes du fort des Basses Perches et la trouée de Belfort.

Musée d'Histoire B2 –*Citadelle de Belfort* - ☎ 03 84 54 25 51 - http://musees. belfort.fr *- juil.-août : 10h-12h30, 14h-18h ; avr.-juin et sept. : tlj sf mar. 10h-12h30, 14h-18h ; reste de l'année : tlj sf mar. 14h-18h - fermé 1er janv., 1er nov., 25 déc. - possibilité de visite guidée sur demande (1h) - gratuit 1er dim. du mois.* Ce musée à l'ancienne est installé dans la caserne aménagée par le général Haxo en 1826. Au 1er niveau, il présente des objets du **néolithique** retrouvés dans la grotte de Cravanche lors de la construction du fort du Salbert. La plupart des collections archéologiques (poteries, armes, outils) datent des époques gallo-romaine et mérovingienne. On remarquera les colliers en verre coloré et les boucles de ceintures du 7e s. exhumés du cimetière burgonde de Bourogne. Au dernier étage, collection d'**art militaire** de l'époque médiévale à la Première Guerre mondiale. À voir : une reproduction du plan en relief des fortifications Vauban en 1687 ; de nombreux souvenirs militaires de la guerre de 1870 et de personnalités ayant défendu Belfort, dont des objets ayant appartenu au colonel Denfert-Rochereau ainsi qu'à des soldats français et prussiens.

L'Espace Bartholdi – ☎ 03 84 54 25 51 - www.ville-belfort.fr *- juil.-août : 9h-12h30, 14h-18h ; avr.-juin et sept. : tlj sf mar. 10h-12h, 14h-18h ; reste de l'année :*

3

Une « porte » stratégique

Située sur les deux rives de la Savoureuse, Belfort commande un seuil large d'environ 30 km à 350 m d'altitude qui s'ouvre entre le Jura et les Vosges. Les militaires appelaient ce passage naturel la « trouée de Belfort ». Les géographes parlent plutôt, selon que l'on regarde vers l'ouest ou vers l'est, de porte de Bourgogne ou de porte d'Alsace.

SUR LE PASSAGE DES ARMÉES

Au cours des siècles, Celtes, Barbares, Impériaux, Allemands déferlent successivement, pour le plus grand dommage de la cité qui se trouve sur leur passage. La ville est sous domination autrichienne (des Habsbourg) de 1350 à la conquête française. Mais, dès 1307, les Belfortains jouissaient d'une charte leur donnant les libertés communales.

« NE CAPITULEZ JAMAIS. »

Belfort a été l'un des innombrables théâtres de la guerre de Trente Ans, qui ravagea l'Europe médiane de 1618 à 1648. En 1636, la ville, usée par les disettes, la peste et les combats, est finalement prise par les Français : Louis de Champagne, comte de La Suze, parti de Montbéliard, enlève la nuit, par un coup d'une audace inouïe, les fortifications. Suze, nommé gouverneur de Belfort par Richelieu, est resté célèbre dans les annales locales par ses instructions au commandant de la garnison : « Ne capitulez jamais. » La conquête de Belfort et de l'Alsace est ratifiée par les traités de Westphalie (1648). Partisan du prince de Condé pendant la Fronde, Gaspard de Champagne, le fils de Louis, comte de La Suze, doit rendre après plusieurs semaines de siège les clés de Belfort au maréchal de La Ferté en 1654. Pour en faire une place imprenable, Vauban (1633-1707), le grand ingénieur de Louis XIV, y déploie tout son génie et réalise sans doute là son chef-d'œuvre. Le roi donne alors la ville en cadeau à Mazarin et à ses héritiers à qui elle appartiendra jusqu'à la Révolution française.

LE COURAGE D'UN LION

Le début du 19e s. apporte son lot de sièges à la Citadelle et de modifications à son système de défense. L'efficacité de celui-ci et le courage des Belfortains permirent au colonel Denfert-Rochereau de tenir la ville face aux Prussiens lors du siège de 1870 et de sauver son rattachement à la France. C'est ainsi que Belfort et une centaine de communes alentour vont former le Territoire de Belfort, reconnu comme département en 1922.

LE DÉVELOPPEMENT INDUSTRIEL

Après 1870, Belfort connaît une transformation radicale. Jusqu'alors peuplée d'environ 8 000 habitants, c'est une ville essentiellement militaire. Avec l'arrivée d'entrepreneurs alsaciens, son industrie se développe, sa population s'accroît considérablement, et elle devient en trente ans une puissante agglomération de 40 000 âmes.

Le développement industriel se poursuit au 20e s. En 1926, la première locomotive électrique sort des ateliers belfortains de la Société alsacienne de constructions mécaniques. Bien des décennies plus tard, ces mêmes ateliers, désormais nommés Alstom, produisent la rame de TGV qui bat en 2007 le record du monde de vitesse sur rail en atteignant 574,8 km/h…

Vue sur Belfort depuis la Citadelle.
Leonid Andronov/iStock

tlj sf mar. 10h-12h, 14h-17h - fermé 1er janv., 1er nov., 25 déc. - 7 € (-18 ans gratuit), inclus dans le pass multisites (voir p. 167). Situé au 2e niveau du musée d'Histoire, cet espace ouvert en 2011 à l'occasion des 130 ans du Lion, est consacré à l'œuvre de Bartholdi. On y voit notamment des maquettes préparatoires au Lion ou au monument des Trois Sièges, ou encore une sculpture qu'on croyait égarée : un double buste d'Erckmann-Chatrian, des écrivains originaires des « provinces perdues », l'Alsace et la Lorraine.

★★ Lion de Bartholdi

Allée du Souvenir-Français - ☎ 03 84 54 25 51 - http://musees.belfort.fr - avr.-sept. : 10h-12h30, 14h-18h ; reste de l'année : 14h-18h - fermé 1er janv., 1er nov., 25 déc. - possibilité de visite guidée sur demande - 1 € (-18 ans gratuit) - 10 € (-18 ans gratuit), inclus dans le pass multisites (♿ p. 167) - gratuit 1er dim. du mois.

Cette œuvre pharaonique (elle s'inspire ouvertement des statues égyptiennes) adossée à la paroi rocheuse, en contrebas de la caserne, a été exécutée par **Bartholdi** de 1875 à 1880 et montée sur place, pièce par pièce. Le Lion, en grès rose des Vosges, symbolise la force et la résistance de la ville en 1870. De proportions harmonieuses (22 m de long et 11 m de haut), il a encore plus fière allure illuminé la nuit. Le monument, a écrit Bartholdi, « représente, sous forme colossale, un lion harcelé, acculé et terrible encore dans sa fureur ». On peut approcher la sculpture en accédant à la **plate-forme** située à ses pieds *(prenez les escaliers qui montent à la citadelle puis longez à droite la paroi rocheuse ; dans le tunnel, porte d'accès tout de suite à gauche).*

> **SUR LA PISTE DES LIONS**
>
> Le Lion de Bartholdi a fait de nombreux petits : à vous de débusquer les quelque 150 effigies de l'animal recensées dans la ville. Pour vous aider, demandez à l'office de tourisme le guide de circuits-découvertes.

3

Les Eurockéennes de Belfort

Chaque année, le premier week-end de juillet, la **presqu'île du Malsaucy** s'anime de sons rock, électro, pop, métal ou reggae… Le festival, qui doit son succès à une **programmation éclectique et pointue**, autant qu'à la beauté de son cadre, **en pleine nature**, a largement contribué à changer l'image de la cité industrielle.

UNE CÉLÉBRATION DU BICENTENAIRE… PLUTÔT ROCK'N'ROLL

En 1989, voulant se démarquer des célébrations du bicentenaire de la Révolution à tonalité historique, le conseil général du Territoire de Belfort décide d'organiser un **festival de musique** : il sera rock… et alternatif. Pour éviter que le bruit ne nuise à la reproduction d'une espèce locale d'oiseau, le rassemblement, initialement prévu sur le ballon d'Alsace, a lieu au **lac du Malsaucy**, à 7 km de Belfort. La première année, 10 000 personnes tentent l'expérience. Quatre ans plus tard, près de 70 000 spectateurs viennent écouter Blur, The Cure, Stéphane Eicher, Renaud ou les Rita Mitsouko… Les Eurockéennes deviennent l'un des principaux festivals de rock en France. D'abord essentiellement consacrées au rock, elles s'ouvrent bientôt aux sonorités pop, électro et hip-hop. Si les **pointures internationales** se pressent dans ce coin de campagne vosgienne – David Bowie, Metallica, Depeche Mode, Björk, Oasis, Radiohead ou Kraftwerk y font halte –, la **scène française** n'est pas en reste. Le festival a célébré ses 30 ans en 2018, ce qui fut l'occasion de multiplier les festivités et les découvertes culturelles autour de Belfort.

TROIS JOURS DE CONCERTS ET DE DÉCOUVERTES MUSICALES

Dépassant les **100 000 personnes** en trois jours, le festival garde son esprit bon enfant tout en se professionnalisant : un tiers du budget est maintenant consacré à faire venir les artistes. Le lac accueille maintenant quatre scènes, dont une sur l'eau, où défilent entre 60 et 80 groupes.

En vingt ans, la presqu'île a été le théâtre de nombreuses anecdotes. Le groupe **Noir Désir**, auréolé du succès d'*Aux sombres héros de l'amer,* participa à la première édition ; 23 ans plus tard, en 2012, Bertrand Cantat est sur scène aux côtés d'Amadou et Mariam ; en 2000, le groupe **Coldplay**, qui connaîtra le succès qu'on sait, présente sur la petite scène, en plein après-midi, son album *Parachutes* ; les **Daft Punk** s'y produisent à la fin des années 1990, sans leurs casques ! Enfin, ce fut le seul festival français où Amy Winehouse chanta. Le festival, qui se veut aussi **dénicheur de talents**, organise un tremplin, « Repérages Eurockéennes », dont les sélections ont lieu en Franche-Comté et dans le Grand Est (Bourgogne, Alsace, Allemagne, Suisse).

UN ATOUT POUR L'ÉCONOMIE LOCALE

Le festival développe et s'appuie sur le tissu économique local. En 1991, un club de partenaires est créé, réunissant une dizaine de PME des environs. Devenu le **Club de Mécènes** depuis 2005, il concentre près d'une centaine d'entreprises locales et de groupes nationaux. La manifestation est **créatrice d'emplois** dans la région : on compte une dizaine de salariés à l'année et jusqu'à 1 000 personnes pendant le festival. Les Eurockéennes sont souvent citées comme une leçon de « **marketing culturel** » : Belfort, ville de garnison, est maintenant perçue comme une terre d'élection de la musique rock.
ⓘ *www.eurockeennes.fr.*

Promenade des enceintes – *40mn* ☙ Elle permet de faire le tour de la citadelle. Prenez le chemin au pied de celle-ci qui passe en tunnel sous le Lion, et poursuivez jusqu'au 4ᵉ fossé. En le parcourant entre les puissants murs d'escarpe et de contrescarpe, on observera le système de défense : **glacis**, vaste terrain nu en faible pente (en direction de l'autoroute), nombreuses embrasures permettant le tir dans les fossés, ouvrages à cornes, bastions. On débouche au niveau du char Cornouailles du lieutenant Martin puis de la **tour des Bourgeois**, ancienne tour de l'enceinte médiévale, abaissée par Vauban. Elle doit son nom au conseil des neuf bourgeois qui gouvernait la cité et se tenait dans ses murs au Moyen Âge *(accès fléché à l'entrée de la citadelle)*.

Se promener Plan de ville p. 170

★ VIEILLE VILLE

▶ *Circuit tracé en vert sur le plan de ville – Comptez 2h (sans les visites).*
Garez-vous près du marché Fréry, séparé de l'office de tourisme par la Savoureuse.
La Savoureuse n'a pas toujours coulé ainsi… Lors de ses grands travaux, Vauban en repousse le cours pour accroître la superficie de la ville, qu'il enferme dans un pentagone de fortifications. À la fin du 19ᵉ s., alors qu'elle connaît un fort essor démographique lié à l'immigration alsacienne, Belfort se dégage d'une partie de ses remparts. La ville se transforme. Des quartiers nouveaux, aux larges artères et vastes places, bâtis sur le modèle haussmannien, lui donnent l'aspect d'une petite capitale.

Marché couvert Fréry A1
L'architecture **Belle Époque** est bien représentée à Belfort. Ce marché couvert construit en 1905 en est un bel exemple. Il sert de marché le vendredi et le samedi matin.
Remontez la rue du Docteur-Fréry jusqu'à la place de la République.

Place de la République A1
Au tout début du 20ᵉ s., cette place devient le centre de Belfort. On y élève la préfecture, le palais de justice, la **salle des Fêtes** à l'architecture étonnante, avec son dôme démesuré, sa double colonnade et sa verrière. La Caisse d'épargne, conçue par Émile Cordier, à qui l'on doit également la Maison du peuple, est plus récente : elle date de 1933. Au centre de la place, le **monument des Trois Sièges**. Cette œuvre posthume de Bartholdi représente la France tenant entre ses bras la ville de Belfort meurtrie. Ses trois défenseurs l'entourent : Legrand en 1814, Lecourbe en 1815 et Denfert-Rochereau en 1870.
Prenez la rue du Docteur-Bardy et gagnez le musée des Beaux-Arts.

Musée des Beaux-Arts - Tour 41 A1
R. Georges-Pompidou - ☎ *03 84 54 25 51 - www.musees-franchecomte.com -*
fermé pour travaux lors de la rédaction de ce guide, inclus dans le pass multi-sites (☺ p. 167).
C'est désormais la **tour 41** héritée de Vauban qui abrite le musée des Beaux-Arts et ses collections classées par thèmes (l'art sacré, l'allégorie…). À voir notamment des sculptures de Rodin. Une salle rend hommage au sculpteur et collectionneur Camille Lefèvre (1853-1933).
Revenez place de la République et gagnez la place d'Armes par la rue de la Porte-de-France.

3

★ Place d'Armes B1

Dans le cadre d'un important programme d'aménagement et d'embellisse-
ment de la vieille ville, la place d'Armes a été rendue semi-piétonne. Il est
agréable de déambuler autour de la statue *Quand même* d'Antonin Mercié
(1884), érigée en mémoire du siège de 1870-1871, et du kiosque à musique,
et de profiter des terrasses aux beaux jours.

Cathédrale St-Christophe B1

Construite en grès rose, elle présente sa façade classique du 18e s. sur la place
d'Armes. La frise qui court autour de la nef est ornée de têtes d'anges en relief.
Les **grilles en fer forgé** rehaussé d'or entourant le chœur sont inspirées de
celles de la place Stanislas, à Nancy. Dans le transept : *L'Ensevelissement du
Christ (à droite)* et *Saint François-Xavier en extase (à gauche),* par le peintre
belfortain G. Dauphin. Les **orgues★** du 18e s. sont de Valtrin.
*Contournez la cathédrale par la gauche en prenant tout de suite la rue de l'Église.
Tournez à gauche dans la rue du Général-Roussel puis à droite dans la Grande
Rue. Attardez-vous sur la place de la Petite-Fontaine puis prenez à gauche la rue
de la Grande-Fontaine, qui conduit à la porte de Brisach.*

★ Porte de Brisach B1

Au temps de Vauban, Belfort comptait deux portes : la porte de France, détruite
en 1892, et celle de Brisach (1687), toujours debout. Royale, celle-ci arbore sans
complexe son écusson à fleurs de lys surmonté d'un soleil et de la fameuse
devise de Louis XIV « *Nec pluribus impar* » (Au-dessus de tous). Il faut la traverser et se retourner pour en admirer la façade à pilastres.
Cela vaut aussi la peine de grimper sur la terrasse qui surmonte la porte *(accès
par la rampe rue des Bons-Enfants)* ; la **promenade des courtines** qui relie la
tour bastionnée 27 à la tour des Bourgeois permet d'avoir une belle **vue** sur
les fortifications conçues par Vauban et transformées par Haxo.
Gagnez la place des Bourgeois par la promenade des courtines ou la Grande Rue.

Ancienne halle aux grains B1

Bâtie au 14e s. puis reconstruite en 1567, la halle aux grains représentait au
Moyen Âge le centre économique de la ville. À l'étage siégeait le tribunal du
bailliage. Elle accueille aujourd'hui l'école élémentaire Jules-Heidet.
*Empruntez la vieille rue du Rosemont. Tout au bout, à droite, descendez l'escalier
qui vous mènera à la place de l'Étuve puis à celle de la Grande-Fontaine.*

Place de la Grande-Fontaine B1-2

Plusieurs fontaines se sont succédé sur cette place. L'actuelle date de 1860.
Tournez à gauche pour rejoindre la place de l'Arsenal et la place d'Armes.

Hôtel de ville B1-2

Pl. d'Armes - 📞 *03 84 54 24 24 - www.ville-belfort.fr -* ♿ *- visite uniquement
durant les j. du Patrimoine - gratuit.*
L'hôtel de ville date de 1721-1724. Au rez-de-chaussée, la belle « salle Kléber »
est un exemple de l'art français de la seconde moitié du 18e s. Au 1er étage, dans
la salle d'honneur, voyez les tableaux illustrant les grandes heures de l'histoire de Belfort, dont l'octroi de la charte de 1307 par Renaud de Bourgogne.
*Prenez à gauche la rue Metzger puis celle de l'Ancien-Théâtre, d'où l'on jouit d'une
belle vue sur le Lion. Poursuivez jusqu'à la tour 46.*

Tour 46 A1-2

📞 *03 84 54 25 51 - www.ville-belfort.fr - juil.-août : 9h-12h30, 14h-18h ; juin et
sept. : tlj sf mar. 14h-18h ; avr.-mai : tlj sf mar. 10h-12h, 14h-18h ; reste de l'année :
tlj sf mar. 10h-12h, 14h-17h - fermé 1er janv., 1er nov., 25 déc. - ouv. uniquement*

lors des expositions temporaires - 7 € (-18 ans gratuit), inclus dans le pass mul-
tisites (👟 p. 167).

Cette tour bastionnée du pentagone de Vauban accueille depuis 1987 les
archives municipales et, chaque année depuis 1998, des expositions d'envergure produites par les musées de la ville selon des thématiques variées en
partenariat avec de grands musées nationaux et internationaux.

Par la rue Bartholdi, rejoignez la place de la République, puis le boulevard Carnot.

Quartier Carnot A1-2

Le quartier Carnot ou « quartier neuf », qui relie la vieille ville aux faubourgs de
la rive droite, a vu le jour vers 1900. Voyez les beaux immeubles Belle époque
qui le bordent, tel le Grand Hôtel du Tonneau d'Or *(1 r. Reiset)*.

Traversez la Savoureuse. Du pont, vous apercevrez sur votre gauche le théâtre.

Théâtre Le Granit A2

1 fg de Montbéliard - 🖉 03 84 58 67 67 - www.legranit.org - 👟 - 13h-18h - fermé
dim. et j. fériés - expositions, accès libre. - 👟 Nos adresses.

Édifié en 1878, ce théâtre fut rénové une première fois en 1932, une seconde
fois en 1983 par l'architecte Jean Nouvel, qui l'ouvrit sur la ville et la rivière
par un grand cadre métallique. Du quai on peut ainsi en deviner l'intérieur.

Continuez en face, dans le faubourg de France.

Quartiers de la rive droite

Depuis les années 1970, un centre piétonnier et commerçant s'est développé
sur la rive droite de la Savoureuse, des 4 As au faubourg de France.

Au niveau d'une fontaine à colonnes (fontaine Guy de Rougemont), prenez
à droite la rue Proudhon, suivez cette allée piétonnière jusqu'à la rue de l'As-
de-Carreau, où vous tournerez à droite. Faites encore quelques pas jusqu'au
parking à droite.

L'immense **fresque**★ originale d'Ernest Pignon-Ernest est peinte sur les murs
d'un immeuble en U : 47 hommes et femmes, grandeur nature, représentent
la science et les arts des mondes latin et germanique : Picasso, Rimbaud,
Goethe…

Descendez la rue de l'As-de-Carreau et gagnez le quai Charles-Vallet, qui
offre une jolie vue sur le quai Vauban. Poursuivez votre chemin juqu'à Belfort
Tourisme et prenez à gauche la rue de Mulhouse, où s'est installé le musée
d'Art moderne.

★ Musée d'Art moderne - Donation Maurice-Jardot A1

8 r. de Mulhouse - 🖉 03 84 54 25 51 - http://musees.belfort.fr - 👟 - juil.-août :
10h-12h30, 14h-18h ; avr.-juin et sept. : tlj sf mar. 10h-12h30, 14h-18h ; reste de
l'année : tlj sf mar. 14h-18h - fermé 1ᵉʳ janv., 1ᵉʳ nov., 25 déc. - possibilité de visite
guidée sur demande (1h) - 10 € (-18 ans gratuit), inclus dans le pass multisites
(👟 p. 167) - audioguide gratuit.

Maurice Jardot fut l'associé du marchand de tableaux Daniel-Henry
Kahnweiler, l'un des promoteurs du cubisme. En 1997, il lègue à la ville
de Belfort, sa terre natale, une collection exceptionnelle d'une centaine
d'œuvres (peintures, sculptures, dessins, gravures…), qu'un second legs
viendra enrichir en 2002. Les grands noms de l'art moderne sont là : Picasso,
Braque, Matisse, Chagall, Laurens,, Le Corbusier, Léger… Une occasion rêvée
de découvrir leurs œuvres dans une maison de maître rénovée en bordure
du **square Émile-Lechten**. Le roulement des pièces exposées est assez fréquent. Renseignez-vous avant de prendre vos billets si vous ne souhaitez
pas manquer une œuvre précise !

3

À proximité

Carte de microrégion p. 150

Étang des Forges C2

▶ *2 km au nord. Garez-vous près de la base nautique des Forges -* 🦽 *Nos adresses.*

🐦🚶‍♂️ Un sentier écologique (4 km) fait le tour de l'étang : des panneaux renseignent sur la flore et la faune (blongios nain, le plus petit héron d'Europe, grèbe huppé ou foulque macroule). La **tour de la Miotte** *(accès à pied 20mn AR à partir de la base nautique)* a été plusieurs fois abattue ou meurtrie par le temps et par les guerres ; rebâtie en 1947, elle veille depuis des siècles sur l'étang et la ville. De la terrasse au niveau de la tour, on a une très jolie **vue**★ sur Belfort et ses environs. Ceux qui croient encore aux légendes vous diront que c'est ici que les cigognes déposent les petits Belfortains… *Voir aussi « Nos adresses », p. 184.*

> ### RANDONNÉES DES FORTS
> L'un des sentiers de randonnée qui traversent le Territoire de Belfort, « Les Hauts de Belfort » relie la citadelle à l'étang des Forges en passant par la tour de la Miotte et le fort Justice (9 km). Le parcours « Randonnée des forts » (GR du pays), beaucoup plus long (85 km) permet de parcourir l'ensemble du système de fortifications (19 forts) entourant la cité. Rens. à l'office de tourisme.

Grotte de Cravanche C2

▶ *6 km au nord-ouest - quittez la ville par l'av. Jean-Jaurès, tournez à gauche dans la rue de la 1ʳᵉ-Armée-Française pour gagner Cravanche, continuez tout droit r. Aristide-Briand.* ☎ *03 84 55 90 90 - www.belfort-tourisme.com - visite guidée sur demande préalable (1h30), se rens. auprès de l'office du tourisme - 6 € (-18 ans 4 €).*

Découverte par hasard en 1876, cette cavité réhabilitée en 2008 par la Ville de Belfort livre son histoire et ses trésors : les fouilles archéologiques entreprises dès 1891 ont révélé une occupation au néolithique dont certains vestiges sont exposés au musée d'Histoire de Belfort. Vous découvrirez également la curieuse vie de ses habitants : les chauves-souris.

Fort de l'OTAN – Ouvrage G C2

▶ *8 km au nord-ouest. Visites uniquement sur RV via l'office de tourisme de Belfort - www.fort-otan-belfort.com - 5 € - prévoir vêtement chaud et chaussures adéquates.*

C'est en 1951, dans un contexte de guerre froide, qu'est construite cette station radar au sommet du mont Salbert. Elle restera opérationnelle jusqu'au début des années 1960. En 2016, l'association Atomes prend le pari de la réhabiliter après des années d'abandon. L'objectif : en faire un lieu d'héritage historique et entretenir les mémoires. Une bonne partie de la station a déjà été remise en état (désencombrement, installation de l'électricité, acquisition de matériel d'époque…). Véritable labyrinthe souterrain sur plusieurs niveaux, c'est avec surprise que l'on découvre cet édifice abritant salles de conférence, de repos, de communication, où pas moins de six cents personnes s'employaient à la défense du territoire…

Fort du Salbert C2

▶ *8 km au nord-ouest - quittez la ville par l'av. Jean-Jaurès, tournez à gauche dans la rue de la 1ʳᵉ-Armée-Française pour gagner Cravanche, r. des Commandos-d'Afrique, prenez légèrement à droite la r. du Salbert.*

Une route sinueuse (D 4), à travers la forêt, mène à cette ancienne fortification Séré de Rivières (1874-1877). De la vaste terrasse (647 m d'altitude)

Les Eurockéennes de Belfort.
M. Delbés/Michelin

se révèle un beau **panorama★★** sur la trouée de Belfort, les Alpes suisses, le lac du Malsaucy, le ballon d'Alsace et les monts environnants *(tables d'orientation)*.

★ Lac du Malsaucy C2

◉ *Env. 8 km au NO de Belfort, par la D 465 et la D 24 - www.territoiredebelfort.fr.*
🚴 La promenade F.-Mitterrand (piste cyclable) permet de rejoindre le lac en 30mn en partant du centre-ville (7,5 km).

Le lac du Malsaucy et l'étang de la Véronne, les deux plus grands plans d'eau du territoire de Belfort, ont pour toile de fond les sommets du sud du massif des Vosges *(voir Ballons d'Alsace et de Servance p. 186)*. Le lac est classé « espace naturel sensible » et refuge LPO, terrain sur lequel est protégée la nature de proximité.

Base de loisirs avec plage *(voir Nos adresses)*, sentier de découverte (4 km), expositions et animations estivales sur la nature à la **Maison de l'environnement** (☎ *03 84 29 18 12*), observatoire ornithologique, pêche dans l'étang de la Véronne : les activités possibles sont nombreuses. Le site accueille chaque année les Eurockéennes (◷ *p. 174*).

Forge-musée d'Étueffont C2

◉ *15 km au nord-est par la D 83, puis la D 12. 2 r. Lamadeleine - ☎ 03 84 54 60 41 - www.musees-des-techniques.org - avr.-sept. : tlj sf lun.-mar. 14h-18h ; oct. : vend. et dim. 14h-18h - fermé dim. de Pâques, 1ᵉʳ Mai - possibilité de visite guidée (1h) - 4 € (-18 ans 1,50 €).*

👥 Quatre générations de la famille Petitjean, exerçant les métiers de forgeron, de maréchal-ferrant et de paysan, ont vécu, de 1843 à 1977, dans cette maison du 18ᵉ s., restée meublée telle qu'elle l'était au début du 20ᵉ s. Un film dresse le portrait de Camille, le troisième des Petitjean, aussi tranchant que ses haches. Dans la forge toujours en état de fonctionnement, de nombreux outils sont rassemblés ; des démonstrations y sont ponctuellement organisées.

Belfort, place d'Armes, statue Quand-Même, marché aux puces.
D. Bringard/hemis.fr

Musée agricole départemental de Botans C2

▸ À Botans, environ 4 km au sud par la D 19. 5 r. de Dorans - ℘ 03 84 36 52 04 - http://museeagricole.botans.free.fr - du dim. de Pâques à la Toussaint : 14h-17h30 - fermé lun. - possibilité de visite guidée (1h30) - 3,50 € (-18 ans 2 €) - festivités dim. et lun. de Pâques et 2ᵉ dim. d'oct.

▪ Une ferme traditionnelle, reconvertie en Musée agricole : du chari à la grange, en passant par la laiterie. Exposition d'outils et machines agricoles. La visite se termine par le jardin des plantes aromatiques et le verger.

Musée de l'Artisanat de Brebotte D2

▸ À 11 km au sud-est par la D 13. 3 r. de la Fontaine - ℘ 03 84 23 42 37 - www.museebrebotte.com - ও - juil.-oct. : 14h-17h ; reste de l'année : sur demande préalable - fermé dim.-lun. et j. fériés - possibilité de visite guidée sur demande (1h30) - 3 € (-12 ans gratuit).

▪ Dans cette grande ferme à colombages caractéristique du Sundgau belfortain, on découvre, d'une pièce à l'autre, la vie des paysans et artisans (menuisier, sabotier, forgeron, tisserand, bouilleur de cru…) de la région au 19ᵉ s. À voir, un vieux métier à tisser et une ancienne machine à vapeur de scierie. Tous les étés *(mi-juil.)*, 3 jours de spectacle historique.

Delle D3

▸ 26 km au sud-est.

Cette petite ville à la frontière suisse a conservé autour des places Raymond-Forni et François-Mitterrand de belles bâtisses des 16ᵉ et 18ᵉ s. On citera bien sûr la **maison des Cariatides** (1577), dont le pignon est soutenu par cinq statues en bois polychrome. À la Renaissance, on y rendait la justice au premier étage, comme le rappelle la cariatide centrale qui a pour attributs glaive et balance. Construite en 1581, remaniée dans les années 1725-1726, la **maison Feltin**, flanquée de deux tours et d'une galerie en bois abrite aujourd'hui l'hôtel de ville. Ses annexes (1881), dont la verrière ressemble à celle de halles, servaient à l'origine de granges.

😊 NOS ADRESSES À BELFORT

TRANSPORTS

Train – La gare Belfort-Montbéliard TGV se trouve au sud-est de Belfort, entre Moval et Meroux. La ligne de bus n° 3 la relie à la gare du centre-ville *(www.optymo.fr - comptez 20mn)*.

VISITE

Pass multisites et visites guidées – ♿ *S'informer, p. 167.*
Train touristique – ℘ 03 84 54 60 70 - www.train-touristique-belfort.fr - ♿ - juil.-août : 9h30-12h30, 14h-17h ; 9-22 avr., juin et sept. : tlj sf lun.-mar. 9h30-12h30, 14h-17h - fermé 1er dim. du mois, 13 juil., 23 sept. - 6 € (-18 ans 4 €). Visite de la vieille ville et de la citadelle. Découvrez en 1h les incontournables de la Vieille Ville, grâce à un audioguide. Dép. et arrivée parking de l'Arsenal.

HÉBERGEMENT

PREMIER PRIX

Camping L'Étang des Forges – Hors plan - R. du Gén.-Béthouart - à 1,5 km au N par D 13, rte d'Offemont et à droite - par A 36 sortie 13 - ℘ 03 84 22 54 92 - www.camping-belfort.com - 🏊 ♿ - avr.-oct. - 89 empl. - forfait 2 pers. 19 €. Volley, basket, tir à l'arc, ping-pong, jeux pour les enfants, piscine, bar, épicerie, location de vélos, etc. Bon équipement et situation idéale pour ce camping à la fois proche du centre-ville et d'un étang (site naturel protégé).

BUDGET MOYEN

❾ Grand Hôtel du Tonneau d'Or – A1 - 1 r. Reiset - ℘ 03 84 58 57 56 - www.tonneaudor.fr - 🅿 limité à 10 places - 📶 - 52 ch. 79/105 € - 🍵 13 €. Derrière une élégante façade de 1907, chambres spacieuses et fonctionnelles, accessibles depuis le grand escalier Belle Époque.

❼ Hôtel Vauban – A1 - 4 r. Magasin - ℘ 03 84 21 59 37 - www.hotel-vauban.com - 📶 - fermé vac. de Noël, vac. de février et dim. soir (sauf en cas de manifestations culturelles) - 14 ch. - 80 € - : 9 €. Charme discret d'une maison familiale où les chambres, aménagées comme pour recevoir des amis, sont ornées d'œuvres d'artistes locaux. Joli jardin au bord de la Savoureuse.

À proximité

PREMIER PRIX

Au Bout du Champ – Hors plan - 2, imp. des Combes-Salins - 90800 Bavilliers - à 10mn du centre de Belfort - ℘ 03 84 28 45 49 - www.auboutduchamp.fr - 🅿 🏊 📶 - 3 ch. - 75 € 🍵 - à partir de deux nuits consécutives : 70 €. Au bout d'un lotissement, dans une maison récente, chambres confortables, joliment aménagées (meubles peints, peintures dans différentes teintes de blanc). Piscine et spa.

Aux Portes de l'Alsace – Hors plan - 22 r. Principale - 90100 Suarce - à 25 km au SE - ℘ 03 84 19 33 25 - 🅿 📶 - 3 ch. - 57/107 € 🍵. Maison d'hôte accueillante dans une bâtisse à colombages du Sundgau belfortain. Literie un peu ancienne, mais accueil très chaleureux.

UNE FOLIE

Cabanes des Grands Reflets – Hors plan - Étang Verchat - 90100 Joncherey - ℘ 03 84 77 00 10 - www.cabanesdesgrandsreflets.com - avr.-nov. - 11 cabanes - 160/270 € 🍵. Sur l'eau ou dans les arbres,

3

avec ou sans spa, choisissez la cabane qui vous fera le plus rêver. Un lieu magique en pleine nature, respectueux de l'environnement.

RESTAURATION

🍴 **Quelques spécialités** – L'Épaule du Ballon, un plat d'agneau accompagné de myrtilles ; le Belflore, un gâteau aux framboises recouvert d'amandes meringuées et de noisettes ; les chocolats Facettes du Territoire de Belfort ou Crottes du Lion.

BUDGET MOYEN

❺ **Le Restaurant du Palais** – A1 - 12 r. Metz-Juteau - ☎ 03 84 21 19 99 - www.restaurantdupalais. com - fermé 1 sem. à Pâques, 3 sem. fin juil.-déb. août, dim. et lun. - plat du jour à midi 9,50 € - 28/34 €. Ambiance bistrot dans ce restaurant à deux pas du palais de justice où les habitués se pressent à midi pour boire un verre ou manger de bons petits plats fraîchement cuisinés (réserv. conseillée).

❿ **Le Pot au Feu** – B1 - 27 bis Grand-Rue - ☎ 03 84 28 57 84 - http://lepotaufeu.fr - fermé 2e sem. août, sam. midi, lun. midi et dim. - formule déj. 15/21 € - 26/35 €. Dans une jolie cave aux pierres apparentes, la cheffe fait revivre avec réussite les plats de son enfance, aux côtés de recettes régionales et d'une ardoise inspirée du marché. Vaste carte des vins.

❶ **Les Capucins** – A2 - 20 fg Montbéliard - ☎ 03 84 28 04 60 - www.capucins-hotel.fr - fermé w.-end et j. fériés, vac. de Noël et 3. sem. en août - formule déj. 17 € - 33/43 €. Œuf bio cuit à 63 °C, mousseline chou-fleur, fricassée de girolles à l'origan du jardin, médaillon de filet de veau glacé au parmesan, petits pois et jus à

la sarriette : que de belles saveurs, que de beaux produits ! On ne se fait pas prier pour entonner les litanies gourmandes de ces Capucins…Hôtel rénové dans un style contemporain et élégant (37 ch. 69/119 € - : 10 €).

❷ **Le Balcon by la Société** – A1 - 11 bd Sadi-Carnot - ☎ 03 84 36 39 93 - 12h-14h, 19h-22h30 - 15/30 €. Plats entre inspirations asiatique et streetfood aux saveurs originales à la carte de ce restaurant tendance. Sushi burger à la mayonnaise épicée, fish and chips d'aiguillettes, mochis glacés (un dessert japonais avec pâte de riz gluant à l'extérieur et crème glacée à l'intérieur) ou pecan pie pour finir sur une note sucrée…

À proximité

PREMIER PRIX

La Péniche – Hors plan - 5 bis r. de la Libération - 90130 Montreux-Château - à 17 km au SE - ☎ 03 84 58 91 28 - www.restaurant-la-peniche.fr - fermé dim. soir et lun. - formule déj. 13,90 € - carte en soirée. On déjeune sur une péniche amarrée sur le canal du Rhône au Rhin. La cuisine est réalisée à partir de produits de saison (producteurs locaux), et les desserts sont faits maison. Si le temps le permet, on profite de la terrasse. Réserv. conseillée en saison et le w.-end.

BUDGET MOYEN

Au Jardin d'Olivier – Hors plan - 54 r. du Gén.-Leclerc - 90600 Grandvillars - à 19 km au SE de Belfort par la N 19 - ☎ 03 84 27 76 03 - fermé sam. midi, dim. soir et lun. - formule déj. 13 € - 25/50 €. Dans cette auberge rénovée, aux murs blancs et aux poutres mauves, le jeune chef vous concocte une cuisine au goût du jour, un brin audacieuse.

Hostellerie des Remparts – Hors plan - *1 pl. Raymond-Forni - 90100 Delle - ☎ 03 84 56 32 61 - www.hostellerie-des-remparts.fr - fermé 1 sem. en fév., 3 sem. en août, lun., mar. merc. jeu. soir et dim. soir - formule 13 €, menus 15 € (déj. sem.), 30/54 €.* Cette bâtisse de 1576 fait partie du patrimoine local. On prend place, au choix, sous la charpente de l'étage, très rustique ; dans la salle du bas, plus moderne ; ou aux beaux jours sur la terrasse en bord de rivière. La cuisine ? Celle d'un chef aussi jovial que généreux. Tout est dit.

L'Auberge du Lac – *27 r. du Lac - 90350 Évette - ☎ 03 84 19 33 27 - 12h-14h, 19h-22h30 - 20/35 €.* Cadre agréable, au pied du lac de Malsaucy. Possibilité de manger sur pilotis ou sur la terrasse lors des beaux jours. La friture de carpes est la spécialité de la maison, mais un large choix de plats pour tous les goûts figure à la carte.

UNE FOLIE

Le Pot d'Étain – *4 av. de la République - 90400 Danjoutin - à 3,5 km au S - ☎ 03 84 28 31 95 - http://restaurant-potdetain.fr - ℗ - fermé sam. midi, dim. soir et lun. - formule déj. 35 € - 58/98 €.* À la sortie de Belfort, cette table étoilée s'impose comme une valeur sûre : avec de bons produits, le chef dresse des assiettes dans l'air du temps, précises et goûteuses. Le décor simple et avenant évoque une maison particulière.

Auberge de la Tour Penchée – Hors plan - *2 r. de Delle - 90400 Sevenans - à 11 km au S - ☎ 03 84 56 06 52 - www. latourpenchee.com - 1 sem. en août, 1 sem. en fév., sam. midi, dim. soir et lun. - formule déj. 25 € - 55/85 € - réserv. obligatoire.*

Une petite maison bleue, au décor délicieusement baroque. Beaucoup de chaleur pour déguster les créations d'un chef étoilé, amoureux du produit.

ACHATS

Marché aux puces – Le 1er dim. matin du mois de mars à décembre, dans la vieille ville.

Le Grain de Café – *6 pl. d'Armes - ☎ 03 84 21 31 95 - mar.-sam. 9h-19h ; lun. 10h-18h ; salon de thé mar.-sam. 8h-19h ; lun. 10h-18h - fermé dim. sf marché aux puces.* Le fils de Michel Perello, célèbre épicier, perpétue la tradition familiale dans cette petite épicerie fine qui fait aussi salon de thé et restauration rapide. Grande terrasse sur la place d'Armes.

Pâtisserie Vergne – *14 fg des Ancêtres - ☎ 03 84 57 03 71 - www.patisserie-vergne.fr - mar.-vend. 8h30-12h30, 14h-19h, sam. 7h-19h, dim. 7h-14h, fermé le lun.* Une farandole de pâtisseries et de chocolats préparée par un ancien pâtissier de Matignon. Une de ses spécialités : le pavé de Corbis aux amandes et à la fleur d'oranger.

Chocolaterie Klein – *19 av. Wilson - ☎ 03 84 28 06 91 - www. klein-stephane.com - tlj sf lun. 8h-19h.* Pour les amoureux du chocolat. On y trouve les Facettes du Territoire, fourrées d'une ganache framboise, d'un praliné feuilleté ou d'un praliné citron.

Ludovic Maire – *22 bis r. Pierre-Dreyfus-Schmidt - ☎ 03 84 22 06 97 - https://ludovicmaire.fr - lun. 14h-18h30, mar.-vend. 9h30-18h30, sam. 10h-18h30, fermé dim.* Pâtisseries et chocolats raffinés, tous élaborés en fonction des saisons. Impossible de résister aux macarons, qui font la renommée de la maison. Des plus classiques (vanille, praliné,

3

citron…) aux plus originaux (saveur bonbon Arlequin, rose ou encore mojito) !

PETITE PAUSE

Marcel et Suzon – *6 Grande-Rue - ☏ 06 63 78 56 63 - mar.-sam. 12h-22h.* Meubles, vaisselle et objets de décoration chinés, sur fond de tapisserie à fleurs : un décor original – kitsch ou vintage selon les avis – pour les deux salles de ce salon de thé. Petite restauration préparée en partie à base de produits bio (tartines à partir de 8 €).

EN SOIRÉE

Théâtre Le Granit – *1 fg de Montbéliard - ☏ 03 84 58 67 67 - www.legranit.org.* Théâtre, mais aussi danse, cirque, musique : cette scène nationale propose une programmation de qualité.

L'Estaminet – *4 r. de la Porte-de-France - ☏ 03 70 92 39 83 - 17h30-1h - fermé dim.-lun.* Vous trouverez votre bonheur parmi les larges gammes de bières (blondes, brunes, ambrées, blanches, fruitées) et de vins, dans ce bar installé dans l'une des plus anciennes épiceries de France.

À proximité

Caveau des Remparts – *Pl. Raymond-Forni - 90100 Delle - ☏ 03 84 36 88 96 - www.delle-animation.com - Une fois par mois, de mai à sept. à 21h - 13 €.* Cette maison du 16e s. à l'acoustique exceptionnelle accueille régulièrement des concert de jazz.

ACTIVITÉS

La Clé du Bastion (Room escape game) – *Tour 27, r. des Bons-Enfants - www.lacledubastion. com - groupe de 3 adultes mini. et 2 enf. maxi. sur réserv. : mar.-vend. 16h30-22h, w.-end*

10h-22h - 16/22 €/pers. (6-10 ans 6 €, -5 ans gratuit). Vous aurez 1h pour relever le défi : retrouver les plans de fortification de Vauban ou les notes du discours du sculpteur Bartholdi pour l'inauguration de son Lion dans une authentique tour bastionnée du 17e s. Une façon ludique de découvrir l'histoire de la ville.

Base de loisirs de Malsaucy – *90300 Sermamagny - Env. 8 km au NO de Belfort, par la D 465 et la D 24 - ☏ 03 84 90 90 10 - www. territoiredebelfort.fr - mai.-déb. sept.* Elle dispose d'une large gamme d'activités : baignade, pédalos, voile, canoë-kayak, animations estivales, sentier de découverte, expositions sur la nature à la Maison de l'environnement (*☏ 03 84 29 18 12*), observatoire ornithologique. Le site accueille chaque année les Eurockéennes.

Étang des Forges - base nautique des Forges – *R. Auguste-Bussière - au N de la ville, par la D 13 - ☏ 03 84 21 44 01 - www.franche-comte.org - fermé nov.-mars.* Voile, randonnée, tir à l'arc, aviron, pêche « no kill » ou canoë-kayak : à vous de choisir.

Randonnée cycliste

Belfort a créé de nombreux itinéraires à vélo. Rens. auprès de Belfort Tourisme.

Promenade F.-Mitterrand – Entre le centre-ville et le lac du Malsaucy (♿ p. 174).

Coulée verte – Entre Montbéliard et Belfort, cet itinéraire de 26 km aménagé pour les cyclistes longe le canal de la Haute-Saône.

EuroVélo 6 – *www.eurovelo6.org - Rens. à la Maison du tourisme.* Reliant Belfort à Dole, 187 km de pistes cyclables ont été aménagées sur les chemins de halage des canaux et du Doubs. Les pistes, ouvertes aux piétons, rollers et cyclistes, passent par Montbéliard et Besançon.

Francovélosuisse – *www. francovelosuisse.com*. Itinéraire de 40 km entre Belfort et Porrentruy (Suisse), aménagé pour les cyclistes. Les 2/3 du parcours sont en voie verte protégée. En complément, 300 km de boucles combinables. Un réseau d'hébergements et de restaurants proposent un accueil spécifique.

Randonnée pédestre

Plus de 1 000 km de sentiers balisés sur le département. Certaines fiches de randonnées sont téléchargeables sur le site www.belfort-tourisme.com.

AGENDA

👥 **Solstice de la marionnette** – *Mi-fév.-mi-mars - www. marionnette-belfort.com*. Un festival de marionnettes avec des compagnies du monde entier.

Festival international de musique universitaire (Fimu) – *Pentecôte - www.fimu.com*. Pendant 3 jours, le cœur de la vieille ville bat au rythme des concerts gratuits de musique classique, de jazz et de rock, animés par 3 000 musiciens du monde entier dans 15 lieux différents.

Les Eurockéennes – *3 j. le 1er w.-end de juil. - www. eurockeennes.fr - 43,50/115 €*. Festival de rock en plein air. ♿ *p. 174*.

Reconstitutions historiques à la citadelle – *W.-end de juil. et août*. Animations en accès libre.

Mercredis du château – *Juil.- août*. Concerts gratuits à la citadelle.

Spectacle historique – *3 jours mi-juil. - 90140 Brebotte -* 📞 *03 84 23 42 37 - www. museebrebotte.com - spectacle 12 € (enf. 8 €), avec le repas 32 € (enf. 20 €)*. Spectacles historiques accompagnés de repas médiévaux : un hommage à la vie rurale d'antan.

Entrevues – *Fin nov.-déb. déc. - www.festival-entrevues.com*. Nouveaux talents et plus grands succès du septième art.

3

Ballons d'Alsace et de Servance

Haut-Rhin (68), Haute-Saône (70), Vosges (88), Territoire de Belfort (90)

Dominant le flanc sud du massif des Vosges, le ballon d'Alsace s'inscrit à la rencontre de trois régions et quatre départements, là où mines et filatures ont attiré nombre de migrants. Pasteurs, dès la fin du Moyen Âge, et militaires, protégeant les frontières, se sont relayés pour occuper les ballons. Désormais, sapins et épicéas, charmants sous-bois, pâturages et fleurs alpestres ont investi leurs douces pentes et offrent un espace naturel exceptionnel dans lequel marcheurs, skieurs ou cyclistes peuvent effectuer de superbes parcours.

🙂 NOS ADRESSES PAGE 190
Hébergement, restauration, achats, activités, etc.

🛈 S'INFORMER

Point Info sur le ballon d'Alsace - col des Démineurs - ℘ 03 29 25 20 38 - juil.-août : 10h-12h30, 13h-18h ; mai-juin et sept. : w.-end et j. fériés 10h-12h30, 13h-18h. Point Info de Giromagny - 45 bis Grande-Rue - ℘ 03 84 56 24 19 - de mi-juin à mi-sept. : 14h-18h, sam. 10h-12h30, 13h30-17h30, dim. 10h-14h ; Point Info gare de Delle - 21 av. du Gén.-de-Gaulle - ℘ 03 84 56 20 48 - 6h30-19h - fermé w.-end.

Espace Nature Culture de Château-Lambert – *℘ 03 84 20 49 84 - www.parc-ballons-vosges.fr - de mi-avr. à fin sept. : 10h-13h, 14h-18h ; reste de l'année : merc.-vend. et dim. 14h-17h30 - fermé déc.-janv.*

▶ SE REPÉRER

Carte de microrégion C1 (p. 150).
À cheval sur quatre départements, le ballon d'Alsace est le plus méridional des ballons des Vosges. On accède à Giromagny, important carrefour

et porte d'entrée sud du massif, par la D 465 vers le nord à partir de Belfort (14 km). Château-Lambert, accès nord, est à 29 km de Lure par la D 486. La gare Belfort-Montbéliard TGV se trouve à 25 km de Giromagny. par l'A 36 et le D 465.

👁 À NE PAS MANQUER

Les superbes panoramas que l'on découvre du haut du ballon d'Alsace et du ballon de Servance ; la route du col des Croix, frontière entre Lorraine et Franche-Comté ; la pittoresque cascade du saut de l'Ognon.

🕐 ORGANISER SON TEMPS

Comptez environ 1h30 pour le sentier de découverte du ballon d'Alsace, mais ses paysages préservés méritent de s'y attarder quelques jours.

👪 AVEC LES ENFANTS

Un pique-nique au ballon d'Alsace ; ski et luge en hiver, accrobranche et randonnée en été ; visite du musée départemental de la Montagne.

Circuits conseillés Carte de microrégion p. 150

À cheval entre l'Alsace et la Franche-Comté, le vaste territoire du **Parc naturel régional des Ballons des Vosges** vous étonnera par la variété de ses paysages préservés : pâturages d'altitude (hautes chaumes sur les Ballons), plateau des Mille Étangs, tourbières, cirques glaciaires, lacs, rivières et collines couvertes de résineux. Ici vivent chamois et lynx ; écrevisses, truites et tritons peuplent étangs et rivières ; lys martagon, gentianes, myrtilles égaient les pentes…

★★★ BALLON D'ALSACE : DE GIROMAGNY AU BALLON D'ALSACE

▶ *Circuit de 17 km tracé sur la carte de microrégion – Comptez 5h. Procurez-vous la brochure Vosges du Sud disponible à la Maison de tourisme.*

Giromagny C2

Important carrefour sur la haute vallée de la Savoureuse, cette petite ville fut longtemps un grand centre d'industries textiles. Édifié entre 1875 et 1879, le **fort de Giromagny**, ou **fort Dorsner**, était doté d'un important armement et formait le lien entre la ligne de défense de la haute Moselle et la citadelle de Belfort. *Chemin du Fort - ✆ 06 72 56 42 70 - www.facebook.com/fort.dorsner - visite guidée sur demande préalable (1h30) juil.-août : merc., dim. et j. fériés 14h-18h ; J. du patrimoine : sam. 14h-18h, dim. 10h-18h - 4 € (-12 ans gratuit) - visites guidées (1h30) de nuit à la lampe à pétrole juil. : 21h ; août-sept. : 20h.*

Quittez Giromagny par la D 465, vers le nord.

Passé **Lepuix**, petite localité industrielle, on emprunte une gorge étroite.

Roches du Cerf C1

Elles bordent un verrou glaciaire et portent des stries horizontales creusées par les moraines latérales du glacier. Une école d'escalade utilise les possibilités naturelles de ce site.

Maison forestière de Malvaux C1

Bien située dans un joli site à la sortie du défilé rocheux.

Saut de la Truite C1

Cascade formée par la Savoureuse au creux d'une fissure rocheuse.

Cascade du Rummel C1

🚶 *15mn à pied AR. Accès au pont, puis à la cascade, toute proche de la D 465, par un chemin signalé.*

Reprenez la D 465.

Au cours de la montée très pittoresque (laissez à droite la route de Masevaux), les versants, hérissés de rochers, sont couverts de sapins et de hêtres magnifiques. Les vues lointaines se succèdent sur les lacs de Sewen et d'Alfeld, puis sur la plaine d'Alsace et de la vallée de la Doller.

★★★ Ballon d'Alsace C1

🚶 *30mn à pied AR pour le sommet, 1h30 AR pour le sentier de découverte.*

C'est le point culminant des Vosges du Sud avec ses 1 247 m d'altitude. Il aurait d'ailleurs pu s'appeler ballon de Lorraine ou de Franche-Comté car son sommet marque la frontière entre trois départements. Le sentier d'accès facile – 400 m de dénivelé – s'amorce sur la D 465, devant la ferme-restaurant du ballon d'Alsace. Il se dirige à travers les pâturages, vers la statue de la Vierge : avant le retour de l'Alsace à la France, cette statue se trouvait exactement sur la frontière. Du balcon d'orientation, le **panorama★★** s'étend au nord jusqu'au Donon, à l'est sur la plaine d'Alsace et la Forêt-Noire, au sud jusqu'au Mont Blanc par temps favorable. 👨‍👦 Un sentier très facile (accessible aux poussettes) est jalonné d'une dizaine de tables de lecture pédagogiques. Il permet de faire le tour de la chaume sommitale et d'y admirer différents panoramas.

3

★★ BALLON DE SERVANCE : LA ROUTE DU COL

▶ *Circuit de 37 km tracé sur la carte de microrégion – Comptez 4h.*
Situé quelques kilomètres à l'ouest du ballon d'Alsace, le ballon de Servance culmine à 1 216 m et donne naissance à l'Ognon au cours tumultueux.

⚠ Attention ! Contrairement à ce que son nom laisserait à penser, le ballon de Servance ne se trouve pas sur la commune de Servance mais au sud-est du col des Croix.

Servance C1

Église – 𝒫 03 84 20 41 06 - *9h-18h - visite sur demande préalable à la mairie - 6 r. Eugène-Guingot.* Elle abrite un beau **retable** baroque sur le thème de l'Assomption. La Vierge s'élève au milieu des anges, au-dessus des apôtres et d'un enfant tenant son linceul. À droite et à gauche sont figurés saint Paul (tenant l'épée de sa décapitation) et saint Pierre.

Autrefois, on exploitait les carrières de syénite (belle roche rouge) dans lesquelles on tailla les colonnes de l'Opéra de Paris.

🥾 À la sortie sud du bourg, à droite, un sentier *(15mn AR)* mène au **saut de l'Ognon**, cascade originale qui se déverse en triangle au cœur d'une étroite gorge rocheuse. Il prend son élan sur les pentes du ballon de Servance avant un long parcours dans la plaine saônoise.

Quittez Servance par la D 486, vers le nord, en direction du col des Croix.

Col des Croix C1

Alt. 679 m. Dominé par le fort de Château-Lambert, il marque la frontière entre Lorraine et Franche-Comté, ainsi que la limite de partage des eaux entre mer du Nord (Moselle) et Méditerranée (Saône).

Au niveau du col, tournez à droite en direction du Ballon de Servance.

Château-Lambert C1

1 km après le col des Croix, on découvre ce charmant hameau qui accueille le musée de la Montagne ainsi que l'**Espace Nature Culture** *(voir jours et horaires d'ouverture p. 186).* Cet édifice en bois et au toit végétalisé est destiné à l'accueil d'expositions sur les Vosges saôniennes. Sur la place du hameau, un panneau décrit les nombreux sentiers qui permettent de parcourir les vallons bucoliques alentour.

★ **Musée départemental de la Montagne** – *Château-Lambert - 𝒫 03 84 20 43 09 - http://musees.haute-saone.fr - juil.-août : 9h30-19h, dim. et j. fériés 14h-19h ; avr.-juin et sept. : tlj sf mar. 9h30-12h, 14h-18h, w.-end et j. fériés*

La Planche des Belles Filles, station de ski, vue sur le Ballon de Servance.
D. Bringard/hemis.fr

14h-18h ; reste de l'année : tlj sf mar. 14h-17h - fermé 1ᵉʳ janv., 1ᵉʳ Mai, 1ᵉʳ et 11 Nov., 25 déc. - possibilité de visite guidée sur demande (1h30) - 4 € (-16 ans gratuit). 👤👤 Ce musée offre une reconstitution très complète de la vie rurale d'autrefois : on y voit un superbe moulin du 17ᵉ s., une forge, un pressoir, une ancienne salle de classe… Cabanes de bûcheron et luges de schlitteur représentent les métiers de la forêt. Une annexe est consacrée aux mines de Château-Lambert, où l'on exploita le cuivre dès la fin du 16ᵉ s. puis le molybdène au 20ᵉ s.

À proximité se trouvent une **chapelle** du 17ᵉ s. (chaire de la même époque) dédiée à sainte Barbe, patronne des mineurs, et l'**oratoire St-Antoine**.
Continuez sur la D 16 vers l'est sur 10 km. Cette ancienne route stratégique s'élève en corniche, offrant de jolies vues sur la vallée de l'Ognon avant de sinuer en forêt.

★★ Panorama du ballon de Servance C1

🚶 *Laissez votre voiture sur le parking. À droite, un sentier jalonné conduit (15mn à pied AR) au sommet du ballon (alt. 1 216 m).*

À l'ouest, la vallée de l'Ognon et le plateau glaciaire des Mille Étangs ; au nord-ouest, les monts Faucilles ; plus à droite, la vallée de la Moselle ; au nord-est se profile la chaîne des Vosges ; à l'est, beau point de vue sur la Planche des Belles Filles, reconnaissable à ses trois bosses, le ballon d'Alsace et, par temps clair, les Alpes suisses. Au sud-est et au sud, vue sur les contreforts vosgiens.

Ne manquez pas le sentier d'interprétation de la faune et la flore dont le départ est à l'auberge *(brochure)*.
Reprenez la D 16 en sens inverse et tournez à droite au col des Croix (D 486).

LE DIEU DU BALLON

Pas facile de s'y retrouver : alors que le Petit Ballon culmine à 1 267 m d'altitude, le ballon (tout court) d'Alsace atteint 1 247 m, dominant seulement de 31 m son voisin, le ballon de Servance (1 216 m). Pour les différencier, observez les sommets : le ballon d'Alsace est surmonté d'une statue de la Vierge et celui de Servance, d'un fort militaire. Sinon, tous trois affichent les mêmes silhouettes bombées et dénudées par leurs chaumes sommitales (pâturage extensif d'altitude). Et pas de malentendu : le terme « ballon » ne provient pas de leur forme arrondie : il serait dérivé du nom du dieu du soleil Bel (ou Belen) auquel les Celtes vouaient un culte au sommet de ces montagnes.

3

😊 NOS ADRESSES SUR LES BALLONS

TRANSPORTS

Bus des neiges – Pendant la saison hivernale (mi-déc. à mi-mars), ce service de bus assure la liaison les sam. et dim. entre Belfort et le sommet du Ballon d'Alsace. Horaires et réservation auprès de Eurocar-Horn au ☎ 03 84 54 60 70 ou auprès de la régie Destination Ballon d'Alsace au ☎ 03 84 56 75 28.

HÉBERGEMENT ET RESTAURATION

PREMIER PRIX

Grand Hôtel du Sommet – 90200 Lepuix-Gy - au sommet du ballon d'Alsace - ☎ 03 84 29 30 60 - www.hotelrestaurantdusommet. com - 🅿 - fermé lun. sf vac. scol. et de mi-nov. à mi-déc. - 24 ch. 60/75 € - ☲ 9 € - ✕ 15/34 €. Se réveiller sur les hauteurs… au grand air, entouré de prairies et de vaches, avec vue sur la vallée de Belfort, voire, par beau temps, sur les Alpes suisses. Repos assuré dans ces chambres simples mais confortables.

Chambre d'hôte La Villa du Lac – 2 rte du Ballon - 68290 Sewen - ☎ 03 89 82 98 38 - www.villa-du-lac-alsace.com - 📧 🅿 - fermé janv. - 5 ch. 62/67 € ☲ - ✕ table d'hôte 26 €. Cette villa de style 1930, sise au pied du ballon d'Alsace et face au lac de Sewen, constitue un point de départ idéal pour les randonnées. Au retour, vous dégusterez un bon petit plat alsacien avant de vous reposer dans l'une des chambres avec vue sur le plan d'eau ou la forêt. Copieux petits-déjeuners maison.

BUDGET MOYEN

Auberge des Mille Étangs et chambre d'hôte du Monthury – Rte de Beulotte-St-Laurent - 70440 Servance - Goutte Géhant, Monthury à 4,5 km au N de Servance par la D 263 - ☎ 03 84 63 82 26 - www. aubergedesmilleetangs.fr - 📧 - ✕ - fermé vac. de fév. - 5 ch. 82 € ☲ - ✕ plat du jour 18 € - menus à partir de 38 € - sur réserv. Face au ballon de Servance, cette ferme du 18ᵉ s., isolée dans la forêt au-dessus de la vallée de l'Ognon, permet une immersion totale dans la nature. Chambres au confort simple. Repas avec produits du terroir dans la grange aménagée, belle charpente et sol en tommettes. Parcours de pêche sur 7 ha d'étangs privés.

ACHAT

Brasserie La Rebelle – 23 fg de France - 90200 Giromagny - www.larebelle.net - merc.-sam. 18h30-20h. Découvrez la Rebelle, produite dans cette brasserie artisanale. Blonde, brune ou ambrée, la bière est ici pure malt et non filtrée.

ACTIVITÉS

🚡 Le Smiba (Syndicat mixte interdépartemental du Ballon d'Alsace) informe sur les activités estivales et hivernales dans la région. ☎ 03 84 28 12 01 - www. ballondalsace.fr - point d'accueil au Ballon d'Alsace - juil.-août : tlj ; sais. d'hiver : w.-end ; reste de l'année : selon la météorologie.

👥 **Sports d'hiver**

La station du **Ballon d'Alsace** (800-1 247 m) offre pendant l'hiver toute une gamme de sports de glisse : ski alpin (10 pistes), ski nordique (40 km, domaine commun avec la station de la Planche des Belles Filles), snowpark, luge, itinéraires balisés de raquettes. 44 enneigeurs installés en 2015 garantissent une vraie « saison blanche ». *Renseignements auprès du Smiba.*

Acropark – *Carrefour de la Gentiane, Ballon d'Alsace - 90200 Lepuix-Gy - ☏ 03 84 23 20 40 - www.acropark.fr - ✉ - juil.-août 13h-19h ; avr.-déb. nov. : se rens. - 14/24 €.* Sur le site du ballon d'Alsace, ce parc d'accrobranche compte près de 100 ateliers répartis en parcours de différents niveaux. On se promène d'arbre en arbre, en empruntant ponts de singe, tyroliennes, lianes de Tarzan. Vous pourrez aussi dévaler les pentes en Acrobulle, harnaché dans cette grande boule en PVC ou tester le Slackline.

Randonnées – Qu'elles soient pédestres, équestres, VTT ou en raquettes, elles sont toutes une manière privilégiée de découvrir le Parc régional des Ballons des Vosges - circuits et topoguides disponibles dans les offices de tourisme et les points d'accueil du Parc.

Les Vosges en hiver.
azureus70/iStock

3

Plateau des Mille Étangs

Haute-Saône (70)

Dépaysement garanti sur ce plateau souvent comparé à la Finlande et empreint de nostalgie. Encadré par les vallées de l'Ognon et du Breuchin, dans le parc naturel des Ballons des Vosges, le plateau des Mille Étangs doit son nom à la présence d'une multitude de petits étangs de formation glaciaire. Pays calviniste, bien qu'en terre catholique – les nombreux calvaires et chapelles le rappelaient aux voyageurs venant de Montbéliard – les forêts, les chemins et les tourbières ont gardé leur magie et leurs légendes.

😊 NOS ADRESSES PAGE 195
Hébergement, restauration, achats, activités, etc.

🛈 S'INFORMER

Office du tourisme des Mille Étangs – *Pl. de la Mairie - 70310 Faucogney-et-la-Mer - 🖉 03 84 49 32 97 - www.les1000etangs.com - juil.-août : 9h-12h, 13h30-17h30, sam. 9h-12h30 ; reste de l'année : tlj sf sam. 9h-12h, 13h30-17h30 - fermé dim., certains j. fériés.*

Office du tourisme de Mélisey – 👣 *p. 194.*

▶ SE REPÉRER

Carte de microrégion B1 (p. 150). Aux confins des Vosges et de la Haute-Saône, le plateau est accessible à partir de Luxeuil-les-Bains ou de Lure : Mélisey se situe à 11 km au nord de Lure (D 486), Faucogney-et-la-Mer à 14 km à l'est de Luxeuil-les-Bains (D 6).

👁 À NE PAS MANQUER

Le cadre sauvage des étangs, bordés de sapins et de bouleaux ; le belvédère de St-Martin, pour apprécier la vallée du Breuchin.

🕐 ORGANISER SON TEMPS

Un aperçu rapide de la région vous prendra 2 ou 3h, mais prenez votre temps : 850 étangs (et non 1 000 !), répartis sur 220 km², vous attendent.

👫 AVEC LES ENFANTS

Un circuit à VTT au milieu des étangs, ou une initiation à l'équitation.

Circuit conseillé Carte de microrégion p. 150

DES ÉTANGS HORS DU TEMPS

▶ *Circuit de 28 km tracé sur la carte de microrégion – Comptez 3h.*

Faucogney-et-la-Mer B1

Cette ancienne place forte comtoise, située sur le Breuchin, a connu un destin mouvementé. Elle fut le dernier village de Franche-Comté à résister farouchement aux troupes françaises en 1674, lors de la conquête de la Franche-Comté. Le château et les fortifications furent donc rasés sur ordre de Louis XIV. Seule la tour MXV échappa à la destruction.

La ville est dominée par la montagne St-Martin qui marque le début du plateau. Elle compte de belles maisons du 18ᵉ s., mais souvent inhabitées. Faucogney a perdu plus de la moitié de ses habitants depuis le 19ᵉ s.

Plateau des Mille Étangs, parc naturel régional des Ballons des Vosges.
D. Bringard/hemis.fr

L'**église St-Georges,** reconstruite au 18ᵉ s., a conservé le clocher de l'édifice précédent. Elle abrite un maître-autel du 18ᵉ s. orné d'un dais, du triangle symbole de Trinité et, sur la frise, de scènes de l'Ancien et du Nouveau Testament.

Quittez Faucogney vers l'est par la D 266, en direction de la chapelle et du belvédère de St-Martin.

Belvédère de St-Martin B1

Suivez une petite route fléchée qui s'embranche à droite sur la hauteur.

La route serpente dans un cadre sauvage. Les sombres bois de sapins s'éclaircissent par endroits pour révéler des petits étangs bordés de bouleaux et couverts de nénuphars.

Arrêtez-vous près de la chapelle et suivez sur quelques dizaines de mètres le sentier pédestre qui contourne par la gauche le cimetière et conduit à un belvédère.

Le belvédère offre une belle vue panoramique sur la vallée du Breuchin, avec sa forme en U caractéristique des vallées glaciaires. L'église, partiellement reconstruite au 18ᵉ s. a été édifiée sur un ancien autel gallo-romain consacré à la déesse Diane. Sur la face nord du clocher, notez une croix entourée d'entrelacs, vestige de l'époque carolingienne.

> ## DES ÉTANGS ARTIFICIELS
>
> Si les cuvettes du plateau des Mille Etangs ont été façonnées par l'érosion glaciaire, ce sont les hommes, au Moyen Âge, qui ont transformé en étangs ces zones marécageuses et ces tourbières. Exploités par les villageois, ils se remplirent de poissons (carpes, tanches…). La pratique de l'assec qui consiste à vider les étangs et à ramasser les poissons est devenue occasionnelle; la culture de céréales dans les étangs asséchés l'été est pour sa part révolue. Des écrevisses, en revanche, ont été réintroduites dans certains étangs.

LÉGENDES DU PAYS DES MILLE ÉTANGS

Brumes sur les étangs, forêts et marécages : le cadre idéal pour tant d'histoires ! Aux Fessey, vous pourrez voir la pierre Mourey ; cachant le trésor d'un magicien, elle est soulevée à chaque nuit de Noël par un géant qui la baigne dans l'étang voisin le temps de compter les pièces du trésor, avant de la remettre à sa place. La cascade du Brigandoux, affluent du Beuletin, devrait son nom à un seigneur de Burgonde devenu brigand, qui serait tombé dans le gouffre avec son cheval, en voulant le franchir…

Reprenez la D 266 en direction de La Mer. Nombreux étangs sur la gauche de la route. À La Mer, prenez à droite la D 266 vers Melay ou Ternuay (possibilité de voir le saut de l'Ognon (&. p. 188) en suivant la jolie départementale D 315 vers Servance). À Melay, poursuivez sur la D 293 en direction de Mélisey.

La route est jalonnée par de beaux calvaires de pierre. Une importante pierre isolée rappelle l'origine glaciaire de la région. Dans la région de Ternuay était autrefois exploité un gisement d'**ophite verte**, roche très dure d'où provient le soubassement du sarcophage de Napoléon Ier aux Invalides à Paris.

Mélisey B1-2

🏛 *Pl. de la Gare - 70270 Mélisey - ☎ 03 84 63 22 80 - www.les1000etangs.com - 9h-12h, 13h30-17h - fermé sam. et j. fériés.*

Sur la rive droite de l'Ogéon, cette bourgade parcourue par un réseau de canaux est dominée par son église, dotée d'un chevet roman du 12e s. et d'une chaire du 17e s. *(entrée libre - possibilité de visite guidée sur demande de la Tour de l'église auprès de l'office de tourisme.)*. On a découvert là des sarcophages mérovingiens.

Prenez deux fois à droite et remontez vers Écromagny sur la D 73.

Le **moulin Bégeot,** qui fonctionnait encore récemment, peut se visiter *(Les Granges-Baverey - ☎ 03 84 63 25 76 - www.moulinbegeot.eu - du dim. de Pâques à la Toussaint : 12h-18h - accès libre - possibilité de visite guidée sur demande (2h, 2 €).*

Écromagny B1

L'église en grès rose, couronnée de son traditionnel clocher comtois, surplombe le village. Ne manquez pas le « travail » à ferrer les bœufs sur la place, une pratique qui était très courante dans les Vosges saônoises. Voyez aussi les pierres levées qui délimitent les potagers et les belles fermes à « chari » aux alentours.

L'**étang Pellevin**, un des nombreux étangs qui entourent le village et l'un des plus étendus du plateau, a été aménagé. Il accueille parfois des compétitions de ski nautique.

LE CHARI

C'est un grand porche percé au centre du bâtiment, typique des Vosges saônoises ; protégé par l'avancée du toit, il menait à la grange, de part et d'autre de laquelle se trouvaient l'habitation et l'étable.

Prenez à gauche vers la Lanterne-et-les-Armonts (D 137), puis à droite la D 72. Après Annegray, prenez à gauche la D 139 qui mène à La Voivre, puis Ste-Marie-en-Chanois.

Ste-Marie-en-Chanois B1

L'église, dédiée à sainte Marie-Madeleine, est ornée d'un beau mobilier du 18e s. Le **retable** est dû aux frères Deschamps, auteurs de nombreux retables et originaires de Faucogney. La chaire est ornée de beaux panneaux peints représentant les évangélistes.

À la sortie de Ste-Marie-en-Chanois, en direction d'Amage, prenez à droite la jolie route forestière qui monte à la chapelle St-Colomban.

Selon la tradition, saint Colomban (☙ *p. 204*) aurait chassé un ours dans les hauteurs de Ste-Marie où il s'isolait pour prier. En 1872, en son honneur, une **chapelle** a été élevée près de la grotte effondrée. La source voisine, longtemps considérée comme miraculeuse, fut un lieu de pèlerinage jusqu'à la Révolution.

Faites demi-tour et rejoignez Faucogney.

😊 NOS ADRESSES PRÈS DU PLATEAU DES MILLE ÉTANGS

☙ Voir aussi nos adresses à Ronchamp et aux ballons d'Alsace et de Servance.

HÉBERGEMENT

PREMIER PRIX

La Scierie – *N°254 Le Bas - 70270 Fresse - à 9 km à l'E de Mélisey par la D97 -* ✆ *03 84 63 33 54 - www.lascierie.eu -* 📇 📶 - *3 ch. 50 € 🛏 - table d'hôte 22 €.* Moulin à eau puis scierie, cette bâtisse construite en 1760 au bord du Raddon fait aujourd'hui chambre d'hôte. Fleurs séchées, tissus, dentelles, meubles 1900 : la décoration cosy des chambres recrée l'ambiance de celles de nos grands-mères. La plus grande comporte un coin cuisine. Halte pour les chevaux.

RESTAURATION

BUDGET MOYEN

Auberge La Chevauchée – *Lieu-dit Les Tolots - 70290 Belfahy -* ✆ *03 84 23 60 17 - fermé dim. soir et lun. - assiettes 11 € - menu 28,50 €.* On vient ici aussi bien pour la table de terroir que pour les confitures goûteuses et la légendaire tarte aux myrtilles. Belle vue sur la vallée. Réserv. conseillée.

Auberge Les Noies Parrons – *1 Noies-Parrons - 70270 Mélisey - 2 km au NO de Mélisey par la D 72 dir. Faucogney -* ✆ *03 84 63 23 34 - fermé lun. et mar. sf j. fériés - 24/50 €.* Cette coquette ferme du 19e s. est entourée d'arbres et d'étangs. D'où le succès de sa terrasse au bord de l'eau et de sa truite crémée à l'ancienne. Le chef, ancien boucher, mitonne aussi terrines, foies gras, andouillettes, jarrets, coq au vin jaune et… pâtisseries. Personnage de théâtre, son épouse assure le service et… le spectacle.

La Bergeraine – *27 rte des Vosges - 70270 Mélisey -* ✆ *03 84 20 68 02 - www.la-bergeraine.fr - fermé lun., mar. soir et merc. soir, sam. midi et dim. soir - formule déj. (en sem.) 18/34 € - 32/60 € (w.-end et soirées). Réserv. conseillée.* Cette coquette maison située à la sortie nord du bourg dégage une atmosphère contemporaine et chaleureuse (parquets, tons pastel…). Intéressante cuisine, sophistiquée et classique.

ACTIVITÉS

😊 *Le Parc naturel régional des Ballons des Vosges a réalisé un guide sur la « route des Mille Étangs » (60 km, compter une journée, 14 haltes), fléchée au départ de Mélisey. Disponible dans les offices de tourisme et à l'Espace Nature Culture de Château-Lambert.*

Guide de pêche *–70270 Mélisey - petit guide disponible à l'office de tourisme sur la pêche en*

Haute-Saône, sa réglementation et une liste complète des endroits, rivières ou étangs autorisés. Également un calendrier des concours et le prix des cartes. La plupart des étangs de la région sont privés, mais quelques-uns ont été aménagés par les communes à Écromagny, Beulotte-St-Laurent et St-Germain (grand étang seul).

Cyclisme – Le plateau des Mille Étangs se prête particulièrement bien aux randonnées à vélo. Il existe plusieurs boucles balisées, telle la « boucle de la Mer » (24 km), entre Faucogney et Mélisey, dont le circuit correspond à peu de chose près au trajet décrit dans ce chapitre. *Brochures disponibles dans les offices du tourisme de Faucogney et de Mélisey.*

Randonnées à pied – Les circuits balisés sont nombreux : le parcours de Beulotte-St-Laurent, qui mène au plateau des Grilloux, fait 11 km, celui d'Esmoulières 8 km, celui de « La mer » 4 km. Chaque boucle est balisée par des signes facilement reconnaissables (poisson, maison, cercle de couleur…). *Brochures disponibles à l'office du tourisme de Faucogney-et-la-Mer ou de Mélisey.*

Équitation Le Manège des Mille Étangs – *70270 Mélisey - Zone de loisirs de la Praille - ☎ 06 07 96 47 99 - 24 € le cours (durée : 1h).* Ce centre équestre propose des cours aux extérieurs pendant les vacances scolaires. Encadrement professionnel. Réservation obligatoire.

AGENDA

Festival Mille Pas aux 1 000 Étangs – *Avr.-juin - 1,50 €/ randonnée - de 12 ans gratuit.* Un festival de balades en groupe réparties sur deux mois. Une belle occasion de découvrir de nouveaux circuits de randonnée. *Rens. dans les offices de tourisme de Faucogney et de Mélisey.*

Festival Musique et Mémoire – *2e quinz. de juil. - ☎ 03 84 49 33 46 - www.musetmemoire.com.* Ce célèbre festival de musique baroque propose chaque été depuis 1994 de multiples concerts dans les édifices religieux de la région. Créations musicales, résidences d'artistes.

Notre-Dame-du-Haut de Ronchamp

★★

2807 Ronchampois – Haute-Saône (70)

Le contraste est saisissant entre les friches industrielles du bourg minier de Ronchamp et la beauté éclatante de la chapelle N.-D.-du-Haut, réalisée par Le Corbusier. Que l'on soit profondément croyant comme les clarisses qui vivent dans le monastère voisin ou agnostique comme l'était Le Corbusier, il est difficile de ne pas être touché par la beauté et la pureté lumineuse qui se dégagent de ce lieu sacré.

NOS ADRESSES PAGE 200
Hébergement, restauration, achats, activités, etc.

 S'INFORMER

Office du tourisme de Ronchamp – *25 r. Le Corbusier - 70250 Ronchamp - ✆ 03 84 63 50 82 - www. ronchamptourisme.com - avr.-sept. : 9h-13h, 14h-18h, sam. 9h-13h ; reste de l'année : 9h-12h, 13h30-17h, lun. 13h30-16h30 - fermé dim. et j. fériés.*

Bon à savoir – *Un passeport, gratuit et disponible à l'entrée des sites et à l'office de tourisme, permet de visiter la chapelle, le musée de la Mine et la maison de la Négritude à prix réduit.*

SE REPÉRER

Carte de microrégion B2 (p. 150). À 12 km à l'est de Lure par la N 19 et 19 km à l'ouest de Belfort par la D 19, la ville s'allonge dans la vallée du Rahin.

À NE PAS MANQUER
L'architecture de N.-D.-du-Haut.

ORGANISER SON TEMPS
Comptez une journée pour vous recueillir à N.-D.-du-Haut et visiter le musée de la Mine et la Maison de la négritude et des droits de l'homme.

AVEC LES ENFANTS
La Maison de la négritude et des droits de l'homme de Champagney.

3

Découvrir

Accès par une route en forte montée à 1,5 km au nord de la ville ; sur le chemin, remarquez l'ancien puits Ste-Marie (1864). 13 r. de la Chapelle - ✆ 03 84 20 65 13 - www.collinenotredameduhaut.com - de déb. juin à mi-oct. : 9h-19h ; avr.-mai : 9h-18h ; reste de l'année : 10h-17h - fermé 1ᵉʳ janv. - possibilité de visite guidée sur demande (1h15) - 8 € (-17 ans 4 €).

La chapelle N.-D.-du-Haut domine le gros bourg industriel de Ronchamp, dont le nom est désormais associé à cette œuvre essentielle de l'architecture religieuse moderne, inscrite au Patrimoine mondial de l'Unesco depuis 2016. Après sa construction en 1955 sur une colline haute de 472 m, vouée au culte de la Vierge depuis le Moyen Âge, où plusieurs chapelles s'étaient déjà succédé, **Le Corbusier** expliqua : « J'ai voulu créer un lieu de silence, de prière, de paix, de joie intérieure… » Entièrement édifiée en béton, la chapelle impressionne par la pureté plastique de ses formes curvilignes, accentuée par le contraste entre le béton brut du toit et les murs blanchis à la chaux. La double coque du toit, supportée par des pilotis, lui aurait été inspirée par la coquille d'un crabe posée sur son bureau. Le Corbusier rompt ici avec le mouvement rationaliste et la rigidité de ses plans, au point que l'on a parlé de sculpture architecturale. À l'intérieur, on est immédiatement frappé par l'effet spatial suggéré par la légèreté de l'enveloppe de béton et la douceur d'une lumière traitée en clair-obscur. Ainsi, malgré des dimensions réduites, l'édifice semble spacieux tout en favorisant le recueillement. Les trois petites chapelles, correspondant aux trois tours extérieures, participent à ce jeu de lumière filtrant à travers les nombreux jours des parois inclinées. Cette adaptation au site est amplifiée par un sol épousant la déclivité même de la colline en direction de l'autel, réalisé en pierre blanche de Bourgogne. Dans la niche percée dans le mur sud, une statue mariale du 18e s., qui peut être tournée vers l'intérieur ou l'extérieur de la chapelle selon les cérémonies.

L'architecte **Renzo Piano**, auteur du Centre Pompidou à Paris, a créé au pied de la chapelle, dans le flanc même de la colline, une « porterie » pour accueillir les visiteurs ainsi que le monastère Ste-Claire, où vivent des sœurs clarisses depuis son inauguration en 2011. L'aménagement paysager a été confié à **Michel Corajoud**. On retrouve dans les constructions à semi-enterrées de Piano la volonté de s'adapter, comme Le Corbusier, à la topographie du lieu et d'épouser la même esthétique dépouillée. Béton, verre et métal en sont les principaux composants. Si les cellules des sœurs se dérobent au regard *(accès interdit)*, le visiteur peut apercevoir leur atelier de couture et entrer dans l'oratoire baigné d'une lumière douce et recelant quelques objets de culte attribués à sainte Colette (15e s.).

Se promener

Musée de la Mine

33 pl. de la Mairie - ✆ 03 84 20 70 50 - www.mineronchamp.fr - avr.-oct. : 10h-12h, 13h30-17h30 ; janv.-mars et nov. : tlj sf dim. 13h30-17h30 - fermé lun., certains j. fériés - possibilité de visite guidée (45mn) - 3,50 € (-10 ans 1,50 €).

Du milieu du 18e s. à 1958, Ronchamp a vécu grâce à ses houillères ; au 19e s., 1 500 personnes travaillaient dans les mines. Le musée retrace ces deux siècles d'activité minière (formation du charbon, construction des puits, outillage

---

BASSIN ET CANAL DE CHAMPAGNEY

Étrange histoire que celle de cette retenue d'eau de 106 ha, bordée par une digue de 785 m de long sur 41 m de haut, au sud-est de Champagney ! En 1870, la France perd l'Alsace et la Lorraine. Les péniches ne peuvent plus rallier Strasbourg par Nancy, mais doivent descendre vers Dole pour emprunter le canal de l'Est (achevé en 1887), soit presque le double de distance… La décision est prise d'ouvrir un canal de 83 km qui relierait Montbéliard à la Saône en traversant le pays de Lure. Le bassin de Champagney est creusé en 1882 pour alimenter le bief de partage des eaux et achevé en 1905. Commencent les travaux de creusement du canal. Après maints problèmes de fuites et de financement, 27 km sont ouverts à la navigation à l'est, en 1943 seulement. Mais la France a retrouvé ses territoires, les voies navigables ne sont plus rentables et le projet est abandonné. Aujourd'hui, le bassin alimente le bief Rhin-Rhône et accueille baigneurs et voiliers. Le chemin de halage, de Montbéliard à Frahier, sert de piste cyclable.

Ronchamp, Notre-Dame-du-Haut par Le Corbusier.
W. Zerla/age fotostock/ADAGP, Paris 2019

complet, lampes de mine, drames souterrains). Il réserve une place importante à la main-d'œuvre polonaise et aux maladies des mineurs – le fondateur du musée, Marcel Maulini, était le médecin des houillères avant leur fermeture.

🔦 *Des circuits pédestres (comptez 1h à 1h30) mènent à la découverte de l'histoire du bassin minier de Ronchamp (documentation à l'office de tourisme). L'un relie le puits Ste-Marie à la chapelle N.-D.-du-Haut, un autre part du Mémorial de la mine et suit les affleurements de l'étançon.*

À proximité Carte de microrégion p. 150

Champagney C2

▶ *4,5 km à l'est par la D 4.*

L'église de Champagney, de style baroque comtois, abrite une belle **Adoration des Mages** (début 16ᵉ s.) dans la nef gauche.

Maison de la négritude et des droits de l'homme – 24 Grande-Rue - ☏ 03 84 23 25 45 - www.maisondelanegritude.fr - ♿ - *juil.-août : 9h30-12h, 13h30-18h, w.-end 14h-18h ; avr.-juin et sept.-oct. : 10h-12h, 13h30-17h30, w.-end 14h-18h ; reste de l'année : tlj sf dim. 13h30-17h30 - fermé lun., vac. de Noël, certains j. fériés* - 3,50 € (-16 ans 1 €) - *animations enf. vac. scol.*

Le président sénégalais **Léopold Sédar Senghor** (1906-2001) accorda son patronage à ce mémorial. Celui-ci rappelle que Champagney fut l'une des premières villes à condamner l'esclavage dans ses cahiers de doléances du 19 mars 1789 et à en demander l'abolition à Louis XVI. J.-A. Priqueler, un enfant de Champagney monté à Versailles, proche de la société abolitionniste des Amis des Noirs (1788), avait sensibilisé la population au scandale de l'esclavage. Autour de la reconstitution de la cave d'un navire négrier sont présentés l'histoire de l'esclavage et son abolition en 1848. Les thèmes de la négritude, de l'esclavage moderne, du racisme et des droits de l'homme sont également abordés dans ce musée, dont la volonté est aussi de promouvoir la connaissance du monde noir.

NOS ADRESSES PRÈS DE RONCHAMP

Voir aussi nos adresses à Belfort et sur le plateau des Mille Étangs.

HÉBERGEMENT

BUDGET MOYEN

Maison d'hôtes du Parc – *12-14 r. du Tram - ☎ 03 84 63 93 43 - www.hotesduparc.com - 🅿 📶 - 5 ch. 110/130 € 🍽 ✗ 29 € sur réserv.* Une belle maison de maître entourée d'un parc et d'une rivière, au cœur du bourg de Ronchamp frappé par la désindustrialisation. Antiquités, instruments de musique, tissus meublent avec raffinement pièces communes et chambres.

À proximité

PREMIER PRIX

Hôtel Rhien Carrer – *14 r. d'Orière - 70250 Le Rhien - ☎ 03 84 20 62 32 - www.ronchamp.com - 🅿 📶 - fermé dim. soir - 19 ch. 62/87 € (suite 140 €) - 🍽 12 € - ✗ 26/44 €.* Hostellerie familiale proche de la chapelle N.-D.-du-Haut. Chambres au grand calme ; bon confort. Table du terroir avec spécialités franc-comtoises. Terrasse dans la verdure.

BUDGET MOYEN

Hôtel Le Pré Serroux – *4 av. Gén.-Brosset - 70290 Champagney - ☎ 03 84 23 13 24 - www.lepreserroux.fr - 🅿 🏊 📶 - fermé 3 sem. en déc.-janv. - 25 ch. 85 € - 🍽 12 € - ✗ fermé du vend. soir au dim. soir - formule déj. 18 € - 20/55 €.* Agréable hôtel au décor personnalisé (collection de mobylettes Peugeot, machines à coudre). Chambres confortables et modernes. Piscine couverte. Salle d'inspiration Art nouveau pour une cuisine de tradition et belle sélection de vins.

RESTAURATION

BUDGET MOYEN

Restaurant Marchal – *26 r. des Mineurs - ☎ 03 84 63 18 15 - www.restaurantmarchal.fr - 🅿 ♿ - fermé lun. et merc. soir, 2 sem. en juin, 25 déc., 1er janv. - formule déj. 14 € - 29/36 €.* La maison Marchal attire toujours pour ses fameuses fritures de carpe et sa cuisine copieuse et goûteuse. Vaste salle lumineuse en forme de rotonde, terrasse en été.

À proximité

BUDGET MOYEN

Hostellerie des Sources – *4 r. Grand-Bois - 70200 Froideterre - à 14 km à l'O de Ronchamp par les N 19 et D 72 - ☎ 03 84 30 34 72 - www.hostellerie-des-sources.com - fermé déb. janv. - 5 ch. 88/152 € - 🍽 10 € - ✗ sur réserv. - 28,50 €.* Ensemble de 5 chalets en bois au bord de l'eau, dont 3 avec sauna et spa en terrasse. Cuisine en fonction des produits du marché.

AGENDA

Pèlerinage – *8 sept. - chapelle N.-D.-du-Haut.* Pèlerinage ancien en l'honneur de la Vierge Marie ; un chemin de croix part de Ronchamp.

Lure

8253 Lurons – Haute-Saône (70)

Carrefour routier au nord-est de la Franche-Comté, dans la vallée de l'Ognon, la petite ville de Lure a grandi aux portes des montagnes de grès des Vosges saônoises. Terre de prédilection des évangélisateurs irlandais au 7ᵉ s., pays d'accueil des Alsaciens au 19ᵉ s., elle s'est enrichie au fil du temps de toutes ces influences.

😀 NOS ADRESSES PAGE 202
Hébergement, restauration, achats, activités, etc.

🅸 S'INFORMER

Office du tourisme du Pays de Lure – *ZA de la Saline - r. des Berniers - 70200 Lure -* 📞 *03 84 89 00 30 - www. pays-de-lure.fr/tourisme-loisirs - 8h-12h, 13h30-17h30, jeu. jusqu'à 17h - fermé w.-end.*

⚪ SE REPÉRER

Carte de microrégion B2 (p. 150). À 31 km à l'ouest de Belfort et 26 km à l'est de Vesoul (D 19 puis N 19).

👁 À NE PAS MANQUER

L'élégante sous-préfecture, ancien palais abbatial du 16ᵉ s. ; les façades à sculptures de la rue Pasteur ; l'église de Fresse (chaire sculptée, 18ᵉ s.).

🕐 ORGANISER SON TEMPS

Prévoyez une demi-journée pour Lure et ses environs, puis rayonnez depuis la ville vers les sites du Parc naturel régional des Ballons des Vosges.

Se promener

Sous-préfecture

Cet élégant bâtiment qui se mire dans le lac de Font est un ancien palais abbatial bâti en 1519 et profondément remanié au 18ᵉ s., l'un des seuls vestiges de l'abbaye fondée au 7ᵉ s. par saint Desle, compagnon de saint Colomban (♨ *p. 204*), et relevant de Luxeuil-les-Bains. Le lac a la particularité de ne pas geler ; par temps froid, ses eaux se mettent à fumer, alimentant toutes sortes de légendes.

Rue Pasteur

Au nᵒ 7, un ensemble de sculptures du 15ᵉ s. : à gauche la Trinité, et au linteau une Pietà, un saint suaire et la chasse miraculeuse de saint Hubert.

UN JOYEUX LURON

Sous le pseudonyme de **Christophe**, Georges Colomb (1856-1945) est à la fois écrivain, botaniste, historien et homme de radio. Natif de Lure, il est connu pour être l'auteur de textes illustrés lus par plusieurs générations d'enfants de la fin du 19ᵉ s. aux années 1950 : *La Famille Fenouillard, Le Sapeur Camember* (sa statue en bronze érigée avenue de la République est de Françoise Faure-Couty), *Le Savant Cosinus, Plic et Ploc*… Autant d'aventures rocambolesques vécues par des personnages un peu naïfs… G. Colomb fut aussi un défenseur de la thèse comtoise situant Alésia à Alaise (♨ *p. 89*), ce qui lui a valu un buste à Myon en 1934.

3

UNE VILLE STRATÉGIQUE

Saint Desle édifie au 5ᵉ s., sur un ancien site gallo-romain, un oratoire. Celui-ci, devenu une abbaye puissante, prend le statut de principauté à la fin du Moyen Âge. Enclave sous protection de l'Empire germanique en Franche-Comté, elle devient française par le traité de Nimègue en 1678. Louis XIV en fait un site stratégique pour l'approvisionnement de ses troupes postées en Alsace. La Révolution sonne le glas des princes abbés. Occupée par les Prussiens en 1870, la ville accueille ensuite les Alsaciens qui fuient leur région devenue allemande. Ceux-ci, installant nombre d'usines, lancèrent le développement de Lure (filatures Scheurer, établissements Grunn…).

Église St-Martin

47 av. de la République - ☏ *03 84 89 01 06 - 8h-18h - en cas de fermeture, clé disponible à la mairie.*

Élevée entre 1740 et 1745, elle abrite des reliques de saint Colomban et de saint Desle. Remarquez une belle chaire sculptée (1745), signée C.-F. Cupillard.

À proximité Carte de microrégion p. 150

Fresse B1-2

▶ *19 km au nord-est par la D 486, puis à droite la D 97.*

Dans l'église, belle **chaire★** sculptée du 18ᵉ s., provenant de l'abbaye de Lucelle (Haut-Rhin), statue de la Vierge à l'Enfant, en pierre polychrome, du 13ᵉ s., et statuette de sainte Barbe (patronne des mineurs et des pompiers), du 18ᵉ s.

Mollans B2

▶ *13 km au sud-ouest par la N 19, puis à gauche la D 13, après Genevreuille.*

Trois **fontaines**, dont deux monumentales : celle près de l'église (1849), due à un architecte de Lure (Jean-Baptiste Colard), arbore des airs de temple grec, tout en ménageant le dos des lavandières (lavoirs surélevés) ; dans la rue de l'église, la **fontaine du Calot** (1822) dont le beau travail de charpente repose sur des piliers de pierre (la présence d'insectes aquatiques signale une eau pure).

😊 NOTRE ADRESSE À LURE

HÉBERGEMENT

PREMIER PRIX

Hôtel Restaurant Le Luron – *92 av. de la République -* ☏ *03 84 30 03 03 - www. leluron.com -* 🅿 ♿ 🛜 *- 39 ch. 60/67 € -* ☕ *9 € - 1/2 P. 106 €/* *pers. -* ✖ *26,50/45,50 € (fermé vend. soir, sam. midi et dim. soir).* Un hôtel d'architecture moderne à deux pas du centre-ville. Le chef propose une carte renouvelée et plusieurs spécialités de fondues.

Luxeuil-les-Bains

6821 Luxoviens – Haute-Saône (70)

Portée par la puissante abbaye que saint Colomban fonda au 6ᵉ s., Luxeuil fut aussi longtemps une station thermale réputée. En témoigne la richesse décorative de ses belles maisons et hôtels de grès rose. Aujourd'hui, elle se refait une santé en développant ses loisirs autour du thermalisme. Mais on ne saurait évoquer Luxeuil sans parler de sa fameuse dentelle, à laquelle les plus habiles pourront même s'initier !

NOS ADRESSES PAGE 206
Hébergement, restauration, achats, activités, etc.

S'INFORMER

Office de tourisme – 53 r. Victor-Genoux - 70300 Luxeuil-les-Bains - ℘ 03 84 40 06 41 - www.luxeuil-vosges-sud.fr - juil.-août : 9h-12h30, 13h30-18h, sam. 9h-12h30, 13h30-17h, dim. 15h-18h, j. fériés 10h-12h, 14h-17h ; avr.-juin et sept.-oct. : tlj sf dim. 9h-12h30, 13h30-18h, sam. 9h-12h30, 13h30-17h, j. fériés 10h-12h, 14h-17h ; reste de l'année : tlj sf dim. et j. fériés 9h-12h, 14h-17h, sam. 9h-13h - produits régionaux, cartes, livres, cadeaux, location vélos et voitures électriques.

Visites guidées – Juil.-août : mar.-merc. ; de mi-mars à fin juin et sept.-nov. : se rens. L'histoire de la ville à travers ses monuments ou son passé romain. Possibilité de louer un audioguide à l'office de tourisme (2 €), visite audioguidée téléchargeable sur MP3, iPhone… - tarif, se rens.

SE REPÉRER

Carte de microrégion AB1 (p. 150). Malgré sa position excentrée, Luxeuil est facilement accessible : Vesoul est à 31 km (au sud-ouest, par la N 57), Lure à 17 km (au sud-est par la D 64).

À NE PAS MANQUER

L'abbaye St-Colomban, sa basilique et son cloître de grès rose ; l'imposant musée de la tour des Échevins ; la maison du cardinal Jouffroy, et… les soins détente proposés par l'établissement thermal.

ORGANISER SON TEMPS

Comptez une demi-journée pour le quartier thermal et la vieille ville.

AVEC LES ENFANTS

Un pique-nique en famille au parc thermal, à côté de l'aire de jeux.

Se promener

VIEILLE VILLE

Ses maisons anciennes restaurées se serrent autour de la basilique St-Pierre.

★ Maison du cardinal Jouffroy

Le cardinal Jouffroy, abbé de Luxeuil, puis archevêque d'Albi, fut jusqu'à sa mort le favori de Louis XI. Sa maison (15ᵉ s.), la plus belle de Luxeuil, accueillit ensuite de célèbres hôtes de passage : Mᵐᵉ de Sévigné, Augustin Thierry, Lamartine, André Theuriet. L'édifice ajoute au gothique flamboyant de ses fenêtres et de sa galerie quelques éléments Renaissance dont, sur l'un des côtés, une curieuse tourelle (16ᵉ s.), coiffée d'un lanternon, construite en encorbellement. Sous le balcon, la 3ᵉ clé de voûte à partir de la gauche représente trois lapins. Le sculpteur n'a représenté que trois oreilles en tout, mais le groupe est disposé de telle sorte que chaque lapin paraît avoir deux oreilles. Le jardin a été aménagé au 18e s. sur l'ancien rempart de la ville.

Musée de la tour des Échevins

36 r. Victor-Genoux - ✆ 03 84 40 00 07 - www.luxeuil-vosges-sud.fr - mai-oct. : 14h-18h - fermé mar. - possibilité de visite guidée (1h30) - 2,50 € (-12 ans gratuit).
La tour des Échevins est un imposant édifice du 15e s. aux murs crénelés. La décoration extérieure et la fine loggia de style gothique flamboyant contrastent avec l'allure générale de la construction. Du sommet de la tour *(146 marches)*, **vue** sur la ville et, au loin, sur les Vosges, le Jura et les Alpes.
À voir de remarquables monuments funéraires de pierre provenant de la ville gallo-romaine *(Luxovium)* : **stèles★** votives, inscriptions, ex-voto d'époque gauloise, reproduction de fours de potiers, etc. Le 1er et le 2e étage abritent le petit **musée Adler**, qui rassemble des œuvres du peintre Jules Adler, Vuillard et Pointelin.

Maison François-Ier

Son nom ne perpétue pas le souvenir du roi de France, mais celui d'un abbé luxovien. Ses arcades Renaissance sont ornées de superbes visages sculptés.

★ Abbaye St-Colomban

14 r. Victor-Genoux - www.amisaintcolomban.org - visite guidée sur demande préalable auprès de M. le directeur de l'abbaye au ✆ 03 84 40 13 38 - offrande.
L'abbaye de Luxeuil fut fondée à la fin du 6e s. par saint Colomban, moine irlandais très vénéré dans le pays *(voir encadré ci-dessous)*. Ayant reproché au roi de Bourgogne ses dérèglements, il fut chassé du pays et dut se réfugier à Bobbio, en Italie.

Basilique St-Pierre – *Pl. St-Pierre - ✆ 03 84 40 06 41 - visite guidée sur demande préalable 9h-18h - gratuit - audioguide disponible (2 €) - téléchargement fichier audioguide (gratuit) - se rens. à l'office de tourisme et sur le site Internet.* Succédant à une église du 11e s. dont il reste quelques vestiges, l'édifice actuel remonte aux 13e et 14e s. Des trois tours d'origine subsiste seulement le clocher occidental, reconstruit en 1527, dont le couronnement date du 18e s. L'abside a été refaite en 1860 par Viollet-le-Duc. De la place St-Pierre, on découvre le côté nord de l'église près de laquelle s'élève une statue moderne de saint Colomban. Un portail classique à fronton donne accès à l'intérieur, de style gothique bourguignon. On ne peut manquer le superbe **buffet d'orgues★**

SAINT COLOMBAN, L'IRLANDAIS

Né vers 540 en Irlande, Colomban parcourt, de 580 à sa mort en 615, le continent européen pour évangéliser les populations ; il crée plusieurs monastères au gré de ses pérégrinations. Après un premier monastère à Annegray *(10 km à l'est de Luxeuil)*, il fonde celui de Luxeuil en 590, l'un des plus importants d'Europe au haut Moyen Âge. Mais en conflit avec l'Église romaine et surtout avec la reine Brunehilde, grand-mère du roi Thierry II de Burgonde (Bourgogne), il est contraint à l'exil. Les guerres entre royaumes mérovingiens ponctuent ses déplacements, à travers l'Aquitaine, la Bretagne et la Neustrie, puis l'Austrasie (Allemagne) ; forcé par la conquête burgonde de partir en Helvétie, il y fonde un monastère (612). De nouveau poussés à l'exil, certains moines quittent le groupe pour fonder leurs propres abbayes ; Colomban et ses fidèles rejoignent la Lombardie et créent en 614 le monastère de Boggio. C'est dans un ermitage à proximité que s'achève le voyage du « Marcheur de Dieu ».

LA « BÂTARDE DE LUXEUIL »

La dentelle de Luxeuil a son heure de gloire au 19e s., alors qu'elle est très appréciée à la cour de Napoléon III. Surtout destinée à la décoration intérieure, elle pare aussi accessoires et vêtements féminins. Progressivement tombée dans l'oubli au cours du 20e s., elle renaît depuis 1978 grâce à un conservatoire qui maintient savoir-faire et tradition. On peut y voir des dentellières au travail et quelques exemples de « bâtarde ». Cet étrange nom parfois donné à la dentelle de Luxeuil vient de l'emprunt de différentes techniques italiennes (Venise, Milan) et de l'ajout d'un lacet mécanique.

(1617), soutenu par un atlante posé sur le sol et décoré de médaillons sculptés (⟡ *ABC d'architecture p. 470*). La chaire, au fin décor Empire, tranche avec l'architecture de l'église ; elle date de 1806 et provient de Notre-Dame de Paris : Lacordaire y prêcha. Dans le transept à droite, statue de saint Colomban.

Cloître – Il a gardé trois de ses quatre galeries de grès rose : une travée comportant trois baies surmontées d'un oculus remonte au 13e s., les autres ont été refaites au 15e-16e s. Le cloître abrite aujourd'hui le **Conservatoire de la dentelle** *(2 pl. de l'Abbaye - ☏ 03 84 93 61 11 - www.dentelledeluxeuil.com - mar. et vend. 14h-17h30 - possibilité de visite guidée sur demande (1h) - entrée libre - ce dernier propose des stages d'initiation ou de perfectionnement tte l'année.*

Bâtiments conventuels – Ils comprennent le bâtiment des moines des 17e-18e s. au sud de l'église et, sur la place St-Pierre, le palais abbatial (16e-18e s.), aujourd'hui hôtel de ville. La partie privée de ces bâtiments comporte quelques salles décorées en style Louis XV (décor de stuc), deux escaliers majestueux et une chapelle néo-Renaissance aménagée dans les anciens greniers à blé *visite guidée sur demande préalable à l'office de tourisme - accès libre J. du patrimoine.*

Maison du bailli

Elle date de 1473. La cour est dominée par un balcon de pierre flamboyant et par une tour polygonale surmontée de créneaux. Pour mémoire, le bailli était un juge abbatial.

Fouilles archéologiques

Pl. de la République - ☏ 03 84 40 06 41 - www.luxeuil.fr - ♿ - fermé pour travaux, réouv. prévue courant nov. 2019.

Place de la République, un chantier de fouilles a mis au jour d'importants vestiges datant de l'Antiquité et du haut Moyen Âge. Une vaste **nécropole** se serait installée à partir du 4e s. sur les ruines de **maisons gallo-romaines** (2e s.). Près de 125 sarcophages (5e-8e s.) ont été retrouvés. La fondation de l'église **St-Martin** (détruite en 1797) remonterait au début du 6e s. ; elle serait donc antérieure à celle du monastère de St-Colomban, qui l'annexera par la suite. Saint Valbert, le troisième abbé de Luxeuil, y sera inhumé vers 670.

QUARTIER THERMAL

Établissement thermal

3 r. des Thermes - ☏ 03 84 40 44 22 - www.chainethermale.fr - de mi-mars à fin nov. - fermé dim. - visite possible lors des portes ouvertes, se rens. à l'office de tourisme.

Entouré d'un beau parc ombragé, cet imposant édifice en grès rose des Vosges date du 18e s. (clocheton du 19e s.). Il fut construit à l'emplacement des thermes gallo-romains par J. Querret, un disciple de Claude-Nicolas Ledoux. Dans le hall, peintures de Jules Adler (1939).

3

☺ NOS ADRESSES À LUXEUIL-LES-BAINS

HÉBERGEMENT

PREMIER PRIX

Hôtel Résidence les Sources – *2 av. Jean-Moulin -* ☏ *03 84 93 70 04 - www.70lessources.fr -* 🅿 ♿ 🛜 *- fermé vacances de Noël - 41 studios 65/125 € -* ☕ *10 €.* Résidence à proximité immédiate du parc thermal. Studios entièrement équipés (séjour avec coin cuisine, belle salle d'eau avec douche à l'italienne). Agréable terrasse commune, espace bar et salon.

Résidence Le Métropole – *4 bis av. des Thermes -* ☏ *03 84 40 57 07 - www.cerise-hotels-residences.com -* 🅿 🛜 *- 43 appartements 59/84 € -* ☕ *9 €.* En face des thermes, ce grand hôtel du 19e s. propose des studios tout rénovés avec kitchenette. Résidence spacieuse et confortable avec un espace bar.

RESTAURATION

PREMIER PRIX

Instant gourmand – *1 r. Carnot -* ☏ *03 84 93 30 84 - mar.-merc. 12h-13h30, jeu.-sam. 12h-13h30, 19h-20h30, fermé dim.-lun. - formule déj. 14,70 € - 19,50/27,50 €.* Dans la rue aux 52 balcons, un restaurant très sympathique, à la cuisine légère et inventive.

EN SOIRÉE

Casino Joa de Luxeuil – *16 av. des Thermes -* ☏ *03 84 93 90 90 - www.joa-casino.com - 10h-3h, w.-end et veilles de j. fériés : 10h-4h.* Pour finir votre soirée, machines à sous, tables de roulette anglaise, black-jack, poker, restaurant et bar d'ambiance vous attendent à deux pas des thermes. Un hôtel, Le Clos Rebillotte (21 ch.), complète l'offre.

ACHATS

☺ Le traditionnel **jambon de Luxeuil**, légèrement fumé, bénéficie d'un label régional. La proximité de Fougerolles explique les nombreux produits à base de cerise : **kirsch**, **griottines**…

ACTIVITÉS

Chaîne thermale du Soleil – *3 r. des Thermes -* ☏ *03 84 40 44 22 - www.chainethermale.fr - 15h-18h45 ; nocturne mar. et vend. jusqu'à 21h30 - fermé déc.-fév. et le dim.* L'établissement thermal abrite un centre d'aquathérapie spécialisé en phlébologie, rhumatologie, gynécologie. Propose aussi des soins de remise en forme. L'après-midi, l'espace détente est ouvert à tous.

AGENDA

Journée orgue et chants grégoriens – *Lun. de Pâques - Basilique St-Pierre -* Concerts et concours d'improvisation d'orgue.

Festival de la dentelle – *1er w.-end de juin, tous les deux ans (prochaine édition en 2019) -* ☏ *03 84 93 61 11.*

Les marchés de nuit – *Juil.-août : mar. 17h-22h.* Marché nocturne sur les places St-Pierre et de la Baille (producteurs locaux, animations).

Les Pluralies – *Déb. juil. - Bureau du festival - 17 r. Victor-Genoux -* ☏ *06 71 88 07 46 - www.pluralies.net.* Au programme : concerts, spectacles de théâtre, de cirque, donnés dans différents lieux du centre historique. Certains spectacles sont gratuits.

👥 **L'Art dans la rue** – *1er w.-end de sept., tous les deux ans (prochaine en 2020) - www.artdanslarue.fr - entrée libre.* L'art s'invite dans la rue et les monuments du vieux Luxeuil.

Fougerolles, église avec clocher à l'impériale, vergers et pâturages, cerisiers en fleurs.
D. Bringard/hemis.fr

Fougerolles

3670 Fougerollais – Haute-Saône (70)

Comtoise ou vosgienne ? La petite ville a longtemps souffert de sa position frontalière qui lui valut d'être disputée par les ducs de Bourgogne et de Lorraine. Aujourd'hui capitale du « pays de la cerise », elle est très réputée pour sa production artisanale et industrielle de kirsch.

😊 **NOS ADRESSES PAGE 209**
Hébergement, restauration, achats, activités, etc.

3

🅰 S'INFORMER

Office du tourisme de Fougerolles – *1 r. de la Gare - 70220 Fougerolles - ☎ 03 84 49 12 91 - www.otsi-fougerolles.net - lun. et merc. 14h-18h, vend.-sam. 9h-12h (sept.-mai, merc. jusqu'à 17h - fermé j. fériés.*

▶ SE REPÉRER

Carte de microrégion B1 (p. 150). Fougerolles se situe à 10 km au nord de Luxeuil-les-Bains, par la N 57. Ne confondez pas avec Fougerolles-le-Château, à 2 km plus au nord.

👀 À NE PAS MANQUER

L'exceptionnel écomusée du Pays de la cerise, qui abrite une véritable unité de production de kirsch, et son verger conservatoire.

🕐 ORGANISER SON TEMPS

Comptez une demi-journée pour le village et alentour. Venez au printemps, pour les cerisiers en fleur, ou en juin-début juillet, pour leurs fruits.

👪 AVEC LES ENFANTS

L'écomusée du Pays de la cerise, le parc animalier près de l'ermitage St-Valbert.

EAUX DE CERISE

Fougerolles, « Site remarquable du goût » (👁 p. 492) depuis 1994 pour son fameux kirsch, compte dans ses vergers quelque 40 000 cerisiers. Les principales variétés cultivées, appartenant à la famille des **guignes**, sont l'auchâteau, la bêcha, la chapendu, la grande queue, la jean blanc, la marie jean diaude, la tinette. La cueillette, mécanisée, a lieu début juillet. La ville possède, depuis 1991, sa propre **Confrérie des gousteurs d'eau de cerise** dont l'objectif est de faire connaître ses produits du terroir. Le 5 mai 2010, le kirsch de Fougerolles a obtenu une AOC qui regroupe 11 communes, soit plus de 10 000 arbres et une cinquantaine de producteurs. Espérée depuis longtemps, cette appellation devrait dynamiser l'activité, fortement concurrencée par les kirsch allemands. Le kirsch de Fougerolles reste 5 ans en bonbonne, avant d'être mis dans son « Bô Fougerollais ». Il faut 9 kg de cerises pour 1 l de kirsch à 50° !

Se promener

★ Écomusée du Pays de la cerise

2 km au nord par le C 201. 206 Le Petit-Fahys - 𝄞 *03 84 49 52 50 - www.ecomusee-fougerolles.fr - juil.-août : 11h-19h ; de mi-fév. à fin juin et de déb. sept. à mi-nov. : tlj sf mar. 14h-18h - fermé certains j. fériés - possibilité de visite guidée (1h15) - 5 € (-16 ans 3 €).*

👥 Installé au hameau du Petit-Fahys, dans les bâtiments d'une des premières distilleries industrielles du terroir (1831), ce musée particulièrement vivant s'attache à présenter une authentique unité de production de kirsch. Entièrement rénové et repensé de 2001 à 2007, il relate l'histoire d'une activité agricole, renommée dès le 17e s., et devenue activité industrielle au 19e s. On visite la maison de **Desle-Joseph Aubry**, propriétaire en 1829 et l'un des pionniers de la distillation industrielle : une dizaine de pièces entièrement meublées dont la maison des domestiques, le grenier d'affinage, l'entrepôt d'expédition, les ateliers… On découvre des batteries d'alambics monumentaux et étincelants, fonctionnant au bain-marie ou à la vapeur, tout en s'instruisant sur le fruit, les rites de consommation de l'eau de cerise, les législations… L'inséparable environnement agricole et les diverses activités artisanales se greffant sur la distillerie sont évoqués par de nombreux outils et reconstitutions d'ateliers : tonnellerie, vannerie, textiles, four à pain, « chélo » (ou « chalot », abri agricole). Un **verger conservatoire**, où sont cultivées des variétés locales de cerisiers, jouxte les bâtiments de l'écomusée.

À proximité Carte de microrégion p. 150

Ermitage St-Valbert B1

𝄞 *03 84 40 30 03 - www.amisaintcolomban.org/Ermitage-Valbert.html - 9h-18h - entrée libre - possibilité de visite guidée par l'association Les amis de St-Colomban (gratuit).*

Autour d'une grotte fréquentée par saint Valbert au 7e s., l'ermitage s'est développé au 18e s. Vous y verrez une statue du saint sculptée dans le rocher.

👥 Juste à côté, un **parc animalier** de 60 ha invite à découvrir avec les enfants les animaux des forêts (chevreuils, cerfs Sika, chamois, bouquetins, mouflons…). 𝄞 *03 84 40 06 41 - www.luxeuil-vosges-sud.fr - juil.-août : 14h-19h ; avr.-juin et sept.-oct. : w.-end 14h-19h - fermé 1er Mai - possibilité de visite guidée sur demande (2h) - 2 € (-12 ans 1 €).*

👁 NOS ADRESSES À FOUGEROLLES

HÉBERGEMENT

👁 **Destination 70** – ☏ 03 84 97 10 80 - www.destination70.com. Gîtes en location (semaine ou w.-end) dans la région.

À proximité

BUDGET MOYEN

Chambre d'hôte La Noue Aubain – 8 imp. de la Noue Aubain - 70320 Corbenay - à 6 km à l'O de Fougerolles par la D83 - ☏ 06 48 26 27 27 - www.la-noue-aubain. com - 🅿 📶 - 3 ch. 80 € 🛏 - 🍴 18/25 €. Trois chambres au décor contemporain dans une exploitation laitière bio. Espace «bien-être» ouvert sur une terrasse avec SPA (10 €/h). Possibilité de massage par un professionnel (sur RV).

RESTAURATION

👁 **Le gandeuillot** – Pour Mardi gras, on déguste cette saucisse fumée arrosée de kirsch, avec de la choucroute ou une salade de pissenlit.

À proximité

PREMIER PRIX

Auberge de la ferme St-Vallier – 30 rte de Clairegoutte - 88340 Girmont-Val-d'Ajol - à 16 km au N de Fougerolles par les D83 et D23 - ☏ 03 29 30 62 77 - www. aubergesaintvallier.fr - fermé lun. (juil. et août) et lun.-ven. hors saison - 2 gîtes : 250/320 € (1 sem.), 125 € (3 nuits), 85 € (2 nuits) - formule déj. 16 € - 19/22 €. Dans le calme de la campagne, cette auberge de famille respire le terroir : recettes simples composées de produits locaux à découvrir dans l'une des cinq salles ou en terrasse.

ACHATS

Institut Griottines – 43 av. Claude-Peureux - ☏ 03 84 49 63 47 - www. griottines.com - tlj sf dim. et j. fériés 9h-12h30, 13h30-19h (sam. 18h). L'institut s'est spécialisé dans la production de ces petites cerises macérées et délicieusement alcoolisées (15°) et conçoit une gamme de produits gourmets à partir des eaux de vie et spiritueux produits par la Distillerie Peureux. L'espace démonstration propose des cours de cuisine.

La Distillerie Paul-Devoille – 9 r. des Moines-Hauts - ☏ 03 84 49 10 66 - http://devoille.com - lun.-vend. 8h-12h, 13h30-18h, sam. 10h-12h, 14h-18h - ouv. le dim. d'avr. à sept. et en déc. 10h-12h, 14h-18h. Depuis 1859, la maison Devoille élabore selon les méthodes traditionnelles une large gamme d'eaux-de-vie, liqueurs, crèmes, apéritifs et fruits à l'alcool. Visites guidées gratuites suivies d'une dégustation (lun.-vend. 10h30 et 15h30 de juil. à mi-sept.; à 15h30 le mar. le reste de l'année).

Produits de la ferme Vaulot-Cholley – 49 Le Grand-Fahys - ☏ 03 84 49 10 95 - tlj sf dim. 9h-12h, 13h30-18h. Jus de fruits, sirops et confitures faits sur place.

AGENDA

Fête des cerises – 1er w.-end de juil. Pour fêter la cueillette des cerises, grand marché aux fruits, défilé de char, élection de Miss Cerises et portes ouvertes dans les distilleries ! «Les Berdi-Berdo» mènent la danse !

Foire aux beignets de cerise – 3e dim. de sept. Fête autour des produits du terroir organisée par la Confrérie des gousteurs d'eau de cerise et le comité de foire.

Semaine du goût – 3e sem. d'oct. La ville de Fougerolles, site remarquable du goût, propose dégustations des produits du terroir, démonstrations culinaires, concours…

3

Pontarlier et le haut Doubs

4

Carte Michelin Départements 321 – Doubs (25)

Le saut du Doubs.
Pixel-68/iStock

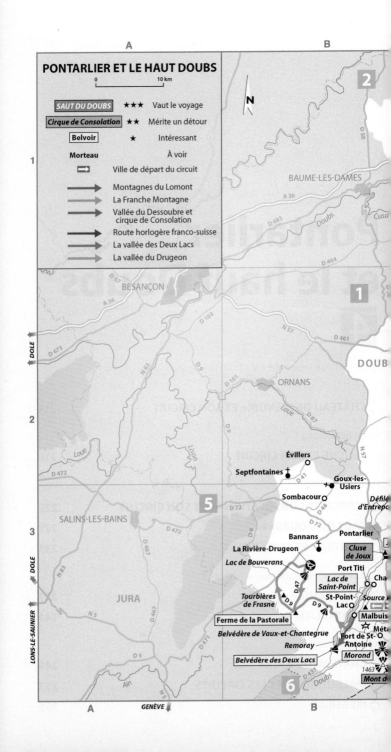

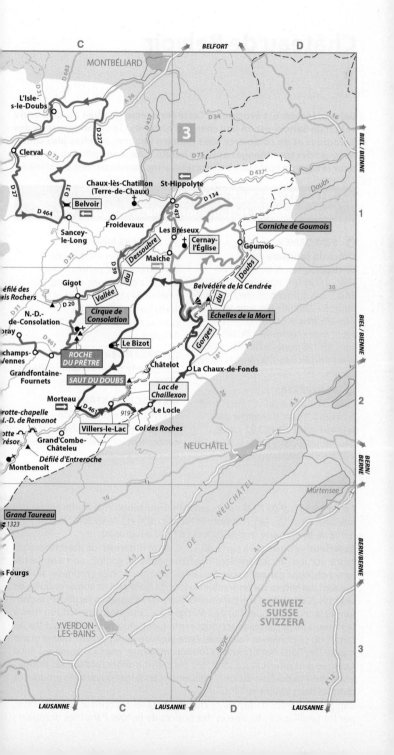

Château de Belvoir

Doubs (25)

Belvoir, le nom est évocateur! Cette forteresse perchée au-dessus du vallon de Sancey est un lieu chargé d'histoires : la « grande », celle des baronnies et du commerce sous l'Ancien Régime, et celles plus romanesques des personnages qui l'ont habité… Avec en épilogue, sa splendeur retrouvée après une belle restauration menée par des passionnés.

NOS ADRESSES PAGE 217
Hébergement, restauration, achats, activités, etc.

▶ S'INFORMER

Office du tourisme de St-Hippolyte – *Pl. de l'Hôtel-de-Ville - 25190 St-Hippolyte - ✆ 03 81 96 58 00 - www.pays-horloger.com - juil.-août : 9h-12h, 14h-18h, sam. 9h-12h, 14h-17h, dim. 9h-12h ; mai-juin et sept. : mar. et vend. 9h-12h, 14h-17h, sam. 9h-12h ; reste de l'année : mar. et vend. 9h-12h, 14h-17h - fermé certains j. fériés.*

▶ SE REPÉRER

Carte de microrégion C1 (p. 212). À 24 km à l'ouest de Maîche par la D 464 et la D 21, et à 37 km de Baume-les-Dames par la D 50 vers le sud, puis la D 464 vers l'est.

☺ À NE PAS MANQUER

Le riche mobilier du château ; le donjon et sa vue panoramique : la chaîne du Lomont au nord, le plateau de Maîche au sud, le mont Terri (Suisse) à l'est et les collines et plateaux qui glissent vers Besançon à l'ouest.

⏱ ORGANISER SON TEMPS

Comptez 1h pour la visite guidée du château (nocturnes en été).

👫 AVEC LES ENFANTS

Trouvez avec eux la tour de Madge-Fà et la tour du Nord ! Et contez-leur les aventures de la belle Béatrix de Cusance.

Visiter

1 r. du Bourg - ✆ 06 70 28 16 52 - www.chateau-belvoir.com - visite guidée (1h) juil.-août : 10h-12h, 14h-18h ; reste de l'année : dim. et j. fériés 10h-12h, 14h-18h - fermé de fin oct. au w.-end de Pâques - 6 € (-12 ans gratuit).

Extérieur – Construite à partir du 12ᵉ s., cette forteresse de moyenne montagne occupe l'ancien emplacement d'un oppidum gaulois, puis d'un castellum romain qui gardait la voie des salines. Trois vénérables sentinelles veillent aujourd'hui encore sur l'ensemble : la tour du Nord (elle ne conserve qu'un de ses trois étages), avec son parement à bossages résistant à l'artillerie ; le donjon ; et la tour de Proue, dite de « Madge-Fà ». Cette dernière doit son nom à la statue d'un personnage accroupi et moqueur soutenant l'échauguette. Au temps où se pratiquait l'alchimie, cette position aurait signifié que le grand maître des lieux avait trouvé la formule magique ; mais l'attitude est aussi quelque peu provocatrice, destinée peut-être à défier l'ardeur des troupes ennemies ! La porterie du 15ᵉ s. a disparu, et les larges ouvertures pratiquées dans les murs datent du 17ᵉ s.

Bâti par les barons de Belvoir, le château resta leur propriété jusqu'au 19ᵉ s., par les familles de Lorraine et des princes de Rohan. Parmi ses occupants

Le tour de Proue et le donjon rehaussent la silhouette du château de Belvoir.
Château de Belvoir

illustres : Vincent de Belvoir (vers 1200-1240), qui se vit confier la rédaction de la première encyclopédie par Saint Louis et, peu de temps après, Jeanne de Montfaucon (vers 1280-1326), qui marqua les mémoires par son courage en se déguisant en homme pour défendre elle-même, faute de chevalier, ses couleurs à un tournoi ; puis, en 1614, naquit au château la belle Béatrix de Cusance (1614-1663), duchesse de Lorraine, princesse de Cantecroix et baronne de Belvoir.

Après la Révolution, le château subit une longue période d'abandon. Il servait de ferme lors de son rachat en 1955 par le peintre Pierre Jouffroy. Les travaux lui ont rendu des toitures (de tavaillons sur le donjon et la tour de Proue) et un mobilier approprié.

Intérieur – Une vingtaine de pièces ont retrouvé un mobilier, des objets et des tableaux de qualité. Le fil directeur de la visite est la peinture dite réaliste de **Pierre Jouffroy** (1912-2000) et son goût pour l'histoire, les objets d'art et de collection. Quelques œuvres de Gustave Courbet, deux toiles attribuées à Franz Hals, *L'Homme à la source*, sculpture monumentale de Georges Laethier, et une belle **collection d'armoires★** alsaciennes, rhénanes et allemandes

4

LES AVENTURES DE LA BELLE BÉATRIX

Née en 1614 à Belvoir, Béatrix partage sa jeunesse entre la cour de Bruxelles, où s'épanouissent sa culture, son intelligence et sa beauté, et Besançon. C'est là qu'elle rencontre et séduit **Charles IV de Lorraine**. Mais celui-ci est marié ; aussi la belle demoiselle est-elle éloignée. Elle se marie donc, en 1635, avec Eugène de Granvelle. Deux ans plus tard, la peste lui a rendu sa liberté… Charles IV ne veut plus laisser passer la belle et soudoie des théologiens pour faire déclarer nul son mariage. Ils se marient, ont deux enfants, puis le pape ordonne leur séparation, en rétablissant le mariage précédent ! Ce n'est que quelques mois avant sa mort que Béatrix peut enfin épouser en justes noces Charles IV, veuf à son tour.

du 17ᵉ s. Le salon « Béatrice de Cusance », où trône son portrait, évoque le souvenir et l'époque de cette femme peu ordinaire. Son cœur et sa stèle funéraire sont conservés dans la chapelle, rendue au culte et ornée d'un beau **Dieu en majesté** franc-comtois du 17ᵉ s. Le donjon, l'ancien arsenal et la salle d'armes sont réservés à une **collection de serrures et d'armes**, du Moyen Âge au 19ᵉ s. À voir : un ancien fusil de bataille de 3,44 m de long, une cotte de mailles du 12ᵉ s. et des pièces d'artillerie pour enfant qui auraient appartenu à l'Aiglon.

Village

Protégé par une enceinte aujourd'hui disparue, le village de Belvoir bénéficia à partir du 11 mars 1314 d'une charte de franchise. Le commerce et l'artisanat s'y développèrent, ce qui explique la construction de ces belles **halles** en bois, aujourd'hui les plus anciennes de Franche-Comté (14ᵉ-15ᵉ s.). Elles accueillaient quatre foires annuelles, un marché hebdomadaire et des marchés nocturnes pendant la saison estivale. Remarquez aussi quelques maisons des 16ᵉ et 17ᵉ s.

Circuit conseillé Carte de microrégion p. 212

MONTAGNES DU LOMONT

▶ *Circuit de 50 km tracé en rouge sur la carte de microrégion – Comptez 2h.*
En sortant de Belvoir par l'ouest, prenez la D 31 vers le nord. Suivez cette route jusqu'au col de Ferrière. Immédiatement après le col, tournez à droite pour emprunter la D 119ᴱ jusqu'à la jonction avec la D 73 que vous emprunterez jusqu'à Dambelin. Cette route offre une jolie vue sur les montagnes du Lomont.
À Dambelin, prenez la D 227, qui vous emmène jusqu'à Colombier-Fontaine, en bordure du Doubs. Traversez la rivière et suivez la D 683, qui longe le Doubs jusqu'à L'Isle-sur-le-Doubs.

L'Isle-sur-le-Doubs C1

Le Doubs divise curieusement cette localité en trois quartiers : au milieu de la rivière l'« Île », sur la rive droite la « Rue » et sur la rive gauche le « Magny ». *Prenez la D 683, cette fois en direction de Besançon.*
Après Rang, la route serpente entre la falaise boisée et de doux vallonnements ; tour à tour, elle s'éloigne, puis revient épouser les contours de la rivière.

Clerval C1

Entre le bois de la côte d'Armont et la montagne de Montfort, Clerval est une petite cité qu'animent quelques industries. Son **église** *(entrée libre)* abrite des œuvres de valeur : sur le maître-autel, deux statues du 16ᵉ s. entourent un crucifix ; dans le bas-côté trône une Vierge de pitié du 16ᵉ s. en bois.
Château – *Pl. de l'Hôtel-de-Ville -* ℰ *03 81 93 84 29 - www.musee-memoire-paix. org - juil.-août : tlj sf mar. 14h-18h ; reste de l'année : w.-end et j. fériés 14h-18h - fermé 12 nov.-31 mars - possibilité de visite guidée sur demande (2h) - 4 € (-18 ans gratuit).* L'ancienne place forte du duché de Würtemberg (👆 *p. 153*) abrite un **musée de la Mémoire et de la Paix**. Les guerres mondiales ainsi que les conflits de la décolonisation y sont présentés grâce à des photos et des reconstitutions ; vous verrez aussi de nombreux uniformes, des médailles, armes et objets divers.
Poursuivez votre route sur la D 319. Aussitôt après Clerval, la vallée s'ouvre très largement et la rivière s'infléchit au pied des montagnes du Lomont, à droite. Rejoignez Randevillers par la D 27 puis Sancey-le-Long par la D 464.

Sancey-le-Long C1

Ce petit village, situé au pied du château de Belvoir et à l'entrée de la reculée de la Baume, vit naître en 1765 **sainte Jeanne-Antide Thouret,** fondatrice des Sœurs de la Charité à Besançon. À l'âge de 22 ans, désireuse de devenir religieuse au service des pauvres, la jeune fille part pour Paris, mais la Révolution l'empêche de prononcer ses vœux. Malgré l'adversité, elle refuse de renier sa foi, soutient les prêtres réfractaires et se cache pendant deux ans en Franche-Comté avant de passer la frontière. C'est en 1799 qu'elle regagne la France et fonde à Besançon une première école gratuite, qui engendrera la congrégation des Sœurs de la Charité. Elle s'éteint en 1826 et sera canonisée en 1934.

Un son et lumière retrace l'histoire de Jeanne-Antide Thouret dans sa **maison natale** *(16 r. de la Basilique - 🕿 03 81 86 82 41 - horaires, se rens. - possibilité de visite guidée sur demande (30mn) - gratuit).* Une **basilique néoromane** (1928) commémore également son souvenir et celui de saint Colomban (👌 p. 204) ; dans le chœur, des anges représentent les différentes vertus, tandis que la voûte centrale repose sur des piliers en granit vert.

De Sancey, vous pouvez prendre vers le sud la D 31, qui offre aux alentours de Teigne deux jolis points de vue sur les monts et les bois.

Retournez ensuite sur vos pas et prenez la D 31 vers le nord et vers Belvoir.

👌 NOS ADRESSES AUTOUR DE BELVOIR

👌 *Voir aussi nos adresses autour de Maîche (p. 222) et à Montbéliard (p. 164).*

HÉBERGEMENT

BUDGET MOYEN

La Bonne Auberge – *2 rte de Besançon - 25340 Clerval - 🕿 03 81 97 81 01 - www. hotellabonneauberge.com -* 🅿 *- 6 ch. 75/85 € -* 🍽 *9 € -* 🍴 *27/34 €.* Cette belle maison en pierre située à la sortie du village, à deux pas du Doubs, propose des chambres de style contemporain, avec quelques touches de couleur. À la carte du restaurant, vous trouverez de bons petits plats traditionnels élaborés avec des produits de qualité.

RESTAURATION

BUDGET MOYEN

L'Auberge du Château – *19 rte du Lomont - 25430 Rahon - 🕿 03 81 86 82 27 - www.laubergeduchateau. fr -* 🅿 *- fermé du 15 août à déb. sept., vac. de Noël, les soirs du dim. au merc. - formule déj. (en sem.) 12,30 € - 26/39 €.* Le décor, original avec ses cuillères, passoires, tuiles ou râpes abat-jour, peut étonner dans un lieu aussi isolé. La carte tente quelques surprises du même ordre, et le chef l'adapte avec autant de souplesse que possible aux desiderata de ses hôtes.

4

Maîche

4 273 Maîchois – Doubs (25)

Bienvenue en Franche-Montagne ! Longtemps un terrain de jeu idéal pour la contrebande, certains sites des vastes plateaux du nord du Jura donneront quelques frissons aux promeneurs sujets au vertige… À proximité des vallées du Dessoubre et du Doubs, Maîche occupe un agréable site dans un large val dominé par le mont Miroir (986 m).

😊 NOS ADRESSES PAGE 222
Hébergement, restauration, achats, activités, etc.

🛈 S'INFORMER

Office du tourisme de Maîche – *Pl. de la Mairie - 25120 Maîche - 📞 03 81 64 11 88 - www.pays-horloger.com - juil.-août : 9h-12h, 14h-18h, sam. 9h-12h, 14h-17h, dim. et j. fériés 9h30-12h ; reste de l'année : tlj sf dim., jeu. et j. fériés 9h-12h, 14h30-17h30, vend. 9h-12h, 14h-17h, sam. 9h-12h.*

◐ SE REPÉRER

Carte de microrégion C1 (p. 212). À 42 km au sud de Montbéliard,

Maîche est accessible par l'A 36, puis la D 437.

😊 À NE PAS MANQUER

L'église St-Pierre et sa splendide chaire sculptée ; l'exploration des gorges du Doubs.

🕐 ORGANISER SON TEMPS

Comptez une bonne journée pour Maîche et les gorges du Doubs.

👫 AVEC LES ENFANTS

Emmenez-les en randonnée dans les vallées du Dessoubre et du Doubs.

Se promener

Reconstruite au 18ᵉ s., l'**église St-Pierre** bénéficie d'un mobilier de la même époque. Remarquez le tabernacle baroque, la superbe chaire sculptée et l'orgue. Elle abrite depuis 1679, date à laquelle il a été transféré de Rome, le corps de saint Modeste, martyr au 4ᵉ s., dans la chapelle, à gauche près du chœur.

Château Montalembert – *http://ete.pays-horloger.com/chateau-de-montalembert.html - mai-oct. - possibilité de visite guidée - 5 € (enfant 1,50 €) - à partir de 5 pers. mini - sur demande auprès de l'office de tourisme au 📞 03 81 64 11 88.* À gauche de l'église s'élève le château ayant appartenu au comte **Charles de Montalembert** (1810-1870), grand polémiste catholique libéral qui tenta de réconcilier l'Église avec les ouvriers et fut élu député. La ville prolongea cette tradition de catholicisme social en accueillant en 1906 la première réunion d'un mouvement politique et religieux qui deviendra national, le Sillon. De Gaulle et Churchill se retrouvèrent au château de Maîche le 13 novembre 1944 pour organiser la libération de l'Alsace et de la Lorraine.

Vous apercevrez certainement, en bordure de Maîche, de sympathiques colosses à la crinière

---

LE SILLON

« Mouvement laïque », d'après son créateur Marc Sangnier, le Sillon rassemble de fait des catholiques progressistes en rupture avec les autorités cléricales, surtout après 1905 et la loi de séparation de l'Église et de l'État.

LA PETITE VENDÉE

Le plateau de Maîche avait été fortifié dans ses convictions religieuses par la Réforme catholique lancée au 16e s. après le concile de Trente. Il mérita ce nom de « petite Vendée » à deux reprises. Tout d'abord, pendant la Révolution, comme le rappellent une croix dans le village et une plaque de marbre noir dans l'église de Maîche, 19 hommes furent guillotinés sous la Terreur (les villages des Écorces, de Cernay-l'Église et de Montlebon gardent aussi la mémoire de la répression révolutionnaire). Ensuite, en 1906, ses habitants prirent les armes pour s'opposer à l'inventaire des biens de l'église.

---

blonde, les **maîchards**, ces fameux chevaux comtois. Après un inquiétant déclin, le cheval comtois revient aujourd'hui en force. Le Concours national de Maîche, qui a lieu en septembre, sélectionne les meilleurs pour assurer l'avenir de la race.

Circuit conseillé Carte de microrégion p. 212

LA FRANCHE MONTAGNE

▶ *Circuit de 79 km tracé en vert clair sur la carte de microrégion – Comptez 5h30. Quittez Maîche par la D 437A à l'est et prenez à gauche la D 237.*

★ Cernay-l'Église D1

Le petit village abrite la charmante **église St-Antoine**, riche d'un rare mobilier. Entrez pour admirer le superbe retable Renaissance en pierre polychrome, l'étonnante chaire guettée par un dragon (19e s.), le lutrin et de belles statues dont une inhabituelle représentation de sainte Sophie tenant dans ses bras ses trois filles : la foi, l'espérance et la charité (école rhénane du 16e s.).

Faites demi-tour et prenez la D 464 à gauche, vers Charquemont, à l'entrée de Maîche. Continuez jusqu'à la frontière, en direction de La Chaux-de-Fonds.

Après le bureau de douane de La **Cheminée** *(signalez au douanier que vous n'avez pas l'intention de passer en Suisse)*, prenez sur la gauche le chemin d'accès

4

BRICOTTIERS ET GABELOUS

Matérialisée par quelques bornes, mais aussi et surtout par les crêts et les rivières (dont le Doubs), la frontière franco-suisse a longtemps été une zone très convoitée par les contrebandiers. Il s'agissait souvent de petit trafic (ou « bricote ») de tabac ou, suivant les périodes, d'alcool, de poudre de chasse, de jeux de cartes et même de bétail. Ces montagnards rusés et résistants transportaient de lourdes charges dans des ballots appelés « bêtes à quatre cornes » et devaient franchir des reliefs très escarpés, dont les légendaires Échelles de la Mort. Les douaniers, baptisés « gabelous » en référence à l'ancienne taxe impopulaire sur le sel, ont tout tenté pour les intercepter. Organisés en plusieurs lignes de défense, ils se déplaçaient en permanence ; ils avaient parfois quelque indulgence pour la « bricote », mais s'attaquaient activement aux grandes filières de la contrebande.

🐾 4 parcours-jeux « dans la peau d'un contrebandier » à faire en plusieurs jours, à pied ou en VTT, sont proposés : L'Orlogeur, La Bricotte, Le Colporteur et Les Gabelous. Applications mobiles et guide pour partir sur les pas des contrebandiers et des douaniers.

🖥 www.lescheminsdelacontrebande.com

à l'usine hydroélectrique du Refrain. Descendez cette route qui mène au fond des gorges du Doubs : le **site★** est impressionnant, avec ses hautes falaises couronnées de sapins et d'épicéas.

★★ Échelles de la Mort D2

🚶 *Laissez votre voiture sur le parking de l'usine hydroélectrique et suivez le sentier (30mn AR) signalé conduisant au pied des Échelles de la Mort (rude montée en sous-bois).*

Mieux vaut ne pas avoir le vertige ; néanmoins, leur ascension n'a plus le caractère périlleux qui leur a valu un nom si inquiétant. Des échelles de fer, solidement ancrées dans la roche, ont remplacé les échelles de bois amovibles des contrebandiers. Il est cependant conseillé de ne pas les utiliser par temps de pluie, car les barreaux deviennent glissants. Pour accéder au **belvédère,** il faut gravir trois échelles d'acier aux barreaux doubles et robustes, dotées de mains courantes appliquées contre une muraille de rocher. L'ascension s'achève une centaine de mètres au-dessus des gorges du Doubs.

Revenez à Charquemont et prenez la D 10^E jusqu'au lieu-dit « la Cendrée » (parking).

Belvédères de la Cendrée D2

🚶 200 m plus loin, deux sentiers mènent à de très beaux **points de vue** sur les gorges du Doubs et la Suisse. Le premier sentier *(30mn à pied AR)* aboutit à un éperon rocheux surplombant à pic la vallée du Doubs, d'une hauteur de 450 m. Le belvédère auquel conduit le second *(45mn à pied AR, itinéraire fléché)* est situé à la partie supérieure des rochers de la Cendrée.

Revenez à Charquemont et prenez à droite la D 201. À Damprichard, prenez à droite la D 437^A, qui rejoint le col de la Vierge (alt. 964 m) et le début de la fameuse corniche de Goumois, qui domine le Doubs.

★★ Corniche de Goumois D1

Cette route très pittoresque se déroule à flanc de pente sur le versant gauche de la vallée du Doubs. Sur un parcours de 3 km, dont les meilleurs points de vue sont marqués par des garde-fous, on domine le fond des gorges d'une centaine de mètres. Les versants abrupts sont boisés ou rocheux ; quand la pente est moins forte, ils sont tapissés de prairies. Les sites ont un caractère de grandeur tranquille plutôt que sauvage. De l'autre côté du Doubs, ce sont les Franches-Montagnes suisses.

Goumois D1

Installée au fond d'une vallée encaissée, la commune a été divisée entre la France et la Suisse par le traité de Vienne (1815). Les habitants des deux villages se retrouvent chaque 31 juillet pour célébrer la fête nationale suisse.

LE SAINT SUAIRE EN FRANCHE-MONTAGNE

Rapporté des croisades par **Geoffroy de Charny** en 1346, le saint suaire, qui avait disparu lors du sac de Constantinople, est d'abord confié aux chanoines de Lirey, en Champagne. C'est la guerre de Cent Ans qui pousse les chanoines à le confier à **Humbert de la Roche**, seigneur de St-Hippolyte, contre une promesse de restitution une fois les troubles passés. Mais la relique attire de nombreux pèlerins et la famille « oublie » sa promesse, malgré les procès. En 1453, **Marguerite de Charny** cède le suaire au duc de Savoie. C'est ainsi que la relique part pour Chambéry, puis Turin, où elle se trouve aujourd'hui. On trouve des traces de son passage dans la décoration des églises proches de St-Hippolyte, particulièrement à Chaux-lès-Chatillon.

Les Échelles de la Mort dans la vallée du Doubs.
R. Weber/Prisma/age fotostock

Quittez Goumois vers le nord, par la D 437^B en direction de Montbéliard. À Trévillers, prenez à droite la D 201 jusqu'au carrefour avec la D 134, que vous suivez à gauche et qui conduit à Courtefontaine et Soulce. Continuez sur la D 437^C jusqu'à St-Hippolyte.

St-Hippolyte CD1

Ce bourg occupe un **site★** pittoresque au confluent du Doubs et du Dessoubre. Il fut longtemps la capitale de la Franche-Montagne, et l'on retrouve quelques traces de ce passé prestigieux. Surplombant la rivière, l'ancien **couvent des Ursulines** (1700) abrite aujourd'hui l'école, la gendarmerie et la bibliothèque. Aux 17e et 18e s., les Ursulines s'y consacraient à l'instruction des jeunes filles et à la formation de préceptrices, s'inscrivant ainsi dans une longue tradition qui a vu se succéder à St-Hippolyte une école de poésie latine et une autre de peinture. Surplombant le Doubs, l'ancienne **collégiale** (14e s.), au sol pavé de belles **pierres tombales**, est aussi célèbre pour avoir abrité le saint suaire. Remarquez aussi, au n° 7, la jolie maison (16e s.) en encorbellement au-dessus de la Grande-Rue.

Prenez la direction du sud, vers Maîche, par la D 437.

Les Bréseux D1

📞 03 81 64 11 88 - *8h-17h - possibilité de visite guidée sur demande (1h).* L'église de ce modeste village possède une remarquable série de sept **vitraux★** réalisés en 1948 par l'illustre maître verrier Alfred Manessier (1911-1993).

À proximité Carte de microrégion p. 212

Église de Chaux-lès-Châtillon (Terres-de-Chaux) C1

▶ *21 km au nord-ouest. Hameau entre Terres-de-Chaux et Chatillon.*
C'est en 1997 qu'ont été découvertes, dans le chœur, de belles **fresques** du 15e s. Un panneau permet de repérer et d'interpréter les scènes. Remarquez, sur l'arc triomphal ouvrant le chœur, le saint suaire, ainsi que les anges élégants et bien conservés de la voûte.

😊 NOS ADRESSES AUTOUR DE MAÎCHE

HÉBERGEMENT/RESTAURATION

À proximité
PREMIER PRIX

Chambre d'hôte L'Authentique – 4 bis r. du Lieutenant-Colonel-Loichot - 25140 Fournet-Blancheroche - ☎ 03 81 68 23 41 - ☎ 06 71 92 61 37 - www.chambres-hotes-lauthentique.com - 🖥 - 5 ch. 75 € - 🛏 - ✗ 22 € : réserv. obligatoire. Cette maison neuve en bois, de plain-pied, est entourée de sapins et d'épicéas. Les chambres, douillettes à souhait, sont décorées avec goût. Séances de sauna et jacuzzi (5 €/pers.).

BUDGET MOYEN

Hôtel Taillard – 3 rte de la Corniche - 25470 Goumois - ☎ 03 81 44 20 75 - www.hotel-taillard.fr - 🅿 🍴 ♿ 🖥 - fermé de mi-nov. à mi-mars, rest. fermé lun. midi. merc. midi et merc. : mars, avril, oct. - 16 ch. 92/200 € - 🛏 15 € - 1/2 P. 178/250 - ✗ 34/85 €. Niché dans un parc, cet hôtel familial (1875) de la corniche de Goumois abrite de plaisantes chambres personnalisées, plus sobres dans l'annexe. Au restaurant, agréable vue sur la vallée, cuisine classique et belle carte de vins franc-comtois. Piscine chauffée et espace bien-être.

Au Bois de la Biche – Rte de la Cendrée - 25140 Charquemont - à 4,5 km au SE par D 10E et rte secondaire - ☎ 03 81 44 01 82 - www.boisdelabiche.fr - 🅿 🖥 - fermé 2 janv.-3 fév. et lun. et dim. soir sf juil.-août -24,50/48 € - 3 ch. 67 € - 1/2 P. 67/70 €/pers. - 🛏 8,30 €. Point de ralliement des randonneurs, cette ancienne ferme cernée par les bois domine les gorges du Doubs. Restaurant familial avec vue ; cuisine régionale. Chambres simples.

ACHATS

À proximité

Horlogerie Courtet – 17 Grande-Rue - 25140 Charquemont - ☎ 03 81 44 01 56 - www.pays-horloger.com - visite de l'atelier et démonstration en juil.-août sur RV. Perpétuant la tradition horlogère du haut Doubs, cet établissement incontournable ouvre ses portes aux visiteurs : outils traditionnels, démonstration des processus d'assemblage et de réglage… Magasin attenant.

Horlogerie Jean-Louis Fresard – 13 r. Jean-Moulin - 25140 Charquemont - ☎ 03 81 44 03 54 - www.fresardwatch.com - lun.-jeu. 10h-12h, 15h-18h, vend. 10h-12h, sam. sur RV - fermé dim. et du 20 juil. au 20 août. Cette entreprise familiale répare et crée ses modèles uniquement avec des pièces et mécanismes anciens, conservés précieusement. Visite commentée de la collection sur demande.

ACTIVITÉS

Goumois Évasion – Rte des Seignottes - 25140 Goumois - ☎ 03 81 44 21 30 - www.goumoisevasion.org - tlj en juil., août. - sem. et w.-ends sur RV de mai à sept. Descentes du Doubs en canoë-kayak, de Goumois au Moulin du Plain, encadrées par des moniteurs diplômés.

👫 **Randonnée** – Chemins balisés des cantons de Maîche et du Russey, dans la vallée du Dessoubre ou du Doubs franco-suisse. L'été, randonnées accompagnées. Rens. à l'office de tourisme.

♿ Voir aussi encadré p 219.

Cirque de Consolation

★★

Doubs (25)

Là, au fond de ce cirque sauvage, la nature semble indomptable. Elle jaillit en cascades, dresse de hautes falaises au-dessus de l'abîme, accroche ses racines noueuses sur un terrain chaotique. Pourtant, au cœur de ce « bout du monde », la Vierge de Consolation veille depuis le 14ᵉ s. Partez à la découverte de son parc et des sources qui s'y cachent.

NOS ADRESSES PAGE 226
Hébergement, restauration, achats, activités, etc.

S'INFORMER

Office du tourisme du val de Morteau - Saut du Doubs – *7 pl. de la Halle - 25500 Morteau - ℘ 03 81 67 18 53 - www.pays-horloger.com - juil.-août : 9h-12h, 14h-18h, sam. 9h-12h, 14h-17h, j. fériés 9h30-12h ; reste de l'année : tlj sf jeu. et j. fériés 9h-12h, 14h-17h, sam. 9h-12h - fermé dim.*

Office du tourisme de St-Hippolyte – *Pl. de l'Hôtel-de-Ville - 25190 St-Hippolyte - ℘ 03 81 96 58 00 - www.pays-horloger.com - juil.-août : 9h-12h, 14h-18h, sam. 9h-12h, 14h-17h, dim. 9h-12h ; mai-juin et sept. : mar. et vend. 9h-12h, 14h-17h, sam. 9h-12h ; reste de l'année : mar. et vend. 9h-12h, 14h-17h - fermé certains j. fériés.*

SE REPÉRER

Carte de microrégion C2 (p. 212). Le cirque de Consolation se trouve à 13 km au nord de Morteau.

À NE PAS MANQUER

Le belvédère vertigineux de la roche du Prêtre ; l'ancien couvent de N.-D.-de-Consolation.

ORGANISER SON TEMPS

Comptez une demi-journée sur le site, plus pour des randonnées alentour.

AVEC LES ENFANTS

La typique ferme à tuyé (cheminée comtoise) du Montagnon à Grandfontaine-Fournets.

Circuit conseillé Carte du cirque de Consolation p. 225

4

★ VALLÉE DU DESSOUBRE ET ★★★ ROCHE DU PRÊTRE

Circuit de 47 km tracé en mauve sur la carte de microrégion (p. 212) et sur la carte du cirque de Consolation – Comptez 6h au départ de **St-Hippolyte** *(p. 221) et prévoyez de bonnes chaussures.*

La D 39 suit au plus près le Dessoubre, par le Pont-Neuf et Rosureux.

La vallée s'allonge de St-Hippolyte, où le Dessoubre se jette dans le Doubs, au cirque de Consolation.

Encadrée de pentes boisées de sapins, de chênes et de frênes que couronne une corniche calcaire, cette vallée est d'une grande solitude. Au fond, parfois sur un lit de galets blancs, la rivière coule de bassin en bassin au milieu de prairies, par endroits ombragées.

Gigot

Le Dessoubre reçoit ici un petit affluent, la Reverotte qui, à droite en amont, serpente au fond d'une vallée encaissée connue sous le nom de **défilé des Épais Rochers**

De Gigot, la route (D 39) qui côtoie le Dessoubre est une véritable promenade parmi les bois, les prés, le long de l'eau tantôt murmurante, tantôt écumante. Les crues transforment ce cours d'eau paisible en un torrent impétueux.

N.-D.-de-Consolation

Cet ancien couvent de minimes et le petit village de **Consolation-Maisonnettes** doivent leur nom à une Vierge miraculeuse dont la statue aurait été trouvée dans un tilleul au 13e s. ; une autre histoire, contée aussi sur les vitraux de la chapelle, parle du sire de Varambon qui, prisonnier pendant les croisades (15e s.), pria la Vierge en promettant un sanctuaire et fut libéré. Petit séminaire jusqu'en 1981, N.-D.-de-Consolation sert aujourd'hui de centre spirituel. La chapelle, de style jésuite, contient un beau **mausolée de marbre** ainsi qu'une **chaire en bois** sculpté du 18e s.

Une partie de l'ancien couvent abrite un musée des oiseaux, un jardin de prêtre, avec des plantes aromatiques et médicinales, et un arboretum. Le parc et le monastère sont gérés par l'association Artisans de paix.

Le **parc** *(9h-18h - 3 € - promenade de 1h env. - départ de nombreuses randonnées)* est un véritable petit paradis où la nature s'épanouit généreusement : prairies, arbres, rochers, cascades, sources du Lançot (cascade de 50 m de haut) et du Tabourot, source Noire et val Noir.

Depuis Consolation-Maisonnettes, reprenez la D 39 vers Fuans, tournez toujours à gauche sur la D 351, la D 461, la D 41 et tout de suite vers la roche du Prêtre.

★★★ Roche du Prêtre

Le célèbre belvédère se trouve sur le rebord de la falaise et offre, sur le cirque de Consolation, une vue d'ensemble inoubliable. Il a été baptisé roche du Prêtre après la chute mortelle d'un prêtre de Mont-de-Laval en 1726.

Du sommet, on domine de 350 m le site boisé et verdoyant, ponctué de rochers parfois ruiniformes, où prend naissance le Dessoubre.

Empruntez la D 41/D 461 vers l'ouest.

Grandfontaine-Fournets

Situé sur le plateau d'Orchamps-Vennes, au cœur du haut Doubs, ce hameau typiquement comtois abrite une sympathique ferme-musée qui fleure bon le terroir.

Ferme du Montagnon – *1 Hameau de Grandfontaine -* 📞 *03 81 43 57 86 - www.montagnon.com - ⚓ - du w.-end de Pâques à fin sept. : 9h30-12h30, 13h30-18h30 ; reste de l'année : 9h30-12h30, 13h30-18h - fermé du 11 mars au w.-end de Pâques, 11 nov.-10 fév. - possibilité de visite guidée sur demande (30mn) - gratuit - J. portes ouvertes 12-15 août.*

Tout imprégnée des anciennes traditions, cette robuste bâtisse des 17e et 18e s., remarquablement restaurée, est munie de son **tuyé**★ où l'on fume encore jambons, viandes, lards, saucisses. Saveurs et authenticité en font une adresse incontournable pour les gastronomes. Toutes les salaisons ou charcuteries régionales sont déclinées selon les règles de l'art, et il vous sera vraiment très, très difficile de ne pas craquer ! Restitution du mode de vie d'autrefois mis en scène à travers des collections d'outils et d'objets anciens.

Continuez sur la D 41.

Orchamps-Vennes

Ce gros village de montagne, bâti sur un haut plateau à l'écart de la D 461 (route de Besançon à Morteau), dissémine ses maisons basses dans un site très verdoyant de bois et de gras pâturages.

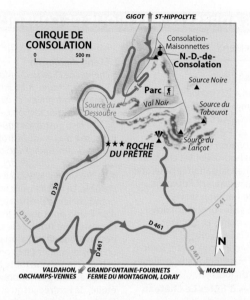

Église St-Pierre-et-St-Paul – Elle date du 16e s., avec un clocher-porche du 19e s. Devant l'église, observez d'intéressantes pierres tombales. L'intérieur abrite une belle chaire en chêne sculpté du 17e s., due probablement, comme les boiseries du chœur, à **Pierre-Étienne Monnot**, originaire d'Orchamps-Vennes. En haut du bas-côté gauche débute le chemin de croix que le sculpteur comtois **Gabriel Saury** exécuta en 1947. Chaque station est représentée par des personnages que l'auteur a voulu criants de vérité, ce qui leur valut une interdiction par le Saint-Office de 1955 à 1970. L'artiste se justifie ainsi : « La Passion est un drame trop terrible pour qu'on le traite de façon mièvre, gracieuse, rassurante… Il doit troubler – choquer au besoin – nos conformismes. »
Revenez à la D 461 que vous prendrez à gauche, puis après 2 km, tournez à droite dans la D 19.

Loray

Ce village possède quelques maisons typiques et une église néoromane renfermant un beau mobilier du 18e s. Non loin de là s'élève un **calvaire** du 12e s. dont la colonne, haute de plus de 4 m, est décorée d'une statue grandeur nature tenant une tête humaine dans la main ; plus haut sont subtilement étagés la Vierge, le Christ et saint Michel terrassant le dragon.
Au centre de la place, belle **fontaine-lavoir** monumentale datant du 19e s., avec colonnes cannelées surmontées de chapiteaux doriques qui évoquent l'architecture grecque.

4

😊 NOS ADRESSES AU CIRQUE DE CONSOLATION

HÉBERGEMENT

PREMIER PRIX

Robichon – *22 Grande-Rue - 25390 Loray -* 📞 *03 81 43 21 67 - www.hotel-robichon.com - 10 ch. 55/69 € -* 🍽 *7 € -* 🍴 *23/35 €.* Robuste maison régionale, au centre du bourg. Petites chambres traditionnelles, parfaites pour une étape. Au restaurant Robichon, cuisine de tradition servie dans une salle contemporaine (boiseries claires et mobilier coloré). A la brasserie Le P'tit Bichon, décor façon chalet franc-comtois, plats régionaux, grillades et menu du jour.

Chambres d'hôtes Le Château Rose – *7 Moulin du Milieu - 25380 Vaucluse - à 3 km au S sur D 39 -* 📞 *03 81 44 35 18 -* 🚭 ℗ 📶 *- 14 fév.-fin sept. - 3 ch. 70 €* 🍽🍴 Cette insolite villa des années 1930 fut construite pour un meunier de la vallée. Chambres rétro et salon moderne. Agréable jardin ombragé, parcours de pêche réservé aux hôtes.

RESTAURATION

PREMIER PRIX

Ferme-auberge de Frémondans – *25380 Vaucluse - à 3 km au S -* 📞 *03 81 44 35 66 -* 🚭 ℗ *- fermé les midis du lun. au jeu. et le vend. (juil., août), lun.-vend. midi et dim. soir (sept.-juin), oct. - 9/17 €.* La ferme de la famille Moreau domine la vallée du Dessoubre. Vous y goûterez de bon cœur les terrines, le chevreau, la fondue comtoise, les gâteaux de chou farci, les fromages de chèvre et les pâtisseries maison.

POUR SE FAIRE PLAISIR

L'Étang du Moulin – *5 chemin de l'Étang-du-Moulin - 25210 Bonnetage - à 1,5 km par D 236 et chemin privé -* 📞 *03 81 68 92 78 - www.barnachon.com -* ℗ ♿ 📶 *- rest. gastronomique ouvert merc. soir-dim. midi, bistrot ouvert mar. soir-dim. midi sf vac. scol. mar. soir-dim. soir - formule déj. 14/18 € - 49/139 € - 19 ch. 120/225 € - 1/2 P. possible.* La nature pour écrin ! Ce grand chalet se dresse au bord d'un étang dont seul le léger clapotis vient troubler le calme des environs. Comme un écho à un environnement très préservé, le terroir imprègne toute la cuisine du restaurant gastronomique étoilé, de l'entrée jusqu'au dessert (parfumé à la liqueur de sapin, par exemple). À noter : le menu dégustation entièrement dédié au foie gras. Service de qualité. Autre restaurant de cuisine traditionnelle : le Bistrot. Formule spa/repas au Bistrot (47 €/pers.).

ACHATS

Ferme-musée du Montagnon – *25390 Fournets-Luisans - Hameau de Grandfontaine p. 224 -* 📞 *03 81 43 57 86 - http://montagnon.com/- tlj 14h-18h (fév.), 9h-12h30 et 13h30-18h30 (avr.-sept.), 9h-12h30 et 13h30-18h (oct.-mi-nov.), fermé mi-nov.-mi-fév.* Visite de l'ancienne ferme et vente de produits de salaison et charcuterie.

ACTIVITÉS

Randonnée pédestre – *rens. auprès de l'office de tourisme.* Circuits de 8 à 35 km au départ de St-Hippolyte.

Le saut du Doubs.
C. Sonderegger/Prisma/age fotostock

Saut du Doubs

★★★

Doubs (25)

Classé Grand Site national, le saut du Doubs est l'un des sites naturels les plus célèbres de Franche-Comté. Débouchant du lac de Chaillexon, ses eaux plongent en une chute magnifique. On peut même choisir son angle de vue pour l'admirer : côté français ou côté suisse ?

NOS ADRESSES PAGE 229
Hébergement, restauration, achats, activités, etc.

4

 S'INFORMER

Office du tourisme de Villers-le-Lac – *R. Berçot - 25130 Villers-le-Lac - ☎ 03 81 68 00 98 - www.pays-horloger.com - juil.-août : 9h-12h30, 14h-18h, sam. 9h-12h30, 14h-17h, dim. 9h30-12h, j. fériés 14h-17h ; vac. scol. (hors juil.-août) et juin : tlj sf dim. et jeu. 9h-12h, 14h-17h, sam. 14h-17h ; sept. : tlj sf w.-end et jeu. 9h-12h, 14h-17h - fermé 1er Mai, 1er nov., 25 déc.*

SE REPÉRER

Carte de microrégion C2 (p. 212).
Les chutes se situent sur la frontière franco-suisse, à environ 10 km à l'est

de Morteau par la D 461, puis la D 215 à Villers-le-Lac. Au lac de Chaillexon, tournez à droite et continuez sur 2 km. Côté suisse, la station TGV de Neuchâtel est à 36 km à l'est de Villers-le-Lac.

À NE PAS MANQUER

La promenade en bateau à partir de Villers-le-Lac jusqu'au saut du Doubs ; la vertigineuse chute de 27 m.

ORGANISER SON TEMPS

Prévoyez au moins 1h au saut, et soyez attentif aux horaires de retour du bateau. Si vous venez en automne, la chute sera encore plus spectaculaire !

👥 AVEC LES ENFANTS

Le saut du Doubs côté suisse et côté français. En hiver, glissades sur la plus grande patinoire naturelle d'Europe, à Villers-le-Lac.

Se promener

Le saut du Doubs mérite bien son nom : l'eau chute dans un superbe et bruyant bouillonnement d'écume. Attention ! Comme toutes les cascades, il a un débit très variable en fonction des saisons. L'excursion est donc beaucoup moins spectaculaire en été, mais devient grandiose à l'automne après de fortes pluies.

En bateau – *Départ de Villers-le-Lac. Il est également possible de partir de Suisse, aux Brenets.* On suit les méandres de la rivière qui s'élargit pour former le lac de Chaillexon, puis on atteint les gorges, la partie la plus pittoresque du parcours. Du débarcadère, empruntez le chemin aménagé *(30mn à pied AR)* qui mène aux deux belvédères dominant le saut du Doubs. Pour l'admirer côté suisse, revenez sur vos pas. Empruntez le pont à gauche et continuez le chemin.

En calèche – *La Courprée - 25130 Villers-le-Lac -* 📞 *03 81 68 09 03 - http:// caleche-saut-du-doubs.fr -* ♿ *- juil.-août : 9h45, 10h45, 13h45, 15h15 et 16h45 ; avr.-juin et sept.-oct. : sur réserv. - 14,50 € (-16 ans 9 €) - 19 € billet combiné avec le retour en bateau - dép. du restaurant Le Relais des Calèches.* C'est au rythme cadencé des chevaux comtois que l'on découvre quelques fermes pittoresques, les belvédères sur les gorges du Doubs et enfin le fameux saut. Possibilité d'effectuer le retour en bateau *(horaires et tarifs, se rens.).*

À pied, du côté français – 🐾 *Quittez Villers-le-Lac en voiture en direction de Maîche par la D 215. À 5 km, prenez à droite en direction du Pissoux, puis une route en descente conduisant à un parc de stationnement. De là, gagnez (1h30 à pied AR, important dénivelé) l'extrémité, en aval, du lac de Chaillexon, puis le saut du Doubs. Le chemin pour piétons étant mal aménagé et balisé, préférez la route goudronnée jusqu'en bas. La circulation des voitures y est interdite.*

Après les boutiques de souvenirs, suivez le sentier en appuyant et en montant à gauche. On atteint le **belvédère** principal, le plus élevé et protégé, qui domine en aval le point de chute. Il offre une très belle vue sur le spectaculaire saut du Doubs et, vers l'aval, on aperçoit la cascade (27 m de hauteur) qui compose le début de la retenue du barrage de Chatelot.

Au-dessous, un autre belvédère *(visible du premier)* est aménagé quasiment au-dessus de la chute. En période de crue, la puissance du Doubs est incroyable, et sa chute devient un véritable feu d'artifice avec grondement sourd et jaillissements d'eau sans cesse renouvelés. On y resterait des heures !

Par un chemin longeant la rive, regagnez les abords des embarcadères.

À pied, du côté suisse – 🐾 *En arrivant de France, montez la rue principale des Brenets en laissant derrière vous deux églises. Après la seconde, vous trouvez à gauche, dans un tournant, le départ de la promenade de la Crête, et à droite un parking où laisser votre voiture. 1h15 AR. Aire de pique-nique à l'arrivée.*

La promenade commence par une forte descente, mais, après une vingtaine de mètres, la route, bien goudronnée *(seules les voitures des « bordiers du Doubs » y ont accès)*, opte pour une dénivellation douce jusqu'à la fin de l'itinéraire. Elle traverse un sous-bois de hêtres et d'épicéas ménageant quelques percées sur la vallée du Doubs. Plus on s'approche du saut, plus l'humidité ambiante augmente : les branches se couvrent de guirlandes et barbes de mousse. Pas de boutique de ce côté du Doubs, mais quelques pavillons et des promeneurs paisibles. De ce côté, un seul belvédère, placé juste au-dessus, donne sur la chute, toujours spectaculaire.

À proximité Carte de microrégion p. 212

★ **Villers-le-Lac** C2

◐ *4 km au sud-ouest.*

Point de départ des croisières, Villers est la petite ville la plus proche du saut du Doubs. Le site est habité depuis 3 000 ans av. J.-C., les premiers habitants ayant établi une cité lacustre au lieu-dit la Roche-aux-Pêcheurs.

👥 Aux quelques pistes de ski alpin et de fond s'ajoute une originalité, par grand froid : 6 km de **patinoire naturelle**, la plus grande d'Europe, lorsque la glace a bien pris les bassins du Doubs.

★ **Musée de la Montre** – *R. Berçot - ☏ 03 81 68 08 00 - www.pays-horloger. com/musee-de-la-montre.html - de mi-juin à mi-sept. : 10h-12h, 14h-17h - fermé j. fériés - possibilité de visite guidée sur demande (1h) - 6 € (-18 ans 3 €).* Le pays horloger se devait de rendre hommage à la montre : ce beau musée en retrace l'histoire depuis le 17e s. Les montres religieuses (impressionnante montre en forme de crâne) voisinent avec d'étonnantes montres coquines dotées de caches pour masquer certains décors ! On admirera également de très beaux porte-montres, toute une gamme d'outils de précision et les ateliers reconstitués des paysans-horlogers de jadis. Et, pour être à l'heure, le musée n'a pas oublié les derniers prototypes : montre ordinateur, montre télévision…

★ **Lac de Chaillexon** C2

◐ *2 km au sud-ouest.*

Il est constitué par une section de la vallée du Doubs : ses rives se sont éboulées et ont formé un barrage de retenue naturel. Le lac s'étend d'abord entre les pentes du val, puis il s'encaisse entre des falaises calcaires abruptes, formant les bassins. Très sinueux, il a une longueur de 3,5 km et une largeur moyenne de 200 m ; par endroits, sa profondeur atteint 30 m.

Regagnez la route reliant Villers-le-Lac au Pissoux. À l'entrée de ce dernier, prenez la voie à droite qui mène à un belvédère dominant de 70 m la retenue du Châtelot.

Barrage du Châtelot C2

◐ *Au nord-est.*

Construit à cheval sur la frontière franco-suisse, ce barrage-voûte, prenant appui sur les rochers des deux rives, est une œuvre commune aux deux pays. Sa longueur est de 148 m, sa hauteur de 73 m, son épaisseur de 14 m à la base et 2 m au couronnement.

4

😊 NOS ADRESSES PRÈS DU SAUT DU DOUBS

HÉBERGEMENT

BUDGET MOYEN

Au Barboux
Chambre d'hôte La Chabraque – *11 r. Les Lessus - 25210 Le Barboux - à 2,5 km par la rte de la Grande-Combe-des-Bois - ☏ 03 81 43 77 24 - www.lachabraque.fr -* ✉ 🅿 📶 *- 4 ch. 90/130 € ⌷ -* 🍴 *à partir de 6 pers. 20/30 €.* Un chalet du 18e s. brillamment restauré dans un petit hameau isolé en pleine campagne. La grande salle commune parée de boiseries dispose d'un salon, avec fauteuils et canapés en cuir, agrémenté d'une grande cheminée comtoise

et d'un piano. Ce relais équestre possède aussi un sauna. Location de patins à glace et raquettes en hiver (10 € la journée).

À Villers-le-Lac

Hôtel Le France – *8 pl. Cupillard - 25130 Villers-le-Lac - ℰ 03 81 68 00 06 - www.hotel-restaurant-lefrance.com - ⊚ - fermé 1 sem. en nov. et janv. - 12 ch. 58/126 € - ☕ 11 € - ✗ formule déj. 22 € - 39/83 €.* Cet établissement accueillant perpétue la tradition familiale depuis quatre générations. Maîtrise technique, justesse des associations de saveurs, terroir et invention : Hugues Droz délivre une jolie leçon de cuisine dans son restaurant étoilé. Grandes assiettes servies sur la terrasse. Espace bien-être attenant.

RESTAURATION

POUR SE FAIRE PLAISIR

À Villers-le-Lac

Les Bateaux du Saut du Doubs – *25130 Villers-le-Lac - ℰ 03 81 68 13 25 - www.sautdudoubs.fr - fermé de la Toussaint à Pâques - réserv. obligatoire - 39/60 €.* Deux bateaux-restaurants, « Le Milan Royal » et « L'Odyssée », servent des repas gastronomiques à déguster en contemplant un paysage exceptionnel. Voir aussi Le France ci-dessus.
♿ *Voir aussi Le France ci-dessus.*

ACTIVITÉS

Croisières sur le Doubs

Croisières commentées de 14 km (2h) à partir de Villers-le-Lac avec escale de 1h à la cascade :

Vedettes panoramiques – *2 pl. Maxime-Cupillard - 25130 Villers-le-Lac - ℰ 03 81 68 05 34 - www.vedettes-panoramiques.com - de*

Pâques à la Toussaint -1 à 4 dép./j. (6 dép. en juil.-août) - 14 € (4-12 ans 10 €) - croisière repas en juil., août sur réserv. (45 €).

Bateaux du Saut du Doubs (Droz-Bartholet) – *25130 Villers-le-Lac - Pavillon d'accueil à l'entrée de Villers-le-Lac - Les Terres Rouges - ℰ 03 81 68 13 25 - www.sautdudoubs.fr - de Pâques à la Toussaint - juil.-août : 7 dép./j. - 14,90 € (4-12 ans 10 €).*

Navigation sur le lac des Brenets (NLB) – *2416 Les Brenets - Embarcadère aux Brenets (Suisse) - ℰ 03 29 32 14 14 - www.nlb.ch - mai-oct. - juin.-mi-sept : 12 dép./j. ; mai, mi-sept-oct. : 4 dép./j. - 15 CHF (6-16 ans 8 CHF) - possibilité de payer en euros selon cours du jour.* Navettes entre Les Brenets et le saut du Doubs.

Sports nautiques

Canoë-kayak – *Base nautique de Chaillexon - 25130 Villers-le-Lac - ℰ 06 30 07 28 68 - tlj juil.-août, mai, juin et sept. sur réserv. - 8/12 €/h, 12/18 €/1/2 j.* Location canoë-kayak monoplace et biplace et paddle.

Sport Tonic – *ℰ 03 81 67 91 30.*

Sports d'hiver

Patinage – *Sur les bassins du Doubs par grand froid (-15 °C). Attention ! L'accès sur la glace se fait à vos risques et périls ; l'endroit n'est ni surveillé, ni contrôlé. Location de patins sur place (M. Bercot - ℰ 06 77 62 23 13) ou à Morteau (Sport Tonic - ℰ 03 81 67 91 30).*

Ski alpin, ski de fond et raquettes – *Ski alpin à proximité : au mont Musy et au Chauffaud. 83 km de pistes de ski de fond et 32 km de pistes pour les raquettes au val de Morteau. Se rens. aux offices de tourisme de Villers-le-Lac et de Morteau.*

Morteau

6 849 Mortuaciens – Doubs (25)

Il ne faudrait pas résumer cette petite ville de la vallée du Doubs à sa saucisse, aussi délicieuse soit-elle ! Également renommée pour son artisanat horloger de grande qualité, Morteau rend les honneurs à ce précieux savoir-faire en son château, rare témoignage de l'art de la Renaissance.

NOS ADRESSES PAGE 234
Hébergement, restauration, achats, activités, etc.

S'INFORMER

Office du tourisme du val de Morteau - Saut du Doubs – *7 pl. de la Halle - 25500 Morteau -* 03 81 67 18 53 - *www.pays-horloger.com - juil.-août : 9h-12h, 14h-18h, sam. 9h-12h, 14h-17h, j. fériés 9h30-12h ; reste de l'année : tlj sf jeu. et j. fériés 9h-12h, 14h-17h, sam. 9h-12h - fermé dim.*

SE REPÉRER

Carte de microrégion C2 (p. 212). Située sur la rive gauche du Doubs, Morteau n'est qu'à 31 km au nord-est de Pontarlier (D 437) et à 12 km de la frontière suisse (D 461, vers l'est).

À NE PAS MANQUER

Le château Pertusier et son très complet musée de l'Horlogerie du haut Doubs ; côté Suisse, l'extraordinaire musée international d'Horlogerie de La Chaux-de-Fonds ; les fermes à tuyé du hameau des Cordiers ; une dégustation de saucisse de Morteau, avec pommes de terre et cancoillote.

ORGANISER SON TEMPS

Comptez un ou deux jours pour Morteau et la route horlogère.

AVEC LES ENFANTS

Les gorges du Doubs pour une immersion en pleine nature ; les fermes-musée du Pays horloger ; les moulins souterrains du col des Roches.

Se promener

★ Château Pertusier

À la sortie de la ville en direction de Pontarlier.

Cette élégante maison Renaissance a été construite en 1576 par la famille Cuche. Bombardé par les Suédois au 17ᵉ s., saisi à la Révolution, endommagé par un incendie en 1938, le « château » a retrouvé son lustre d'antan et accueille, dans son décor ouvragé, un musée de l'Horlogerie et des expositions temporaires.

Musée de l'Horlogerie du haut Doubs – *17 r. Glapiney -* 03 81 67 40 88 - *www.musee-horlogerie.com - mai-sept. : 10h-12h, 14h-18h, j. fériés 14h-18h ; reste de l'année : tlj sf w.-end et j. fériés 14h-18h - fermé 1ᵉʳ déc.-1ᵉʳ janv., certains j. fériés - possibilité de visite guidée sur demande (1h15) - 6 € (-12 ans gratuit).* Aménagé depuis 1984, le musée est un hommage à l'exceptionnel talent des artisans horlogers de la région. Les outils de fabrication d'une précision remarquable conçus par les paysans-artisans et la très belle collection de montres et horloges permettent d'en suivre l'évolution. Notez l'exceptionnelle **horloge astronomique★** (1855) et le mécanisme des engrenages des montres ou les mouvements de clochers. La dernière salle est consacrée à une présentation de la reconversion réussie de cette industrie dans le val.

4

À proximité Carte de microrégion p. 212

Grand'Combe-Châteleu C2

▶ *4 km au sud-ouest par la D 437, puis à gauche la D 47.* Le hameau Les Cordiers possède de belles **fermes anciennes★** à tuyé.

Fermes-musée du Pays horloger – *5 Les Cordiers - ℘ 03 81 68 86 90 - visite guidée (1h30) juil.-août : 10h-12h, 14h-18h ; de mi- à fin juin et de déb. à mi-sept. : 14h-18h - fermé lun. - 5,50 € (-18 ans 3 €) - 14 € billet famille (2 adultes + 2 enf.) - sur réserv. : "visite goûter", "visite enquête au musée" ou "visite dégustation".*

👤👤 La ferme-atelier (maison du 17ᵉ s.) comprend un atelier de forgeron et charron tel qu'il existait vers 1920. Dans la grange, une collection d'outils retrace les principales activités de la vie rurale de la région au siècle dernier. La visite conduit également dans une ferme à « tuyé » (ou tué ; c'est-à-dire avec une grande cheminée typique de la région, qui servait au séchage et au fumage des salaisons).

Circuit conseillé Carte de microrégion p. 212

ROUTE HORLOGÈRE FRANCO-SUISSE

▶ *Circuit de 80 km tracé en marron sur la carte de microrégion – Comptez une bonne journée. Quittez Morteau par la D 461 en direction de Villers-le-Lac.*

👁 **Bon à savoir** – *Pour plus de détails sur Le Locle et La Chaux-de-Fonds, reportez-vous au* Guide Vert Suisse.

★ Villers-le-Lac (👣 p. 229)

Continuez la D 461 et franchissez la frontière au col des Roches.

Col des Roches C2

Le « cul des Roches », rebaptisé col des Roches au 19ᵉ s., doit son nom à cet étonnant emposieu (nom jurassien désignant un gouffre s'ouvrant sur une grotte) formé par le Bied.

Moulins souterrains – *℘ 032 889 68 92 - www.lesmoulins.ch - mai-oct. : tlj 10h-17h, visites guidées de la grotte (1h) à 10h30, 13h45, 15h ; nov.-avr. : tlj sf lun. 14h-17h, visites de la grotte à 15h du mar. au vend., 14h30 et 16h le w.-end - fermé 24 déc.-2 janv., lun. de Pâques - 14 CHF (enf. 7 CHF) - la température dans la grotte est de 7 °C, prévoir un vêtement chaud et de bonnes chaussures.* 👤👤 C'est au 17ᵉ s. que l'épopée industrielle de ce site commence. L'emposieu dans lequel les eaux du Bied chutent est équipé de moulins, à 23 m de profondeur. Au fil du temps, l'endroit se transforme en usine souterraine avec une scierie, un blutoir, un monte-sacs… Mais à la fin du 19ᵉ s., la municipalité de Locle achète la concession sur le Bied pour assainir les marais. Lorsqu'en 1973, des bénévoles décident de nettoyer la grotte, ils découvrent qu'elle a servi de dépotoir à un abattoir et reçoit les égouts de Locle. Elle ouvre au public en 1987. La visite, impressionnante, est complétée par un musée qui retrace l'histoire des moulins et présente des expositions temporaires.

Le Locle C2

Cette petite ville du Jura suisse, tapie au fond d'une vallée juste après le col des Roches, doit sa prospérité à l'horlogerie.

★ **Musée de l'Horlogerie** – *℘ 032 933 89 80 - www.mhl-monts.ch - mai-oct. : 10h-17h ; reste de l'année : 14h-17h - fermé lun. (sf fériés), 1ᵉʳ janv., 25 déc. - 10 CHF (-10 ans gratuit).*

Morteau, musée de l'Horlogerie du haut Doubs, horloge astronomique réalisée en 1855.
D. Bringard/hemis.fr

Sur les hauteurs du Locle, le **château des Monts**, élégante demeure classique du 18e s. entourée d'un beau parc, abrite un musée qui complète parfaitement celui de La Chaux-de-Fonds. Au rez-de-chaussée, un appartement témoin du style de l'époque sert de cadre à la présentation d'une belle collection d'horloges et de pendules, chefs-d'œuvre d'orfèvrerie. Huit vitrines montrent l'évolution de la montre depuis les modèles de la Renaissance jusqu'à la plus petite montre électronique. Au 1er étage, la salle M.-Y. Sandoz contient des sujets à automates miniaturisés. Au 2e étage, consacré en partie à la chronologie de la mesure du temps, l'atelier d'un horloger local a été reconstitué. *Poursuivez votre trajet par la N 20 (prolongement en Suisse de la D 461).*

La Chaux-de-Fonds D2

La ville natale de **Le Corbusier**, perchée à près de 1 000 m d'altitude, ne ressemble à aucune autre ville suisse avec ses rues rectilignes, mais gagne à être découverte. Des éléments décoratifs Art nouveau et de nombreux jardins privés l'agrémentent. Berceau de l'industrie horlogère, elle vit aujourd'hui au rythme des industries de pointe (microtechnique, électronique).

★★ **Musée international d'Horlogerie** – ☎ 032 967 68 61 - www.mih.ch - ♿ - tlj sf lun. 10h-17h - possibilité de visite guidée sur RV - fermé 1er janv., 24, 25 et 31 déc. - 15 CHF (enf. 7,50 CHF, -12 ans gratuit). Fondé en 1902, ce musée présente l'histoire de la mesure du temps (« L'Homme et le Temps ») depuis l'Antiquité. Il contient plus de 3 000 pièces de valeur, suisses et étrangères, et abrite un centre de restauration d'horlogerie ancienne et un centre d'études interdisciplinaires du temps. Par une passerelle surplombant des mécanismes d'horloges de clocher, on accède à la salle principale. Sont exposés les premiers instruments antiques de mesure du temps, des pièces d'époque Renaissance et de marine, un magnifique ensemble de montres émaillées du 17e s., de curieuses horloges astronomiques ou à musique, d'amusants sujets à automates du 19e s., etc. Observez à gauche la salle vitrée où travaillent des réparateurs ou restaurateurs en horlogerie ancienne. On passe ensuite dans un espace consacré à l'horlogerie scientifique (pendules astronomiques, horloges atomiques et à quartz), par lequel on peut monter au « beffroi », puis dans une salle surélevée initiant à l'horlogerie moderne.

À l'extérieur se dresse l'ensemble monumental du **Carillon** (1980), structure tubulaire de 15 t en acier et à lamelles colorées conçue par le sculpteur italien Onelio Vignando. Il ponctue chaque quart d'heure de sons musicaux (les ritournelles changent selon les saisons) et, la nuit, de captivants jeux de lumière.

★ Gorges du Doubs D1-2

👥 Si vous disposez de temps, le retour peut se faire par les gorges du Doubs. *Pour cela, quittez La Chaux-de-Fonds par le nord (direction Belfort).*

La route s'élève au milieu des bois avant de plonger dans les profondes gorges. Curieusement, la frontière n'est pas au niveau du Doubs, mais de l'autre côté, sur les hauteurs. En tournant à droite avant le bureau de douane, vous atteignez les **Échelles de la Mort** (👆 p. 220).

Poursuivez sur la D 464 en direction de Maîche. À la sortie de Charquemont, prenez à gauche la D 201 qui conduit à Frambouhans. Prenez la D 437 à gauche vers Morteau. À la sortie du Russey, prenez à droite vers Les Allemands et Le Bizot.

★ Église St-Georges du Bizot C2

Datant du 16e s., elle garde un superbe toit de lave (poids estimé : 460 t) et une porte latérale ornée. Entrez *(poussez fort!)* pour admirer l'élégance de la nef, une exceptionnelle **chaire★** de bois sculpté polychrome du 18e s. survolée par un ange portant trompette, les lutrins et une inhabituelle statue de la Vierge tenant un calice (15e s., atelier de Strasbourg). Deux fresques, découvertes en 1969 et difficiles à observer, représentent la Visitation et saint Christophe. Le café du village était autrefois la maison de justice, où les seigneurs de Réaumont, après la destruction de leur château, se prononçaient sur le sort des accusés. Ceux-ci étaient ensuite attachés à un carcan dressé sur la place. Notez les fenêtres à croisées du 17e s., dont l'une est ornée du bâton de justice, et la cheminée avec le portrait d'un juge en bas-relief. Le Bizot se flatte aussi d'avoir vu naître Joseph et Maurice Vermot, les fondateurs de l'Almanach du même nom, édité tous les ans depuis 1886 et qui contient des informations pêle-mêle, des blagues, des calembours, des illustrations.

Regagnez la D 437 par la D 329 vers Narbief et prenez à droite vers Morteau.

😊 NOS ADRESSES À MORTEAU

HÉBERGEMENT

PREMIER PRIX

Hôtel Les Montagnards – *7 bis pl. Carnot -* 📞 *03 81 67 08 86 - www. hotel-les-montagnards.com -* 🅿 📶 *- fermé 1re quinz. de juil. - 18 ch. 60/65 € -* 🍽 *8 € (offert aux -12 ans).* Situé en plein centre-ville, cet hôtel compte 18 chambres confortables, parées de lambris ou de couleurs pastel. Petit-déjeuner copieux (fromage du pays et jambon fumé) dans une salle indépendante, décorée avec des cloches de vaches, d'anciens skis et des outils de ferme. Garage.

BUDGET MOYEN

Hôtel La Guimbarde – *10 pl. Carnot -* 📞 *03 81 67 14 12 - www. la-guimbarde.com -* 🅿 📶 *- 25 ch. 61/110 € -* 🍽 *9 €.* Idéalement situé en centre-ville, cet hôtel de charme refait à neuf propose de belles chambres aux tons doux, dont deux suites. Salle de séminaire, garage motos et espace bien-être.

À proximité

PREMIER PRIX

Hôtel L'Auberge de la Motte –
*2 r. du 8-Mai - 25500 Les Combes -
La Motte - ☎ 03 81 67 23 35 - www.
auberge-de-la-motte.fr - fermé
sam. midi - 7 ch. 59/65 € - ☲ 9 € -
1/2 P. 64 € -* ✗ *menu du j. 14 €
(sem.), carte env. 30 €.* Ferme de
pays (1808) restaurée et dotée
de chambres agrémentées
de boiseries et de meubles
contemporains. La carte régionale
se concentre sur les produits du
terroir. Jolies salles rustiques et
terrasse d'été.

BUDGET MOYEN

Chambre d'hôte Le Pré Oudot –
*25390 Fournets-Luisans - Le Pré
Oudot - à 10 km au N - ☎ 03 81 67
02 31 - www.le-pre-oudot.fr -* ⊟
P *- 5 ch. 110/160 € ☲ -* ✗ *30 €.*
Ambiance lambrissée pour les
chambres (dont 2 suites) de cette
superbe ferme comtoise du
17ᵉ s. et son manège annexe, au
cœur de la nature. Très belle vue,
endroit calme, accueil de chevaux
et espace détente.

RESTAURATION

BUDGET MOYEN

Jacques Alexandre – *34 Grand-
Rue - ☎ 03 81 43 14 19 - www.
jacques-alexandre.com - fermé
24 déc. soir et 25 déc., lun. et
dim. - 27/41 €.* Vue alléchante
sur les cuisines depuis la salle
« Comptoir ». La carte fait honneur
à la tradition et à la cuisine de
brasserie.

À proximité

BUDGET MOYEN

Auberge de la Roche –
*9 r. du Pont-de-la-Roche -
25570 Grand'Combe-Châteleu -
☎ 03 81 68 80 05 - www.
aubergedelaroche.com - fermé*
*1 sem. en juin, 1 sem. en janv., lun.,
mar. soir, et dim. soir - 26,80/80 €.*
Une table de tradition, nichée
dans la verte campagne du Haut-
Doubs. Madame et Monsieur
Feuvrier mettent tout leur cœur à
satisfaire les clients, elle en salle,
assurant un accueil très attentif ;
lui aux fourneaux, jouant la carte
du classicisme et des généreuses
saveurs franc-comtoises…

ACHATS

⊗ Spécialité gastronomique –
Bien connue, la saucisse
de Morteau (« jésus » pour
les Comtois) a obtenu en
2010 le label IGP (indication
géographique protégée) - www.
saucissedemorteau.com.

Morteau Saucisse – *Rte de
Pontarlier - ☎ 03 81 67 68 70 -
www.morteausaucisse.com -
horaires : se rens.* On trouvera
ici de véritables saucisses de
Morteau mais aussi des saucisses
de Montbéliard, des quarts de
jambon, de la poitrine fumée,
de la viande séchée, des demi
palettes fumées, etc. Tout est
conditionné sous vide.

Boucherie Chapuis – *26 Grande-
Rue - ☎ 03 81 67 06 39 - fermé jeu.
après-midi, dim. et j. fériés - lun.
8h-12h15, 14h30-18h ; mar., merc.,
vend. 8h-12h15, 14h30-19h ; jeu.
8h-12h15 ; sam. 8h-12h15, 14h-17h.*
Une incontournable adresse du
centre-ville où l'on vend toutes
les salaisons qui font la fierté
de Morteau. Produits sous vide
facilitant le transport.

Klaus – *3 r. Victor-Hugo -
☎ 03 81 67 47 43 - www.klaus.
com - 9h30-19h sf lundi. 14h30-19h,
fermé dim. - visite de la fabrique
sur RV mer. et vend. matin - 5 €
(-16 ans 2,50 €).* Créée en 1856,
cette maison franco-suisse reste
une référence de qualité pour

4

sa production de chocolat et de caramels.

Maison Rième – *21 r. de la Louhière - ☏ 03 81 67 15 33 - www. rieme-boissons.fr - 8h-12h, 14h-19h, fermé dim.* Cette maison fabrique depuis 1921 des limonades et plus récemment des sirops parfumés aux saveurs du pays (gentiane, sapin, absinthe…).

Fonderie de cloches Obertino – *44 r. de la Louhière - ☏ 03 81 67 04 08 - www.obertino.fr - boutique : tlj 8h-12h, 13h30-18h30, sf le sam. de fin juin à fin août 9h-12h, 14h-17h ; visite de la fonderie : lun.-jeu. à 10h et à 14h uniquement sur RV - fermé j. fériés, fin juil.-mi-août, sem. de Toussaint et Noël-1er - janv. - 4 € (-12 ans 2 €).* Depuis 200 ans, cette famille fabrique des cloches en bronze selon la même méthode artisanale : ces œuvres d'art, dont le poids varie de 80 g à 45 kg, assurent à l'entreprise une réputation internationale. La fonderie possède aussi un atelier de bourrellerie (entreprise spécialisée dans la confection de sacs de luxe), et détient le label Entreprise du patrimoine vivant.

EN SOIRÉE

Théâtre municipal – *Pl. Halle - ☏ 03 81 67 18 53 - www. morteau.org - billeterie ouverte lun.-vend. 9h-12h, 14h-17h et sam. 9h-12h.* Particulièrement dynamique, ce théâtre propose une programmation très variée : théâtre, musique, danse, représentations dédiées au jeune public, festival de hip-hop (mi-janvier)… Il abrite également un cinéma d'art et d'essai.

ACTIVITÉS

Espace Morteau – *10 chemin du Breuille - rte de Pontarlier - ☏ 03 81 67 48 72 - www. espacemorteau.com - 7h-22h.* Organisation d'activités sportives en toutes saisons : VTT, escalade, canoë-kayak, randonnée, spéléologie, ski de fond, tennis et « parcours aventure » en forêt. Hébergement et restauration.

Canoës à la frontière suisse, Villers-le-Lac.
D. Delfino/hemis.fr

Montbenoît

397 Saugets – Doubs (25)

Dans le patois local, on ne dit pas Montbenoît mais « l'Abbaye » ! Longtemps sous la juridiction de sa superbe abbaye, le minuscule village, construit à flanc de coteau sur le bord du Doubs, a acquis son indépendance et est aujourd'hui la capitale de la république du Saugeais !

😊 NOS ADRESSES PAGE 240
Hébergement, restauration, achats, activités, etc.

🛈 S'INFORMER

Office du tourisme du canton de Montbenoît – *4 r. du Val-Saugeais - 25650 Montbenoît -* 📞 *03 81 38 10 32 - www.tourisme-loue-saugeais.fr - juil.-août : 9h-13h, 14h30-18h30, sam. 9h-13h, dim. 10h-14h, j. fériés 9h30-13h, 14h30-18h30 ; reste de l'année : tlj sf dim. 9h30-12h, 14h-18h, sam. 9h30-12h - fermé 1er janv., 1er et 11 Nov.*

▶ SE REPÉRER

Carte de microrégion C2 (p. 212). La république du Saugeais regroupe 11 communes : La Longeville, Les Alliés, Arçon, Bugny, La Chaux-de-Gilley, Gilley, Hauterive-la-Fresse, Maisons-du-Bois-Lièvremont, Montflovin, Ville-du-Pont et enfin Montbenoît, sa capitale politique, située à 10 km au nord-est de Pontarlier par la D 437.

😊 À NE PAS MANQUER

Les vestiges de l'abbaye de Montbenoît ; le défilé d'Entreroche.

🕐 ORGANISER SON TEMPS

Consacrez une heure à l'architecture religieuse de Montbenoît, puis une demi-journée à l'exploration de cette minuscule et sympathique république.

👨‍👧 AVEC LES ENFANTS

La grotte du Trésor sur fond de contes et légendes francs-comtois.

BIENVENUE DANS LA RÉPUBLIQUE DU SAUGEAIS

Vous voilà prévenu : vous entrez dans un territoire pas comme les autres ! La petite république du Saugeais, composée de 11 communes, a un hymne, un drapeau, un blason, un timbre… La présidente est **Georgette Bertin-Pourchet** depuis 2005. La sécurité des frontières est assurée par deux douaniers mobiles. À vos passeports ! Une exposition permanente sur les cadeaux reçus par la présidente est présentée dans l'enceinte de l'abbaye.

C'est en 1947 que le préfet, se faisant interpeller par un aubergiste facétieux qui lui demande son laissez-passer pour entrer dans la république du Saugeais, nomme avec humour son hôte, **M. Pourchet**, président de la nouvelle république. Après le décès de celui-ci en 1968, c'est sa femme, élue à vie à l'applaudimètre, qui lui succède, puis leur fille en 2005.

Ce petit territoire a bel et bien une identité forte, héritée de son histoire. Au 12e s., l'archevêque Humbert fait venir du Valais des moines augustins pour fonder une abbaye. Pour aider au défrichement du pays, ils font appel à des compatriotes suisses, des **Saugets**. Si le val prend le nom de Saugeais, les habitants sont en revanche toujours des Saugets et des Saugettes. Ces paysans ont gardé, au cours des siècles, leur patois particulier, leurs coutumes, leurs types d'habitation et leur identité.

4

Se promener

★ ANCIENNE ABBAYE

4 r. du Val-Saugeais - ℘ 03 81 38 10 32 - www.tourisme-loue-saugeais.fr - juil.-août : 9h-13h, 14h-18h30, dim. 9h-18h30 ; reste de l'année : tlj sf dim. 9h30-12h, 14h-18h, sam. 9h30-12h, j. fériés 9h30-12h, 14h-17h30 - fermé certains j. fériés - possibilité de visite guidée (1h) - 5 € (-18 ans gratuit) - hors juil.-août, entrée obligatoire par l'office de tourisme (accolé à l'abbaye).

Église abbatiale

Marquée par un riche passé historique, l'église a connu plusieurs remaniements et présente aujourd'hui des éléments d'architecture variés. Le clocher-porche, de style néogothique, a été reconstruit lors d'une restauration en 1903. La majeure partie du vaisseau remonte aux origines de l'abbaye au 12e s. La sobriété de la nef contraste avec la lumineuse décoration du chœur (16e s.) qui reprend de nombreux éléments à la Renaissance italienne. La combinaison de voûtes d'arêtes ou d'ogives et la présence de certains éléments de décoration (pilier à colonne baguée, cordons, corbeaux) paraissent empruntés à l'art cistercien.

Nef – Adossé au 1er pilier de droite : le monument de Parnette Mesnier (1522). Poursuivie par un galant, la jolie Parnette grimpa sur l'échafaudage du chœur, alors en construction, et, sur le point d'être rejointe, se précipita dans le vide. L'abbé Ferry Carondelet tint à perpétuer le souvenir de la vertueuse Saugette. Dans la chapelle Ferrée, à gauche du chœur, Pietà en pierre sur l'autel et statue de saint Jérôme (16e s.). Dans la chapelle des Trois-Rois, à droite du chœur, belles portes sculptées, de l'ancien jubé du 16e s.

Chœur – L'abbé Ferry Carondelet, qui avait parcouru l'Italie comme ambassadeur, voulut retrouver ici un peu de la richesse et du goût de la Renaissance italienne. Il choisit lui-même les décorateurs qui, en deux ans, achevèrent cet ensemble de sculptures et de vitraux, une des réussites de la première Renaissance en Franche-Comté. Sur les voûtes à pendentifs, ornées de fines nervures, rinceaux et arabesques ont conservé l'éclat de leurs couleurs.

Les magnifiques **stalles★★** ont été exécutées de 1525 à 1527, avec beaucoup d'art et de verve ; malheureusement, peu de motifs sont conservés intacts. Quelques scènes, habilement sculptées, contribuent à la richesse de l'ensemble et illustrent des idées empruntées au Moyen Âge (la « Correction d'Aristote » représente la Science corrigée par la Vérité). À droite de l'autel, belle **niche abbatiale★★** en marbre et, à côté, bassin également en marbre (1526). Au-dessus de la porte de la sacristie, bas-relief représentant le sire de Joux, à cheval, en tenue de combat. Du socle émerge une curieuse tête d'homme qui représenterait Ferry Carondelet jetant sur son œuvre un regard satisfait.

Cloître

Cet espace de calme et d'harmonie datant des 12e et 15e s. combine les styles avec bonheur et témoigne bien de l'hésitation comtoise en matière d'architecture : l'arc en plein cintre continue d'être employé, tandis que les portes d'angle sont surmontées d'accolades et ornées de tympans sculptés, à la manière du gothique flamboyant. Les colonnettes doubles ont des chapiteaux aux sculptures archaïques : feuillages, poissons, animaux.

Salle capitulaire

Donnant sur le cloître, elle présente des voûtes dont les arêtes ogivales partent du sol ; elle abrite les statuettes de la Vierge tenant Jésus et des Rois mages en bois polychrome du 16e s.

GRANDEUR ET DÉCADENCE

L'abbaye de Montbenoît fut bien fondée par un ermite qui s'appelait **Benoît**, mais attention : il s'agit d'un homonyme du saint fondateur des Bénédictins. En 1150, le sire de Joux, dont dépend la région, veut s'attirer la clémence divine, dont il a grand besoin. Il offre à **Humbert**, archevêque de Besançon, pour les premiers occupants de Montbenoît, le val épanoui où coule le Doubs, à la sortie de Pontarlier. L'abbaye reste cependant sous la suzeraineté féodale des sires de Joux. Chaque fois qu'un nouvel abbé est élu, le seigneur se présente à la porte du monastère, entouré de ses vassaux et de ses hommes d'armes. L'abbé, crosse en main et mitre en tête, l'accueille et lui offre les clés de la maison sur un plat d'argent ; le sire gouverne alors la communauté pendant toute la journée. L'abbaye subit la même décadence que St-Claude (*p. 346*). À partir de 1508, les abbés touchent les revenus de l'abbaye sans être astreints ni à la direction, ni même à l'état religieux. Les deux plus connus sont le **cardinal de Granvelle** et **Ferry Carondelet**. Ce dernier, entré dans les ordres après son veuvage, devient conseiller de Charles Quint. C'est un fastueux mécène qui fait reconstruire le chœur de l'église et la dote de ses plus belles œuvres d'art. Il comble également de ses dons la cathédrale St-Jean à Besançon, dont il est chanoine et où il est enterré. À la Révolution, l'abbaye est décrétée bien national et ses domaines sont vendus.

Cuisine

Remarquer une pendule Louis XIV à une seule aiguille, une belle armoire Louis XIII et le vaste manteau de la cheminée.

À proximité Carte de microrégion p. 212

Défilé d'Entreroche C2

⏵ *2 km au nord, le long de la D 437.*

Il succède au val épanoui du Saugeais en aval de Montbenoît. La vallée forme une gorge sinueuse. La route est taillée entre de remarquables escarpements calcaires où s'ouvrent deux grottes.

Grotte du Trésor C2

⏵ *8 km au nord de Montbenoît.*

La voûte d'entrée est d'une ampleur étonnante. Elle se trouve à 5 minutes de la D 437 et en contre-haut. Le sentier qui y mène, sous bois, est signalé à son embranchement sur la route nationale.

Grotte-chapelle de N.-D.-de-Remonot C2

⏵ *9 km au nord de Montbenoît.*

Lieu de pèlerinage, dont l'eau passe pour guérir les maladies des yeux. Elle s'ouvre au niveau de la route ; une grille en protège l'entrée.

Entre Remonot et Morteau, le Doubs, la voie ferrée et la route se côtoient et serpentent, resserrés entre des versants boisés et abrupts. À la sortie du défilé, la vallée s'élargit, formant le bassin de Morteau.

4

😊 NOS ADRESSES À MONTBENOÎT

HÉBERGEMENT

PREMIER PRIX

Hôtel-restaurant Le Sire de Joux – *Pl. de l'Abbaye* - 🕿 *03 81 38 10 85* - *www.lesiredejoux.com* - 🅿 🛜 - *rest. fermé dim. soir et lun.* - *10 ch. 70/82 € 🍴 9 € -* ✗ *formule déj. 16 € - menus 26/45 €.* Rénové récemment, l'établissement affiche de belles chambres colorées et bien propres. La table propose quant à elle une savoureuse cuisine régionale.

À proximité

BUDGET MOYEN

Chambre d'hôte Le Crêt l'Agneau – *25650 La Longeville - Les Auberges* - 🕿 *06 89 93 24 49* - *www.lecret-lagneau.com* - 🚭 🅿 - *5 ch. 95/120 € 🍴 -* ✗ *19/29 € - table d'hôtes 8 pers. mini. sur réserv.* Cette ferme du 17e s. au milieu des pâturages distille l'univers douillet propre aux maisons de la région. Tenue par un couple dynamique, elle dispose de chambres très soignées. Cuisine du terroir longuement mijotée.

RESTAURATION

À proximité

BUDGET MOYEN

L'Auberge du Tuyé – *8 r. St-Claude - 25390 Fournets-Luisans* - 🕿 *03 81 43 58 70 - www. aubergedutuye.com* - 🅿 🛜 *- fermé dim. soir hors sais. 12h-14h, 19h-21h - 21/40 € - 12 ch. 67/98 € - 🍴 9 € - 1/2 pension 65/80 €.* Cette auberge très ancienne, sise à 850 m d'altitude, a su conserver son identité franc-comtoise, chaleureuse et conviviale. On y savoure des recettes régionales comme la croûte aux morilles mais aussi quelques plats de poissons et de crustacés.

ACHATS

À proximité

Le Tuyé du Papy Gaby – *2 r. les Cotey - 25650 Gilley - à 6 km au NE de Montbenoît par D 131 -* 🕿 *03 81 43 33 03 - www.tuye-papygaby.com - 9h-12h, 13h30-18h30, dim. pdt vac. scol. - juil. et août : 9h-19h - fermé 1er janv. et 25 déc., dim. de nov. à avr.* Dotée d'un impressionnant tuyé (cheminée comtoise), cette maison est réputée pour sa saucisse de Morteau. Des vidéos et des automates représentant les personnalités de la « république du Saugeais » animent la visite pendant laquelle on vous explique les diverses étapes de fumage et de salage des produits, dégustation à l'appui.

Aux Produits Saugets – *2 Grande-Rue - 25650 Maisons-du-Bois* - 🕿 *03 81 38 13 11 - http:// auxproduitssaugets.fr/- 9h-12h15, 14h-19h, dim. 9h-12h15, 14h30-18h30.* Fabrication artisanale sur place (fumage en tuyé) et vente de saucisse de Morteau et de jambon fumé. Nombreux prix et médailles. Grand choix de produits régionaux de Franche-Comté.

ACTIVITÉS

Voie verte le Chemin du train – 🕿 *03 81 38 10 32 - www.af3v.org - Informations à l'office du tourisme du canton de Montbenoît.* Le tronçon de voie ferrée entre les villages de Doubs (au nord de Pontarlier) et Gilley a été transformé en sentier pédestre et VTT. Des circuits prennent des chemins détournés pour découvrir le Doubs, naturel et sauvage.

Pontarlier, la porte Saint-Pierre.
H. Lenain/hemis.fr

Pontarlier

17 140 Pontissaliens – Doubs (25)

Carrefour entre la Franche-Comté et la Suisse, défendu par le fort de Joux, Pontarlier doit sa prospérité à sa situation stratégique et aux échanges transfrontaliers. Située dans les montagnes du Jura, la ville constitue un agréable point de départ pour les excursions estivales et les sports d'hiver.

😊 NOS ADRESSES PAGE 247
Hébergement, restauration, achats, activités, etc.

4

🪧 S'INFORMER

Office du tourisme de Pontarlier – *14 bis r. de la Gare - 25300 Pontarlier - ✆ 03 81 46 48 33 - www.pontarlier. org - juil.-août : 9h-12h30, 13h30-18h, dim. 9h30-12h30 ; vac. scol. (hors juil.-août) : tlj sf dim. 9h-12h30, 13h30-18h ; avr.-juin et sept. (hors vac. scol.) : tlj sf dim. et jeu. 9h-12h30, 13h30-18h ; reste de l'année : tlj sf dim. et jeu. 9h-12h, 14h-18h - fermé certains j. fériés.*

▶ SE REPÉRER

Carte de microrégion B3 (p. 212). À 31 km au sud-ouest de Morteau par la D 437, la ville est au carrefour des routes de Besançon, Champagnole, Neuchâtel et Lausanne. Desserte TGV.

😲 À NE PAS MANQUER

Le splendide panorama du Grand Taureau ; le retable de l'église de Goux-les-Usiers ; l'église St-Bénigne ; le défilé d'Entreportes et ses « Dames » ; et un détour par l'une des distilleries artisanales locales qui produisent de l'absinthe.

⏱ ORGANISER SON TEMPS

Comptez une journée pour la ville et les sites naturels qui l'entourent.

👫 AVEC LES ENFANTS

Un pique-nique au défilé d'Entreportes accompagné du récit de sa légende, ou encore au Grand Cou, près de la rivière, au théâtre forestier ou au Gounefay (sur la montagne du Larmont qui domine Pontarlier).

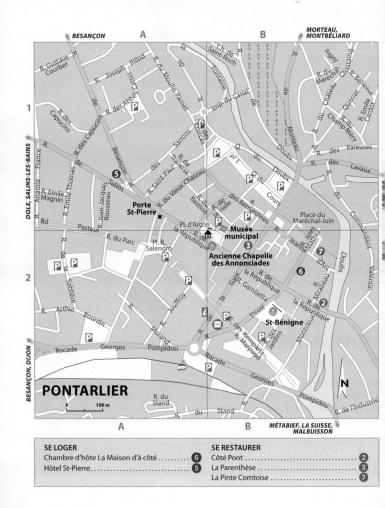

SE LOGER		SE RESTAURER	
Chambre d'hôte La Maison d'à côté	6	Côté Pont	2
Hôtel St-Pierre	5	La Parenthèse	3
		La Pinte Comtoise	7

Se promener Plan de ville ci-dessus

Les monuments sont situés de part et d'autre de la rue de la République.

Église St-Bénigne B2

R. Tissot - ☏ 03 81 39 00 37 - http://paroissepontarlier.fr - 9h-20h - possibilité de visite guidée sur demande.

Reconstruite au 17e s., puis restaurée, elle a conservé un portail latéral flamboyant du 15e s. C'est un curieux édifice : une façade postiche, construite après l'incendie de 1736 pour s'harmoniser à la nouvelle place, se détache du flanc droit. Le **clocher-porche** imite celui des églises de la « montagne », qui devaient se protéger de la neige.

À l'intérieur, remarquez deux tableaux : l'un à gauche du chœur représentant le Christ entouré d'anges ; l'autre, à droite, rappelle le miracle de la « lactation de saint Bernard » à Châtillon-sur-Seine (👁 *Le Guide Vert Bourgogne*). Notez aussi la chaire (1754), habilement sculptée par les frères Guyon de Pontarlier, ainsi qu'un Christ gisant du 17e s. et une statue (18e s.) de la Vierge noire d'Einsiedeln

PONTARLIER

dont le culte était très répandu dans le haut Doubs. Le buffet d'orgues, également des frères Guyon, date de 1758. Remarquez enfin le flamboiement de lumière et de couleurs dans les **vitraux d'Alfred Manessier** (1975) qui illuminent l'église ; ils ont pour thème la symphonie pascale.

Chapelle des Annonciades B2

R. de la République - ℘ 03 81 38 82 14 - la chapelle se visite uniquement lors d'exposition (très fréquentes). Il peut y avoir un droit d'entrée pour certaines expositions. C'est le seul vestige du couvent des Annonciades établi en 1612. Son magnifique **portail★** date du début du 18e s. Désaffectée, la chapelle a été transformée en salle d'expositions (ఉ *ABC d'architecture, p. 469*).

Musée municipal B1-2

2 pl. d'Arçon - ℘ 03 81 38 82 16 - www.ville-pontarlier.fr - ఉ - visite guidée sur demande préalable (1h30) 10h-12h, 14h-18h, w.-end et j. fériés 14h-18h - fermé mar., 1er janv., 1er Mai, 1er nov., 25 déc. - 4,10 € (-26 ans gratuit) - gratuit vac. scol. (zone A).

Installé dans une demeure bourgeoise (plafonds à la française peints, vitraux Art nouveau), il présente l'histoire de la ville depuis ses origines jusqu'à nos jours. Les thèmes de l'**absinthe**, la peinture comtoise (autoportrait de Courbet) et la faïence y sont largement évoqués. Au sous-sol, le musée présente le patrimoine archéologique de la ville. Le premier étage accueille des expositions temporaires.

Porte St-Pierre A1

Élevé en 1771 sur les plans du chevalier d'Arçon, cet arc de triomphe est couronné, dans sa partie supérieure, d'un clocheton ajouté au 19e s. Le

---

LA « FÉE VERTE »

Vantée par Pline l'Ancien qui soulignait déjà ses qualités médicinales, l'**absinthe** apparaît en version alcoolisée dans le Val-de-Travers (Suisse) sous la Révolution. En 1805, **Henri Louis Pernod**, venant de Suisse, installe la première distillerie d'absinthe à Pontarlier. Après un franc succès dans les armées napoléoniennes, elle conquiert les hautes sphères en s'attachant les intellectuels et les artistes. La crise de la vigne rend alors le prix du vin élevé, favorisant l'achat de la « fée verte ».

Pontarlier devient la capitale mondiale de l'absinthe, produisant plus de 10 millions de bouteilles par an au début du 20e s. Mais le déclin de ce breuvage est aussi fulgurant que son ascension ; après une impressionnante campagne de critiques, il est interdit en France en 1915. Motif : l'absinthe rend fou ! Le sujet fait l'objet d'interminables débats. Des rites et tout un mode de vie disparaissent avec elle. Très vite, des distilleries tentent de trouver des produits très proches, mais à 45° (l'absinthe titrait entre 65 et 72°) : dès 1921 la distillerie Guy fabrique le « Pontarlier anis à l'ancienne ». En 1990, « La Rincette » de Blackmint est produite en Suisse.

En 2000, l'absinthe est réhabilitée en France, sous certaines conditions. En décembre 2001, les premières bouteilles, qui titrent à 45°, de « boisson spiritueuse à base d'absinthe », sortent à nouveau de la distillerie Armand-Guy. Depuis la légalisation de l'absinthe en 2011, de nouvelles distilleries ont vu le jour. L'absinthe de Pontarlier bénéficie d'une IGP depuis 2013.

ఉ *Visites possibles des distilleries Armand-Guy (voir p. 247) et Les Fils d'Émile Pernot.*

4

monument célèbre la reconstruction de la ville. Son pendant, la porte St-Martin à Paris, commémore la conquête française de la Franche-Comté en 1678.

Point de vue depuis La Chapelle de l'Espérance

Très beau point de vue sur la ville + table d'orientation.

À proximité Carte de microrégion p. 212

Défilé d'Entreportes B3

◗ *4 km à l'est par la D 47.*

👥 C'est une cluse verdoyante, aux pentes couvertes de sapins, taillée dans un contrefort de la montagne du Larmont. À son extrémité orientale, superbes rochers, sculptés et troués par l'érosion : ce sont les « Dames d'Entreportes ». Dans ce cadre reposant, de fraîches prairies permettent de pique-niquer.

★★ Grand Taureau C3

◗ *11 km à l'est. Quittez Pontarlier au sud par la N 57 et prenez la route qui s'embranche à gauche, à 1 200 m du centre de Pontarlier. Elle s'élève sur les pentes de la montagne du Larmont, aménagée pour le tourisme d'hiver. Votre première halte sera le fort du Larmont-Supérieur, en ruine.*

De ce point, la **vue★** est étendue sur Pontarlier et vers l'ouest sur les plateaux jurassiens. Pour avoir un panorama complet, il faut aller jusqu'au Grand Taureau, point culminant (1 323 m) de la montagne du Larmont, situé à moins de 1 km de la frontière franco-suisse.

La route se termine près d'un petit chalet avant lequel vous pourrez laisser votre voiture. Faites quelques pas sur la crête qui domine la vallée de la Morte, prolongement du val de Travers.

★★ **Panorama** – Très ample, il se développe sur les chaînes parallèles du massif du Jura jusqu'au dernier alignement montagneux qui, du Chasseral au mont Tendre, se dresse en Suisse. Par temps clair apparaissent, au-delà, les sommets neigeux des Alpes.

Sombacour B3

◗ *12 km au nord-ouest par la D 72 et la D 6 qui gravit la côte du Fol.*

Visible de loin, le **Mont calvaire** (1891-1895) aligne 14 stations du chemin de croix sur les hauteurs du village. Il est presque contemporain de la basilique de Montmartre.

Goux-les-Usiers B3

◗ *2 km au nord-est de Sombacour (D 48).*

Église St-Valère – *R. Grande - ☎ 03 81 38 20 70 - ♿ - 10h-17h - gratuit - possibilité de visite guidée (1h) sur demande juil.-août : tlj ; reste de l'année : 1er jeu. du mois, se rens. auprès de M. Chagrot au ☎ 06 03 64 34 90.* Elle renferme des boiseries intéressantes (18e s.) dues au sculpteur Augustin Fauconnet. Remarquez le lutrin, la chaire et les détails du **retable monumental★★** en bois doré : agneau de l'Apocalypse la tête posée doucement sur le livre aux sept sceaux, scène des pèlerins d'Emmaüs sur la porte du tabernacle.

LE DÉPUTÉ DU SEL

Élu à Pontarlier en 1842, **Auguste Demesmay** se démena jusqu'en 1848 pour obtenir la réduction de la taxe sur le sel, ce qui lui valut le surnom de **député du sel**. C'est parce qu'il n'avait pas renié ses origines montagnardes qu'il n'oublia pas cet ingrédient essentiel à l'élevage et au fromage.

Une histoire mouvementée

Dès le 11e s., l'histoire de Pontarlier est étroitement liée à celle des maisons de Salins et de Joux ainsi qu'à celle des abbayes de Montbenoît et de Mont-Ste-Marie, au gré des conflits qui opposent les différents suzerains.

CINQ SIÈCLES D'INDÉPENDANCE

Au milieu du 13e s., Pontarlier et 18 villages des environs forment une petite communauté administrative et ecclésiastique : le **baroichage**. Ce groupe de « paroissiens » est en fait une petite république d'hommes libres, que la charte de l'époque qualifie de « barons-bourgeois ». Cette fructueuse indépendance de cinq siècles ne résistera pas à la politique centralisatrice de Louis XIV. Jusqu'au 17e s., la ville de Pontarlier bénéficie des échanges internationaux transitant par le col de Jougne et de quatre foires annuelles.

LES ANNÉES TERRIBLES : 1639 ET 1736

Lors de la guerre de Dix Ans, la Franche-Comté subit les assauts des troupes mercenaires à la solde de la France. Pontarlier capitule le 26 janvier 1639 après un siège de quatre jours mené par les troupes suédoises de Bernard de Saxe-Weimar. La ville est pillée, incendiée, plus de 400 personnes y trouvent la mort. Avec le rattachement de la Franche-Comté à la France en 1678 sous Louis XIV, Pontarlier voit son destin associé à celui du pays. Au 18e s., de nombreux incendies dus à l'importance du bois dans la construction endommagent la ville. Le plus dramatique, celui du 31 août 1736, en détruit la moitié. Il est à l'origine de la reconstruction de Pontarlier sur les plans de l'ingénieur **Querret**. Cet incendie et celui de 1761 entraînent une modification des voies urbaines et de la structure de la ville.

LES LIAISONS DANGEREUSES DE MIRABEAU

En 1776, le marquis de Monnier passe la belle saison en son château de Nans. Il a épousé, à 75 ans, un tendron de 20 ans, **Sophie de Ruffey**, qui, maigrement dotée, a préféré ce mariage de raison au couvent. Mirabeau, emprisonné au château de Joux, mais qui jouit d'une grande liberté, est devenu l'ami du ménage… et arrive ce qui devait arriver. L'intrigue découverte, ils doivent fuir. Sophie quitte Pontarlier de façon romanesque : à la tombée de la nuit, vêtue en homme, elle se sauve dans le parc, escalade une échelle placée d'avance contre le mur, saute sur le cheval qui l'attend et, à bride abattue, rejoint Mirabeau à la frontière suisse. Le tribunal de Pontarlier, qui ne badine pas avec l'amour, condamne par contumace le séducteur à la peine capitale et l'épouse infidèle à la détention perpétuelle dans un couvent. Arrêtés à Amsterdam, les fugitifs sont ramenés en France. Mirabeau conserve sa tête. Sophie, délaissée par son amant, reste volontairement au couvent de Gien, où elle a été reléguée après sa fugue.

UN ULTIME SACRIFICE

En 1871, juste avant que l'empereur Napoléon III ne soit pris par les Prussiens, les troupes du **général Billot** se sacrifient lors d'un ultime combat dans le défilé de Pontarlier, pour couvrir la retraite vers la Suisse de l'armée du général Bourbaki.

LES DAMES D'ENTREPORTES
Les silhouettes qui se dressent avec tant de grâce au-dessus de la vallée ne peuvent laisser indifférent. Leur légende non plus… Le seigneur de Joux, alors puissant et redouté, contrôlait la célèbre cluse qui conduit en Suisse. Enrichi par les taxes qu'il prélevait sur les voyageurs, il comptait aussi beaucoup sur le mariage de ses trois filles pour étendre encore son influence. Il organisa un grand tournoi et promit ses filles aux valeureux gagnants. Puissants, mais rustres et laids, les vainqueurs se marièrent sans tarder… à des servantes voilées ! Les belles dames s'enfuyaient vers la Suisse lorsque les seigneurs trompés les rattrapèrent. Ils s'apprêtèrent à les occire mais Dieu, écoutant la prière des malheureuses, les recouvrit d'un manteau de pierre.

Septfontaines B2

▶ *7 km au nord-ouest de Sombacour par la D 6, puis la D 41 à gauche.*
Piège que ce nom issu du préfixe gaulois « sep », privatif, qui signifie qu'il n'y a justement pas de fontaine ici, dans un pays de sources ! L'**église** abrite des boiseries, une chaire et un retable intéressants (18ᵉ s.) ainsi que les reliques de sainte Victoire, transférées depuis les catacombes de Rome en 1836.

Évillers B2

▶ *7 km au nord-ouest de Sombacour par la D 6, puis la D 41 à droite.*
Restauré en 2004, le **retable**★ de l'église a retrouvé la finesse de tons de ses créateurs les frères Marca (**&** *p. 129*). Remarquez aussi le **baptistère** en stuc polychrome (1750), à gauche en entrant *(Grande-Rue - ℰ 03 81 89 51 80 - &. - merc.-vend. 8h-12h - fermé j. fériés - visite sur demande préalable auprès de la mairie.).*

Bannans B3

▶ *13 km à l'ouest par la D 72, puis la D 471 à gauche, après Chaffois et enfin la D 248ᴱ à gauche.*
Église – *Imp. Abbé-Vandevelle - possibilité de visite guidée sur demande (1h) auprès de Guy Miot au ℰ 06 78 99 24 28 - fermé 1ᵉʳ janv., 25-26 déc.* Elle abrite trois retables aux couleurs et décors floraux flamboyants dus à **Augustin Fauconnet**. Le retable de droite est consacré à la Vierge à l'enfant, celui de gauche au rosaire, que la Vierge, entourée de 15 scènes de sa vie en médaillons, offre à saint Dominique et sainte Catherine. Remarquez aussi les lutrins, les fonts baptismaux et la belle **chaire** sculptée.

LE MAÎTRE DU VAL
Augustin Fauconnet (1701-1770), surnommé le maître du val d'Usiers, sillonna la région pour réaliser à des prix dérisoires l'ornementation des églises. Il est l'auteur du mobilier de Bannans, Goux-les-Usiers, Septfontaines, Lods et Sombacour.

😊 NOS ADRESSES À PONTARLIER

HÉBERGEMENT

PREMIER PRIX

⑤ Hôtel St-Pierre – A1 - *3 pl. St-Pierre - 🖉 03 81 46 50 80 - www. hotel-st-pierre-pontarlier.fr - ♿ 🛜 - 15 ch. 68/87 € - 🍽 10 € - 🍴 16/29 € (mar. midi-sam. midi. et j. fériés).* Installé en plein centre face à la porte St-Pierre, l'hôtel a été remis à neuf. Les chambres, décorées sobrement et avec goût, sont de tailles et prix variés. Elles donnent pour la plupart sur la rue, mais avec double vitrage.

BUDGET MOYEN

⑥ Chambre d'hôte La Maison d'à côté – B2 - *11 r. Jules-Mathez - 🖉 03 81 38 47 18 - www.lamaison-da-cote.fr - 🛜 - 2 ch. 90 € 🍽.* Une charmante adresse design perchée au dernier étage d'un immeuble du 19ᵉ s., à deux pas de l'église St-Bénigne. Les chambres aux amples volumes sont joliment décorées : c'est simple, raffiné et intime.

RESTAURATION

PREMIER PRIX

② Côté Pont – B2 - *2 r. de la République - 🖉 03 81 46 59 53 - http://cotepont.fr - mai-sept. : tlj sf dim., lun.; reste de l'année : mar.-sam. midi, vend.-sam. soir - 18/23 €.* Situé au bord du Doubs, ce restaurant propose un menu unique qui respecte les saisons.

③ La Parenthèse – B2 - *8 r. de Vannolles - 🖉 03 81 69 95 44 - www.la-parenthese-pontarlier.fr - fermé dim., lun., mar. soir, mer. soir - 16/19 €.* De bons petits plats à base de produits frais. Le soir, tapas à partager, accompagnées d'une bière locale, d'un cocktail maison ou d'un verre de vin.

BUDGET MOYEN

⑦ La Pinte Comtoise – B2 - *4 r. Jeanne-d'Arc - 🖉 03 81 39 07 35 - www.lapintecomtoise.fr - ♿ - fermé merc. soir., jeu. soir et dim. - réserv. conseillée - formule déj. 12 € - 16/31 €.* Une petite adresse à l'enseigne rouge et or connue des gourmets, située en léger retrait du centre-ville. Le décor, aux tons pastel, est assez simple. La cuisine fait la part belle aux produits de la région.

PETITE PAUSE

Roland Pfaadt SARL – *23-25 pl. St-Pierre - 🖉 03 81 39 01 83 - tlj sf lun. 7h30-12h30, 14h-19h, dim. et j. fériés 7h30-12h30 - fermé 3 sem. en sept.* Les desserts Pfaadt régalent les Pontissaliens depuis 1953. La mousse aux trois chocolats, les ganaches à l'absinthe en forme de buste de la « fée verte », les 9 sortes de macarons, les pains spéciaux ou encore les tartes salées sont très appréciés. Agréable salon de thé.

ACHATS

Distillerie Armand-Guy – *49 r. des Lavaux - 🖉 03 81 39 04 70 - www.pontarlier-anis.com - tlj sf dim. et lun. 8h-12h, 14h-18h, sam. 8h-12h ; visites toutes les 30mn : mar.-vend. 8h30-11h30, 14h30-17h30, sam. 8h30-11h30 - fermé 1 sem. janv. et 1 sem. oct.* C'est l'une des deux dernières distilleries artisanales de Pontarlier. Découverte de la fabrication des apéritifs (à base d'anis ou de gentiane), des liqueurs, des eaux-de-vie et de l'absinthe, entre alambics et foudres centenaires.

Distillerie Bourgeois – *La Mare - 25300 ARÇON - 🖉 03 81 39 41 62 - www.distillerie-bourgeois.fr - jeu.*

4

17h-19h30, sam. 9h30-12h30 et
sur RV. Cette distillerie labellisée
« Made in chez nous » produit des
absinthes bio.

Fromagerie de Doubs – *1 r.
de la Fruitière - 25300 Doubs -
☎ 03 81 39 05 21 - 9h-12h, 15h30-
19h, dim. et j. fériés 10h-12h.*
Dégustation et achat de fromages
régionaux (comté, mont-d'or,
morbier…) ; découverte des
modes de fabrication.

Fromagerie de Frasne – *2 r.
de Bellevue - 25560 Frasne -
☎ 03 81 49 82 26 - 9h-12h, 16h-
19h - fermé 1er - janv. et 25 déc. -
visite le jeu. matin 9h (juil.-août),
sur RV.* Cette fromagerie qui ouvrit
ses portes en 1920 fabrique du
comté. Également de savoureux
monts-d'or, des yaourts, du lait,
des produits du terroir et des vins
régionaux. Accueil d'une extrême
gentillesse.

Crémerie Marcel Petite – *1 r.
Sainte-Anne - ☎ 03 81 39 09 50 -
www.cremerie-petite.fr - mar.-ven.
9h-12h30, 14h-19h, sam. 8h30-19h.*
Comtés des caves d'affinages
du Fort de St-Antoine, où plus
de 100 000 meules vieillissent
lentement. Large gamme de
fromages et vins locaux et
d'autres régions.

ACTIVITÉS

Musée de l'Absinthe – *2 pl.
d'Arçon - lun.-vend. 10h-12h,
14h-18h, sam.-dim. 14h-18h,
fermé le mar. - 4,10 €.* Le musée
municipal consacre plusiers salles
à l'absinthe. Pour tout savoir
sur la fée verte : rituels et objets
de consommation, économie
locale, méthodes de distillation,
littérature, archives… *Voir la route
de l'absinthe de Pontarlier au val de
Travers, p. 248 et 499.*

**L'Atelier Magique, Maison du
cinéma et de l'image** – *6 r. Jean
Jaurès - ☎ 03 81 69 12 63 - www.
ccjb.fr - &. - mer., vend., sam. 14h-
17h30, jeu. 9h-12h ((uniquement
sur demande pour les groupes) -
gratuit.* Des passionnés vous
feront découvrir les débuts de
l'image animée avec ses jeux
optiques et ses innovations
magiques que vous pourrez
expérimenter.

Route de l'absinthe – Cette
route touristique franco-suisse
qui relie Pontarlier à Noiraigue
(Suisse) invite à découvrir
l'ensemble des sites agricoles,
industriels, culturels, historiques
et touristiques liés à l'absinthe.

AGENDA

**Festival de cinéma
d'animation** – *Fin mars-déb. avr. -
www.ccjb.fr.* Projections,
rencontres, expositions, débats…

Salon des Annonciades –
*Juil.-août - chapelle et annexe
des Annonciades - association
des Amis du musée de Pontarlier -
☎ 03 81 38 82 12 - www.admdp.
com - 10h-12h, 14h-19h.* Ce salon
présente, depuis 90 ans, les
œuvres d'artistes franc-comtois
et suisses contemporains ; il fait
une large place aux nouveaux
talents, tout en invitant les
artistes reconnus.

Absinthiades – *1er w-end d'oct. -
☎ 03 81 38 82 12.* Expositions,
animations, concours de produits,
pour un salon de collectionneurs
en l'honneur de l'absinthe.

**Traversées, festival des cinémas
d'Europe** – *Vac. de la Toussaint.*
Depuis 1961, cette manifestation
présente de la façon la plus
exhaustive possible l'œuvre d'un
cinéaste, d'un producteur, d'un
acteur ou d'un technicien du
cinéma.

Château de Joux

★

Doubs (25)

Fort, prison, musée... Ce formidable nid d'aigle, gardien d'un défilé autrefois stratégique, affiche aujourd'hui plus de dix siècles de résistance, grâce aux multiples évolutions de son architecture. Après l'exploration des cachots, retour à la lumière sur la terrasse de la tour d'artillerie, d'où la vue sur la cluse de Joux est superbe.

☺ NOS ADRESSES PAGE 251
Hébergement, restauration, achats, activités, etc.

⊟ S'INFORMER

Office du tourisme de Pontarlier – *14 bis r. de la Gare - 25300 Pontarlier - ℰ 03 81 46 48 33 - www.pontarlier. org - juil.-août : 9h-12h30, 13h30-18h, dim. 9h30-12h30 ; vac. scol. (hors juil.-août) : tlj sf dim. 9h-12h30, 13h30-18h ; avr.-juin et sept. (hors vac. scol.) : tlj sf dim. et jeu. 9h-12h30, 13h30-18h ; reste de l'année : tlj sf dim. et jeu. 9h-12h, 14h-18h - fermé certains j. fériés.*

◯ SE REPÉRER

Carte de microrégion B3 (p. 212). À 4 km au sud de Pontarlier, par la N 57.

☐ SE GARER

Parking à l'entrée du château.

☺ À NE PAS MANQUER

Le cachot de Berthe de Joux et les cellules de Toussaint Louverture et Mirabeau ; le point de vue sur la cluse de Joux. De fin juil. à mi-août, Les Nuits de Joux.

◷ ORGANISER SON TEMPS

Comptez environ 1h30 pour la visite de ce château qui accueille régulièrement des festivals, avec concerts, pièces de théâtre.

▲▲ AVEC LES ENFANTS

En juil. et août, la chasse au trésor.

Visiter

4

Rte du Château - ℰ 03 81 69 47 95 - www.chateaudejoux.com - visite guidée (1h30) juil.-août : 10h-17h30 ; avr.-juin et de déb. sept. à déb. nov. : 10h-11h15, 14h30-16h ; vac. de fév. : se rens. - 7,50 € (-14 ans 4,50 €).

Sur 2 ha, cinq enceintes successives, séparées par de profonds fossés franchis par trois ponts-levis, font découvrir dix siècles de fortification. Depuis la terrasse de la tour d'artillerie, belle vue sur la vallée du Doubs et la cluse de Pontarlier. *Prévoir des vêtements chauds en toute saison, car le château est à 967 m d'altitude.*

Musée d'Armes anciennes – *fermé pour travaux. Quelques pièces sont présentées au musée de Pontarlier.* Fort de ses 650 pièces, il a été installé dans cinq salles du donjon. Par la galerie verticale de 35 m de profondeur *(212 marches)*, on accède au grand puits dont le diamètre atteint 3,70 m et la profondeur 120 m. On visite alors la cellule de Mirabeau à la belle charpente chevillée, celle où Toussaint Louverture mourut en avril 1803, et le minuscule cachot de la légendaire Berthe de Joux.

Les geôles de Joux

LA LÉGENDE DE BERTHE DE JOUX

Très répandu dans la région où il désigne une forêt de sapins, Joux est aussi le nom de la famille qui possédait les terres dès le 10e s. Les sires de Joux édifièrent le château au 11e s. Magnifique fête que les noces d'**Amaury III de Joux** et de la jeune **Berthe**, fille d'un riche voisin, mais, bientôt, Amaury décide de partir en Terre sainte. Les mois passent, sans nouvelles de lui. Plusieurs années après, un chevalier harassé et blessé se présente sous les remparts du château. Folle d'espoir, Berthe se précipite pour l'accueillir et reconnaît un ami d'enfance, **Amey de Montfaucon**. Il revient de la croisade et lui annonce que son mari a disparu lors de violents combats. Bouleversée, Berthe accueille et soigne Amey, qui la réconforte dans cette terrible épreuve. Lorsque, contre toute attente, Amaury se présente au château, il trouve les deux amants enlacés. Sa colère est à la mesure de sa déception : il se précipite sur Amey, le tue et fait pendre son corps dans la forêt voisine ; il emprisonne l'épouse infidèle dans un minuscule cachot avec une vue imprenable sur… la dépouille de son amant. À la mort d'Amaury, leur fils délivre Berthe et l'envoie expier ses fautes au couvent de Montbenoît. Mais ses prières hantent toujours la vallée, et certains soirs, lorsque le vent se lève, les voisins attentifs peuvent entendre sa complainte : « Priez, vassaux, priez à deux genoux, priez Dieu, pour Berthe de Joux. »

UNE FORTERESSE MILITAIRE

Situé sur un éperon rocheux, au confluent de la Suisse et du massif du Jura, propice à la défense, ce château de pierre est un bel exemple d'**architecture militaire**. La forteresse commande l'extrémité de la cluse de Joux, par où passait dès l'Empire romain la route reliant l'Italie du Nord aux Flandres et à la Champagne. Cette grande voie commerciale sera également celle des invasions : sièges autrichien de 1814 et suisse de 1815, protection de l'armée de Bourbaki en 1871 lors de son passage en Suisse, invasion de 1940. Le fort fut remanié de façon continue du Moyen Âge au 19e s. : agrandi sous Charles Quint, il fut renforcé, après son rattachement à la France en 1678, par **Vauban afin de protéger la frontière du royaume**, puis modernisé par Joffre, futur maréchal, entre 1879 et 1881.

UNE PRISON REDOUTÉE SOUS LA RÉVOLUTION ET L'EMPIRE

Prison d'État, le fort accueillit de nombreux détenus politiques et militaires. **Mirabeau** y fut enfermé à la suite d'une lettre de cachet obtenue par son père, pour calmer son tempérament fougueux et l'éloigner de ses usuriers. En 1802, les **chefs chouans** d'Andigné et Suzannet réussirent à s'enfuir en sciant leurs barreaux et en utilisant des rideaux et des ficelles. Lorsque, quelques mois plus tard, **Toussaint Breda** dit **Louverture**, héros noir de l'indépendance d'Haïti, fut capturé et conduit à Joux, les mesures de sécurité étaient considérablement renforcées. Né esclave à St-Domingue en 1743, Toussaint avait été affranchi avant l'abolition de l'esclavage. Il adhéra avec d'autant plus de conviction aux idéaux de la Révolution, et s'engagea dans les troupes de St-Domingue, dont il devint chef des armées, puis gouverneur à vie. C'est Bonaparte qui le fit arrêter et déporter à Joux, où il mourut le 7 avril 1803, probablement d'une pneumonie. Il avait mené la seule révolte d'esclaves victorieuse. La république d'Haïti lui a rendu hommage par un buste en 2002, installé depuis à l'entrée de la cellule du grand homme.

Le château de Joux.
P. Lee Harvey/Cultura RM/age fotostock

À proximité Carte de microrégion p. 212

Cette région frontalière est remarquable pour ses panoramas spectaculaires et le dynamisme de son artisanat. L'industrie horlogère s'y est beaucoup développée et a largement contribué à la réputation internationale du massif jurassien.

★★ Cluse de Joux B3

Le Frambourg – Excellent **point de vue★★** sur la cluse de Joux depuis la plateforme du monument aux morts de la guerre 1914-1918. C'est un des beaux exemples de cluse jurassienne. L'entaille transversale faite dans la montagne du Larmont forme un passage juste suffisant pour la route et la voie ferrée, fort importante, qui se dirige vers Neuchâtel et Berne. Les versants sont couronnés par deux forts : au nord, celui du Larmont inférieur ; au sud, le château de Joux.

4

☺ NOS ADRESSES PRÈS DU CHÂTEAU DE JOUX

♿ *Voir aussi nos adresses à Pontarlier.*

HÉBERGEMENT ET RESTAURATION

BUDGET MOYEN

Auberge Le Tillau – *Mont-des-Verrières - 25300 Les Verrières-de-Joux - Le Mont-des-Verrières - à 7 km à la sortie de La Cluse-et-Mijoux par la D 67bis et une rte secondaire -* ✆ *03 81 69*

46 72 - www.letillau.com - 🅿 ♿
📶 *- fermé 1 sem. vac. de printemps et 15 nov.-15 déc. - 8 ch. 88/95 €*
☕ *- ✕ 13,50/38 € (ouvert mar. soir-dim. midi sauf mer. midi).* Faites le plein d'oxygène à 1 200 m d'altitude parmi les pâturages et les sapins. Et savourez la cuisine traditionnelle aux produits du terroir dans cette charmante auberge de montagne. Chambres confortables pour une étape ou un séjour de tout repos.

Auberge du château de Joux – Hors plan - *127 Le Frambourg - 25300 La Cluse-et-Mijoux - ☎ 03 81 69 40 41 - http:// aubergeduchateaujoux.wixsite. com/aubergechateaujoux -* 🅿 *- 15 ch. 80 € - ☕ 10 € - ✕.* Situé à 860 m d'altitude, cet établissement dispose d'une belle terrasse et d'une vue sur le château de Joux. Chambres entièrement rénovées. Cuisine traditionnelle.

ACHATS

Charcuterie Decreuse – *28 La Cluse - 25300 La Cluse-et-Mijoux - ☎ 03 81 69 55 00 - www.decreuse. com - lun.-jeu. 9h-12h, 14h-19h, vend.-sam. : 9h-19h, dim. et j. fériés 10h-12h, 14h-19h.* La charcuterie maison est fumée en tuyé. La grosse ferme ayant brûlé, un petit chalet a été installé pour la vente de produits.

Les Fils d'Émile Pernot – *18-20 Le Frambourg - 25300 La Cluse-et-Mijoux - ☎ 03 81 39 04 28 - http://fr.emilepernot.fr - lun. 10h-12h, 14h-18h, mar.-vend. 8h-12h, 14h-18h, sam. 10h-12h - fermé j. fériés - visites guidées du lun. au vend. à 10h30, 15h et 16h30, sam. à 10h30.* La distillerie fondée en 1890 a déménagé dans cette ancienne distillerie en 2009. Vous apprendrez tout sur la fabrication des liqueurs et des eaux-de-vie. Parmi les spécialités : le Vieux Pontarlier (apéritif anisé), le Sapin (liqueur digestive à base de bourgeons de sapin), la Pontiane et l'absinthe appelée Émile.

AGENDA

Les Nuits de Joux – *De fin juil. à mi-août. ☎ 03 81 39 29 36 - www. cahd-lesnuitsdejoux.fr.* La qualité des représentations théâtrales et le décor exceptionnel du château garantissent le succès de cette manifestation devenue incontournable.

Malbuisson

855 Malbuissonnais – Doubs (25)

Un lac magnifique dont les paisibles eaux turquoise dissimuleraient, selon la légende, une ville entière engloutie un soir de violent orage pour avoir refusé l'aumône à une femme et son enfant ! Et si le lac de St-Point ne suffit pas, celui de Remoray est juste à côté…

😎 NOS ADRESSES PAGE 257
Hébergement, restauration, achats, activités, etc.

🛈 S'INFORMER

Office de tourisme du Mont d'Or et des deux lacs – *69 Grande-Rue - 25160 Malbuisson - ℘ 03 81 69 31 21 - www.malbuisson-les-lacs.com - juil.-août : 9h-12h30, 13h30-18h, dim. et j. fériés 9h-12h30, 14h-17h ; reste de l'année : se rens. - fermé certains j. fériés.*

○ SE REPÉRER

Carte de microrégion B3 (p. 212).
À 16 km au sud de Pontarlier (D 437), en rive sud-est du lac de St-Point. Desserte TGV à Frasne, à 19 km au nord-ouest par la D 9.

😊 À NE PAS MANQUER

Le majestueux lac de St-Point ; la visite des caves de comté du Fort de St-Antoine (Fort Lucotte) ; la réserve du lac de Remoray et ses oiseaux ; le belvédère des Deux Lacs.

○ ORGANISER SON TEMPS

Prévoir 1 ou 2 jours pour les lacs, la réserve et les tourbières de Frasne.

👫 AVEC LES ENFANTS

Découverte des cris des animaux et renardeaux dans la réserve du lac de Remoray ; la ferme de la Pastorale, à Bonnevaux ; la maison du Patrimoine à Remoray-Boujeons ; l'observatoire ornithologique de La Rivière-Drugeon.

Se promener Carte de microrégion p. 212

4

★ Lac de St-Point B3

🚶 *Un sentier fait le tour du lac (parkings aménagés).* ○ *Itinéraire sur le plan de l'office de tourisme : 23 km – Comptez 6h. Prenez le sentier vers le nord-est.*
Réputé pour la belle couleur bleue de ses eaux, ce lac que traverse le Doubs est établi dans un « val ». Il ne formait autrefois, avec celui de Remoray, qu'une seule nappe d'eau. Long de 6,3 km, large de 800 m, il est par sa superficie le quatrième lac naturel de France (après Le Bourget, Annecy et Aiguebelette, tous trois en Savoie), totalement gelé en hiver. Il remplit l'office de régulateur des eaux du Doubs depuis qu'à son extrémité nord a été construit un barrage.

Source Bleue B3

Ce bleu transparent est la teinte naturelle de l'eau très pure vue en profondeur. Selon les légendes, cette couleur serait due aux larmes de l'infidèle Berthe, que son époux, le sire de Joux, avait fait emprisonner *(🕯 p. 250)* ; ou serait le reflet permanent des yeux d'une jeune femme qui s'y était penchée.

Chaon B3

De la rive nord-est du lac, on jouit de la meilleure perspective sur le plan d'eau.

Port Titi B3

Le **port Titi** ne doit pas son nom à l'exotisme de ses barques colorées posées sur les eaux bleues du lac, mais à Maurice Maire Sébille, surnommé « Titi », pêcheur de brochet qui construisit en 1902 la première cabane du port.

St-Point-Lac B3

En s'élevant un peu au-dessus du village, belle vue.
Revenez à Malbuisson en bouclant le tour du lac par Granges-Ste-Marie.

À proximité Carte de microrégion p. 212

Fort de St-Antoine (ou fort Lucotte) B3

▶ *À St-Antoine, 3 km à l'est par la route qui monte (route fermée en hiver - accès par St-Antoine). ☎ 03 81 69 31 21 - www.comte-petite.com - visite guidée sur demande préalable (1h30) vac. de fév., juil.-août et vac. de Noël : tlj sf dim., horaires, se rens. ; reste de l'année : merc., horaires, se rens. - fermé j. fériés - 8 € (-12 ans 4 €) - prévoir des vêtements chauds.*

L'ancien fort de Séré de Rivières, à 1 100 m d'altitude, abrite l'un des plus célèbres sites fromagers de la région. Depuis 1966, des **caves d'affinage de comté** ont été installées par Marcel Petite. 100 000 meules y séjournent pendant 14 mois en moyenne, à basse température, surveillées par un chef de cave et son équipe et tournées mécaniquement. Vidéos, dégustation dans une salle isolée, en surplomb des rayonnages. Expositions temporaires, animations saisonnières et sorties sur le terrain.

Circuits conseillés Carte de microrégion p. 212

LA VALLÉE DES DEUX LACS

▶ *Circuit de 16 km tracé en vert sur la carte de microrégion – Comptez 2h. Quittez Malbuisson vers le sud-est par la D 437 en direction de Mouthe.*

Réserve naturelle du lac de Remoray B3

À près de 1 000 m d'altitude, la réserve est caractérisée par la juxtaposition de milieux fort différents (lac, marais, tourbière, prairies, forêts et gravière) où évoluent de nombreuses espèces d'oiseaux, dont des oiseaux nicheurs assez rares comme la marouette ponctuée. La flore, également très riche, comprend quelque 400 espèces.

★ **Maison de la réserve** – *À la sortie de Labergement-Ste-Marie, 3 km au sud de Malbuisson par la D 437. 28 r. de Mouthe - ☎ 03 81 69 35 99 - www. maisondelareserve.fr - &. - visite guidée sur demande préalable (1h30) juil.-août et vac. scol. : 10h-12h, 14h-18h, w.-end et j. fériés 14h-18h - fermé 1er janv., 25 déc. - 6,50 € (-14 ans 4 €).*

👥 Elle met en scène de manière ludique et vivante des animaux naturalisés. On rencontre le hibou grand duc, la mésange huppée, l'hermine dans ses tenues d'été et d'hiver, mais aussi le lézard vert, le grand tétras, le sanglier, le chevreuil. Poussez sur tous les boutons pour écouter leurs cris (oui, le chevreuil aboie !), et n'hésitez pas, surtout si vous en avez l'âge, à surprendre à quatre pattes les renardeaux au terrier. Exposition photos et projection de films vidéos complètent la visite. Le sous-sol de la Maison expose les arguments écologiques de la réserve et sensibilise les enfants aux problèmes de l'écologie et de l'économie d'énergie.

Lac de Remoray B3

Poursuivez la route jusqu'à Remoray-Boujeons et prenez à droite la D 46.
Séparé du lac de St-Point par un seuil marécageux, il occupe un joli site.
Après les Granges-Ste-Marie, prenez à droite pour traverser la zone humide.
Rejoignez Malbuisson par la D 437 à gauche.

★ Belvédère des Deux Lacs B3

Vers la fin du lac de Remoray-Boujeons en direction de Mouthe, prendre à droite une petite route vers Remoray-Boujeons. Peu après le carrefour un petit parking est le point de départ vers le belvédère.
Dominant l'ensemble de la vallée, il offre une très belle vue sur les deux lacs et la campagne environnante.

Remoray-Boujeons B3

Maison du Patrimoine – *9 bis pl. de la Mairie - ☏ 03 81 38 17 33 - www. patrimoine-remoray.fr - visite guidée (2h) de mi-mai à fin sept. : tlj sf merc.-jeu. 14h et 16h30 ; reste de l'année : w.-end 14h et 16h30 - fermé 1er janv., 1er Mai, 1er nov., 25 déc. - 6 € (-18 ans 3 €).* Ouverte en 2015 dans un ancien presbytère du 19e s. entièrement restauré, la maison retrace la vie religieuse dans le haut Doubs à travers le quotidien d'un curé de campagne au 19e s. Superbe papier peint panoramique datant des années 1830.

LA VALLÉE DU DRUGEON

▶ *Circuit de 15 km tracé en orange sur la carte de microrégion – Comptez 2h.*

★ Ferme de la Pastorale B3

À Bonnevaux, 18 km au nord-ouest. Quittez Malbuisson par la D 437 au sud, prenez à droite la D 9. ☏ 03 81 89 77 20 - www.frasne.net/pastorale/pastorale.htm - &. - juil.-août : 15h30 et 16h30 ; mai-juin et sept. : tlj sf sam. 15h30 et 16h30 - tarif, se rens.
Enfin une occasion de comprendre pourquoi les fermes ont, dans la région, cette ampleur et cette architecture massive ! S'appuyant sur le commentaire de la grande cheminée, des chambres à coucher, du grenier à grain, de la forte charpente

---

LE BASSIN DU DRUGEON

Dans les années 1950, le cours du Drugeon fut fortement altéré par l'homme et rendu rectiligne pour répondre à la demande de mise en valeur de nouvelles terres agricoles. Cela entraîna l'assèchement global de la vallée et l'enfoncement du lit de la rivière. Lancé en 1997 pour sauvegarder la richesse et la diversité biologiques du bassin, un programme de **réhabilitation** a été mis en place, avec pour objectif un retour partiel de la rivière à son état d'origine et une évolution naturelle des méandres. Cette opération est une première en France et en Europe.

Le bassin du Drugeon rassemble une riche juxtaposition de milieux : **pelouse sèche**, **marais alcalin**, **tourbière**. Il abrite de surcroît une **flore** exceptionnelle (49 espèces protégées) et une **faune** tout aussi remarquable : un grand nombre d'oiseaux profitent en effet de la diversité des habitats pour venir y nicher ou faire une halte migratoire. Tous ces facteurs ont conduit, en 2003, à la désignation du bassin du Drugeon comme Site Natura 2000 et Site Ramsar « zone humide reconnue d'importance internationale ». Outre son intérêt écologique, le marais a un rôle essentiel dans le maintien des ressources en eau. Les tourbières, puits de carbone, sont aujourd'hui objets de recherches sur le réchauffement climatique.

4

posée sur une architecture de bois de 1826, la visite de cette « cathédrale paysanne » recrée un âge d'or de la paysannerie, où l'on « faisait son fromage », « veillait au grain », où les enfants d'agriculteurs traduisaient Virgile, où l'on mangeait en plein été dans les fermes, sans congélateur, du sorbet de fraises des bois. Incroyable ? On vous montrera quelques preuves…

Tourbières de Frasne B3

Continuez sur la D 9 en direction de Frasne. Ralentissez dans le bois de Frasne pour ne pas rater le petit parking herbeux, à droite.

La croissance des sphaignes a rendu le sol moins humide et permis l'installation progressive, mais difficile, de pins et de bouleaux (troncs blancs). Le site, aujourd'hui classé réserve naturelle régionale, compte par endroits 6 m de tourbe, ce qui représente entre 6 000 et 12 000 ans de croissance.

🚶 *Passerelle de 1,4 km (30mn), possibilité de poursuivre la promenade par un circuit autour des tourbières - 5,8 km (2h30) - ♿.* Départ en sous-bois, sous une plantation d'épicéas. Plusieurs panneaux aident à comprendre l'apparition, l'évolution ou l'exploitation de la tourbe, et à repérer flore (dont le petit drosera carnivore) et faune. À découvert, notez que le site a une topographie légèrement concave : vous visitez une « tourbière bombée », à l'état adulte. L'itinéraire se poursuit vers une tourbière « vivante » (panneaux explicatifs). *Revenez à Bonnevaux et prenez à gauche la D 47 en direction de Bouverans.*

Belvédère du lac de Bouverans B3

Depuis la D 47, vous pouvez accéder au parking. Le belvédère est à 150 m par un sentier assez pentu.

Ce point de vue offre un beau panorama sur le lac, les marais et les prairies alentour. On peut y observer les oiseaux, en particulier les rapaces qui nichent dans les falaises voisines.

Poursuivez sur la D 47 jusqu'à La Rivière-Drugeon.

La Rivière-Drugeon B3

👥 Dans le village a été aménagé un **observatoire ornithologique** *(accès libre)* duquel petits et grands, bien cachés dans leur abri, pourront espionner les oiseaux des marais. Des panneaux permettent de les identifier.

La **Maison de l'environnement et du patrimoine de la vallée du Drugeon et de la haute vallée de l'Ain,** installée dans l'ancien presbytère, accueille des expositions temporaires sous ses combles *(gratuit).* Un centre de documentation sur la biodiversité et le développement durable y est ouvert au public - *8 r. Charles-le-Téméraire - ☎ 03 81 49 82 99 - www.cpiehautdoubs.org - 9h-12h, 14h-17h, merc. sur demande préalable - fermé w.-end et j. fériés. - possibilité de visite guidée sur demande.* Dans le **jardin de curé**, délimité par les anciens remparts du village, se distinguent plantes médicinales, aromatiques, fleurs, légumes et arbres fruitiers, utiles en leur temps à la vie de l'église *(accès libre).* *Reprenez la D 47 jusqu'à Bonnevaux puis tournez à gauche sur la D 9.*

Belvédère de Vaux-et-Chantegrue B3

Il domine les méandres du Drugeon dans sa partie réhabilitée. La rivière coule dans son lit d'origine, entourée d'une flore étonnante. Couleurs chatoyantes en automne ou tapis de fleurs au printemps, le cadre est idéal pour observer les oiseaux et écouter le chant des grenouilles.

UNE ZONE HUMIDE EN FEU !

En 1949, un incendie se déclara dans les tourbières de Frasne. Il dura de juillet aux premières neiges, malgré les efforts déployés pour stopper le feu. Des plantes typiques de la tourbière (pin à crochet, épicéa) y disparurent définitivement.

😊 NOS ADRESSES À MALBUISSON

HÉBERGEMENT

PREMIER PRIX

Camping Les Fuvettes – *24 rte de la Plage-et-des-Perrières - 📞 03 81 69 31 50 - www.camping-fuvettes.com - ♿ - de déb. avr. à fin sept. - 306 empl. 15,20/22,50 € selon la saison.* Grand camping offrant la possibilité de louer des chalets et des mobile homes. Il est doté d'un espace aquatique couvert comprenant bassin de nage, pataugeoire, sauna et hammam. Également sur place, minigolf, tir à l'arc, jeux pour les enfants, bar, épicerie…

Hotel Beau Site – *65 Grande-Rue - 📞 03 81 69 70 70 - www.hotel-le-lac.fr - 🅿 📶 - fermé 13 nov.-13 déc. - 17 ch. 62 € - 🍽 12 € - 1/2 P. 65 €/pers. - 🍴 19/53 €.* Cet édifice du début du 19ᵉ s., dont l'entrée est rehaussée de colonnes, abrite des chambres aménagées dans un esprit fonctionnel. Au restaurant Le Lac, cuisine traditionnelle et de terroir.

Hôtel de la Poste – *61 Grande-Rue - 📞 03 81 69 34 80 - www.hotel-le-lac.fr - 🅿 📶 - fermé mi-nov.-mi-déc. - 10 ch. 62/66 € - 🍽 12 € - possibilité 1/2 pension ou pension complète - 🍴 formule déj. 11 € -14,50/21 € (fermé dim. soir, lun., mar. soir).* Ce petit hôtel rénové propose des chambres garnies de meubles colorés ; préférez celles tournées vers le lac, plus tranquilles. Assiettes traditionnelles et spécialités de pierrades vous attendent dans un cadre joliment campagnard.

BUDGET MOYEN

Hôtel-spa Les Rives sauvages – *7 r. de l'Église - 📞 03 81 69 34 80 - www.les-rives-sauvages.fr - 16 suites 90/270 € - 🍽 15 €.* Sobre et élégant, cet hôtel-spa propose des suites équipées d'une kitchenette et d'une terrasse avec vue sur le lac. Trois restaurants à proximité.

À proximité

PREMIER PRIX

Auberge du Coude – *1 r. du Coude - 25160 Labergement-Ste-Marie - 📞 03 81 69 31 57 - www.aubergeducoude.com - 🅿 ♿ 📶 - 11 ch. 72/92 € - 🍽 9 € - 🍴 formule déj. 16/19 € - 30/65 € - dim. soir : sur réserv.* Ambiance chaleureuse dans cette maison de 1826 située entre les lacs de St-Point et de Remoray. Chambres au charme rustique. Jardin agrémenté d'un étang.

RESTAURATION

BUDGET MOYEN

Le Restaurant du Fromage – *65 Grande-Rue - 📞 03 81 69 34 80 - www.hotel-le-lac.fr - fermé mar. midi., 1 sem. fin oct. et 3 sem. de mi-nov. à déb. déc. - formule déj. 12 € - 19/23,50 €.* Au sein de l'Hôtel du Lac, le décor en bois sculpté du sol au plafond évoque la maison en pain d'épice d'un conte pour enfants. Ce cadre chaleureux convient à merveille pour un repas de spécialités fromagères et autres plats régionaux. Bien sûr, pain et pâtisseries maison.

POUR SE FAIRE PLAISIR

Le Bon Accueil – *1 chemin de la Grande-Source - 📞 03 81 69 30 58 - www.le-bon-accueil.fr - 🅿 📶 - fermé 15 j. fin mars, 15 j. déb. nov., 13 déc.-14 janv., dim. soir du 1ᵉʳ sept. au 14 juil., mar. midi et lun. - formule déj. 26 € - 46/83 € - ch. 90/140 € - 🍽 13 € - 1/2 P. 196/246 €.* Coup de cœur pour cette maison qui a une âme et qui cultive l'art de recevoir :

4

patrons aux petits soins, brillante cuisine actuelle, chambres confortables et spacieuses.

ACHATS

À proximité

Atelier Bernardet – *12 r. Clos-du-Château - 25370 Touillon-et-Loutelet - ℘ 03 81 49 11 50 - www.chrbernardet.com - ouv. lun.-sam. 14h-19h pendant vac. scolaires - fermé 1er -15 juil. et dim.* Installé dans une ancienne ferme du 18e s., Christian Bernardet restaure des horloges comtoises et fabrique des globes, telluriums et planétaires.

Fonderie Charles Obertino – *15 r. de Mouthe - 25160 Labergement-Ste-Marie - ℘ 03 81 69 30 72 - http://fonderieobertino.jimdo.com - &. - boutique : tlj sf dim. et j. fériés 9h30-12h, 14h30-18h30 ; visite gratuite commentée atelier : juil.-août : vend. 16h30.* Créé en 1834, cet atelier de fonderie est l'un des derniers du genre en France. Toute l'année, vous pouvez assister à la coulée et au démoulage (se rens. pour les horaires) ; visite commentée en été (20mn). Grand choix de modèles à la boutique : cloche bétail ou souvenir (bronze et acier avec courroie cuir unie ou brodée), cloche d'appel, grelot, carillon de porte, cloche de table, porte-clés…

Fruitières des Lacs – *1 r. Derrière-chez-Saget - 25160 Labergement-Ste-Marie - ℘ 03 81 38 12 91 - http://lafruitieredeslacs-comte-morbier.com/- lun.-vend. 9h-12h15, 16h-19h ; sam. 9h-12h15,14h-19h ; dim. 9h-12h15 (et 16h-19h pdt vac. scol.).* (Vaste choix de fromages (comté, morbier et toutes les AOP comtoises), beurre, crème, yaourts mais aussi des salaisons

et un rayon épicerie fine. Galerie de visite multimédia.

ACTIVITÉS

Activités nautiques – Plages aménagées et surveillées en été aux Grangettes (lac de St-Point), à Oye-et-Pallet (Doubs), et à Labergement-Ste-Marie (lac de Remoray). Locations de canoës-kayaks, pédalos, dériveurs, catamarans, planches à voile, etc. dans les bases nautiques de Malbuisson et des Grangettes.

Aqua2lacs – *Chemin des Landes - ℘ 03 81 69 74 78 - www.vert-marine.com/Aqua2Lacs-Malbuisson-25 - se rens. pour les horaires - 6,60 € (gratuit -3 ans).* Complexe nautique au bord du lac de St-Point. Espace aquatique et espace forme et bien-être.

AGENDA

Journée sans voiture – *2e dim. de juin.* Le tour du lac St-Point est réservé aux piétons : les voitures sont parquées au nord et au sud du lac. C'est l'occasion pour le public de participer aux animations gratuites présentes tout au long du parcours, sans oublier les navettes qui passent d'une rive à l'autre. Animations, musique, associations, producteurs régionaux, donnent un caractère festif à cette journée sans voiture.

Fête de la tourbe – *3e dim. de juil. - aire de pique-nique du Forbonnet sur la D 9 entre Bonnevaux et Frasne - www.frasne.net/tourbieres/tourbiere_fete.htm.* Cette fête annuelle a plus de 20 ans. On y célèbre l'activité des tireurs de tourbe. Visite commentée des tourbières, concert, traditionnel repas de soupe aux pois de Frasne, démonstration d'extraction de tourbe à l'ancienne.

Le sommet du Mont d'Or.
rmbarricarte/iStock

Métabief

1 179 « Chats gris » – Doubs (25)

Un Championnat du monde en 1993, un Championnat d'Europe en 1994, deux Championnats de France en 1996 et 2003… La station est sans conteste le paradis des vététistes. Professionnels et amateurs y dévalent les pistes du Mont d'Or avec autant de plaisir. Et les sports d'hiver ne sont pas oubliés ; Métabief, bien équipée pour le ski alpin, est surtout prisée pour le ski de fond et les promenades en raquettes.

😊 NOS ADRESSES PAGE 263
Hébergement, restauration, achats, activités, etc.

4

🛈 S'INFORMER
Office du tourisme de Métabief – *Pl. Xavier-Authier - 25370 Métabief - ☎ 03 81 49 13 81 - www.tourisme-metabief.com - juil.-août : 9h-12h30, 13h30-18h ; vac. scol. (hors juil.-août) : 9h-18h ; mai-juin et sept. : tlj sf dim. 9h-12h, 14h-17h ; reste de l'année : se rens. - fermé certains j. fériés.*

▶ SE REPÉRER
Carte de microrégion B3 (p. 212). Située à 19 km au sud de Pontarlier (N 57), la station compte 6 villages : Jougne, Les Hôpitaux-Neufs, Les Hôpitaux-Vieux, Métabief, Les Longevilles-Mont d'Or, Rochejean. Desserte TGV à Vallorbe (Suisse), à 11 km au sud.

⬧ À NE PAS MANQUER
Le Mont d'Or, le Morond et leurs points de vue ; les décors baroques de l'église Ste-Catherine, aux Hôpitaux-Neufs ; les activités sportives en tout genre offertes par la station… et une dégustation de mont-d'or !

⏱ ORGANISER SON TEMPS
Plusieurs jours sont nécessaires pour profiter des offres de loisirs de plein air.

AVEC LES ENFANTS
S'ils sont sportifs : VTT, karting, parcours dans les arbres ou luge l'été, promenades en raquettes et ski l'hiver ; une balade à bord du Coni'fer.

Se promener Carte de microrégion p. 212

Coni'fer

La Gare aux Hôpitaux-Neufs - 📞 *03 81 49 10 10 - www.coni-fer.org - visite guidée (1h30) vac. scol. : horaires, se rens. - 9 € (-16 ans 5 €).*

Un formidable pari est à l'origine de ce petit train touristique qui tente de faire revivre l'ancienne ligne Pontarlier-Vallorbe, déposée depuis 1971. Tracté par une vénérable machine à vapeur, il parcourt 7,5 km, des Hôpitaux-Neufs à une curiosité naturelle baptisée « Fontaine ronde ». En août, on peut voir une charbonnière en activité.

> **FRONTIÈRE**
> Métabief (prononcez « *Métabié* ») vient du vieux français « methe » (borne) et de « bief » (ruisseau). Son ruisseau servait en effet de frontière entre les terres des seigneurs de Jougne et de Pontarlier.

Église Ste-Catherine

Aux Hôpitaux-Neufs.
Discrète, elle cache un véritable trésor.
Poussez sa porte pour admirer un des plus beaux **décors baroques**★ de la région. Retable central, chapelles latérales, un mobilier sculpté d'une remarquable unité.

★★ Mont d'Or B3

Alt. 1 463 m. *Environ 10 km, puis 30mn à pied AR. Quittez Métabief vers le sud-ouest par la D 45. Aux Longevilles-Mont d'Or, 200 m avant que la D 45 ne passe sur le tunnel de la voie ferrée, tournez à gauche dans une route signalée « Le Mont d'Or, sommet ». La route se termine à une vaste plate-forme (parking). De là, gagnez le belvédère des Chamois, d'où se dégage un* **panorama** *très étendu sur la vallée de Joux, les lacs suisses et les Grandes Alpes.*

★ Morond B3

Alt. 1 419 m. *À l'église de Métabief, prenez à gauche vers la gare inférieure du télésiège. 8 pl. Xavier-Authier -* 📞 *03 81 49 20 00 - www. station-metabief.com - juil.-août : 10h-18h ; mai-juin et sept. : w.-end et j. fériés 10h-17h ; de fin déc. à fin mars : 9h-17h - 6 € (-6 ans gratuit) - dép. en continu, durée : 8mn - 16 € forfait VTT/1/2 j., 20 €/j. - 5 € descente en luge d'été.*
Du Morond, beau **panorama** sur les chaînes jurassiennes, les lacs de Remoray, Léman et sur les Alpes.

Espace Découverte du Mont d'Or –

Accès uniquement à pied depuis le sommet du Morond (45mn) ou le parking du Mont d'Or (1h30) - 📞 *03 81 49 20 00 - gratuit.* Près

> **MONT D'OR ET MERVEILLE**
> Protégé par sa sangle d'épicéa, le fameux **mont-d'or** possède un goût et un moelleux légendaires. Produit avec le lait cru des montbéliardes et simmentals, revenues à l'étable pour l'hiver, on ne le trouve dans les crémeries que du 10 septembre au 10 mai.

du bâtiment de l'usine à neige de la station Métabief, cette jolie galerie en bois, avec vue sur les montagnes et les pâturages, présente le patrimoine industriel et naturel de la région, l'histoire du Mont d'Or, la faune et la flore. Un endroit idéal pour une pause détente au cours d'une de vos randonnées.

À proximité Carte de microrégion p. 212

Les Fourgs B3

▶ *10 km au nord-est de la station de Métabief-Mont d'Or par la D 45, la N 57 vers Pontarlier, puis une petite route à droite.*

🛈 *36 Grande-Rue - 25300 Les Fourgs - ℰ 03 81 69 44 91 - www.les-fourgs.com - juil.-août : lun.-mar. et vend. 9h-12h30, 13h30-18h ; déc.-mars : vac. scol. 9h-12h, 13h30-18h, dim. 9h-12h, hors vac. scol. tlj sf dim.-lun. 9h-12h, 13h30-17h ; reste de l'année : lun., jeu.-vend. 9h-12h, 14h-17h - fermé j. fériés.* Baptisée le « toit du Doubs », cette petite commune est en effet la plus élevée du département (890 à 1 246 m d'altitude). Longtemps coupée du monde, elle s'ouvre progressivement au tourisme. Son domaine skiable est très apprécié des fondeurs, tant pour la beauté de son environnement que pour la qualité de l'enneigement. La station dispose aussi d'équipements pour le ski alpin, et de pistes pour les traîneaux à chiens.

Séjourner

Activités estivales

La **station de Métabief** est en toute saison une destination de séjour idéale pour les sportifs. En été, ce sont les **vététistes** les rois de la montagne. Car depuis les Championnats du monde de 1993, le village est devenu une référence en la matière. La qualité de ses équipements est exemplaire et plusieurs pistes permanentes de tous niveaux pour les différentes pratiques du VTT (descente, free-ride, enduro, cross-country et trial) ont été aménagées. 7 pistes de descente, 6 parcours enduro, 4 parcours cross country permettent à chacun de trouver son style. La station est également équipée d'un Pumptrack, un parc pour les enfants et une école VTT MCF *(www. moniteurcycliste.com)*. Plus de 170 km de sentiers balisés (13 circuits) permettent aussi d'allier pratique du VTT et découverte de la région *(locations de VTT dans la station.)*.

Pour ceux qui préfèrent marcher, 270 km de sentiers de petite randonnée s'ouvrent à eux pour explorer la montagne. Le télésiège du Morond est ouvert en été et permet aux randonneurs pédestres et VTT de rallier les sommets. La station propose aussi deux pistes de 600 m de luge d'été (ℰ 03 81 49 20 00 - 5 €, différents forfaits) et un mur artificiel d'escalade. Il est même possible de faire de la trottinette ou du karting (devalkart) sur herbe, de parcourir les arbres, de s'élancer en parapente ou de s'entraîner au biathlon !.

Sports d'hiver

Ski alpin – Le ski de descente se pratique sur les quelque 40 km de pistes en continu (35 pistes, dont 3 noires et 11 rouges), dont une (rouge) est éclairée en nocturne. Si besoin, 25 % des pistes peuvent être enneigées artificiellement. Les 7 télésièges et les 13 téléskis desservent ainsi un vaste domaine constitué de longues pistes de tous niveaux. Là-haut, la vue porte jusqu'aux sommets alpins voisins. Également, fatbike et escalade sur cascade de glace.

4

Le VTT,
le succès d'un descendeur

UN ESPACE DE LIBERTÉ

Qui n'a jamais été tenté de sortir des sentiers tracés avec son vélo, de passer dans des trous et sauter sur les bosses ? Ce désir de liberté est à l'origine du vélo tout-terrain.

Dans les années 1970, un groupe d'amis dévalent les versants des montagnes de Californie, ils bidouillent et adaptent leurs vieux vélos pour les rendre plus résistants. Ils s'appellent Tom Ritchey, Gary Fisher, Joe Breeze, pour les principaux, et vont se lancer dans la création et l'équipement d'un nouveau sport de descente. En **1977** est créé **le premier modèle** : lourd engin au cadre court et solide, aux roues équipées de pneux à crampons. En 1979, ce type de vélo prend le nom de « **mountain bike** » et la construction en série démarre aux États-Unis dès 1982. Peugeot, implanté là-bas, en construit déjà, mais un modèle n'arrive en France qu'en 1983. En 1987, **Peugeot** sort le modèle VTT 1 qui donne son nom français à ce type de vélo.

DE LA RANDONNÉE AUX CHAMPIONNATS : LA CRÉATION D'UN SPORT

C'est sous l'impulsion de quelques passionnés comme **Stéphane Hauvette** qui crée l'Association française de mountain bike, que le VTT va se développer en France. Les débuts sont hésitants et le VTT, trop lourd, a du mal à trouver son public. Dès 1984, des courses et randonnées sont organisées et vont rencontrer progressivement un succès grandissant. La course française qui s'impose est le « **Roc d'Azur** », autour de Fréjus, dans le Var, qui de 7 participants en 1984 atteint plus de 10 000 en 1998 (devenant le rendez-vous européen des vététistes) et plus de 18 000 en 2011 ! Les **premiers Championnats du monde** sont officiellement organisés **en 1989** à Durango (États-Unis) et Métabief a la chance d'accueillir ceux de 1993. En 1996, le cross-country, course d'endurance en VTT, devient **discipline olympique** aux Jeux olympiques d'Atlanta.

UN BEL AVENIR EN FRANCE

Sur la scène internationale, la France se défend bien. Champion du monde junior de cross-country en 1998, **Julien Absalon** enchaîne les titres. En 2003, il gagne les Championnats de France, d'Europe et du monde et il devient champion olympique en 2004, titre qu'il confirme aux JO de Pékin en 2008. Victime d'une chute, il abandonne la course avant la fin à Londres, perdant son titre. Au même moment, la Bretonne **Julie Bresset**, âgée d'à peine 23 ans, remporte coup sur coup la médaille d'or aux JO puis le Championnat du monde... Plus récemment, citons Maxime Marotte, né en 1986, médaille de bronze à la Coupe du monde de cross-country en 2017 et champion de France la même année. En plus du cross-country, d'autres disciplines de VTT font la part belle aux Français dans les Championnats du monde. Par exemple, l'épreuve de descente qui consiste à dévaler une piste le plus rapidement possible, chaque concurrent passant à son tour, ou les compétitions de trial, saut d'obstacles naturels avec le vélo sans que le cycliste puisse poser les pieds à terre. Aujourd'hui, l'engouement pour le VTT ne faiblit plus et, désormais, ce vélo accapare la moitié du marché du cycle en France. Depuis les premiers descendeurs des années 1970, les modèles ont gagné en confort, légèreté et sécurité pour une pratique aisée de ce sport de plein air.

La station est composée de trois domaines (Métabief, Piquemiette, Super Longevilles) reliés entre eux par 21 remontées mécaniques. Les accès principaux sont Métabief *(parking Xavier-Authier)*, Jougne *(Piquemiette-les-Tavins)* et Super Longevilles. Le télésiège du Morond permet de rejoindre toutes les pistes à partir de Métabief. *Forfaits ski alpin en vente sur le site internet de la station www.station-metabief.com. Possibilité de recharger son forfait à distance ou sur les bornes installées dans la station.*

Ski de fond – La station est le paradis des fondeurs qui peuvent profiter des 210 km de pistes « plan-lisse » et de 12,5 km d'itinéraires de la Grande Traversée du Jura *(voir p. 500)*. Les pistes sont doublées pour la pratique des différentes techniques.

Autres possibilités – *Pour ceux qui préfèrent le dépaysement d'une randonnée en raquettes, plusieurs circuits sont balisés ; un accompagnement par des guides est conseillé (sorties pour la journée, la demi-journée ou en nocturne - programme disponible à l'office de tourisme).*

℘ 03 81 69 44 91 - www.station-lesfourgs.com - déc.-avr. La petite station voisine d'Entre-les-Fourgs (℘ 03 81 49 21 23) permet aussi une pratique du ski alpin. Plus importante, la station des Fourgs offre 12 pistes réparties sur 3 domaines reliés et accessibles par 7 téléskis et propose près de 100 km de pistes de ski de fond (skating et alternatif), dont une piste éclairée. La station accueille chaque année la Course internationale de chiens de traîneau (voir p. 265).

À l'Alpage des Granges Raguin, à **Rochejean**, vous pouvez expérimenter une nouvelle technique de glisse avec la trottinette électrique ou encore la bouée sur neige. *℘ 06 82 97 41 87. Se rens. pour les horaires.*

😊 NOS ADRESSES À MÉTABIEF

HÉBERGEMENT

PREMIER PRIX

Hôtel Étoile des Neiges – *4 r. du Village - ℘ 03 81 49 11 21 - www.hoteletoiledesneiges.fr -* **P** 🛋 &. *- fermé vac. Pâques et Toussaint - 23 ch. 64 € - ⬚ 8 € - ✖ 20/32 €.* Hôtel familial situé dans une station prisée, été comme hiver, des « vététistes », randonneurs et skieurs. Jolies chambres lambrissées disposant de balcons fleuris. Cuisine régionale à déguster dans une chaleureuse salle à manger habillée de bois. Piscine équipée d'un sauna et d'un spa.

RESTAURATION

À proximité

PREMIER PRIX

La Grangette – *25370 Longevilles-Mont d'Or - ℘ 03 81 49 95 36 - www.lagrangettedumontdor.fr - fermé de mi-nov. à mi-déc., 15 mars-1er avr., mar. hors vac. scol. - réserv. obligatoire - 14/20 €.* Dernière maison avant le sommet du Mont d'Or, cette ancienne ferme perchée à 1270 m d'altitude donne sur les alpages. On y savoure les fameux « röstis » (des galettes de pomme de terre) avec du jambon fumé et, en dessert, une excellente tarte aux myrtilles ou une glace maison. Terrines maison également.

Auberge La Boissaude – *25370 Rochejean - à 6 km au SO de Métabief par la D 45, à Rochejean 7,8 km par une rte secondaire dir. le Mont d'Or - ℘ 03 81 49 90 72 - www.la-boissaude.com - fermé mi-nov.-mi déc., lun. soir, mar. soir et merc. hors vac. scol. et selon météo - réserv. conseillée - menu 20,90 €.* Ambiance montagnarde dans cette belle ferme comtoise

4

perchée sur le Mont d'Or, avec son intérieur de bois. La charcuterie du haut Doubs, la croûte au morbier, la tarte aux myrtilles y ont un goût authentique, ainsi que les fromages, les viandes et jambons grillés avec les pommes de terre à la braise.

ACHATS

Fromagerie du Mont d'Or - La Grange aux Fromages – *2 r. du Moulin - ℘ 03 81 49 02 36 - www.fromageriedumontdor.com - 9h-12h15, 15h-19h, dim. et j. fériés 9h-12h - fermé 1er janv., 25 déc.* Cette fromagerie propose aux lève-tôt (visite à 9h) de découvrir les méthodes de fabrication du comté, du morbier ou du mont-d'or et de visiter les caves d'affinage. Dégustation et vente, salle de projection vidéo.

ACTIVITÉS

École de ski internationale – *9 pl. Xavier-Authier - ℘ 03 81 49 25 11 - www.ecoledeskimetabief. com - vac. scol. hiver : 8h30-18h30, reste de l'année : 8h30-17h30.* Enfants et adultes découvrent les joies de la glisse dans un espace sécurisé à vocation pédagogique.

École du ski français – *6 pl. Xavier-Authier - ℘ 03 81 49 04 21 - www.esf-metabief.com - hte sais. : 9h-18h ; basse sais. : 8h45-17h30 - fermé 20 avr.-15 nov.* Cours de ski, snowboard, club piou-piou.

VTT de descente – *www.station-metabief.com - mai, juin et sept. : sam. et dim. 10h-18h ; juil.-août : tlj 10h-18h - 16/20 € (14/17 € -15 ans).* Une première piste avait été créée pour les Championnats du monde de VTT en 1993. Depuis 6 autres pistes, de différents niveaux (classées vertes, bleues, rouges et noires), ont ouvert. En

tout, plus de 80 km de pistes ! Elles sont desservies par les remontées mécaniques. Location de VTT dans la station. Luge d'été (5 €) et chemins de randonnée.

Métabief Aventures – *Av. des Crêts - ℘ 03 81 49 20 14 - www. parc-loisirs-haut-doubs.com - 10 juil.-mi-sept. : 10h-19h - nov. à mars. : se rens. - 27 € (enf. 14/25 €).* Neuf parcours déclinés suivant les âges. Tir à l'arc, tyrolienne. Arbo land (parcours dans les arbres), Doo gliss (glissade en bouée), jeux gonflables. Restaurant sur place.

À proximité

Station Les Fourgs – *25300 Les Fourgs - ℘ 03 81 69 44 91.*

Sports Nature – *2 r. de la Poudrière - 25370 Les Longevilles-Mont d'Or - ℘ 03 81 49 90 95 - www.sportsnature.fr.* Cette école de sport propose des activités très variées en toute saison. En été, randonnées accompagnées (pédestres, équestres ou en VTT), escalade, spéléologie, canyoning, kayak, course d'orientation, tir à l'arc. Cinq parcours aventure dans les arbres aux Fourgs : de nombreux ateliers, saut pendulaire et tyrolienne (juil.-août : 14h-18h30 (dernier départ) - 20 € (enf. 6/16 €). En hiver, ski de fond, ski joëring, ski de descente, randonnées en raquettes, à cheval.

Jurachiens – *25300 Les Fourgs - Les Granges-Berrard - Les plans de Vitiau - ℘ 03 81 69 48 19 - www.jurachiens.com.* Après avoir découvert la meute, vous partirez pour une promenade en traîneau à chiens, une initiation à la conduite d'attelage ou une randonnée itinérante sur les traces de votre pulka. Activités estivales uniquement pour les groupes.

Évasions nordiques – *7 r. de la Croix - 25370 Les Longevilles-Mont d'Or - ☎ 06 99 03 42 78 - www. evasionsnordiques.com.* Cours, randonnées accompagnées en ski de fond ou raquettes, télémark.

AGENDA

Trail du Mont d'Or – *En juin - traildumontdor.weebly.com.* De 18 à 48 km.

Festival de la Paille – *Fin juil. - www.festivalpaille.fr.* Concerts de musiques actuelles au cœur du massif jurassien.

Balade au pays du Mont d'Or – *En sept.* Les chalets d'alpage ouvrent leurs portes aux randonneurs (à pied, à cheval ou à vélo) pour une balade sur le Mont d'Or.

Aux Fourgs

♿ *Rens. à l'office de tourisme –* ☎ *03 81 69 44 91.*

Course de chiens de traîneaux – *Mi-fév.* Pendant un week-end s'affrontent les mushers dans d'impressionnantes courses sprint et mi-distance. Se jouent alors des manches de Coupe d'Europe et du monde, au milieu des animations.

Fête du sapin président – *Fin juil.* Une tradition dans le haut Doubs consiste à nommer le plus gros sapin de la forêt et de le fêter une fois par an à l'occasion de la fête du même nom. Le samedi, concert et bal sous chapiteau. Le dimanche, messe en plein air, apéro concert, repas champêtre (soupe aux pois), animations, tombola. En soirée : apéro-concert, tartiflette et grand feu d'artifice, bal gratuit.

Festival des terroirs sans frontière – *Fin août - au lieu-dit La Grand'Borne.* Le temps d'un week-end, la frontière franco-suisse est le lieu d'un marché commun de produits régionaux et artisanaux. Animations et démonstrations de savoir-faire.

4

Métabief, station de sports d'hiver du Mont d'Or.
R. Mattes/hemis.fr

Lons-le-Saunier et les lacs 5

Carte Michelin Départements 321 – Jura (39)

Le vin d'Arbois est le plus connu, mais toute la région de Lons est parsemée de vignobles.
N. Logerot/Fotolia.com

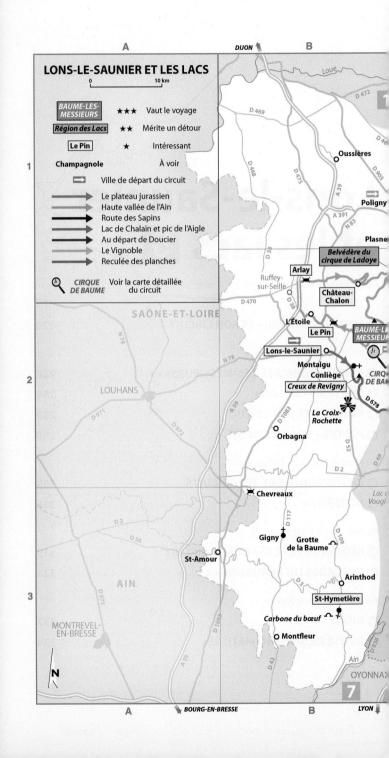

LONS-LE-SAUNIER ET LES LACS

0   10 km

BAUME-LES-MESSIEURS	★★★	Vaut le voyage
Région des Lacs	★★	Mérite un détour
Le Pin	★	Intéressant
Champagnole		À voir

➡ Ville de départ du circuit

→ Le plateau jurassien
→ Haute vallée de l'Ain
→ Route des Sapins
→ Lac de Chalain et pic de l'Aigle
→ Au départ de Doucier
→ Le Vignoble
→ Reculée des planches

🔍 **CIRQUE DE BAUME** — Voir la carte détaillée du circuit

DIJON

Loue

D 472

D 469

D 468   D 475   A 39   D 905

Oussières

Poligny

N 83

A 391

Plasne

Belvédère du cirque de Ladoye

Arlay

Ruffey-sur-Seille

Château-Chalon

D 470

L'Étoile

BAUME-LES-MESSIEURS

Le Pin

SAÔNE-ET-LOIRE

Lons-le-Saunier

Montaigu

N 78

Conliège

CIRQUE DE BAUME

N 78

Creux de Revigny

D 678

LOUHANS

A 39

La Croix-Rochette

D 1083

D 971   D 972

Orbagna

D 52

D 2

Chevreaux

Lac de Vouglans

D 2   D 56

D 117

Gigny

Grotte de la Baume

D 109

St-Amour

AIN

Arinthod

D 975

D 3

St-Hymetière

MONTREVEL-EN-BRESSE

Carbone du bœuf

D 1083

Montfleur

D 936

D 42

Ain

OYONNAX

N

BOURG-EN-BRESSE

LYON

7

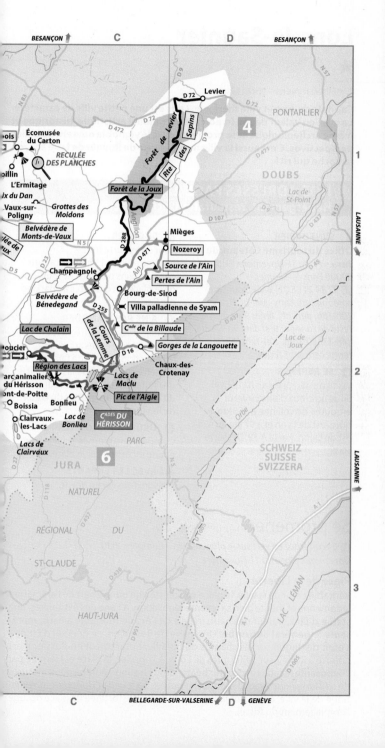

BESANÇON

C

D

BESANÇON

4

N 83

Écomusée du Carton

bois

pillin

L'Ermitage

ix du Dan

Vaux-sur-Poligny

RECULÉE DES PLANCHES

Grottes des Moidons

Belvédère de Monts-de-Vaux

lée de aux

D 5

D 23

Champagnole

Belvédère de Bénedegand

Lac de Chalain

oucier

Région des Lacs

arc animalier du Hérisson

ont-de-Poitte

Boissia

Bonlieu

Clairvaux-les-Lacs

Lac de Bonlieu

Lacs de Clairvaux

D 27

D 118

JURA

NATUREL

RÉGIONAL

DU

ST-CLAUDE

HAUT-JURA

D 472

D 72

D 9

D 72

Levier

D 72

PONTARLIER

N 57

Forêt de Levier

Rte des Sapins

D 471

Forêt de la Joux

Ain

Angillon

D 288

Mièges

Nozeroy

Source de l'Ain

Pertes de l'Ain

Bourg-de-Sirod

Villa palladienne de Syam

C^ade de la Billaude

Cours de la Lemme

D 255

D 16

Gorges de la Langouette

Chaux-des-Crotenay

Lacs de Maclu

Pic de l'Aigle

C^ades DU HÉRISSON

6

PARC

D 107

DOUBS

Lac de St-Point

N 5

D 437

Lac de Joux

Orbe

SCHWEIZ
SUISSE
SVIZZERA

N 57

D 9

D 45

LAUSANNE

LAUSANNE

A 1

D 1005

A 1

D 436

D 991

D 1005

LAC LÉMAN

D 1005

C

D

BELLEGARDE-SUR-VALSERINE

GENÈVE

1

2

3

Lons-le-Saunier

17 459 Lédoniens – Jura (39)

Capitale du Jura et ville thermale, Lons est une petite ville de caractère. La mise en valeur de son important patrimoine artistique, historique et même archéologique et sa proximité avec le vignoble ouvrent de belles perspectives. C'est aussi la ville de naissance de Rouget de Lisle et... de la Vache qui rit !

😎 NOS ADRESSES PAGE 277
Hébergement, restauration, achats, activités, etc.

🛈 S'INFORMER

Office du tourisme Côteaux du Jura – *Pl. du 11-Novembre-1918 - 39000 Lons-le-Saunier - 📞 03 84 24 65 01 - www.tourisme-coteaux-jura.com - juil.-août : 10h-18h, dim. et j. fériés 9h-13h ; reste de l'année : tlj sf dim. 9h-12h30, 14h-17h30, sam. 10h-12h, 14h-16h - fermé certains j. fériés.*

▶ SE REPÉRER

Carte de microrégion B2 (p. 268). Situé au creux d'une cuvette entourée de collines, à 155 km au nord-est de Lyon et à 97 km au sud-est de Dijon, par la A 39. Dessert TGV.

🅿 SE GARER

Pour une courte durée en centre-ville : 1re heure gratuite dans certains parkings et souvent de la place. 2h gratuites au parking rue Regard.

👁 À NE PAS MANQUER

Le majestueux théâtre ; la rue du Commerce et ses arcades ; la collection de pots de faïence, d'étain et de cuivre de la pharmacie de l'hôtel-Dieu ; la petite source du Puits-Salé ; les grottes du creux de Revigny.

🕐 ORGANISER SON TEMPS

Comptez une journée pour la ville et une incursion sur le plateau.

👫 AVEC LES ENFANTS

Maison de la Vache qui rit.

Se promener Plan de ville p. 272

▶ *Circuit tracé en vert sur le plan de ville – Comptez 1h30. Garez-vous place du 11-Novembre.*

Place de la Liberté A1

Véritable cœur de la ville, la place concentre une bonne part de l'animation lédonienne et mérite bien sa récente rénovation. À l'une des extrémités, une statue d'Étex, auteur des hauts-reliefs de l'Arc de triomphe à Paris, représente le **général Lecourbe**. Originaire de Besançon, ce général d'Empire s'était distingué sur les champs de bataille, notamment en Russie ; il est enterré à Ruffey-sur-Seille, près de Lons. À l'opposé, la place est fermée par l'imposante façade rococo du théâtre dont l'horloge égrène deux mesures de *La Marseillaise* avant de sonner les heures. La tour de l'Horloge, emblématique de la ville, défendait jadis l'entrée de la ville fortifiée (la place occupe l'emplacement du fossé).

Détail de la façade du théâtre de Lons-le-Saunier.
D. Hyniewska/age fotostock

★ **Théâtre** AB1

4 r. Jean-Jaurès - ☏ 03 84 86 03 03 - www.scenesdujura.com - sais. théâtrale sept.-juin - billeterie mar. et jeu.-vend. 13h30-18h30, merc. 10h-12h, 13h30-18h30 - possibilité de visite guidée (5 pers. mini) sur demande à l'office de tourisme.
Après un terrible incendie en 1901, l'ancien théâtre (1847) doit être partiellement reconstruit. Les architectes bressans Tony et George Ferret, largement influencés par l'opéra Garnier, en reprennent le style avec originalité. Ils confient la réalisation de la composition peinte du plafond à Louis Bardey. Un remarquable travail de restauration a été réalisé en 1997.
Pour visiter l'église St-Désiré, un peu excentrée, prenez la rue St-Désiré.

Église St-Désiré A2

R. St-Désiré - ☏ 03 84 24 65 01 - clé à retirer à la maison de la paroisse - 18 r. des Écoles.
On sait malheureusement fort peu de chose sur le saint patron de la ville. Il aurait vécu à la fin du 4e s. et serait mort à Lons vers 414. Son sanctuaire a pris une grande importance à partir du 11e s. Malgré de sérieuses restaurations, l'intérieur de l'église a gardé son caractère roman qu'accentuent les imposantes piles de la nef. À droite du chœur, belle Mise au tombeau ou Pietà (15e s.) de l'école bourguignonne. La **crypte**, dont la construction remonte au 11e s., est l'une des plus anciennes de Franche-Comté. Une des trois absidioles abrite le sarcophage de saint Désiré, mais ses reliques ont été déplacées dans l'église des Cordeliers qui était à l'abri des remparts. Elles y sont toujours conservées.
Revenez à la tour de l'Horloge qui marque le début de la rue du Commerce.

★ **Rue du Commerce** A1

Ses 146 arcades sur rue et sous couvert lui donnent un aspect très pittoresque. Elles ont été établies dans la seconde moitié du 17e s., après que de terribles incendies eurent fait place nette. Les Lédoniens ont le goût du beau et l'esprit indépendant, comme tout bon Comtois : ils se sont appliqués à varier les dimensions, la courbure, la décoration des arcs, même dans cette construction réglementée. Remarquez les grands toits, éclairés de quelques mansardes et percés de hautes cheminées. Au n° 24, la maison natale de Rouget de Lisle est devenue un musée.

Musée Rouget-de-Lisle - Donation André Lançon A1

24 r. du Commerce - ✆ 03 84 47 29 16 - www.lonslesaunier.fr - visite guidée sur demande préalable (30mn) de déb. juil. aux J. du patrimoine : 14h-18h, w.-end et j. fériés 14h-17h - 1 € (-18 ans gratuit).

Il a été aménagé dans l'appartement natal de Rouget de Lisle. Peu de mobilier, mais des souvenirs et documents qui présentent l'étonnant destin de l'artiste et de *La Marseillaise*. Un film vidéo anime ces salles.

Continuez jusqu'à la place de l'Hôtel-de-Ville et faites le tour des bâtiments.

La proximité de l'hôtel de ville (musée des Beaux-Arts) et de l'hôtel-Dieu fait ressortir la ressemblance entre ces deux bâtiments du 18e s.

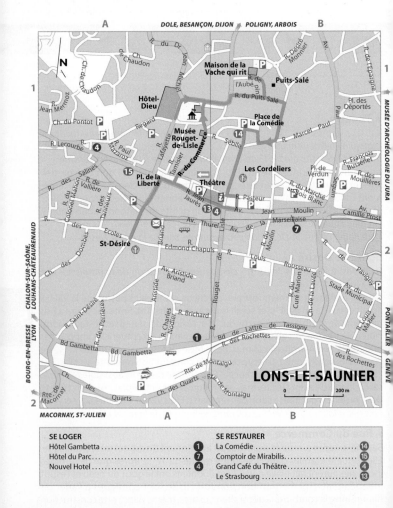

> **ROUGET DE L'ISLE : UN DESTIN TRAGIQUE**
> L'auteur de *La Marseillaise* naît à Lons en 1760. Son père est avocat du roi. Entré dans l'armée, Rouget devient capitaine du génie, mais préfère la versification et la musique. D'une veine féconde – le musée de Lons conserve quatre volumes entiers de ses chants –, il charme les salons. C'est en avril 1792, dans sa garnison de Strasbourg, qu'il compose le **Chant de guerre pour l'armée du Rhin**, devenu *La Marseillaise*. Le 10 août 1792, il est destitué de ses fonctions de capitaine pour avoir protesté contre l'internement de Louis XVI. Emprisonné sous la Terreur, puis combattant en Vendée, il démissionne de l'armée en 1796. Il retourne à Lons, où il vit difficilement. À Montaigu, où se trouve la maison de campagne familiale, il mène de 1811 à 1818 une vie de vigneron, puis revient à Paris. Pauvre comme Job, il est emprisonné à Ste-Pélagie pour une dette de 500 francs, puis libéré grâce à la générosité du chansonnier Béranger. En 1830, des amis de Choisy-le-Roi le recueillent, à demi paralysé, presque aveugle. Il meurt en 1836. Ses cendres ont été transportées aux Invalides en 1915.

Hôtel-Dieu A1

Pl. Perraud - ☎ 03 84 24 65 01 - www.tourisme-coteaux-jura.com - visite guidée (1h) horaires, se rens. à l'office de tourisme.
Construit à partir de 1735, cet établissement caractéristique du 18e s. est fermé par une très belle **grille** en fer forgé. Il a conservé une superbe **pharmacie★** dont les boiseries mettent en valeur les collections de pots de faïence, d'étain et de cuivre. Trois salles présentent l'évolution de la fonction d'apothicaire du 17e s. à nos jours. Également des expositions temporaires issues des collections du **musée d'Archéologie du Jura** *(133 r. René-Maire - t03 84 86 11 73 - www.tourisme-coteaux-jura.com - musée fermé au moment de la rédaction de ce guide, en attendant sa réouverture, expositions d'archéologie au musée des Beaux-Arts, voir ci-dessous).*

Musée des Beaux-Arts A1

Pl. Philibert-de-Chalon - ☎ 03 84 47 64 30 - www.musees-franchecomte.com - mar.-vend. 14h-17h, sam.-dim. et j. fériés 14h-18h - 2 € (-18 ans gratuit).
Installé dans une aile de l'hôtel de ville. La section peinture présente une trentaine de tableaux. On remarquera *Le Chasseur allemand* de Courbet, les paysages de Pointelin, les œuvres de petits maîtres hollandais dont Pieter Brueghel le Jeune. Sculptures de Jean-Joseph Perraud, un Jurassien académique.
À l'extrémité de la place Perraud, la rue du Puits-Salé mène à la célèbre source.

Puits-Salé B1

En contrebas, au cœur d'un petit parc, coule la source salée déjà utilisée par les Romains ; elle est à l'origine du développement de la ville.
Prenez la rue de l'Aubépine qui longe le parc.

Maison de la Vache qui rit B1

25 r. Richebourg - ☎ 03 84 43 54 10 - www.lamaisondelavachequirit.com - ♿ - juil.-août : 10h-19h ; juin : 10h-13h, 14h-18h ; sept.-oct. : tlj sf lun. 10h-13h, 14h-18h ;

5

> **LE SEL DE LONS-LE-SAUNIER**
> Le nom de la ville trahit son intérêt passé pour le sel : après avoir longtemps été, avec Salins-les-Bains, les plus importantes de Franche-Comté, les **salines de Montmorot**, à Lons, fermèrent définitivement leurs portes en 1966. Des imposants bâtiments du 18e s., il ne reste plus qu'une porte monumentale qui ouvre désormais sur les archives départementales.

Au pays de La Vache qui rit

Qui ne connaît pas cette tête rigolarde qui a amusé tant d'enfants et accompagné tant de randonneurs ?

DE L'ASSIETTE À L'ŒUVRE D'ART...

C'est à la fromagerie Bel, à Lons-Le-Saunier, qu'est née la conviviale Vache qui rit. Aujourd'hui, cette drôle de star a conquis son public des États-Unis au Vietnam en passant par la Syrie : 2 300 portions sont avalées toutes les 20 secondes dans le monde.

Non contente d'avoir conquis nos assiettes et d'avoir évincé l'une de ses concurrentes des débuts, la surprenante « vache sérieuse », elle s'est invitée dans le milieu artistique : on la retrouve aussi bien dans les BD de *Gaston Lagaffe* que sous les pinceaux d'Andy Warhol, qui a peint son portrait, et au musée des Arts décoratifs de Paris.

Comment est-elle devenue, en quelques décennies, une icône populaire traversant les réalités économiques, sociales et artistiques du 20e s. ?

UNE FAMILLE JURASSIENNE À L'ESPRIT D'ENTREPRISE

En 1921 Léon Bel dépose la marque de la Vache qui rit, dont on doit l'image au dessinateur **Benjamin Rabier**, qui dessinait des vaches hilares sur les camions de ravitaillement durant la guerre (en clin d'œil à la Walkyrie, déesse guerrière de la mythologie nordique). Le concept, récupéré auprès de trois frères suisses installés dans la région, est simple mais moderne : du fromage fondu, mélange d'emmental, de comté et de cheddar.

Voulant conquérir le marché international, la famille Bel mise sur la recherche industrielle et le marketing : optimisation des procédés, diversification des formats et des goûts... Citons quelques succès parmi les innovations commerciales de la marque : le Babybel et son enveloppe en cire rouge, le fromage light, les célèbres Apéricube...

COMMUNICATION DE MASSE ET IMAGE POPULAIRE

Dès les années 1950, le fromage fait l'objet d'une campagne publicitaire incisive : la Vache qui rit est accueillie sur les écrans de cinéma, dans les films de Godard et Truffaut, avant de conquérir la télévision et la radio.

Dans les années 1970, elle boit du Coca-Cola® et investit le marché américain. En 2002 elle précède les cyclistes dans le film d'animation *Les Triplettes de Belleville*.

Icône populaire à la longévité exceptionnelle, la petite vache jurassienne est aussi le symbole de l'esprit d'innovation qui caractérise l'artisanat de la région.

Eh oui, la Vache qui rit est native de Lons-le-Saunier.
A. Denantes/Gamma-Rapho/Getty Images

reste de l'année : se rens. - fermé certains j. fériés - possibilité de visite guidée (1h30) - 7,50 € (-18 ans 4,50 €) - audioguide disponible - parcours numérique sur tablette pour enf.

👥 Sur le lieu de la première usine de fabrication du célèbre fromage fondu, en 1921, s'érige un espace muséographique qui été entièrement repensé en 2018. Dans ce bâtiment original à la pointe de la performance environnementale (panneaux photovoltaïques, chauffage géothermique, charpente en bois de mélèze sans protection chimique…), sont exposés plus de 600 objets à l'effigie de la Vache qui rit, y compris de nombreux exemplaires de la boîte ronde. La visite commence par l'espace historique des caves, avec le premier atelier d'affinage de Jules Bel. Tout au long du parcours, des installations plastiques contemporaines surprennent le visiteur, comme celle de l'entrée avec ses 2 000 portions de Vache qui rit. Un film à la rencontre des populations à travers le monde clôt la visite. Pour les enfants, une visite interactive, en compagnie de la vache rouge en 3D, se termine par un parcours didactique en plein air sur la transformation du lait en fromage. Enfin, l'atelier cuisine, qui se veut un lieu d'échange et de convivialité, organise préparation et dégustation de recettes.

Revenez rue du Puits-Salé et tournez à gauche le long du parc. Prenez à droite la rue Richebourg et encore à droite à la place de l'Ancien-Collège.

La rue de Balerne à droite mène à la **place de la Comédie** B1, où l'on peut admirer d'anciennes maisons vigneronnes. Elles rappellent l'importance de la vigne autrefois, quand celle-ci couvrait les collines environnantes. Remarquez les linteaux de porte des nᵒˢ 20 et 22, décorés de serpettes, outils des vignerons.

Par la rue du Four, gagnez la rue des Cordeliers.

Église des Cordeliers B1

Cachée au fond d'une cour, fermée par un porche datant du 15ᵉ s., elle fut construite au 13ᵉ s., puis restaurée au 18ᵉ s. La crypte, inaccessible au public, accueille la sépulture des Chalon-Arlay (👆 p. 317), seigneurs de Lons au Moyen

5

Âge. Outre la chaire exécutée vers 1728 par les frères Lamberthoz de Lons, on remarquera les **boiseries** Louis XVI du chœur.

Rejoignez, au bout de la rue, la place du 11-Novembre.

La place est prolongée par la **promenade de la Chevalerie**, où l'on peut admirer la statue de Rouget de Lisle par Bartholdi.

À proximité Carte de microrégion p. 268

Montaigu B2

🔵 *3 km au sud-est.* De la route en forte montée, dans un virage à droite, belle **vue** à gauche *(belvédère aménagé)* sur Lons et ses environs. Le village s'accroche au rebord du plateau. Le château fort, où Lacuzon (🕯 *p. 321*) soutint plusieurs sièges, a été démantelé sous Louis XIV.

La Croix-Rochette B2

🔵 *9 km au sud-est. Quittez Lons-le-Saunier par la route de Montaigu, puis la D 52 à droite. Après 6 km, tournez à droite dans la D 41E vers St-Maur. Le chemin d'accès s'amorce sur la D 41, en face de l'église (angle sud-ouest) de St-Maur. Suivez-le sur 200 m puis prenez, à gauche, la rampe conduisant à un vaste parking.*

🔵 *Montez (15mn à pied AR) sur le sommet de la Croix-Rochette.* Située sur le rebord du plateau jurassien, la Croix-Rochette (alt. 636 m) offre un **panorama** qui s'étend sur la plaine de la Saône, limitée, au loin, par les monts du Mâconnais, ainsi que sur les plateaux et les montagnes du Jura. Par temps clair, vue sur le mont Blanc.

Orbagna B2

🔵 *À 15 km au sud-est.*

La Caborde – *Aire viti-culturelle, montée du Taret -* 📞 *03 84 48 06 04 - www. lacaborde-jura.fr -* ⚹ *- avr.-sept. : 11h-18h - gratuit ou 10 € selon les événements.* Cette aire viti-culturelle est consacrée au vignoble et au monde du vin. Dans un bâtiment tout en bois à l'architecture ultra-moderne, cet espace de découverte propose une dizaine d'expositions par an, des projections et animations thématiques, sans oublier des dégustations de vin au verre, grâce à un système Enomatic (distributeur de vin au verre).

Circuit conseillé Carte de microrégion p. 268

LE PLATEAU JURASSIEN

🔵 *Circuit de 19 km tracé en vert sur la carte de microrégion – Comptez 4h. Quittez Lons-le-Saunier en direction du sud-est, par la D 678.*

Conliège B2

Église – *Visite guidée sur demande auprès de la mairie au* 📞 *03 84 24 13 20.* Elle possède de belles grilles en fer forgé et une chaire sculptée (17e s.), des bancs d'œuvre de 1525, une châsse du 16e s. renfermant les reliques de saint Fortuné.

★ Creux de Revigny B2

C'est un bel amphithéâtre d'escarpements calcaires au pied desquels naît la Vallière, qui passe à Conliège et à Lons-le-Saunier. Dans la falaise s'ouvrent de nombreuses grottes, dissimulées par la végétation. Au 17e s., durant la guerre de Dix Ans, ces grottes servirent de refuge aux habitants. Ils y vivaient de façon permanente et on venait y célébrer les baptêmes, tant le pays, battu par les Suédois, était peu sûr *(voir région des Lacs)*.

La route descend ensuite vers la vallée de l'Ain qu'elle rejoint à Pont-de-Poitte.

Pont-de-Poitte (🕯 *p. 341*)

😊 NOS ADRESSES À LONS-LE-SAUNIER

HÉBERGEMENT

PREMIER PRIX

①　Hôtel Gambetta – A2 -
4 bd Gambetta - ☎ *03 84 24 41 18 -
www.hotel-gambetta-lons.com -*
🅿 *- fermé 20 déc.-5 janv. - 18 ch.
54/72 € -* ☐ *9 €.* Cet hôtel à
deux pas de la gare retrouve
une seconde jeunesse grâce à
des travaux de rafraîchissement
réussis. Les chambres,
insonorisées et climatisées pour
certaines, filtrent de façon efficace
les nuisances du boulevard et
de la gare. Cadre contemporain,
coloré et confortable. Parking
dans un espace clos, payant en
saison.

⑦　Hôtel du Parc – B1 -
9 av. Jean-Moulin - ☎ *03 84 86
10 20 - www.hotel-parc.fr -* ♿
📶 *- 19 ch. 74/84 € -* ☐ *8 € -
1/2 P et P complète possibles
130/165 € -* ✗ *formule déj.
11,90 € - 23/32 € - fermé dim. soir
sf j. fériés.* À deux pas du parc
des Bains, ce sympathique hôtel
dispose de chambres colorées
et fonctionnelles. Mobilier en
bois cérusé. Sobre salle à manger
et cuisine traditionnelle simple
utilisant les produits régionaux.

④　Nouvel Hôtel – A1 -
50 r. Lecourbe - ☎ *03 84 47 20 67 -
www.nouvel-hotel-lons.fr -* 🅿
3/4 € - 📶 *- fermé 24 déc.-15 janv. -
25 ch. 58/86 € -* ☐ *8,50 €.*
Des bouteilles de vin du Jura
disponibles à la vente décorent le
hall de cet hôtel coloré. Chambres
fonctionnelles bien tenues,
accueil chaleureux.

À proximité

PREMIER PRIX

**Chambre d'hôte Le Jardin de
Misette** – Hors plan - *R. Honoré-
Chapuis - 39140 Arlay - à 14 km au
N par la D 1085 puis la D 38 -*
☎ *03 84 85 15 72 - http://sites.
google.com/site/lejardindemisette -*
📷 *- 4 ch. 52/70 € -* ☐ *-* ✗ *32 €.*
Vous apprécierez le charme
campagnard de cette habitation
vigneronne des bords de la Seille.
Chambres calmes et confortables,
ambiance conviviale et cuisine
familiale. Une maisonnette
indépendante abrite une chambre
familiale. Garage pour les
deux-roues.

BUDGET MOYEN

**Golf Hôtel Resort du Val
de Sorne** – Hors plan -
39570 Vernantois - ☎ *03 84 43
04 80 - www.valdesorne.com -* 🅿
📶 *- fermé mi-déc.-mi-janv. - 35 ch.
80/130 € -* ☐ *14 € -* ✗ *formule
déj. 20/26 € - 40 €.* Construction
régionale moderne, sur le golf
du Val de Sorne. Les chambres,
spacieuses, ont été rénovées
dans un style contemporain
élégant. Équipements de loisirs
de qualité. Restaurant avec vue
sur les greens, carte traditionnelle
(grillades et salades en été).

Hôtel Parenthèse – Hors plan -
186 chemin du Pin - 39570 Chille -
☎ *03 84 47 55 44 - www.
hotelparenthese.com -* 🅿 🏊 ♿
📶 *- restaurant ouvert lun. soir-
sam. soir, juil.-août lun.-dim. soir -
33 ch. 60/170 € -* ☐ *15 € - 1/2
pension 42 € -* ✗ *30/45 €.* Au cœur
d'un parc, cet hôtel dispose de
chambres spacieuses au mobilier
actuel (certaines avec balcon ou
terrasse). Piscine et spa complet.
Une adresse tenue par un couple
dynamique. Au restaurant, cuisine
dans l'air du temps, fidèle au
terroir.

RESTAURATION

BUDGET MOYEN

④　Grand Café du Théâtre – B1 -
2 r. Jean-Jaurès - ☎ *03 84 24 49 30 -
www.restaurant-theatre-lons-le-
saunier.fr/- fermé 1ᵉʳ nov.-15 nov.,*

5

dim. et lun. soir hors sais. - formule déj. 11,80/13,80 € - 22 €. En plus d'offrir une carte de qualité, ce café réputé, classé monument historique, jouit d'une terrasse surplombant la place et constitue une halte agréable à proximité immédiate du quartier commerçant.

13 **Le Strasbourg** – A1 - 4 r. Jean-Jaurès - ☎ 03 84 24 36 92 - www.le-stras.com - fermé 24 déc. au soir, 25 déc., 31 déc. au soir et 1er janv. - formule déj. 9,50/15,80 € - 24/32 €. Ce grand café construit à la fin du 19e s. est classé à l'Inventaire des monuments historiques. Lédoniens, touristes et curistes fréquentent sa très jolie salle ou, dès les premiers beaux jours, sa terrasse tournée vers le théâtre de la ville. Une carte de brasserie complète celle des boissons.

15 **Le Comptoir du Mirabilis** – A1 - 9 Galerie Lecourbe - ☎ 03 84 25 96 37 - www.lecomptoirdumirabilis.com - fermé 1er-28 août, dim. et j. fériés - formule midi 13,50 € - 28/48 €. Dans le quartier historique, ce restaurant est niché en retrait de la rue Lecourbe ; derrière les fourneaux, le chef prépare une savoureuse cuisine de saison – tourte de boudin noir, pommes et oignons, risotto de gambas à l'espagnole… Le service, efficace et décontracté, ajoute encore à notre plaisir !

POUR SE FAIRE PLAISIR

14 **La Comédie** – B1 - 65 pl. de la Comédie - ☎ 03 84 24 20 66 - http://restaurant-la-comedie.fr - fermé dim., lun., mar. soir et merc. soir, 2 sem. en avr. et 3 sem. en août - formule déj. 24/34 € - 40/60 €. On apprécie la terrasse-jardin à l'arrière, lieu propice pour déguster la cuisine fraîche et raffinée de ce restaurant situé sur une discrète place du centre-ville. Simplicité, calme et volupté.

À proximité

BUDGET MOYEN

Ferme-auberge La Grange Rouge – Hors plan - 39570 Geruge - ☎ 03 84 47 00 44 - www.la-grange-rouge.com - 🚫 🅿 ⚹ - merc. soir au dim. midi sur réserv. - 22/28 € - 5 ch. 58/66 € ☕. Cette ferme perchée à 520 m d'altitude attire les amateurs de bonne chère de toute la région, avec son poulet à la crème, aux morilles et au vin jaune. Les produits cuisinés – poulet, pintade, carré de porc en broche, lapin, agneau et légumes – sont directement issus de la ferme. Les chambres, spacieuses et confortables, jouissent d'un calme champêtre.

PETITE PAUSE

Rouget de Lisle a donné son nom à un savoureux gâteau et à une bière…

Maison Pelen – Pl. de la Liberté - ☎ 03 84 24 31 39 - www.pelen.fr - boutique : lun. 9h30-12h15, 14h30-19h, mar.-vend. 9h-12h15, 14h30-19H, sam. 9h-12h30, 13h30-19h15, dim. 9h-12h30 - chocolaterie : mar.-vend. 8h-12h, 13h30-17h30 ; sam. 8h30-12h, 14h30-19h ; fermé dim., lun. - salon de thé : ☎ 03 84 24 31 39 - lun.-sam. 14h30-18h30 ; visite chocolaterie 175 r. Blaise-Pascal, tlj sf dim. et lun. 8h30-12h, 13h30-17h30, sam. 8h30-12h, 14h30-19h. Depuis 1899, la famille Pelen régale Lons-le-Saunier avec ses galets de Chalain (nougatine et praliné enrobés de chocolat), son gâteau Écureuil (à la noisette !) et bien d'autres gourmandises. Élégant salon de thé à l'étage.

Pâtisserie Rouget de Lisle – 22 r. du Commerce - ☎ 03 84 24 51 80 - www.mathieupaget.fr - tlj sf lun.7h-12h30, 13h30-19h, dim. 7h30-12h15. Cette pâtisserie jouxte la maison natale de Rouget de Lisle. On y trouve bien sûr le fameux macaron portant son nom ainsi que moult douceurs comme les tartes aux fruits, les gâteaux au kirsch, les éclairs et une belle gamme de chocolats. L'été, le salon de thé déploie sa terrasse et il est bien agréable d'y déguster une glace. Fabrication de confitures maison. Autre boutique au 52 r. St-Désiré.

ACHATS

Vin

Maison du Vigneron – *23 r. du Commerce -* 📞 *03 84 24 44 60 - https://fr.maisonduvigneron.com - mar.-sam. 10h-12h, 14h-18h30.* Cette cave, qui s'ouvre en face de la maison de Rouget de Lisle, regroupe la production d'environ 150 viticulteurs. La diversité du vignoble jurassien s'y exprime à travers une riche gamme de crus AOC : côtes-du-jura, arbois, vin jaune, vin de paille… Liqueurs et eaux-de-vie garnissent également les casiers.

EN SOIRÉE

Casino Jeux Groupe Émeraude – *795 bd de l'Europe -* 📞 *03 84 87 06 06 - www.casino-lonslesaunier.com - dim.-jeu. 10h-3h, vend.-sam. et veilles de j. fériés 10h-4h ; jeux traditionnels à partir de 21h.* Situé au nord de la ville, le casino propose de multiples activités : machines à sous, black jack, roulette anglaise, texas hold'em poker. Vous pourrez également faire une pause au restaurant : dîners musicaux et animations certains soirs.

ACTIVITÉS

Sydom du Jura Usine de traitement des déchets ménagers – *R. René-Maire - ZI -*
📞 *03 84 47 44 41 - www.letri.com - visite guidée gratuite sur demande préalable (1h) 9h-12h, 13h30-17h, vend. 9h-12h - il est possible de se rallier aux groupes déjà constitués.* Le Jura est un département pilote en matière de tri des déchets. Ce centre a ouvert en 1998 et profite, pour l'enfouissement de déchets ménagers, de l'isolation d'une couche d'argile de 10 m d'épaisseur.

Valvital Thermes Lédonia de Lons-le-Saunier – *Parc des Bains -* 📞 *03 84 24 20 34 - www.valvital.fr - fermé j. fériés. ; 10h-19h, sam. 9h-19h, dim. 9h-13h, fermé dim. 22 juil.-2 sept.* L'établissement utilise des eaux chlorurées sodiques fortes (305 g/l) ou moyennes (10 g/l) indiquées pour le traitement de la rhumatologie, les troubles du développement de l'enfant et le psoriasis (cures d'avril à novembre). Toute l'année, un secteur de remise en forme propose différents forfaits ; balnéo, piscine, sauna, hammam, massages… Parc arboré de 7 ha autour des installations.

AGENDA

Percée du vin jaune – *Fév. - www.percee-du-vin-jaune.com.* Une grande fête pour célébrer le vin jaune du Jura.

Les Rendez-Vous de l'Aventure – *Déb. avr. - www.rdv-aventure.fr.* Festival documentaire et littéraire sur le thème du voyage et de l'exploration. Projections, débats…

St-Désiré – *Autour du dernier dimanche de juil.* La « St-Dé » est la fête traditionnelle de la ville.

Les Déboussolades – *Trois journées début sept.* Spectacles de rue.

5

Cirque de Baume-les-Messieurs

175 Baumois – Jura (39)

Grandiose, spectaculaire, impressionnant ! Les qualificatifs restent faibles face à ce site naturel exceptionnel forgé à la rencontre de trois vallées au pied de la magnifique reculée du cirque de Baume. Une illustre abbaye, dont on peut encore admirer l'église et la plupart des bâtiments abbatiaux, niche là depuis le 9ᵉ s. Le village, légèrement en contrebas, occupe les rives de la Seille.

NOS ADRESSES PAGE 285
Hébergement, restauration, achats, activités, etc.

S'INFORMER
Mairie de Baume-les-Messieurs – *4 pl. de la Mairie - 39210 Baume-les-Messieurs - ℘ 03 84 44 61 41 - www.baumelesmessieurs.fr - lun. 9h-12h, merc. 14h-16h - fermé j. fériés, août.*

SE REPÉRER
Carte de microrégion B2 (p. 268). De Lons-le-Saunier, prenez la D 471 vers l'est jusqu'à Crançot (12 km), puis la D 4. La descente est particulièrement belle. Venant d'Arlay (D 120 vers l'est) ou de Château-Chalon (D 5 vers l'ouest), vous rejoindrez où vous prendrez la D 70 sur environ 8 km vers le sud.

À NE PAS MANQUER
L'abbatiale de Baume-les-Messieurs ; le cirque de Baume ; le magnifique belvédère des roches de Baume ; les grottes de Baume.

ORGANISER SON TEMPS
Comptez une bonne journée pour le village et ce superbe site naturel.

AVEC LES ENFANTS
Les grottes et leur acoustique, pour les petits ; pour les plus grands, une leçon de géologie ou de biologie des milieux extrêmes, avec les crevettes aveugles qui peuplent les eaux du lac souterrain.

Visiter

★ Abbaye
Abbaye impériale (bureau des guides) – 1ʳᵉ Cour de l'Abbaye - 39210 Baume-les-Messieurs - ℘ 03 84 44 99 28 - www.baumelesmessieurs.fr - ♿ - horaires, se rens. - possibilité de visite guidée sur demande (45mn) - 8 € (-12 ans 4 €) - 13 € billet combiné avec les grottes.

Un passage voûté conduit à la cour abbatiale, sur laquelle s'ouvraient l'hôtellerie, le logis de l'abbé, le donjon, la « tour de justice » et l'église.

Église – La façade (15ᵉ s.) possède un **portail** intéressant : au trumeau, Dieu le Père bénissant, et dans les niches latérales, des anges soufflant avec vigueur dans des instruments. La longueur de la **nef** (71 m) correspond à celle des processions dans la règle bénédictine. Elle était dallée de pierres tombales ; il en reste une quarantaine, dont les plus intéressantes sont adossées au mur du bas-côté gauche. Dans ce même bas-côté, sépulture plutôt modeste de

Le cirque de Baume-les-Messieurs.
Pixel-68/iStock

l'abbé Jean de Watteville. Dans la chapelle de Chalon *(fermée, à gauche)* et de chaque côté du chœur, bel ensemble de statues bourguignonnes du 15ᵉ s. : saint Michel, saint Jean l'Évangéliste, saint Paul…

Le principal trésor de l'abbaye est le magnifique **retable★★** anversois du début du 16ᵉ s. *(accessibles uniquement dans le cadre de visites guidées pour les groupes - sur réserv. - 3 €)* donné à l'abbé Guillaume de Poupet par la ville de Gand (vers 1525). Son thème principal est la passion du Christ.

Cour du cloître – À droite, une porte donne accès à ce qui fut le cloître. Le dortoir et le réfectoire des moines s'ouvraient sur cette cour qui a conservé sa **fontaine**.

Bâtiments abbatiaux – Passez sous une voûte, à gauche. Vous pénétrez dans une autre cour dont les bâtiments abritaient les appartements des nobles chanoines. Revenez à l'ancien cloître, puis à la première cour, par un passage voûté ouvert dans l'ancien cellier (13ᵉ s.).

Découvrir le cirque Carte du cirque de Baume p. 283

5

★★★ CIRQUE DE BAUME

◐ *Circuit de 18 km tracé sur la carte du cirque de Baume – Comptez 2h.*
Quittez Baume-les-Messieurs par la D 70ᴱ³ qui franchit la Seille, puis à gauche la D 70ᴱ¹ qui gagne le fond du cirque de Baume en longeant le Dard.
La contemplation des hautes falaises rocheuses qui forment cette reculée donne une impression d'écrasement.
Laissez votre voiture près du chalet des grottes de Baume.

★ **Grottes de Baume**
4 pl. de la Mairie - ✆ 03 84 48 23 02 - www.baumelesmessieurs.fr - visite guidée (1h) juil.-août : 10h30-19h ; mai-juin et sept. : 10h30-12h30, 13h30-18h ; avr. : 10h30-12h30, 13h30-17h - 8,70 € (-12 ans 5,50 €) - 13 € billet combiné avec l'abbaye - penser à prendre un vêtement chaud.

Une abbaye riche d'histoires…

DE BAUME-LES-MOINES À BAUME-LES-MESSIEURS

Les premières mentions d'un établissement monastique à Baume remontent à 870, mais l'histoire de l'abbaye ne commence à proprement parler qu'en 890, date de son acquisition par Bernon, abbé de Gigny. L'un de ses titres de gloire est d'avoir fourni, en 909, six des douze religieux qui créèrent l'illustre abbaye de Cluny. L'abbaye de Baume va rapidement prospérer, mais également entrer en conflit avec Cluny. Grâce à Frédéric Barberousse, empereur germanique qui a épousé l'héritière du comté de Bourgogne, Baume obtient son autonomie de 1157 à 1186 : c'est de cette période que l'abbaye tire son nom d'**abbaye impériale**.

Peu à peu, comme à St-Claude, la vie monastique se relâche *(voir p. 346)*. À partir du 16ᵉ s., l'abbaye passe en **commende** (ce qui signifie qu'un ecclésiastique ou un laïc en perçoit personnellement les revenus, et qui, s'il s'agit d'un ecclésiastique, peut aussi exercer une certaine juridiction sans toutefois exercer la moindre autorité sur la discipline des moines), et les humbles moines du début sont progressivement remplacés par de **nobles chanoines**. Cette sécularisation de fait – il y a un va-et-vient permanent des habitants pour la fontaine ou lors des marchés – est confirmée par une bulle papale en 1759. Ces hauts « messieurs » se hâtent de corriger le nom de leur maison : de Baume-les-Moines, celle-ci devient Baume-les-Messieurs. En 1793, les biens de l'abbaye sont dispersés lors d'une vente au flambeau.

LA VIE AVENTUREUSE DE L'ABBÉ JEAN DE WATTEVILLE DE BAUME

Au 17ᵉ s., Baume compte parmi ses abbés Jean de Watteville, dont les incroyables aventures – lire les *Mémoires* de Saint-Simon – sont encore grandies par la légende. Ce personnage extraordinaire suit d'abord la carrière des armes. Maître de camp du régiment de Bourgogne dans la campagne du Milanais, il tue en duel un gentilhomme espagnol au service de la reine d'Espagne. Obligé de fuir, il se cache à Paris. Là, une église, un sermon sur l'enfer entendu par hasard : le soudard se convertit. Capucin, puis chartreux à l'abbaye de Bonlieu, il ne tarde pas à trouver la vie monacale insupportable. Surpris par le prieur alors qu'il fait le mur pour s'enfuir, il l'abat d'un coup de pistolet, prend le large et, après maintes aventures, franchit les Pyrénées.

Nouveau duel : un grand d'Espagne y perd la vie. Nouvelle fuite, nouvelle conversion : à Constantinople, l'ancien moine se fait mahométan, met ses talents militaires à la disposition du Grand Turc, devient pacha, puis gouverneur de Morée ! Après plusieurs années passées sous le turban, entouré d'un harem amplement fourni, notre homme traite avec les Vénitiens qu'il a reçu mission de combattre : si on lui assure l'absolution du pape pour ses crimes passés et l'abbaye de Baume comme bénéfice, il est prêt à livrer ses troupes. Le marché est conclu et exécuté.

Le pacha, retonsuré, mène ses moines comme des soldats. Quand Louis XIV envahit la Comté, Watteville, qui a mesuré les chances françaises, offre ses services au roi. Par sa faconde, son habileté, ses intrigues, il fait capituler, sans coup férir, les dernières résistances (Gray, Ornans, Nozeroy) et contribue à transformer la campagne de 1668 en promenade militaire. Après ses brillants succès diplomatiques, il rentre dans son abbaye en 1678 et y mène une vie de grand seigneur. Cette vie agitée se termine en 1702, à l'âge de 84 ans.

Ces grottes représentent une ancienne issue du Dard, affluent de la Seille. Après les périodes de pluie, le Dard emprunte encore cette sortie de trop-plein et forme alors une cascade. La résurgence du cours d'eau se trouve en contrebas, à gauche de l'entrée des grottes. Ces dernières sont particulièrement remarquables pour leurs impressionnantes **diaclases** (fissures ou fractures de roche).

Après avoir suivi une galerie d'entrée, on traverse des salles hautes et étroites, puis on apprécie l'étonnante acoustique de la **salle des Fêtes**. On contourne ensuite un petit lac dont les eaux contiennent des niphargus, espèces de petites crevettes blanches et aveugles. On remarque au passage la **salle du Catafalque**, qui porte sa voûte à 80 m de hauteur. Des marmites renversées se sont formées au plafond.

★ Cascades des Tufs

En face du restaurant des Grottes, pavillon au style Belle Époque, la résurgence du Dard forme, après les périodes de pluie ou à la fonte des neiges, de magnifiques cascades. Les « tufs » sont des roches formées par des dépôts calcaires qui recouvrent et pétrifient la végétation ; l'eau s'écoule ici dans une succession de vasques.

Regagnez la D 70 pour tourner à droite vers Crançot.

Après le deuxième lacet, vue sur Baume et son abbaye, nichés au fond de la vallée dont les versants sont dominés par de blanches falaises calcaires.

Point de vue de la Croix

Arrêtez-vous au carrefour D 70-D 210. Empruntez le chemin à droite qui se dirige vers la forêt (balisage bleu - 20mn à pied AR).

Au bout du chemin, près de la croix, **vue★** magnifique sur Baume-les-Messieurs, l'abbaye et l'ensemble de la reculée qui se ramifie en contrebas.

Revenez sur vos pas. Possibilité de gagner le village des Granges-sur-Baume par le GR 59. Si vous ne souhaitez pas marcher, reprenez votre voiture et empruntez la D 210 jusqu'aux Granges.

Du belvédère aménagé à l'entrée du bourg *(suivez la signalisation)*, autre **vue★** remarquable sur Baume ; on aperçoit au loin le fond de la reculée et la cascade.

Cascade au cœur du cirque de Baume-les-Messieurs.
T. et B. Morandi/hemis.fr

Retournez au carrefour de la D 210 et de la D 70. Poursuivez sur la D 210 jusqu'au croisement avec la D 4 que vous prendrez vers la droite. À Crançot, tournez à droite dans la D 471, sur laquelle vous prenez à droite pour gagner le belvédère des roches de Baume.

★★★ Belvédère des roches de Baume

🐾 Longez à pied le bord de la falaise qui forme le fameux belvédère des roches de Baume, encore appelé belvédère de Crançot. L'entaille est prodigieuse ; découverte au dernier moment, elle donne une impression exaltante. On sera surpris de l'épaisseur des bancs de roche qui couronnent la falaise.

Près du point de vue le plus à droite s'amorce un sentier coupé de marches taillées dans le roc : ce sont les **Échelles de Crançot** qui conduisent au fond du cirque et aux grottes *(attention ! descente difficile)*.

🐾 Pour atteindre le fond du val à partir de Crançot, on utilisait jadis une série d'échelles. Watteville les fit remplacer par un escalier, taillé dans le roc, qu'on a continué d'appeler Échelles de Crançot. Un jour, voyant ses religieux prendre mille précautions pour ne pas se rompre le cou sur ces degrés abrupts et glissants, l'abbé, impatienté, fit venir sa mule, l'enfourcha et lui fit descendre les marches, en couvrant d'injures les poltrons !

Regagnez la D 471 et suivez-la jusqu'à Crançot. Retournez à Baume-les-Messiers par la D 4 et la D 70.

😊 NOS ADRESSES À BAUME-LES-MESSIEURS

HÉBERGEMENT

PREMIER PRIX

Camping de la Toupe – *R. de la Croix-du-Poy - à la sortie du bourg par D 70 dir. Lons-le-Saunier -* 📞 *03 84 44 63 16 - www.baumelesmessieurs.fr - avr.-sept - 52 empl. 12,50/14 €/pers.* Installé en bordure de rivière, ce petit camping verdoyant et ombragé dispose d'aménagements très simples : un petit chalet d'accueil et 2 blocs sanitaires sans fioriture mais bien tenus, donnant sur un terrain plat et herbeux. Station vidange pour les camping-cars. Une étape agréable dans une cité comtoise pleine de caractère.

RESTAURATION

BUDGET MOYEN

Le Grand Jardin – *6 pl. Guillaume-de-Poupet -* 📞 *03 84 44 68 37 - www.legrandjardin.fr -* 🅿 ♿ *- fermé mi-déc. à fin janv., mar. et merc. sf juil.-août et j. fériés. - formule terroir 22 € - menus 28/38 € - 6 ch. 74/84 €* ☕. Agréable maisonnette villageoise jouxtant l'abbaye. Une belle cheminée agrémente la salle à manger campagnarde où sont proposés des menus traditionnels relevés de quelques accents du terroir. L'étage abrite trois chambres d'hôte mansardées et parquetées.
Les Grottes – 📞 *03 84 48 23 15 - www.restaurant-des-grottes.com/- 🅿 ♿ - tous les midis d'avr. à nov. - réserv. conseillée - formule déj. 19 € - 24/35 €.* Le bel emplacement de ce pavillon 1900 vous permettra de ne rien perdre du site naturel exceptionnel de Baume-les-Messieurs et d'admirer en été, de la terrasse ombragée, le spectacle des cascades. À table, cuisine du terroir pleine de goût : terrine comtoise, émincé de volaille au macvin (vin de liqueur), entrecôte aux morilles, saucisse de Morteau, etc.

ACHATS

À proximité

Fromagerie artisanale Poulet – *10 pl. de l'Église - 39210 Granges-sur-Baume -* 📞 *03 84 48 28 32 - www.fromagerie-artisanale-jura. com/- 9h-12h, 15h-19h, dim. 9h-11h30.* Cette maison d'habitation abrite la petite boutique et la fromagerie où la famille Poulet fabrique et affine les fromages depuis 4 générations. Le comté est une véritable merveille et le morbier a plusieurs fois été primé. On y trouve également de la tomme du Jura et même du beurre baratte moulé à la main. À côté, le belvédère offre une jolie vue de la reculée de Baume.

ACTIVITÉS

🚶 Rens. sur les promenades et randonnées organisées dans la reculée au café-restaurant Le Grand Jardin (voir ci-contre). *Se rens. au* 📞 *03 84 24 65 01.*

5

Château-Chalon

151 Castelchalonnais – Jura (39)

Ancienne place forte solidement ancrée sur son escarpement rocheux, ce superbe village règne sur un petit territoire de 50 ha au renom prestigieux : le mystérieux royaume du vin jaune. C'est d'abord un terroir atypique dont les pentes ensoleillées sont couvertes de vignes. Mais la magie opère également dans le secret des caves, où s'élabore lentement ce « vin en or massif » qui semble se jouer des outrages du temps.

⊚ NOS ADRESSES PAGE 288
Hébergement, restauration, achats, activités, etc.

⊟ S'INFORMER

Office du tourisme Coteaux du Jura – *Pl. du 11-Novembre-1918 - 39000 Lons-le-Saunier - ℘ 03 84 24 65 01 - juil.-août : 9h-12h30, 13h30-18h, j. fériés 9h-13h ; reste de l'année : tlj sf dim. 9h-12h30, 14h-17h30, sam. et j. fériés 10h-12h, 14h-16h - fermé 1er janv., 25 déc.*

◗ SE REPÉRER

Carte de microrégion B2 (p. 268). De Poligny, au nord, ou de Lons-le-Saunier, au sud, gagnez Voiteur (D 1083 et D 120 à St-Germain-lès-Arlay), suivez la D 5 jusqu'à Château-Chalon.

⊛ À NE PAS MANQUER

Le pittoresque village haut perché ; les vestiges du château ; le circuit des vignobles… et une dégustation de vin jaune.

◷ ORGANISER SON TEMPS

Château-Chalon dévoile ses plus belles couleurs pendant les vendanges.

⚐⚐ AVEC LES ENFANTS

Un voyage dans le temps en visitant l'École d'autrefois.

Se promener

Le village a conservé une ancienne **porte fortifiée** et les vestiges du **château** qui témoignent de sa puissance passée. On ne saurait en effet résumer le site à son précieux breuvage : omniprésents, les témoignages du passé rappellent qu'il a été fortifié dès l'époque gallo-romaine avant de recevoir un château fort et une abbaye de bénédictines (7e s.). Très fleuries, les **rues** ne manquent pas de caractère. Elles sont jalonnées de hautes maisons vigneronnes, dont certaines sont dotées d'un perron, d'une grande ouverture en plein cintre et d'un accès extérieur aux caves. **Vue★** sur la plaine de la Bresse et le Revermont.

Église St-Pierre

Elle date du 12e s. Les bas-côtés sont voûtés d'arêtes tandis que dans la nef apparaissent les premières croisées d'ogives caractéristiques

> **NOTORIÉTÉ**
> Le village doit son nom à sa position fortifiée qui appartenait à la puissante famille des Chalon (◷ *p. 317*). **Bernard Clavel** (1923-2010), écrivain comtois renommé, appréciait le charme de ce site enchanteur.

L'OR DU JURA

Les moniales de Château-Chalon seraient à l'origine de ce fameux vin jaune qui a fait la renommée du terroir viticole de la commune. Elles auraient importé la technique du voile et le cépage que l'on nomme aujourd'hui savagnin, cette vigne aux grappes courtes et petits raisins. Une fois fermenté, le vin est mis dans des fûts de chêne ; en s'évaporant, il se couvre d'un voile de levure qui empêche son oxydation et lui donne son goût particulier. Après six ans et trois mois, le vin est mis en bouteille ; mais pas dans n'importe laquelle ! Le **clavelin** ne contient que 62 cl de vin jaune, soit le résultat du vieillissement d'un litre de jus de raisin. Ainsi protégé, le vin pourra continuer sa maturation pendant cent ans…

Le classement **AOC château-chalon** est attribué uniquement aux vins jaunes, après un examen attentif des grappes par un jury. Les mauvaises années, il est arrivé que les vignerons renoncent à l'appellation pour ne pas ternir sa réputation. L'AOC concerne les vignobles de **Château-Chalon**, **Ménétru-le-Vignoble**, **Nevy-sur-Seille** et **Domblans**.

Percée du vin jaune – On ne compte plus les festivités et cérémonies qui rythment la vie des vignerons. Parmi les plus célèbres, la **Percée du vin jaune** se déplace chaque année, début février, dans différentes communes du vignoble pour fêter la « mise en perce » du premier fût de vin jaune après les six ans et trois mois de vieillissement.

de l'art gothique. Le chœur présente des arcatures romanes et une voûte compartimentée par des liernes et des tiercerons de la fin du gothique flamboyant.

Maison de la haute Seille

26 pl. de l'Église - ℘ 06 38 10 44 40 - www.tourisme-chateauchalon.fr/musee-haute-seille - ⚥ - juil.-août : 10h-13h, 14h30-19h ; mai-juin, sept. et vac. scol. (hors juil.-août) : tlj sf lun. 10h30-12h30, 14h-18h, dim. et j. fériés 14h-18h ; reste de l'année : vend.-sam. 10h30-12h30, 14h-8h, dim. et j. fériés 14h-18h - fermé nov.-mars - 2,50 € (-18 ans gratuit) - 3 € billet combiné avec l'École d'autrefois - animations, se rens.

👥 Aménagé dans l'hôtellerie de l'abbaye, l'espace d'exposition relate, sous une belle charpente, l'histoire de la commune et de son abbaye et présente le territoire de la haute Seille. Dans la cave voûtée, sont expliquées les différentes AOC des vins du Jura et leurs méthodes de production ; un beau film sur le vin jaune *(14mn)* est projeté sur l'un des murs. Bornes interactives à foison, vidéos, témoignages sonores. Beau panorama depuis la terrasse où vous pourrez déguster la limonade maison ou profiter d'une initiation à la dégustation du vin *(vin jaune 2 €, château-chalon 3 €)*.

L'École d'autrefois

Quartier Abbatial - ℘ 03 84 24 76 05 - www.tourisme-chateauchalon.fr/ecole-autrefois - juil.-août : 10h-13h, 14h30-19h ; mai-juin, sept. et vac. scol. (zone B) : tlj sf lun. 10h30-12h30, 14h-18h, dim. et j. fériés 14h-18h ; reste de l'année : vend.-sam. 10h30-12h30, 14h-18h, dim. et j. fériés 14h-18h - fermé nov.-mars - possibilité de visite guidée sur demande (30mn) - 1,50 € (-18 ans gratuit) - 3 € billet combiné avec la maison de la haute Seille.

👥 Ce petit musée reconstitue une salle de classe du début du 20e s. Chaire du maître, pupitres en bois, tableau noir sur chevalet et le poêle sont bien sûr présentés, avant de laisser place à un petit travail d'écriture.

😊 NOS ADRESSES À CHÂTEAU-CHALON

♿ *Voir aussi nos adresses à Lons-le-Saunier, Arbois et Poligny.*

HÉBERGEMENT

BUDGET MOYEN

Chambre d'hôte Le Relais des Abbesses – *36 r. de la Roche - ✆ 03 84 44 98 56 - www.relais-des-abbesses.fr - 📠 🅿 📶 - de mars à mi-nov. - 5 ch. 80/105 € ☕.* Les propriétaires ont eu le coup de foudre pour cette maison de village surplombant les vignes et les vallées. Les chambres baptisées Agnès, Marguerite et Eugénie offrent une superbe vue sur la Bresse ; Violette fait les yeux doux à Château-Chalon. Du cachet ! Cuisine franc-comtoise familiale.

RESTAURATION

BUDGET MOYEN

Les 16 Quartiers – *Pl. de l'Église - ✆ 03 84 44 68 23 - fermé dim. soir, lun., mar. de sept. à juin et le jeu. en juil.,août - formule comtoise 18 € bc, carte 6/32 €.* Sur la terrasse ombragée ou dans la jolie salle à manger semi-troglodyte, le temps semble s'être arrêté : venez profiter du charme de cette maisonnette du 16e s. nichée au cœur de la petite capitale du vin jaune, et de sa bonne cuisine à base de produits bio et locaux. Très bonne cave de vins du Jura à déguster au verre.

À proximité

BUDGET MOYEN

Ferme-auberge du Petit Cheval blanc – *2 rte du Fied - 39800 Fay-en-Montagne - à 10 km à l'E par la D 5 dir. Picarreau et la D 260 à droite - ✆ 03 84 85 32 07 - www.petitchevalblanc.fr - 🅿 ♿ - réserv. obligatoire - 20/38 € - 5 chalets (5 pers.) et 2 mobile homes (4 pers.) 70/80 €, 3 gîtes (6 et 4 couchages en dortoirs) 12 € (enf. 8 €), 25 empl. 3 € (enf. 2,50 €) - ☕ 7,50 €.* Cette ferme équestre vous invite à goûter sa cuisine du terroir, élaborée avec des produits maison. L'hiver, vous prendrez votre repas près de la cheminée, l'été sur la terrasse. Balades à cheval, poney, chariot et âne dans la campagne jurassienne. Hébergement en dortoirs pour les randonneurs et les motards, petits chalets et camping.

POUR SE FAIRE PLAISIR

Hostellerie St-Germain – *635 Grande-Rue - 39210 St-Germain-lès-Arlay - ✆ 03 84 44 60 91 - www.hostelleriesaintgermain.com - 🅿 📶 - 12 ch. 78/105 € (suite 148 €) - ☕ 12,50 € - 🍴 12h15-13h45, 19h15-20h45 - 42/75 €.* Face à l'église, ce sympathique relais de poste du 17e s. a été entièrement rénové avec élégance dans un style sobre et lumineux. Marc Turpin travaille des produits du terroir – souvent bio – et concocte une cuisine gourmande, accompagnée de bons vins du Jura. Pour l'étape, des chambres confortables, plus calmes côté terrasse.

ACHATS

Vin

Domaine Berthet-Bondet – *R. de la Tour - ✆ 03 84 44 60 48 - www.berthet-bondet.net - juin-sept. : tlj sf dim. 10h-12h, 14h-19h ; hiver : sam. 10h-12h, 14h-19h, en sem. sur RV.* Dans cette belle maison du 16e s. marquée des armoiries des familles nobles qui l'ont occupée, vous pourrez visiter la cave voûtée et odorante. Le domaine produit le célèbre vin jaune bien sûr, mais aussi du crémant du Jura, plusieurs vins blancs et rouges AOC côtes-du-Jura, du vin de paille et du marcvin, tous deux AOC, sans oublier les eaux-de-vie fines ou de marc de Franche-Comté.

Poligny

4 104 Polinois – Jura (39)

Pour le plus grand plaisir des gastronomes avertis, Poligny associe avec bonheur la production de vins réputés à celle du comté, dont la ville est devenue la capitale. La richesse de ses terres, au cœur du vignoble jurassien, lui vaut depuis des siècles une réelle prospérité, comme en témoigne encore son important patrimoine.

NOS ADRESSES PAGE 293
Hébergement, restauration, achats, activités, etc.

S'INFORMER

Office du tourisme de Poligny – *20 pl. des Déportés - 39800 Poligny -* 📞 *03 84 37 24 21 - www.poligny-tourisme.com - juil.-août : tlj sf lun. 10h-12h30, 13h30-18h, sam. 9h30-17h30 ; reste de l'année : 9h30-12h30, 13h30-17h30, sam. 9h30-12h30, 14h-17h - fermé dim., certains j. fériés.*

SE REPÉRER

Carte de microrégion B1 (p. 268). Poligny est située à l'entrée d'une « reculée », la Culée de Vaux, dominée par la croix du Dan.

À 27 km au nord de Lons-le-Saunier par la D 1083.

À NE PAS MANQUER

La collégiale St-Hippolyte et sa collection de statues du 15e s., de l'école bourguignonne ; une promenade au belvédère de la croix du Dan.

ORGANISER SON TEMPS

Prévoyez une demi-journée pour découvrir la ville et ses alentours.

AVEC LES ENFANTS

Une visite à la Maison du comté pour découvrir, toucher, sentir, goûter ce merveilleux produit du terroir.

Se promener

★ Collégiale St-Hippolyte

R. du Collège - 📞 *03 84 37 24 21 - http://poligny-tourisme.com - 8h-19h - possibilité de visite guidée sur demande - gratuit.*

À l'extérieur, sous le porche, le portail, dont le trumeau supporte une Vierge en pierre polychrome du 15e s., est surmonté d'un bas-relief figurant l'écartèlement de saint Hippolyte. Au portail de droite, une Pietà du 15e s. est placée sur une console blasonnée. À l'intérieur, remarquable calvaire en bois, sur poutre de gloire, dominant l'entrée du chœur, et belle collection de **statues**★ de l'école bourguignonne du 15e s.

Couvent des Clarisses

Derrière la collégiale.

Fondé en 1415 par sainte Colette, il s'ouvre par une grande porte en bois. Dans la **chapelle**, reconstruite après la Révolution, une châsse contient les reliques de la sainte.

5

> **UN MÉDECIN RUSÉ**
> Poligny vit naître le rusé **Jacques Coitier**, médecin de Louis XI. Tombé en disgrâce et craignant pour sa vie, Coitier avait habilement réussi à persuader son royal client qu'il mourrait trois jours après son médecin…

À L'OMBRE DE LA FORTERESSE DE GRIMONT

Les demeures des vignerons de Poligny étaient bâties à l'abri d'une enceinte fortifiée sous la protection du château, dont les ruines surplombent encore la ville sur la hauteur de **Grimont**. La forteresse appartenait aux souverains de la Comté. C'est là qu'ils conservaient leurs archives et incarcéraient les vassaux rebelles.

Au temps des quatre grands ducs de Bourgogne qui réunirent la Comté et le Duché (🕮 *p. 462*), les **prisons** de Grimont ne chômèrent pas. Nul n'était alors au-dessus des lois et les grands seigneurs devinrent justiciables du Parlement de Dole. Les **chats fourrés**, magistrats de la Chambre du conseil du Parlement, infligeaient vingt ans de geôle, ou même la peine de mort, au noble sire qui prenait les armes sans l'autorisation du duc.

En 1455, Philippe le Bon réclama une contribution de deux écus par ménage vivant sur chaque terre seigneuriale, ce qui scandalisa les féodaux. **Jean de Grandson**, seigneur de Pesmes, manifesta son désaccord, ce qui le conduisit directement dans la prison du château de Grimont, condamné à mort par le Parlement et étouffé entre deux matelas…

C'est Louis XI, ayant conquis la Comté, qui fit fortifier la ville en 1481. Mais, en 1635, lorsque Richelieu ordonna d'envahir la Comté, devenue autrichienne, Poligny fut prise et incendiée (1638). Ses habitants, soumis à un lourd tribut, contribuèrent au démantèlement de leur château.

Rue du Collège et Grande-Rue

Anciens hôtels dont certains ont gardé leurs portes de bois sculpté (17ᵉ s.). La plupart datent du 18ᵉ s. La croix du Dan *(voir page ci-contre)* apparaît juste dans l'axe de la Grande-Rue.

Celle-ci mène à la place des Déportés, d'où l'on peut voir le haut de la tour de Paradis, vestige, avec la tour de la Sergenterie, des remparts du 16ᵉ s. qui entouraient la ville et montaient jusqu'au château de Grimont.

Église des Jacobins

1 r. Hyacinthe-Friand - ☎ *03 84 37 14 58.*

Cette église gothique du 12ᵉ s. accueille désormais les fûts des vignerons polinois (🍷 *Nos adresses*). Restaurée récemment, elle se compose de trois nefs sans transept et abrite un grand retable en marbre du 18ᵉ s. L'**acoustique** exceptionnelle de cette église tient à un stratagème : sous le culot sculpté, dans le chœur, un trou a été percé et mène à un récipient en terre cuite en forme de poire, qui fonctionne comme une caisse de résonance.

Hôtel-Dieu

R. Pasteur - ☎ *03 84 37 24 21 - www.ville-poligny.fr - visite guidée (45mn) juil.-août : mar.-merc. 15h - 2 € (-18 ans gratuit) - seule l'apothicairerie se visite, se rens. à l'office de tourisme.*

Cet édifice du 17ᵉ s. a conservé son cloître et sa pharmacie du 18ᵉ s. classée Monument historique. Celle-ci contient une belle collection de **faïences** : les comtoises sont reconnaissables à leur couleur bleue, tandis que celles de Poligny s'ornent d'un motif floral. Son réfectoire voûté n'est pas visible.

Prenez la rue Jacques-Coitier et tournez à gauche vers l'église.

Église de Mouthier-Vieillard

☎ *03 84 37 24 21 - visites guidées en juil.-août, se rens. à l'office de tourisme.*

Église romane (11ᵉ s.), dont subsistent le chœur, une partie du transept et le clocher surmonté d'une flèche en pierre du 13ᵉ s. Celle-ci arbore vingt fenêtres, clochetons et têtes sculptées. À l'intérieur, retable en albâtre de 1534, calvaire en bois polychrome du 14e s. et statues des 13e et 15e s., dont un saint Antoine. *Revenez vers le vieux centre par la rue de Versailles, à droite du champ de foire.*

Maison du comté

Av. de la Résistance - 📞 *03 84 37 78 40 - www.maison-du-comte.com - visite guidée (1h15) juil.-août : 10h, 11h30, 14h15, 15h15, 16h15 et 17h15 ; vac. de fév., avr.-juin, vac. de la Toussaint et vac. de Noël : tlj sf lun. 14h, 15h15 et 16h30 ; sept.-oct. (hors vac. scol.) : tlj sf lun. 14h15 et 15h45 - fermé 1er Mai - 5 € (-18 ans 3 €) - visite avec dégustation, ateliers enf. vac. scol., se rens.*

👥 Lors de la visite de cette maison, qui abrite également le Comité interprofessionnel du comté, on vous expliquera les différentes opérations de fabrication du comté, de l'apport du lait à l'affinage, et le lien entre la qualité du foin, aux parfums notablement différents, et celle du fromage. Maquette animée, vidéo, dispositifs interactifs, ambiances sonores et énigmes odorantes, exposition, présentation des spots publicitaires pour le comté des trente dernières années et dégustation.

À proximité Carte de microrégion p. 268

Croix du Dan C1

▶ *3 km. Quittez Poligny au sud par la D 68.*
La route s'élève à flanc de falaise, dominant à droite l'église de Mouthier.
Tournez à gauche, à angle aigu, dans la D 256, route étroite en montée, puis 900 m plus loin encore à gauche. Laissez votre voiture sur le terre-plein.
🔭 alt. 511 m. Un **belvédère** aménagé au pied de la croix *(15mn à pied AR)* permet de découvrir l'originalité du site de Poligny à l'entrée de la reculée : la vieille ville est blottie contre la falaise tandis que la ville neuve s'étend dans la plaine.

Oussières B1

▶ *12 km au nord-ouest par la D 905, puis à Aumont la D 9 à gauche et enfin la D 218 à droite.*
Ce village de plaine, d'allure presque bressane, est connu pour les admirables chênes tricentenaires qui s'élèvent dans les prairies à proximité de fermes isolées.

Circuit conseillé Carte de microrégion p. 268

★ LE VIGNOBLE

5

▶ *Circuit de 94 km tracé en bleu clair sur la carte de microrégion – Comptez la journée. Prenez la N 5 vers l'est en direction de Champagnole.*
Très varié, le vignoble comporte quatre **AOC** géographiques : arbois, château-chalon, étoile et côtes-du-jura. Cette dernière appellation, la plus vaste, s'étend de Port-Lesney (au nord) à St-Amour (au sud).
La route se déroule en vue du plateau jurassien.

★ Culée de Vaux C1

Entre Poligny et le plateau, la dénivellation est de 240 m. La N 5 gravit à flanc de falaise la Culée de Vaux, où naît la Glantine qui traverse Poligny.

Vaux-sur-Poligny C1

Vous y verrez une ancienne église clunisienne qui présente un curieux toit de tuiles vernissées multicolores.

★ Belvédère de Monts-de-Vaux C1

De ce belvédère aménagé *(parking)*, on jouit d'une belle vue dans l'axe de la reculée dont les versants présentent un joli paysage de prés et de bois.

Reprenez la N 5 vers Poligny. Au bout de 3,5 km, la D 257 se détache à droite en direction de Chamole.

Au cours de la montée, vastes **vues★** sur la Culée de Vaux, Poligny et la Bresse.

Regagnez Poligny. Quittez la ville par la D 68, au sud.

Plasne B1

La promenade dans ce village perché procure de jolies **vues★** sur la Bresse.

Prenez ensuite la D 96, étroite et accidentée.

★★ Belvédère du cirque de Ladoye B2

40 m après le croisement des D 96 et N 5, un parking à droite de la route est aménagé près du belvédère au-dessus de la reculée.

La **vue** est impressionnante. Du fond du cirque sort une branche de la Seille.

À Granges-de-Ladoye, prenez la D 204 qui descend d'abord, étroite et sinueuse, jusqu'à Ladoye-sur-Seille. Elle suit ensuite la belle vallée de la Seille. Tournez à gauche pour gagner Baume-les-Messieurs par la D 70.

★★★ Baume-les-Messieurs B2 (♿ p. 280)

Continuez sur la D 70 et rejoignez la D 471 en direction de Lons-le-Saunier. Peu après un grand coude qui dévoile un beau panorama sur le vignoble, prenez à droite une petite route vers Panessières. Suivez le fléchage du château du Pin.

★ Château du Pin B2

Chemin du Château - ☎ 03 84 25 32 95 - www.jura-tourism.com - juil.-août et J. du patrimoine : 13h-19h ; reste de l'année : sur demande préalable - 6 € (-18 ans 3 €) - possibilité de visite commentée merc. et dim. 14h.

Rare témoin comtois de la période médiévale, le château du Pin s'élève dans un cadre de pâturages et de vignes. Construit au 13e s. par Jean de Chalon, comte de Bourgogne et seigneur d'Arlay, détruit par Louis XI, il a été rebâti au 15e s. et restauré de nos jours. L'imposant donjon du 15e s., cantonné d'élégantes échauguettes qui atténuent sa sévérité, offre une belle **vue** sur les environs.

Rejoignez la D 1083 que vous prenez à gauche en direction de Lons-le-Saunier. Après environ 1 km, prenez à droite la D 38 vers St-Didier et L'Étoile.

L'Étoile B2

Avec son nom de « star », on ne s'étonnera guère de la grande renommée de ce village, qui produit un des grands crus AOC de la région. Petit, il n'en possède pas moins cinq châteaux et, surtout, quelques domaines très accueillants où l'on peut déguster son fameux vin blanc au goût de pierre à fusil et de noisette.

Poursuivez sur la D 38 jusqu'à Ruffey-sur-Seille, que vous traversez. Au croisement avec la D 120, prenez à droite vers Arlay.

★ Château d'Arlay B2

Un imposant château a remplacé, au 18e s., l'ancienne forteresse médiévale sise au bord de la Seille.

Château – 2 rte de Proby - ☎ 03 84 85 04 22 - www.arlay.com - ♿ - visite guidée (2h) de déb. juin à déb. sept. : 14h-19h ; de déb. mai à déb. juin et sept.-oct. : tlj sf dim. et j. fériés 14h-18h - 9,50 € (-12 ans 6,50 €) - haute sais. : visite libre du parc classé, des ruines de la forteresse médiévale des Princes d'Orange avec un plan-guide et visite guidée de l'intérieur meublé du château ; basse sais. : visite du parc classé et des ruines de la forteresse médiévale à l'aide d'un plan-guide.

L'édifice actuel a été construit au 18e s. par la comtesse de Lauraguais, à l'emplacement d'un ancien couvent de Minimes. Il a été réaménagé en 1830 par le prince d'Arenberg, dont l'appartement est ouvert aux visiteurs. Le **mobilier** de style Restauration, œuvre d'un ébéniste de Poligny, forme un bel ensemble. Remarquez la bibliothèque et la chambre de poupée. La visite du château se termine par une dégustation des vins du domaine du château d'Arlay.

★ **Parc** – Vous y ferez une agréable promenade par un chemin gravissant une colline jusqu'aux ruines médiévales de la forteresse. Le parcours est agrémenté de grandes allées bordées de tilleuls centenaires, de nombreux éléments décoratifs (grotte, théâtre de verdure, boulingrin…) et de beaux points de vue sur la Bresse, le Revermont et le vignoble du château. Par la disposition des végétaux (fleurs, fruits, légumes), le **jardin des Jeux**, proche du château, reconstitue dominos, damiers, parcours de croquet.

Reprenez la D 120 en direction de Voiteur, où vous prendrez à gauche la D 5, très sinueuse, qui conduit à Château-Chalon.

★ **Château-Chalon** B2 (♿ p. 286)

Rejoignez Poligny par la D 68.

😊 NOS ADRESSES À POLIGNY

♿ *Voir aussi nos adresses à Arbois.*

HÉBERGEMENT

À proximité

BUDGET MOYEN

Domaine du Revermont – *600 rte de Revermont - 39230 Passenans - à 15 km au SO -* ℘ *03 84 44 61 02 - www.domaine-du-revermont. fr -* 🅿️ er ♿ *- fermé 20 déc.-1er mars - 28 ch. 80/136 € -* 🍽 *13,50 € -* ✕ *formule déj. 17 € - 26/49,50 €.* Entourée de champs et de vignes, cette demeure propose des chambres entièrement rénovées dans un style contemporain et toutes climatisées. Bon équipement, accueil attentionné. Le restaurant propose une cuisine franc-comtoise actualisée.

RESTAURATION

PREMIER PRIX

La Sergenterie – *31 pl. des Déportés -* ℘ *03 84 37 37 11 - www.lasergenterie.com - 23/32 €, formule déj. 16 €.* Dans une vieille cave avec pierres de voûte apparentes, vous pourrez déguster aussi bien des spécialités régionales accompagnées de vins polinois que de simples sandwichs, pizzas, hamburgers…

À proximité

BUDGET MOYEN

La Maison du Haut – *Aux Bordes - 39230 St-Lothain - Les Bordes (à 6 km au SO de Poligny par la D 259, puis une rte secondaire) -* ℘ *03 84 37 35 19 -* ℘ *06 81 79 15 27 - www.maisonduhaut.com -* 🅿️ *- réserv. obligatoire - 18/26 € - 5 ch. 40 €,* 🍽 *5 €, 1/2P 43 €, P complète 55 €.* Au calme, en pleine campagne, goûtez au bonheur simple d'une cuisine locale et familiale. La fermette du 18e s. dispose de chambres simples mais agréables et d'un dortoir pour 6 pers. réservé aux randonneurs. Emplacements de camping et chalets avec vue sur la campagne. Écurie et enclos pour les chevaux.

Le Grapiot – *3 r. Bagier - 39600 Pupillin - à 9 km au N de Poligny par N 83 puis D 246 -* ℘ *03 84 37 49 44 - www.legrapiot. com -* 🅿️ ♿ *- fermé mar. et merc. hors saison, 20 déc.-20 janv.,*

1 sem. en avr. et 1 sem. en juil. - formule déj. 23 € - 33/70 €.
Au cœur d'un village vigneron, cette sympathique auberge, à l'architecture caractéristique du pays, propose de déguster, en hiver, des recettes franc-comtoises auprès de la grande cheminée, et en été, une cuisine de type « plancha et grillades ».

ACHATS

Vin
Fruitière vinicole d'Arbois – *1 r. Hyacinthe-Friand -* 𝄟 *03 84 37 14 58 - www.chateau-bethanie.fr - visite guidée des caves juil. et août mar.-sam. 11h et 16h30 - 5 €.* Les murs de cette église dominicaine du 13e s. veillent désormais sur des foudres de chêne où mûrissent les côtes-du-jura des vignerons du Caveau. Un cadre exceptionnel pour des crus typiques de la région et vinifiés dans les règles de l'art par la dizaine de producteurs regroupés dans cette coopérative.

À proximité
Les Délices du Plateau - Fruitière de Plasne – *1 rte du Sied - à 5 km au SO de Poligny par la D 68 -* 𝄟 *03 84 37 16 67 - www.lesdelicesduplateau.fr - tlj 9h-12h15, 14h-19h sauf dim. 9h-12h30.* Le comté bien sûr, mais aussi la tomme du Jura et le morbier, autres fleurons de la gastronomie locale, sont affinés dans cette coopérative fromagère. La visite de l'atelier de fabrication du comté (mar. et jeu. à 9h - sur réserv., 2 €, gratuit -6 ans) et des caves d'affinage se termine par une dégustation (en saison).
Domaine Overnoy-Crinquand – *Chemin des Vignes - 39600 Pupillin -* 𝄟 *03 84 66 01 45 -* 🅿 *- 9h-12h, 14h-18h, dim. sur RV - réserv. conseillée.* Ici, la vigne est une passion familiale. Depuis 1900, le domaine qui doit aux moines sa cave datant du 17e s. se transmet de père en fils et fille. L'exploitation, en biodynamie, compte 5 ha et produit ploussard et trousseau rouges, savagnin, vin jaune, vin de paille et crémant blanc ou rosé agréables à boire.
Domaine viticole du château d'Arlay – *2 rte de Proby - 39140 Arlay -* 𝄟 *03 84 85 04 22 - www.arlay.com - 2 juin-16 sept. : tlj 9h-12h, 14h-19h, reste de l'année : lun.-sam. 10h-12h, 14h-18h.* Avec ses vins reconnus par de grands restaurants en France et en Suisse, le château d'Arlay fait figure d'adresse incontournable dans la région. On pourra se faire une idée précise de la qualité de sa production dans son caveau de dégustation. Spécialité du domaine : le vin corail, élevé en fût. Possibilité de vister le château.

ACTIVITÉS

Les routes du Comté – 𝄟 *03 84 37 23 51 - www.comte. com - rens. à la Maison du comté - guide (gratuit) des « Routes du comté ».* Ce savoureux fromage reste incontournable dans le massif jurassien. La zone AOC est le théâtre de nombreuses initiatives : accueil à la ferme, visites de fruitières et de caves d'affinage, rencontres avec des producteurs et éleveurs, gens du pays et passionnés.

Val Nature – *1 r. de la Plage - 39380 Ounans -* 𝄟 *03 84 37 72 04 - www.valnature.eu/.* Cette base de loisirs ouverte toute l'année propose une grande variété d'activités de plein air (canoë-kayak, descente de rivière, jeux nautiques, VTT, bike park, escalade, randonnée pédestre à thème, raquettes à neige…), des stages sportifs et un parcours aventure. Snack-buvette en été.

Arbois

★

516 Arboisiens – Jura (39)

Cadre de l'enfance de Louis Pasteur, qui contribua par la suite à la renaissance de son vignoble dévasté par le phylloxéra, Arbois occupe un site splendide, au seuil d'une magnifique reculée. La ville, dont le clocher se dresse fièrement au-dessus des vignes, abrite de nombreuses caves viticoles : le classement AOC de ses vins en 1936 a consacré le succès du vignoble jurassien.

 NOS ADRESSES PAGE 303
   Hébergement, restauration, achats, activités, etc.

S'INFORMER

Office du tourisme d'Arbois – *17 r. de l'Hôtel-de-Ville - 39600 Arbois - ℰ 03 84 66 55 50 - www.arbois.com - de fin juin à mi-sept. : 9h-12h30, 13h30-18h, dim. et j. fériés 10h-12h30, 15h-17h30 ; 29 avr.-24 juin : tlj sf dim. et j. fériés 9h30-12h30, 14h30-17h30 ; reste de l'année : tlj sf dim. et j. fériés 10h-12h30, 14h-17h30.*
Le pass Juramusées *(gratuit, valable 2 ans)* permet de découvrir la maison de Louis Pasteur et l'écomusée du Carton. *www.juramusees.fr/le-pass/. Voir p. 495.*

SE REPÉRER

Carte de microrégion C1 (p. 268). Desservi par la N 83, Arbois se trouve sur la Route des vins. Gare TGV à Mouchard (10 km au nord).

À NE PAS MANQUER

Le superbe théâtre rocheux de la reculée des Planches ; les belvédères du cirque du Fer à Cheval et de Ladoye ; les sources de la Cuisance ; les féeriques grottes des Planches et Moidons ; la maison familiale des Pasteur et le laboratoire du célèbre homme de science ; le château médiéval du Pin.

ORGANISER SON TEMPS

Comptez deux ou trois jours pour la ville et les nombreuses balades des environs. En été, aux pics de chaleur, profitez de la fraîcheur des grottes.

AVEC LES ENFANTS

La maison de Louis Pasteur, l'univers mystérieux des grottes des Moidons et le travail des eaux souterraines ; une ancienne papeterie transformée en écomusée du Carton, à Mesnay.

5

« NOS SIN TOUS T'SEFS »

Les habitants d'Arbois sont restés célèbres dans toute la Comté pour leur ardeur à manifester un esprit volontiers frondeur et indépendant. Leurs séditions ne se comptent plus. En 1834, lorsque Lyon se soulève, ils proclament la république. Mais ils restent tout interdits quand ils s'aperçoivent que les limites du nouveau régime ne dépassent pas les murs de leur petite cité. Il leur faut revenir à Louis-Philippe.

C'est lors de cette insurrection que les habitants d'Arbois, venus réclamer de la poudre à la sous-préfecture de Poligny, et sommés de désigner ceux qui les avaient entraînés à la révolte, firent cette réponse demeurée célèbre : *No sin tous t'sefs* (Nous sommes tous chefs).

Se promener Plan de ville page ci-contre

▶ *Circuit tracé en vert sur le plan de ville – Comptez 2h30. Garez-vous au pied de l'église St-Just.*

★ Église St-Just A2

R. de l'Hôtel-de-Ville - ℘ 03 84 66 55 50 - www.arbois.com - 9h-18h (en dehors des offices et des concerts) - possibilité de visite guidée (1h) en été avec montée au clocher, se rens. à l'office de tourisme.

Une esplanade la borde, offrant une vue sur la Cuisance. Cette priorale (12e-13e s.) vaut surtout pour son **clocher** (montée : 209 marches) qui domine la ville de ses 60 m ; élevé au 16e s., en pierre de couleur ocre doré, il se termine par un dôme bulbeux, fréquent en Comté, et un campanile qui abrite un carillon. À l'intérieur, l'étroite nef, voûtée à l'époque gothique, est séparée des bas-côtés par un ensemble massif d'arcades en plein cintre et de piliers. La chaire, en bois sculpté, date de 1717 et le chœur, à chevet plat, est percé d'une grande baie flamboyante où figurent les 12 apôtres. À l'entrée sud, épitaphe du capitaine Morel, défenseur de la place d'Arbois lors du siège de la ville par les troupes du général français Armand de Gontaut-Biron en 1595. Dans le bas-côté gauche, une très belle **Vierge à l'Enfant** de la fin du 14e s. Restauré en 1985, l'orgue (1728) est classé Monument historique.

Passez le pont à gauche et prenez tout de suite à droite la rue Mercière. Rejoignez la place de Faramand.

Maisons vigneronnes

Elles s'alignent le long de la place (nos 48-52) et sont reconnaissables à leur « trappon » au ras du sol, pour rentrer les tonneaux, et à leur large baie arrondie, qui signale qu'on y vendait aussi le vin.

En passant le joli **pont des Capucins** B2 en pierre, profitez de la vue sur le clocher St-Just, sur la Cuisance, les collines, les vieilles maisons et les restes des fortifications, notamment la **tour Gloriette** B2. Celle-ci est « ouverte à la gorge », c'est-à-dire construite en bois côté ville, ce qui l'aurait rendue plus facile à reprendre… si elle avait jamais été prise. C'était l'ouvrage le plus important de l'enceinte d'Arbois.

Poursuivez tout droit, puis prenez à gauche dans la rue de Bourgogne et à droite dans la rue du Vieil-Hôpital.

Musée Sarret-de-Grozon B2

7 Grande-Rue - ℘ 03 84 66 55 44 - www.juramusees.fr/sites/beaux-arts/musee-dart-hotel-sarret-de-grozon - juil.-août : 10h30-12h, 14h-18h ; sept. : jeu.-dim. 14h-18h - possibilité de visite guidée (45mn) - 3 € (-14 ans gratuit).

Cet ancien hôtel du 18e s. a conservé ses meubles et ses boiseries évoquant l'atmosphère d'une demeure bourgeoise de l'époque. On y trouve également de belles collections de peintures (œuvres du Jurassien A. Pointelin, quelques pièces de Gustave Courbet), de porcelaines, de faïences et d'argenterie.

Gagnez la rue Maupré, puis la rue des Fossés. Traversez le jardin à gauche.

Vous arrivez au **château Pécauld**.

Musée de la Vigne et du Vin du Jura B1

Château-Pécauld - ℘ 03 84 66 40 45 - & - juil.-août : 10h-12h30, 14h-18h ; mar.-juin et sept.-oct. : tlj sf mar. 10h-12h, 14h-18h ; reste de l'année : tlj sf mar. 14h-18h - fermé j. fériés, janv. - possibilité de visite guidée sur demande (1h) - 3,50 € (-18 ans gratuit) - gratuit fête du Biou (sept.) - atelier enf. sur demande préalable (gratuit) vac. scol. (zone A).

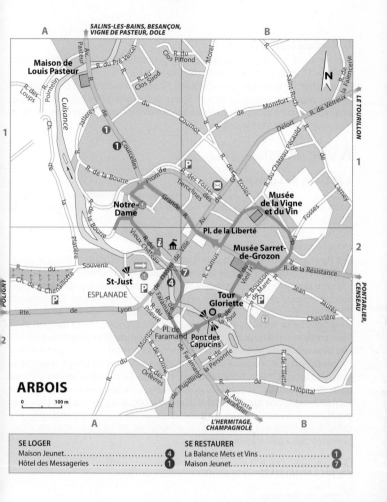

ARBOIS

0 — 100 m

SE LOGER
Maison Jeunet............................ ❹
Hôtel des Messageries .... ❶

SE RESTAURER
La Balance Mets et Vins .... ❶
Maison Jeunet.............................. ❼

Le musée est aménagé dans le **château Pécauld** (13ᵉ-16ᵉ s.), qui appartenait jadis à Nicolas de Granvelle (*↳ p. 38*). À l'extérieur, des petites parcelles de différents cépages initient aux activités du vigneron. Dans les salles et les caves, des portraits de vignerons et des objets illustrent l'histoire et les traditions du vignoble et de la communauté vigneronne. Vidéo sur la fabrication du vin jaune.

Descendez vers le centre, en longeant le collège où Pasteur étudia sept ans, et l'ancien couvent des Minimes (1621), actuelle bibliothèque.

Prenez à droite les galeries de la Grande-Rue et de la place de la Liberté.

Place de la Liberté B2

Elle date du 15ᵉ s., mais ses élégantes arcades furent ajoutées au 18ᵉ s. Elles étaient ininterrompues jusqu'à l'ouverture de la rue Delort, au 19ᵉ s., pour laisser passer la garde municipale !

Suivez la Grande-Rue. Remarquez, au n° 58, la belle porte de l'ancien couvent des Tiercelines. Traversez le square à gauche, qui mène à la statue de Pasteur.

5

Collégiale Notre-Dame A1

Fondée au 14e s., elle garde quelques vestiges gothiques côté rue Notre-Dame, et abrite l'Espace Louis-Pasteur (salle des fêtes).

Descendez par la rue du Vieux-Château. Faites une incursion à droite dans le chemin bordé de pierres sèches et de maisons vigneronnes qui la prolonge, pour apercevoir à gauche le château Bontemps *(demeure privée)*, des 12e-16e s. Puis redescendez vers le centre.

À voir aussi Plan de ville p. 297

★ **Maison de Louis Pasteur** A1

83 r. de Courcelles - ☎ 03 84 66 11 72 - www.terredelouispasteur.fr - mai-sept. : 9h30-12h30, 14h-18h ; reste de l'année : 14h-18h - fermé de la fin des vac. de la Toussaint aux vac. de fév. - possibilité de visite guidée (45mn) - 6,80 € (-18 ans 4,20 €) - 9,50 € billet combiné avec la maison natale de Louis Pasteur à Dole - réduction avec le Pass Juramusées.

👥 Passionnant pèlerinage que la visite de la maison où Pasteur passa une partie de sa vie. Située au bord de la Cuisance, elle abritait la tannerie de son père. L'illustre savant l'a progressivement agrandie et modernisée pour y aménager son laboratoire et mieux installer ses enfants. La maison a conservé intact le décor intérieur choisi par Pasteur. Dans le cadre un peu sombre du vestibule (cela faisait plus sérieux), on s'étonnera de voir un gong : on le frappait pour faire sortir le chercheur et l'obliger à prendre un peu l'air ! Parmi les souvenirs personnels, on remarque de nombreux portraits de famille et un tableau représentant Jean-Baptiste Jupille, courageux berger jurassien sauvé de la mort par le traitement de Pasteur contre la rage. Sa chambre semble comme figée dans le temps : le porte-plume, l'encrier et le sous-main attendent sur le bureau ; la toque familière est là. Dans le laboratoire, où Pasteur travaillait pendant ses séjours à Arbois, sont conservés les instruments et appareils qu'il utilisait, ainsi que des bouillons de culture qui servirent à ses expériences sur la prétendue « génération spontanée ».

À proximité Carte de microrégion p. 268

Vigne de Pasteur C1

▶ *2 km par la N 83.*

Elle est située à l'angle de la N 83 et de la route de Montigny-lès-Arsures. C'est dans cette vigne, achetée par lui en 1874, que Louis Pasteur procéda en 1878 à ses célèbres expériences sur la fermentation du raisin. Admirablement entretenue, elle donne encore un excellent vin réservé aux cérémonies du souvenir pastorien.

Écomusée du Carton C1

▶ *À Mesnay, 2 km à l'est par la D 107. Parking en face de l'écomusée.*

1 r. Vermot - ☎ 03 84 66 27 61 - www.ecomusee-carton.org - ♿ - juil.-août : 10h-12h, 14h-18h, dim. 14h-18h ; avr.-juin et sept.-oct. : tlj sf dim.-lun. 14h-18h - fermé j. fériés - possibilité de visite guidée (45mn) - 4 € (-6 ans gratuit) - réduction avec le Pass Juramusées.

👥 Fondée au début du 18e s., cette papeterie est le cœur d'un rayonnement cartonnier local. Depuis 2000, l'ancienne cartonnerie accueille l'écomusée du Carton. L'histoire du papier et de la papeterie de Mesnay y est détaillée. Vous y découvrirez une exposition de machines utilisées dans les différentes étapes de la fabrication du carton.

Pasteur en son pays

UN ÉLÈVE RÉFLÉCHI

C'est à Dole, le 27 décembre 1822, que naît Louis Pasteur. Son père, Joseph Pasteur, sergent-or de l'armée impériale licencié après la chute de Napoléon, a repris son métier de tanneur. Il a épousé, en 1816, Jeanne-Étiennette Roqui, et tous deux vivent avec leurs enfants dans une maison modeste de la rue des Tanneurs. En 1827, les Pasteur s'installent à Marmoz, puis à **Arbois** au bord de la Cuisance dans une tannerie que le savant transformera plus tard en maison bourgeoise. Le père exécute tous les travaux du cuir ; la mère tient le ménage, soigne les enfants et fait les comptes. Le 14 juillet 1883, quand une plaque commémorative sera apposée sur sa maison natale de Dole, le grand homme, parvenu au faîte des honneurs, se souviendra de sa vie familiale : « Oh ! mon père et ma mère ! Oh ! mes chers disparus, qui avez si modestement vécu dans cette petite maison, c'est à vous que je dois tout… » Après l'école primaire d'Arbois, il fréquente le collège (dans la cour on peut encore voir un cadran solaire de sa fabrication). Réfléchi jusqu'à donner l'apparence de la lenteur, travailleur, consciencieux, il ne compte pourtant pas parmi les meilleurs élèves. Il aime particulièrement le dessin et fait le portrait de ses parents et de ses amis. En vue de passer son baccalauréat, il entre au lycée de Besançon comme répétiteur. En 1843, il intègre l'**École normale** à Paris et commence sa carrière de scientifique.

PASTEURISATION ET VINIFICATION

Alors que son travail et ses recherches auraient pu l'éloigner de sa région natale, Pasteur reste attaché à Arbois, où il revient chaque année avec sa famille. En 1860, il y fait des expériences sur les micro-organismes et les germes infectieux. À la mort de son père en 1865, Louis et sa sœur Virginie, qui perpétue l'activité de tanneur, se partagent la maison. En 1874, il installe un atelier pour Virginie dans la cour et améliore l'habitation.

Dès 1863, à la demande de Napoléon III, Pasteur mène des expériences sur les **maladies du vin** à Arbois. Pour rester indépendant, il achète une parcelle de vigne à Montigny-lès-Arsures en 1874. Il travaille alors sur la fermentation alcoolique et, en 1878, il complète ses travaux de 1860 par de nouvelles expériences et démontre que les ferments se trouvent dans l'air et non dans le grain de raisin, contredisant la théorie de la « génération spontanée » et confirmant l'importance de la pasteurisation (brevetée en 1865). En 1879, il achète la maison de son voisin pour y aménager un vrai laboratoire, financé par le ministère de l'Agriculture. Ses découvertes arboisiennes ont une influence majeure sur la définition des règles d'**hygiène** et la compréhension des maladies infectieuses. Cependant, la pasteurisation ne sera pas utilisée par les vignerons qui subiront aussi la crise du phylloxera, mais les recherches de Pasteur ont ouvert la voie à l'œnologie scientifique.

« Le hasard ne favorise que les esprits préparés », disait Louis Pasteur. L'appareillage de laboratoire, les images et les textes conservés à Dole et à Arbois témoignent encore des expériences de celui qui bouleversa par ses découvertes les industries alimentaires, la médecine et la chirurgie, et marqua les deux villes de son empreinte. Lui qui manquait rarement la procession du Biou à laquelle il prenait part presque chaque été, il ne put se rendre à Arbois en 1895, empêché par la maladie qui l'emportera le 28 septembre.

Le vin d'Arbois, histoire d'une renaissance

LE « PIROU »

Comment parler du vignoble d'Arbois sans évoquer le destin d'une de ses figures emblématiques, **Henri Maire** ? Admiré, jalousé voire détesté, celui qu'on surnommait « le Pirou » en se référant étrangement au prénom (Pierre) d'un aïeul, ne peut laisser indifférent.

Malgré l'obtention de la première AOC viticole de France en 1936, la situation du vignoble arboisien est dans l'impasse quand Henri Maire reprend, en 1939, l'exploitation familiale. Il faudra toute l'ingéniosité, la détermination et le tempérament volontiers batailleur du jeune vigneron pour redonner une notoriété bien méritée aux crus arboisiens et jurassiens.

Son succès, il le doit beaucoup à sa personnalité entreprenante et médiatique. Il change radicalement les méthodes de vente des vins jurassiens et mise sur la publicité. La fameuse campagne publicitaire du Vin fou pour le pétillant d'Arbois fut un véritable coup de maître qu'il a su prolonger par d'autres opérations commerciales originales : emmurage de vin jaune dans les caves de la Tour d'Argent, tour du monde de bouteilles pour évaluer l'influence du voyage maritime sur les vins… Il meurt en 2004, laissant une entreprise leader du marché et un domaine de 300 ha planté en AOC. Cependant, la conjoncture économique de ces dernières années semble avoir fragilisé une entreprise qui, de petite exploitation familiale, est devenue en cinquante ans un grand groupe coté en Bourse.

LES VINS D'ARBOIS

Ces décennies de lutte commerciale et médiatique ont transformé Arbois en capitale des vignobles jurassiens.

Si, autrefois, le vignoble s'étendait plus loin, la crise du phylloxera, à la fin du 19e s., et la déprise du monde agricole en ont réduit la surface. Aujourd'hui, les différents vins d'Arbois AOC concernent 843 ha, mais leur production de 45 000 hl par an les place néanmoins en tête des AOC jurassiennes. Trois cépages jurassiens (ploussard, savagnin et trousseau) y côtoient chardonnay et pinot noir, permettant une belle variété de vins goûteux, issus d'un seul cépage ou d'une combinaison.

Sont produits vins blancs secs, rouges qui vieillissent en révélant leur parfum, vins jaunes et vin de paille, ce vin sucré issu de la fermentation des raisins séchés, mais c'est surtout le rosé d'Arbois qui fait la renommée du vignoble. N'oublions pas non plus le macvin, produit à partir de l'eau-de-vie de raisin, et non de vin comme c'est habituellement le cas.

La ville d'Arbois a fait sa renommée sur ses vignobles. Ville indépendante et fière, elle a même son dicton à la gloire de son vin et de son esprit fort : « Le vin d'Arbois, plus on en boit, plus on va droit ! »

On vous conseille néanmoins de ne pas jouer les têtes brûlées et, si vous devez conduire après un dîner arboisien, surtout demandez un **Jurabag**, ce sac en papier qui vous permet d'emporter votre bouteille entamée et de la déguster plus tard.

Arbois et son église Saint-Just.
B. J. W. Fiedler/Prisma/age fotostock

Grottes des Moidons C1

▶ À Molain, environ 12 km au sud par la D 469, puis la D 4.

Rte d'Arbois - ℘ 03 84 51 74 94 - www.grottesdesmoidons.com - visite guidée (50mn) juil.-août : 10h-17h30, dép. ttes les 30mn ; juin : tlj sf 1er et 2e merc. 10h-17h ; mai : tlj sf merc. 11h-17h ; reste de l'année : se rens. - fermé oct.-mars - 9 € (-17 ans 7 €).

👥 Au cœur de la forêt, ces grottes présentent des **concrétions**★ en nombre particulièrement important. Leur visite s'achève par un son et lumière qui met en valeur les bassins d'eau de façon remarquable. L'accès est facilité depuis l'ouverture en 2013 d'une galerie dotée d'une passerelle.

Pupillin C1

▶ 3 km au sud par la D 248.

Sur le plateau qui domine Arbois, Pupillin s'est spécialisé sur un cépage, le ploussard, dont il s'est baptisé « capitale mondiale ». La qualité de ses vins lui a valu l'autorisation d'associer son nom à celui d'Arbois. Parmi les grands domaines d'Arbois-Pupillin, celui de **Désirée Petit et Fils** reste une valeur sûre. Un belvédère, aménagé à la sortie du village, offre une jolie **vue** sur une partie du vignoble, mais pas sur Arbois.

5

Circuit conseillé Carte de la reculée des Planches p. 302

★★ RECULÉE DES PLANCHES

▶ *Circuit de 21 km tracé sur la carte de la reculée des Planches – Comptez une journée. Quittez Arbois par la D 107, et à Mesnay, prenez à droite, à hauteur de l'église, la D 247, qui pénètre bientôt dans la reculée des Planches. Aux Planches-près-Arbois, après l'église, passez un pont de pierre et prenez, tout à fait à gauche, une route étroite, revêtue, qui longe le pied des falaises. Laissez votre voiture 600 m plus loin (buvette).*

La reculée des Planches est la plus haute reculée du Jura. Cette vallée en cul-de-sac, fermée par des amphithéâtres rocheux, atteint jusqu'à 245 m de haut.

Grande source de la Cuisance

C'est la plus intéressante des deux sources de cet affluent de la Loue. La caverne d'où l'eau tombe en cascade, en période de hautes eaux, constitue l'entrée des grottes des Planches.

Petite source de la Cuisance

0,5 km au départ des Planches, puis 1h à pied AR. En arrivant d'Arbois, prenez la direction « Auberge du Moulin » et laissez votre voiture au parking, au bord de la rivière. Suivez un chemin en montée.

La **cascade des Tufs**, formée en période de grandes eaux par la rivière naissante, et la source elle-même occupent un site agréable.

Faites demi-tour. Aussitôt après le pont sur la Cuisance, avant l'église des Planches, tournez à gauche dans la D 339, route revêtue, étroite, en montée. Prenez ensuite, à gauche, la D 469 en corniche. Vous passez bientôt sous un tunnel que suit un passage rocheux. Laissez votre voiture 30 m plus loin au parking.

Revenez sur vos pas pour jouir d'un point de vue sur le cirque du Fer à Cheval. *Reprenez votre voiture et suivez la D 469.*

★★ Belvédère du cirque du Fer à Cheval

10mn AR. Laissez votre voiture à hauteur d'une auberge et suivez le sentier signalé qui s'amorce à gauche.

On traverse un petit bois à la lisière duquel le cirque s'ouvre, béant *(barrière de protection)*. Du belvédère dominant de près de 200 m le fond de la vallée, superbe perspective sur la reculée.

Reprenez la D 469, puis tournez tout de suite à gauche et suivez la D 248.

Belvédère de la Châtelaine

20mn AR. Laissez votre voiture sur le parking. Suivez le sentier qui descend, à gauche de l'église.

Le belvédère se situe 200 m au-dessus des grottes des Planches, et offre un beau point de vue sur la vallée de la Saône.

Regagnez Arbois par la D 248, puis la D 469.

😊 NOS ADRESSES À ARBOIS

HÉBERGEMENT

PREMIER PRIX

Camping Les Vignes – Hors plan - *5 r. de la Piscine - sortie E par la D 107, rte de Mesnay, près du stade et de la piscine - ℘ 09 84 25 67 97 - ℘ 06 14 26 09 85 - http:// alexandrachti.wixsite.com/ camping-les-vignes - &. - 15 mars.- 15 oct. - 139 empl. 9/20,50 € selon saison - ✕ snack-bar 19h-22h.* Dans ce camping situé au pied du vignoble d'Arbois, les emplacements, bien ombragés, sont aménagés en terrasses et offrent ainsi une vue sur les collines boisées environnantes. Boulodrome, aire de jeux pour les enfants. Stade et piscine municipaux attenants.

❶ Hôtel des Messageries – A1 - *R. de Courcelles - ℘ 03 84 66 15 45 - www.hotel-arbois.com - 🅿 🛜 - fermé décembre et janvier - 22 ch. 47/78 € - ☑ 12,50 €.* Sur une artère fréquentée, vieux relais de poste à la façade recouverte de lierre jouxtant un petit café. Chambres plus tranquilles sur l'arrière.

BUDGET MOYEN

❹ Maison Jeunet – B2 - *9 r. de l'Hôtel-de-Ville - ℘ 03 84 66 05 67 - www.maisonjeunet.com - mar., merc. sf juil.-août ouvert merc. soir - 12 ch. 142/180 € - ☑ 23 € - ✕ 62/152 €.* L'hôtel-restaurant Jean-Paul Jeunet propose des chambres modernes donnant sur le jardin, la cour ou la rue.

RESTAURATION

BUDGET MOYEN

❶ La Balance Mets et Vins – A1 - *47 r. de Courcelles - ℘ 03 84 37 45 00 - www.labalance.fr - &. - fermé dim. soir, lun., mar. midi (juil.-août, fermé lun. uniquement) - formule déj. 17,50/19,80 € - 29/35 €.* Nombreuses recettes réalisées en accord avec les vins du Jura et relevées de quelques épices du monde. Décor intérieur épuré et agréable terrasse.

Le Caveau d'Arbois – Hors plan - *3 rte de Besançon - ℘ 03 84 66 10 70 - www.caveau-arbois.com - 🅿 - fermé merc. et jeu. - formule déj. 13/15,50 € - 27/38 €.* À l'orée d'Arbois, maison de pays où les saveurs du terroir jurassien se révèlent dans un nouveau décor chaleureux et moderne. Un lustre conique original éclaire chaque table.

UNE FOLIE

❼ Maison Jeunet – A2 - *9 r. de l'Hôtel-de-Ville - ℘ 03 84 66 05 67 - www.maisonjeunet.com - fermé mar. et merc. (juil.-août mar. et merc. midi uniquement) - formule déj. 62 €. - 122/152 € - 12 ch. 142/180 € - ☑ 23 €, 1/2 P possible.* Élégante salle rustique, cuisine du terroir saupoudrée d'inventivité et superbe carte des vins : la recette gagnante de cette halte gourmande, au cœur d'Arbois.

ACHATS

Vin

Henri Maire, Les Deux Tonneaux – *Pl. de la Liberté - ℘ 03 84 66 15 27 - www.henri-maire.fr - avr.-fin sept. : 9h-19h, oct.-mars : 9h30-12h30, 14h-18h, fermé 31 déc. -1er janv.* Impossible de manquer l'enseigne Henri Maire à Arbois, dont les publicités et les immenses (et alléchantes) vitrines sont à la mesure de son implantation dans la région. Films, dégustations et possibilité de visiter caves et domaines sur réservation. Sentier d'interprétation en accès libre dans le domaine de Sorbief (rens. aux Deux Tonneaux).

5

Domaine Rolet Père et Fils – *11 r. de l'Hôtel-de-Ville - ☏ 03 84 66 00 05 - www.rolet-arbois.com - 9h-12h, 14h-18h30, dim. et j. fériés 9h30-12h, 14h30-18h30 - fermé 25 déc. et 1er janv.* Ce domaine de 65 ha, le deuxième du Jura, vendange exclusivement à la main et produit des crus AOC côtes-du-jura, étoile et arbois, des vins jaunes et de paille, des crémants blancs ou rosés et du marc vieilli en fût de chêne. Il a été récompensé par de nombreuses médailles au Concours général agricole.

Fruitière vinicole d'Arbois Château Béthanie – *2 r. des Fossés - ☏ 03 84 66 11 67 - www.chateau-bethanie.fr - visite des caves : 10 juil.-29 août tlj sf lun. et dim. 11h et 16h30 ; reste de l'année sur réserv. - caveaux ouverts tte l'année 40 r. Jean-Jaurès et 43 pl. de la Liberté - fermé 1er janv. et 25 déc. - visite-dégustation : 5/10,50 € selon formule choisie.* Cette coopérative née en 1906 est l'une des plus anciennes de France ! Visite des caves installées dans le parc du château Béthanie pour découvrir les méthodes d'élaboration du vin de paille, du crémant, des vins jaune, rouge ou blanc de la région.

Chocolat

Maison Hirsinger – *38 pl. de la Liberté - ☏ 03 84 66 06 97 - www.chocolat-hirsinger.com - 8h-19h30 - fermé merc. et jeu. ; tlj. juil.-août* et 15 jours avant Noël. Il serait impardonnable de traverser Arbois sans rendre une petite visite à ce Meilleur Ouvrier de France 1996 qui décline avec brio une succulente gamme de chocolats (à la menthe, au gingembre, aux épices, etc.) dominée par quelques spécialités de renom comme l'arboisien, gâteau aux noisettes et amandes, ou les Bouchons.

Fromage

Essencia en Arbois – *44 Grande-Rue - ☏ 03 84 66 09 53 - 9h-12h15, 14h-19h, dim. 9h30-12h30, fermé merc.* Crémerie logée dans une magnifique maison du 18e s.

Fruitière du Plateau d'Arbois – *1 r. des Fossés - ☏ 03 84 66 09 71 - www.comte-arbois.com - 8h-12h, 16h30-19h, dim. et J. fériés 8h-12h - visites guidées sur RV - 2 €.* Cette fruitière existe depuis 1922. Elle produit aujourd'hui des comtés et morbiers qui lui ont valu plusieurs médailles au Concours général agricole et à la Foire du Jura de Lons. Vente sur place.

AGENDA

Cérémonie du Biou – *1er w.-end de sept. - se rens. à l'office de tourisme.* Le jour de la St-Just, patron d'Arbois, les vignerons font une grosse grappe des prémices de la vendange (le « biou ») et forment un cortège dans la ville. La grappe est accueillie et bénite à l'église à l'occasion d'une messe.

Champagnole

7 916 Champagnolais – Jura (39)

**Ville-étape stratégique au cœur d'une région touristique particulière-
ment riche, Champagnole est un point de départ privilégié pour des
excursions dans la vallée de l'Ain, la forêt de la Joux ou la très belle
région des Lacs. De la route des Sapins à la très italienne villa de Syam,
laissez vous charmer par ce joli coin du Jura.**

> ☺ **NOS ADRESSES PAGE 314**
> Hébergement, restauration, achats, activités, etc.

▮ **S'INFORMER**

**Office du tourisme Jura Monts
Rivières - Champagnole** – *28 r.
Baronne-Delort - 39300 Champagnole -
℘ 03 84 52 43 67 - www.juramonts
rivieres.fr - juil.-août : 9h-12h30,
14h-18h30, dim. et j. fériés 9h-13h ; vac.
de fév. et vac. de Pâques : tlj sf dim.
9h-12h, 14h-17h ; vac. de Noël : 9h-12h,
14h-18h ; reste de l'année : se rens. -
fermé certains j. fériés.*

◖ **SE REPÉRER**

Carte de microrégion C2 (p. 268).
À 22 km à l'est de Poligny par la N 5,
dans la haute vallée de l'Ain.

◈ **À NE PAS MANQUER**

La surprenante villa palladienne de
Syam ; l'impressionnante cascade de
la Billaude ; les fascinantes gorges de
la Langouette.

◷ **ORGANISER SON TEMPS**

Vous pouvez parcourir la ville en 1h,
mais prenez au moins une journée
pour explorer la haute vallée de l'Ain.

▲▮ **AVEC LES ENFANTS**

Une promenade aux gorges de la
Langouette, guidée par la fée ; à
Loulle, le site à pistes de dinosaures,
le Musée-relais du Cheval de trait
comtois et de la Forêt.

Se promener

Église paroissiale

L'église (18e s.) échappa au terrible incendie de 1798. Sa façade est surmontée d'un clocher à bulbe. À l'intérieur, on peut admirer un grand **retable
baroque★** du 17e s. entièrement restauré. En face, l'**orgue** de Marin Carouge
(18e s.), paré d'anges, a été reconstitué d'origine.

Musée archéologique

*26 r. Baronne-Delort (annexe de la mairie) - ℘ 03 84 53 01 44 - www.champagnole.
fr - ♿ - juil.-août : 14h-18h - fermé mar. et j. fériés - possibilité de visite guidée
(45mn) - 3 € (-18 ans gratuit) - 6,50 € billet combiné avec la visite du mont Rivel.*
Les collections proviennent, pour l'époque gallo-romaine, des sites du mont
Rivel et de St-Germain-en-Montagne. Elles présentent la vie des artisans et des
pèlerins qui fréquentaient les temples du mont Rivel au début de notre ère.
Les collections mérovingiennes, issues des nécropoles de Monnet-la-Ville et
Crotenay, évoquent les coutumes funéraires, les maladies, etc. Armes, parures
et reconstitutions de personnages sont également présentées.

Mont Rivel

◖ ⚘ ℘ 03 84 52 43 67 - 14 km AR, 3h AR à partir du parking du chemin du
mont-Rivet à Champagnole, sentier balisé en jaune - rens. à l'office de tourisme :
une fiche topoguide (payante) liste toutes les curiosités de la balade.

5

LE DRAME DU MONT RIVEL

Le 27 juillet 1964, des galeries d'exploitation de la carrière du **mont Rivel** (extraction de chaux) s'effondrèrent sur quatorze ouvriers. Un sauvetage au suspense haletant permit de sortir vivants neuf hommes grâce à un forage vertical. André Besson s'est inspiré de ce fait dans son roman *Le Village englouti*.

Ce sentier permet l'inventaire des activités humaines qui ont investi le mont en longeant fermes, carrière, fours à chaux, cimenteries et passe au sommet par les fondations d'un temple gallo-romain. Il mène aussi à de beaux points de vue sur les forêts alentour et les monts jurassiens.

Circuits conseillés

HAUTE VALLÉE DE L'AIN
Carte de la haute vallée de l'Ain page ci-contre

▶ *Circuit de 84 km tracé en orange sur la carte de la haute vallée de l'Ain et sur la carte de microrégion – Comptez env. 4h. Quittez Champagnole vers l'ouest par la D 471. À Ney, prenez à gauche la D 253. Après 2,5 km, prenez la route à gauche (longue de 2,4 km), aboutissant à un parking.*

Belvédère de Bénedegand
🚶 *15mn à pied AR.* On y accède par un agréable sentier en forêt. Jolie vue sur la vallée de l'Ain, Champagnole, le mont Rivel et au loin la forêt de la Fresse. *Faites demi-tour et reprenez la D 253 jusqu'à Loulle.*

Site à pistes de dinosaures
Lieu-dit Le Bois aux Salpêtriers - ☎ 03 84 87 37 20 - gratuit.

👥 De spectaculaires pistes d'empreintes de dinosaures ont été mises au jour et protégées sur le site de Loulle. Une passerelle permet d'observer ces traces sur la roche, laissées il y a 155 millions d'années. Un parcours ludique et didactique.

Prenez la D 255 et après Le Vaudioux, gagnez la N 5 que vous prenez à droite. Prenez la 1re route à gauche, la D 279, et laissez votre voiture sur un parking en bordure de la route, à hauteur de la cascade de la Billaude.

Une plate-forme aménagée en contrebas offre une belle vue d'ensemble sur la cascade et son site.

★ Cascade de la Billaude
🚶 *30mn à pied AR.*

On descend par des escaliers métalliques et un sentier d'interprétation permet d'aller jusqu'aux abords de la cascade. Des paliers, dont l'un en avancée de 4 m sur le vide, offrent de belles **vues** sur la chute d'eau. Dans un site boisé, où se dressent des falaises, la Lemme tombe d'une fissure étroite, en deux sauts successifs totalisant 28 m. Toute une flore sauvage se développe au bord de la cascade. On peut voir, certains étés, des cyclamens au parfum délicat.

🚶 **Belvédère de la Billaude** – *15mn à pied AR depuis le parking.* Ce promontoire offre aussi une belle **vue** sur la cascade de la Billaude qu'il surplombe d'une quinzaine de mètres.

Revenez sur la N 5 et prenez-la à gauche.

★ Cours de la Lemme

Jusqu'à Pont-de-la-Chaux, la N 5 suit la vallée de la Lemme, affluent de l'Ain, au caractère âpre et sauvage. Les eaux écumantes, parmi les rochers et les sapins, y procurent une saisissante impression de fraîcheur.
À Pont-de-la-Chaux, prenez à gauche la D 16.

Chaux-des-Crotenay (🕯 encadré p. 89)
Gagnez Les Planches-en-Montagne par la D 16 et la D 127ᴱ¹.

★ Gorges de la Langouette

🐾 🚶 *1h à pied AR. Laissez votre voiture sur le parking et rejoignez le pont dit « de la Langouette ».*

De ce pont, belle vue sur les gorges de la Langouette, larges seulement de 4 m et profondes de 47 m ; elles ont été sciées par la Saine dans le calcaire.

Par le sentier d'interprétation qui commence près du pont, gagnez les trois **belvédères★**. C'est la fée de la Langouette qui vous guide ! La rivière forme des cascades qui tombent au fond d'une fissure étroite, origine des gorges.

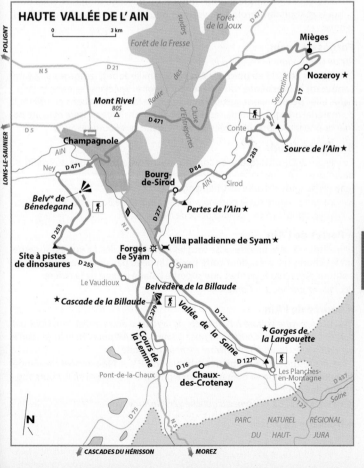

Revenez vers Les Planches et prenez vers le nord-ouest la D 127 parallèle au cours de la Saine.

Vallée de la Saine

La route suit en forêt l'étroite vallée de la Saine, petit affluent de la Lemme. *À la sortie des gorges, vous arrivez sur le village de Syam, qu'il faut traverser.*

★ Villa palladienne de Syam

225 chemin de Benaisy - ℘ 03 84 51 64 14 - www.chateaudesyam.fr - 👤 - mai-sept. : 14h-18h - fermé lun.-mar. - possibilité de visite guidée sur demande (1h30) - 10 € (-14 ans 5 €) - expositions temporaires dans les caves.

Surprenante dans le paysage jurassien, cette villa fut construite en 1818 par Emmanuel Jobez, un maître de forges épris d'architecture italienne. Son plan carré, souligné par des pilastres ioniques, la couleur du crépi, la rotonde centrale et la décoration de style pompéien, tout rappelle les villas italiennes et même la Villa Rotonda de Vincenza (🕭 *ABC d'architecture p. 473*).

Entièrement tapissé et meublé d'époque, l'intérieur ne le cède en rien à la beauté de l'extérieur. Des concerts y sont organisés. Après la visite, la terrasse est l'endroit idéal pour admirer un paysage intact. Si vous êtes conquis et souhaitez prolonger votre séjour, la villa propose des chambres d'hôte.

Forges de Syam

Rte de Champagnole - fermé à la visite.

Construites en 1813 au bord de l'Ain par la famille Jobez, les forges de Syam connurent la prospérité sous le Premier Empire. Spécialisées dans le laminage, elles perpétuaient, jusqu'à peu, le savoir-faire des anciens en utilisant du matériel presque centenaire. L'activité a été transférée en Isère et le site ne fonctionne plus. *Après les forges, prenez à droite vers Bourg-de-Sirod.*

Bourg-de-Sirod

Ce village doit le pittoresque de son site aux chutes, aux cascades, aux rapides, par lesquels l'Ain rattrape la différence d'altitude de 100 m qui sépare le plateau de Nozeroy de celui de Champagnole.

Laissez votre voiture sur le parking près de la mairie de Bourg-de-Sirod. Prenez le chemin signalé « Point de vue, perte de l'Ain ».

★ Pertes de l'Ain

L'Ain disparaît dans une crevasse sous les rochers éboulés. La **vue** est superbe sur les chutes qui précèdent cette perte. Un beau parcours avec escaliers et pontons métalliques permet une superbe balade le long de la rivière.

Poursuivez par Sirod et Conte.

★ Source de l'Ain

🚶 *Laissez votre voiture à l'extrémité de la route d'accès (trajet sous bois) qui part de la D 283, après Conte. Continuez (15mn à pied AR) pour atteindre la source qui naît au pied d'un amphithéâtre rocheux très boisé.*

C'est une résurgence au débit très variable. En 1959 et 1964, années de grande sécheresse, l'entonnoir était à sec : on a pu remonter en partie le cours souterrain de l'Ain.

Revenez à la D 283, et prenez à gauche vers Nozeroy.

★ Nozeroy (🕭 p. 316)

La forêt de la Joux.
F. Guiziou/hemis.fr

Mièges (◐ p. 318)

La D 119 puis la D 471, que l'on prend à gauche et qui franchit la verdoyante cluse d'Entreportes (à ne pas confondre avec le défilé du même nom, voir p. 244), ramènent à Champagnole.

ROUTE DES SAPINS Carte de la route des Sapins page ci-contre

▶ *La route des Sapins peut être empruntée au départ de Champagnole ou de Levier (23 km à l'est de Salins-les-Bains par la D 472, puis la D 72). Circuit de 55 km au départ de Champagnole tracé en bleu foncé sur la carte de la haute vallée de l'Ain et sur la carte de microrégion – Comptez une demi-journée pour le parcourir, mais il serait dommage de ne pas vous arrêter pour vous promener parmi les sapins centenaires…*

Quittez Champagnole, au nord-est, par la D 471. Au carrefour à l'entrée d'Éque-villon, délaissez la D 471 et continuez tout droit sur la route des Sapins.

La route des Sapins constitue, sur une quarantaine de kilomètres entre Champagnole et Levier, une admirable voie de traversée des forêts de la Fresse, de Chapois, de la Joux et de Levier. Le circuit s'en écarte par endroits, mais suit la section la plus intéressante et la mieux aménagée, traversant les plus belles « joux » (nom régional des bois de sapins).

La route s'élève dans la **forêt de la Fresse**, offrant une échappée vers la gauche, sur Champagnole.

Tournez à droite dans la D 21 et, laissant sur la gauche la route des Sapins, continuez jusqu'à la bifurcation avec la D 288, que vous prenez à gauche.

La route suit, à la mi-pente, la combe où l'Angillon a creusé son lit, bordé à l'est par la forêt de la Joux aux magnifiques futaies, et à l'ouest par la forêt de la Fresse, une belle sapinière de 1 153 ha.

Avant d'atteindre le village des Nans, tournez à gauche dans la route fores-tière dite du Larderet-aux-Nans, d'où l'on a un joli coup d'œil sur les Nans et la combe de l'Angillon. Au carrefour des Baumes, rejoignez la route des Sapins, qui parcourt la partie nord de la forêt de la Fresse, traverse le village de Chapois, puis pénètre dans la forêt de la Joux, en s'élevant à flanc de coteau.

★★ Forêt de la Joux

C'est l'une des plus belles sapinières de France. Le massif forestier, d'une superficie de 2 652 ha, est séparé de la forêt de la Fresse par le torrent de l'Angillon au sud, tandis qu'au nord il est adossé à la forêt de Levier. Planté en majeure partie de résineux, il conserve cependant des feuillus épars.

UN ABRI POUR LES DIABLOTINS

Les histoires de loups-garous, de sorcières, de lutins et de dames blanches ont fait naître de nombreux contes et légendes qui alimentèrent longtemps les veillées comtoises. Voici donc comment serait apparu le premier sapin en Franche-Comté…

Le diable, lassé par tous ses diablotins turbulents et farceurs qui l'empê-chaient d'œuvrer correctement à la cuisson des damnés, décida un jour d'expédier tout ce petit monde sur la Terre. Et voilà comment les **ioutons** et les **fouletots** vinrent peupler les monts du Jura. Mais bientôt, aveuglés par le grand soleil, écrasés de chaleur en été et meurtris par la longue froidure de l'hiver, ils voulurent retourner dans l'empire des ténèbres. Le diable, peu désireux d'avoir à les supporter de nouveau, préféra créer un arbre sous lequel ils pourraient se mettre à l'abri : le sapin.

CHAMPAGNOLE

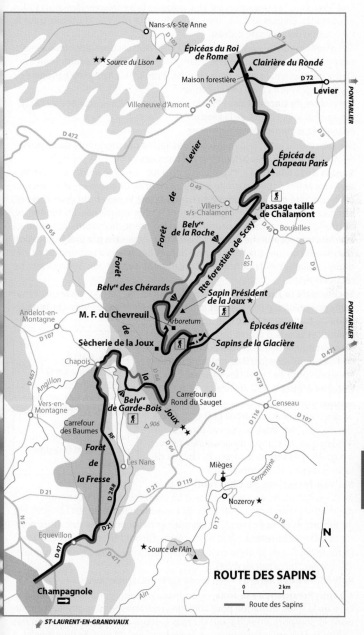

Nans-s/s-Ste Anne

★★ Source du Lison

Épicéas du Roi de Rome

Clairière du Rondé

Maison forestière

D 72

Levier

PONTARLIER

Villeneuve d'Amont

D 472

Levier

de

Épicéa de Chapeau Paris

D 49

Forêt

Villers-s/s-Chalamont

Passage taillé de Chalamont

Belv.re de la Roche

Boujailles

Rte forestière de Scay

△ 851

Belv.re des Chérards

Forêt

Sapin Président de la Joux ★

M. F. du Chevreuil

de

Arboretum

Épicéas d'élite

Andelot-en-Montagne

D 107

Sècherie de la Joux

la

Sapins de la Glacière

Chapois

D 461

Angillon

Joux

Carrefour du Rond du Sauget

Censeau

D 116

D 107

D 473

Vers-en-Montagne

Belv.re de Garde-Bois

★★

Carrefour des Baumes

△ 906

Forêt

RF

D 288

de

Les Nans

D 21

Mièges

Serpentine

la Fresse

D 21

D 119

Nozeroy ★

D 17

D 19

Equevillon

D 21

★ Source de l'Ain

D 471

ROUTE DES SAPINS

0   2 km

Champagnole

Ain

Route des Sapins

N

5

Quelques sapins atteignent des dimensions exceptionnelles : certains mesurent près de 50 m de hauteur et 1,20 m de diamètre à 1,30 m du sol. Il faut aller sous les tropiques ou en Californie pour trouver des arbres plus importants. Depuis le 17e s., les sapins de cette forêt sont utilisés pour la fabrication des mâts de bateau.

ⓖ La forêt est divisée par l'administration en cinq secteurs appelés « séries ». Les plus beaux arbres se trouvent dans celui de la Glacière et aux Sources.

Quittez à nouveau la route pour prendre, à droite, le chemin du belvédère de Garde-Bois, situé à côté d'une chapelle.

Belvédère de Garde-Bois – 🔭 Jolie **vue** sur la vallée encaissée de l'Angillon et, plus loin, la forêt de la Fresse.

Poursuivez le long du chemin d'arrivée.

Il se rabat vers l'est et rejoint la route des Sapins qui présente, à partir du carrefour du Rond-du-Sauget, un très joli parcours.

Sapins de la Glacière – 🔭 *30mn à pied AR. Suivez le sentier qui s'amorce sur la route des Sapins, à droite lorsqu'on vient de Champagnole.* Le secteur de la Glacière est ainsi nommé parce que c'est le plus froid de la forêt et, donc, celui où la neige et la glace restent le plus longtemps. En son centre, autour d'une excavation profonde, se trouvent des sapins splendides, aux fûts impeccablement droits. Le visiteur sera saisi par une impression comparable à celle que l'on éprouve auprès des piliers d'une grande cathédrale. Le silence et la pénombre contribuent à créer une atmosphère de recueillement.

Sècherie de la Joux – Montrinçon - ☎ 03 84 51 42 09 - ♿ - *visite guidée sur demande préalable (1h) horaires et tarif, se rens. - fermé j. fériés.* Les installations de traitement et de conservation des graines et plants d'arbres de l'ONF de Joux sont très renommées. On y découvre le métier de l'« écureuil », ce forestier qui grimpe dans les arbres pour en cueillir les graines.

Épicéas d'élite – 🔭 *Prenez la route de la Marine. Vous pourrez aussi les atteindre par un sentier balisé au départ de la D 473 : entrée signalée à 1 km environ au sud du passage à niveau de la station de Boujailles (30mn à pied AR).* Ces arbres sont les plus beaux de la forêt d'épicéas d'Esserval-Tartre.

> **SÈCHERIE DE LA JOUX**
> Il s'agit d'une sorte d'usine de sélection des semences. La forêt de la Joux est donc à l'origine des graines utilisées pour l'amélioration du peuplement forestier français.

Maison forestière du Chevreuil – Située dans une clairière, en lieu et place d'un ancien camp de bûcherons canadiens qui exploitaient la forêt pour les besoins du front (de 1917 à 1919), elle est désormais occupée par un restaurant. Les passionnés de sylviculture pourront visiter l'**arboretum**, plantation d'essai d'arbres étrangers à la contrée.

La route des Sapins se divise en deux branches. Suivez celle de droite, signalée « Route des Sapins par les crêtes ».

Belvédère des Chérards – Échappée sur les plateaux boisés.

★ **Sapin Président de la Joux** – Hommage doit être rendu au grand dignitaire de la forêt, distingué pour son âge vénérable, ses imposantes proportions et son port altier. Il s'agit du plus célèbre des sapins du canton des Chérards. Désigné « Président » en 1964, il est âgé de plus de deux siècles, a 3,85 m de circonférence à 1,30 m du sol et 45 m de hauteur, et pourrait fournir 600 planches correspondant à 22 m³ de bois d'œuvre !

Syam, villa palladienne, la rotonde.
D. Bringard/hemis.fr

La route poursuit son parcours en forêt à flanc de colline, découvrant une belle échappée, à gauche, sur la dépression de Chalamont.

Forêt de Levier

Ancienne possession de la maison de Chalon (🕭 *p. 317*), confisquée en 1562 par Philippe II, roi d'Espagne, la forêt devint propriété du roi de France après la conquête de la Franche-Comté par Louis XIV en 1674. À cette époque, les produits de la forêt servaient à la construction navale et à l'approvisionnement des salines de Salins. Les usagers venaient également y chercher leur bois de chauffage. Aussi certaines zones étaient-elles entièrement plantées de feuillus. Aujourd'hui, le massif, situé à une altitude comprise entre 670 et 900 m et d'une superficie de 2 725 ha, est presque exclusivement en résineux (sapins 60 % et épicéas 12 %).

Route forestière de Scay – Légèrement accidenté, ce parcours offre de belles perspectives. Il fait partie de la forêt domaniale de Levier.

Du **belvédère de la Roche**, vue sur le massif de Levier et la clairière dans laquelle a été implanté le village de Villers-sous-Chalamont.

Passage taillé de Chalamont – 🐾 Peu avant d'atteindre la D 49, un chemin à droite *(30mn à pied AR)* permet de suivre une voie celtique, puis romaine. Observez la taille en gradins de la chaussée dans les passages pentus ou glissants, ainsi que les ornières de guidage des roues des chars. Au sortir de la forêt, à hauteur des vestiges de la tour médiévale de Chalamont, la voie fut taillée en tranchée, tout comme le fut plus tard la route moderne voisine reliant Boujailles à Villers-sous-Chalamont.

Épicéa de Chapeau Paris – Cet arbre, qui est pour la forêt de Levier le pendant du sapin Président de celle de la Joux, mesure 45 m de haut avec une circonférence de 4 m et un volume de 20 m³ environ.

Suivez la route forestière de Ravonnet, puis à droite celle du Pont-de-la-Marine.

Épicéas du Roi de Rome – Âgés de 200 ans, ils dépassent parfois 50 m de haut. *Faites demi-tour pour prendre à gauche la D 72 et gagnez Levier.*

5

Levier

▶ *22 km à l'ouest, par la D 72.*

👥 **Musée-relais du Cheval de trait comtois et de la Forêt** – *Les Halles -
☎ 03 81 89 58 74 - www.musee-cheval-comtois-et-foret.fr - ♿ - juil.-août : tlj mar.
9h30-13h15, 13h45-18h15 ; reste de l'année : tlj sf sam. 13h30-17h, mar. 10h-13h -
fermé lun., nov.-janv. - possibilité de visite guidée sur demande (1h) - 4 € (-15 ans
2 €) - possibilité de balade en calèche et de visite de la ferme en été, sur demande -
label Tourisme et Handicap.*

Le musée présente, au moyen de témoignages, photos, vidéos, ambiances
sonores et matériel, les différents métiers associés au cheval de trait et à
l'exploitation de la forêt. On y découvre le comtois, cheval résistant et docile.
Promenades en calèche, visites d'élevage de chevaux comtois et de la forêt
sont également organisées sur réservation.

😊 NOS ADRESSES AUTOUR DE CHAMPAGNOLE

♿ *Voir aussi nos adresses à
Nozeroy.*

HÉBERGEMENT

PREMIER PRIX

**Chambre d'hôte Bourgeois-
Bousson** – *15 Grande-Rue -
39110 Andelot-en-Montagne - à
14 km au N de Champagnole -
☎ 03 84 51 43 77 - 🚭 P - 6 ch.
50 € 🛏 - ✗ 13 €.* Une étape
bien tranquille près des forêts.
Vous serez accueilli par deux
sœurs dans le cadre un peu
désuet, mais charmant, d'un
ancien hôtel-restaurant familial.
Chambres sans prétention,
mais confortables. Cuisine
traditionnelle.

BUDGET MOYEN

Hôtel Le Bois Dormant – *443 rte
de Pontarlier - ☎ 03 84 52 66 66 -
www.bois-dormant.com - P
🛁 ♿ - fermé 22-28 déc. - 40 ch.
93/129,20 € - 🛏 11,70 € - 1/2 P
79,70 €/pers. - ✗ formule déj.
19,80 € - 28/54 €.* Au sein d'un
parc arboré, établissement au
décor chaleureux et moderne.
Chambres fonctionnelles,
habillées de bois blond et de tons
roses. Piscine côté jardin. Grande
salle à manger-véranda et paisible
terrasse ; carte traditionnelle et
vins du Jura.

RESTAURATION

PREMIER PRIX

**Maison forestière du
Chevreuil** – *39300 Supt - à 17 km
au N de Champagnole, et à 3,5 km
au N de Chapois par la D 251,
puis la D 107, dir. Censeau et la
rte des Sapins, suivre fléchage -
☎ 03 84 51 40 85 - avr.-mi-nov. -
réserv. conseillée le soir - 17 €.* Halte
originale dans une maison nichée
au cœur d'une ravissante clairière
entourée de résineux. Cuisine
familiale. Le service du soir s'arrête
à 20h car les repas sont pris en
terrasse. Jeux pour enfants.

Le Commerce – *10 r. de Pontarlier -
25270 Levier - à 43 km au N de
Champagnole, circuit de la route
des Sapins - ☎ 03 81 49 50 56 - P
♿ - ouvert tous les midis - formule
déj. 12,50 € - 15,50/26 €.* Créé en
1931, ce restaurant fait figure
d'institution dans la région. En
cuisine, à la tradition des bonnes
vieilles recettes maison aux
morilles s'ajoute une carte plus
classique.

BUDGET MOYEN

Auberge des Gourmets – *1 La
Billaude-du-Haut - 39300 Le
Vaudioux - sur N 5 - ☎ 03 84 51
60 60 - www.auberge-des-
gourmets.com/- P - fermé*

1er déc.-12 fév., dim. soir et lun. sf vac. scol. - 29/55 € - 6 ch. 82/96 € - ⊇ 10 €, 1/2 P possible. Petits plats traditionnels faits maison, servis dans plusieurs salles à manger (dont une véranda) rustico-bourgeoises et soignées. Les chambres côté terrasse sont plus calmes. Piscine couverte chauffée.

ACHATS

À Champagnole

Fromagerie Janin – *21 av. de la République -* 🖉 *03 84 52 00 97 - www.fromagerie-janin.com - mar.-sam. 7h-12h15 et 14h30-19h, dim. 9h-12h, fermé en jan.* Dans cette fromagerie familiale, on affine le comté, la tomme, le morbier et beaucoup d'autres fromages depuis cinq générations. La boutique compte aussi un large rayon d'épicerie, où vous trouverez toutes sortes d'à-côtés originaux et savoureux (terrines, confitures, liqueurs et friandises).

ACTIVITÉS

🐾 **Route des Sapins** – *Carte Route des Sapins, édité par l'ONF.* Visites guidées et autres animations possibles (histoire du massif, gestion forestière), rens. à l'office de tourisme au 🖉 *03 84 52 43 67.*

Jura Fly Fishing – *10 r. du Paradis - 39150 Les Planches-en-Montagne -* 🖉 *03 84 51 56 82 - www.jura-flyfishing.com.* Pierre-Emmanuel Aubry vous accompagne et vous apprend toutes les techniques de la pêche à la mouche. Stages et séjours personnalisés.

AGENDA

Tram'jurassienne – 🖉 *03 84 52 43 67 - www.tramjurassienne.com - dernier w.-end de juin, arrivée à Champagnole - 17/21 €.* S'inspirant du parcours du tramway qui fonctionnait entre Foncine-le-Bas et Champagnole (1925-1950), cette randonnée à VTT, à vélo ou à pied vous emmène de belvédères en sites naturels et historiques.

Nozeroy

★

437 Nozeréens – Jura (39)

Fief de la puissante famille de Chalon, porte du séduisant val de Mièges, le vieux bourg est bâti dans un site impressionnant, au sommet d'une colline isolée qui domine un vaste plateau couvert de pâturages. Cette place forte si redoutée, car elle contrôlait les routes d'accès vers la Suisse et l'exploitation du sel, a été démantelée, mais a gardé son cachet ancien et conservé quelques vestiges de ses remparts.

 NOS ADRESSES PAGE 318
Hébergement, restauration, achats, activités, etc.

S'INFORMER

Office du tourisme Jura Monts Rivières - Nozeroy – *15 pl. des Annonciades - 39250 Nozeroy - ✆ 03 84 51 19 15 - www. juramontsrivieres.fr - juil.-août : 9h-12h30, 14h-18h30, dim. et j. fériés 9h-13h ; vac. de fév. et vac. de Noël : tlj sf j. fériés 9h-12h, 14h-18h, dim. 9h-13h ; vac. de Pâques : tlj sf dim. et j. fériés 9h-12h, 14h-18h, sam. 9h-12h, 14h-17h.*

Visite guidée – *Visite historique vac. de fév. et juil.-août : vend. 10h - 3 € (-12 ans gratuit).*

SE REPÉRER

Carte de microrégion C2 (p. 268). De Champagnole (16 km au sud-ouest) ou de Pontarlier (40 km au nord-est), il faut suivre la D 471 jusqu'à Charbonny. La D 119 conduit à Mièges où vous ne pouvez plus vous perdre : vous êtes au cœur du fief des Chalon. TGV à Frasne, 16 km au nord-ouest.

À NE PAS MANQUER

Les ruines du château médiéval des Chalon ; la place des Annonciades et la Grande-Rue ; l'église et son devant d'autel.

ORGANISER SON TEMPS

Consacrez 1h à la découverte du village. Fin juillet, ne manquez pas la fête médiévale « À l'assaut des remparts » et son grand banquet !

Se promener Plan de ville page ci-contre

Porte de l'Horloge B1

Reste de l'ancienne enceinte fortifiée, elle est percée dans une haute tour carrée à mâchicoulis.

Place des Annonciades A1-2

Un magnifique marronnier l'ombrage. Prenez la promenade, bordée d'arbres (buste de Pasteur), qui contourne les ruines du château, offrant de belles vues.

Église AB2

✆ 03 84 51 19 15 - vac. de fév. et juil.-août : vend. 10h - possibilité de visite guidée dans le cadre de la visite de la ville.

Elle date, dans sa majeure partie, du 15ᵉ s. On peut y voir des stalles (15ᵉ s.) et une chaire de bois sculpté. Remarquez, dans la chapelle de droite, un devant

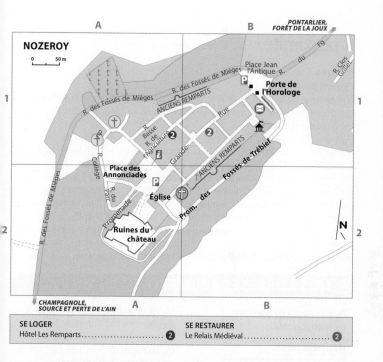

SE LOGER	SE RESTAURER
Hôtel Les Remparts .... ②	Le Relais Médiéval .... ②

d'autel fait de broderies en paille tressée (17ᵉ s.), œuvre patiente des religieuses annonciades de Nozeroy. Adossée à un pilier du bas-côté droit, Vierge à l'Enfant du 15ᵉ s., en pierre polychrome.

Promenade des Fossés-de-Trébief B1-2
Elle borde les anciens remparts dans leur partie la plus intéressante.

LE CHÂTEAU DES CHALON

Le château de Nozeroy a été édifié par **Jean l'Antique** (1190-1267). Grand stratège et fin diplomate, il a usé en virtuose des armes, de l'argent, des alliances et est ainsi arrivé à posséder plus de 500 fiefs. Cette famille a joué un rôle capital en Comté. Son histoire est très agitée : ses membres se disputent la dignité comtale, luttent contre les féodaux rivaux, font l'union de la noblesse comtoise contre les empiétements des princes étrangers. Après les succès de Jean l'Antique, ses enfants, les **Chalon-Arlay**, héritent de la seigneurie de Nozeroy et enrichissent leur patrimoine. Au 15ᵉ s., le château est rasé et remplacé par un véritable palais décoré par les artistes de la cour de Bourgogne. Un siècle plus tard, le dernier des Chalon, **Philibert**, généralissime des armées espagnoles et vice-roi de Naples, y organise des fêtes grandioses.

Nozeroy et la Hollande – À la mort de Philibert, en 1530, les biens des Chalon passent à la maison des **Orange-Nassau**, qui est leur alliée. Le château est animé par d'illustres visiteurs : sainte Colette, qui fonda un couvent de Clarisses à Poligny, le futur Louis XI, Charles le Téméraire s'y sont arrêtés. En 1684, un créancier de Guillaume de Nassau, stathouder de Hollande, puis roi d'Angleterre, se fait attribuer les domaines comtois du prince. Ils sont aujourd'hui morcelés. Le château fut complètement ruiné pendant la Révolution.

5

À proximité Carte de microrégion p. 268

Mièges C1-2

▶ *1 km au nord.*

À proximité de la forêt de la Joux (&. *p. 310*), ce petit village, situé dans le val qui porte son nom, est né d'un prieuré fondé au 16e s. par des moines de l'abbaye de St-Claude.

Église – Elle date des 15e-16e s. et présente un clocher-porche de 1707 et un portail Renaissance dont la voussure extérieure est sculptée de pampres. À l'intérieur de l'édifice, remarquez les stalles du chœur du 17e s. À droite du chœur, l'ancienne chapelle seigneuriale des comtes de Chalon, de style gothique flamboyant, offre une voûte à cinq clés pendantes, ornée d'un globe portant la croix symbolisant le monde racheté, surmonté d'un Christ au centre et des symboles des évangélistes (&. *ABC d'architecture p. 469*).

À 200 m de l'église, le petit **ermitage** consacré à Notre-Dame est le but d'un pèlerinage, qui a lieu chaque année le lundi de Pentecôte et le 8 septembre, fête de Notre-Dame de Mièges ou le dimanche le plus proche.

☺ NOS ADRESSES À NOZEROY

&. *Voir aussi nos adresses à Champagnole.*

HÉBERGEMENT

PREMIER PRIX

❷ Hôtel Les Remparts – A1 - 3 r. de l'Agriculture - ☎ 06 98 16 81 07 - ☎ 03 84 51 18 45 - www. restaurant-nozeroy.com - ⌷ - *fermé de nov. à déb. avr.* - 12 ch. 55 € - ⌷ 6 € - ✗ *menu 25/30 €.* Situé dans une ruelle de la cité médiévale, ce petit hôtel compte des chambres simples mais fort convenables. Les plus anciennes, avec leurs poutres et leurs pierres apparentes, ont beaucoup de charme.

RESTAURATION

PREMIER PRIX

❷ Le Relais Médiéval – B1 - 33 Grande-Rue - ☎ 03 84 51 16 81 - www.lerelaismedieval.fr - &. - *fermé 1er - 15 janv., lun., dim. soir - formule déj. 15 €* - 15/32 €. Une solide armure monte la garde dans le hall d'entrée de ce restaurant de la vieille ville. Agencée dans l'esprit des banquets d'autrefois, la salle accueille les amateurs de produits du terroir et de fondues. Soirées en costumes d'époque avec recettes médiévales, conteurs et jongleurs (65 € adultes, 32 € enf.).

ACTIVITÉS

Auberge Le Sillet – *1 r. Ste-Anne - 39250 Longcochon - 2 km au NO de Nozeroy, dir. Pontarlier - ☎ 03 84 51 16 16 - www.auberge-sillet.fr - 17 ch. 45/55 €, 1/2 P. 44/51 €/pers.* ⌷ Outre un hébergement et une restauration tout à fait corrects dans un cadre chaleureux, cette structure propose un bel éventail d'activités : séjour itinérant en roulotte, promenade à cheval, en calèche, ou en traîneau en hiver, location de raquettes.

AGENDA

Fête médiévale – *4e dim. de juil.* Nozeroy organise une fête médiévale qui trouve dans ses murs une réelle authenticité.

Le Franois, lac du Petit Maclu.
H. Lenain/hemis.fr

Région des Lacs

★★

Jura (39)

Chalain, Chambly, Val, Ilay, Narlay… C'est un véritable chapelet de lacs qui s'égrène entre Champagnole, Clairvaux-les-Lacs et St-Laurent-en-Grandvaux. Très différents les uns des autres, ils donnent pourtant tous la même impression de tranquillité et d'intimité. Mais le calme se limite à la basse saison, car lorsque le soleil darde ses rayons brûlants sur les plateaux, les lacs deviennent des refuges précieux pour les vacanciers.

😊 NOS ADRESSES PAGE 325
Hébergement, restauration, achats, activités, etc.

5

 S'INFORMER

Office du tourisme du pays des Lacs et Petite Montagne – *36 Grande-Rue - 39130 Clairvaux-les-Lacs* 📞 *03 84 25 27 47 - www.juralacs.com - juil.-août : 9h30-18h30, dim. et j. fériés 9h-13h ; avr.-juin : tlj sf dim. 9h-12h, 14h-18h, j. fériés 9h-13h ; sept. : tlj sf dim. 9h-12h, 14h-18h, sam. 9h-12h ; reste de l'année : se rens. - fermé 1ᵉʳ janv., lun. de Pâques, 1ᵉʳ et 11 Nov.,*

25 déc. - 2ᵉ bureau 1 bis pl. du Col.-Varroz - 39270 Orgelet - 📞 *09 70 71 77 05 - juil.-août : 9h-12h30, 14h30-19h, dim. 10h-12h30 ; 7 avr.-30 juin, sept. et vac. scol. (hors juil.-août) : se rens.*

▶ **SE REPÉRER**

Carte de microrégion C2 (p. 268).
Point d'entrée de la région des Lacs, Clairvaux-les-Lacs se situe à 24 km au sud-est de Lons-le-Saunier par la D 678. Vous pouvez atteindre

directement Doucier à partir de Lons-le-Saunier par la D 39 (26 km vers l'est).

🅿 SE GARER
Au lac de Chalain, stationnement réglementé et payant par le camping La Pergola, ou de l'autre côté de la route sur l'autre parking payant. Prenez alors le souterrain pour vous rendre au lac.

😊 À NE PAS MANQUER
Le superbe belvédère du pic de l'Aigle ; la majestueuse sérénité des lacs Ilay, Narlay, Grand et Petit Maclu ; le belvédère de Fontenu (lac Chalain).

🕐 ORGANISER SON TEMPS
Photographes amateurs, n'oubliez pas que l'éclairage des sites et la couleur des lacs donnent leurs meilleurs effets l'été, en milieu d'après-midi.

👪 AVEC LES ENFANTS
Le musée des Machines à nourrir et courir le monde, la base nautique du lac de Chalain.

Se promener

Carte de la région des Lacs p. 323

Clairvaux-les-Lacs
À voir dans l'église, les stalles sculptées (15ᵉ s.) provenant de l'abbaye de Baume-les-Messieurs ainsi que des tableaux de maîtres du 18ᵉ s.

Musée des Machines à nourrir et courir le monde – *Rte de Lons-le-Saunier - ZI en Béria -* 📞 *03 84 25 81 77 - www.museemaquettebois.fr -* ♿ *- juil.-août : 10h-18h ; juin : 14h30-18h ; mai et sept. : dim. et j. fériés 14h-18h, sem. se rens. - possibilité de visite guidée (1h) - 7 € (-12 ans 3,80 €).* 👪 Curiosité locale, ce grand espace d'exposition montre les œuvres minutieuses de Marcel Yerly, passionné de maquettes en bois.

Lacs de Clairvaux – *300 m au sud de Clairvaux-les-Lacs par la D 118 et, à droite, une route étroite.* Ils sont moins pittoresques que les autres lacs de la région. Un canal réunit le Petit et le Grand Lac et, quand les eaux sont hautes, les deux cuvettes n'en font plus qu'une. On peut se baigner et se promener en barque ou en pédalo et faire de la planche à voile sur le Grand Lac. C'est en 1870, dans la vase du Grand Lac, que furent découverts les restes d'une **cité lacustre**, la première qui ait été mise au jour en France.

Bonlieu
▶ *11 km à l'est de Clairvaux-les-Lacs par la D 678.*
Bonlieu est un point de départ pour la visite des cascades du Hérisson (👆 *p. 328*), du lac de Bonlieu, du belvédère de la Dame blanche, du pic de l'Aigle et autres belvédères. L'église, restaurée, conserve un beau retable Renaissance provenant vraisemblablement de la chartreuse de Bonlieu.

Lac de Bonlieu – *4,5 km au sud-est de Bonlieu par la pittoresque D 678, puis la D 75ᴱ à droite.* Ce joli lac, presque entièrement enchâssé dans la forêt, est dominé par une arête rocheuse, couverte de sapins et de hêtres, et sillonnée de nombreux sentiers. On peut se promener en barque sur le lac.

À l'extrémité nord du lac, des bâtiments qui ont appartenu à la chartreuse de Bonlieu, fondée en 1170 par Thibert de Montmorot, ont été ruinés en 1944. Jean de Watteville (👆 *Baume-les-Messieurs*) y fut moine.

Une route forestière, qui s'élève au-dessus de la rive est, conduit à un belvédère, situé au sud du lac, d'où l'on découvre une belle **vue** sur le pic de l'Aigle, les lacs d'Ilay et de Maclu et, au loin, le mont Rivel.

La guerre de Trente Ans

« MAUVAIS COMME WEIMAR »

Pendant la campagne que Richelieu fait mener en Comté, à partir de 1635, la région des Lacs est dévastée par les troupes suédoises, alliées des Français et commandées par **Bernard de Saxe-Weimar** : maisons brûlées, moissons coupées en herbe, vignes et arbres fruitiers arrachés. La famine est si terrible qu'on mange de la chair humaine. L'habitant soupçonné de cacher de l'argent est soumis à de terribles supplices. Des familles entières, que l'on découvre cachées dans des grottes ou des souterrains, sont murées vivantes dans leur refuge. Pendant un siècle survivra l'expression « Mauvais comme Weimar ». Toute la province est soumise à l'épreuve des troupes suédoises de Weimar. Aussi voit-on un grand nombre de Comtois s'expatrier en Savoie, en Suisse, en Italie ; 10 000 à 12 000 se fixent à Rome, en un même quartier. L'église, qu'ils dédient à saint Claude, fait encore partie des établissements français de la Ville éternelle.

LACUZON, HÉROS DE L'INDÉPENDANCE

Il est difficile d'imaginer aujourd'hui la férocité des conflits qui se sont déroulés dans la région. Figure emblématique de la combativité comtoise, Prost dit « Lacuzon » est très présent dans la mémoire locale. Né en 1607 à Longchaumois, établi commerçant à St-Claude, il prend les armes dès l'invasion de 1636. Ce n'est pas un guerrier-né. Il tremble au début de chaque combat et, pour dompter sa peur, se mord sauvagement. On lui prête cette forte apostrophe : « Chair, qu'as-tu peur ? Ne faut-il pas que tu pourrisses ? » qui rappelle le « Tu trembles, carcasse… » de Turenne. Son aspect austère, soucieux, lui a valu son surnom de Lacuzon (Cuzon signifiant « souci » en patois).

UNE GUERRE DE PARTISANS

La plaine de Bresse, française depuis 1601, est mise en coupe réglée : « Délivrez-nous de la peste et de Lacuzon », prient chaque soir les villageois bressans. Sur les plateaux comtois, c'est la guerre d'escarmouches : colonnes harcelées, convois enlevés. Tous les Suédois capturés sont mis à mort, non sans que leur aient été offerts les secours de la religion, car la piété de Lacuzon et de ses compagnons est très vive !
Certains de ses stratagèmes sont restés fameux. C'est ainsi que, pour venir à bout d'une place qu'il assiège, Lacuzon y fait entrer un de ses lieutenants, Pille-Muguet, déguisé en capucin. Par ses vitupérations continuelles contre les assaillants et leur chef, le faux moine gagne la confiance des défenseurs, se fait donner les clés d'une porte et l'ouvre, une nuit, à ses camarades.

LA PAIX DE WESTPHALIE (1648)

Mettant fin à la guerre de Trente Ans, la paix de Westphalie interrompt l'activité militaire de Lacuzon. Elle reprend quand Louis XIV entre en Comté. Le vieux combattant trouve un émule dans Claude Marquis, curé de St-Lupicin, qui mobilise ses paroissiens et guerroie à leur tête. Mais la lutte est trop inégale ; les derniers partisans comtois succombent. En 1674, sur le point d'être pris, Lacuzon réussit à s'échapper et à gagner le Milanais, possession espagnole. Il y meurt, intraitable, sept ans plus tard.

Le lac de Bonlieu.
H. Lenain/hemis.fr

★ Belvédère de la Dame blanche

▶ *2 km au nord-ouest de Bonlieu, puis 30mn à pied AR. Au carrefour D 678-D 67, prenez la direction de Saugeot. À 800 m de cet embranchement, à la sortie de la forêt, prenez à droite un chemin non revêtu. Au 1ᵉʳ carrefour, tournez à gauche. ⦿ Laissez votre voiture à l'entrée du bois et suivez le sentier.*

Banc rocheux dominant la vallée du Hérisson, avec le val Dessus et le val Dessous. Vue à gauche sur les lacs du Val et de Chambly, à droite sur le pic de l'Aigle.

Ilay

▶ *4 km au nord-est de Bonlieu par la D 678, puis la D 75 à gauche.*

Point de départ de la visite des cascades du Hérisson *(voir ce nom)*, des lacs d'Ilay et de Maclu.

Lac d'Ilay ou lac de la Motte – Le nom de la « Motte » vient de la jolie petite île rocheuse, ombragée de sapins et de hêtres, qui se dresse près de la rive est. Le lac d'Ilay occupe la partie centrale d'une longue faille où se logent aussi les lacs de Narlay et de Bonlieu. Il reçoit par un canal les eaux des lacs de Maclu. La nappe d'Ilay se déverse dans des entonnoirs à l'extrémité sud. La résurgence se fait dans le Hérisson, en aval du saut Girard. Un prieuré s'élevait sur l'île du lac, mais il fut détruit pendant les guerres du 17ᵉ s. Il était relié à la terre par une chaussée, maintenant immergée, mais dont on peut suivre la trace aux joncs qui la recouvrent.

Lacs de Maclu

Ils sont situés dans un vallon dominé à l'est par les escarpements du bois de Bans, à l'ouest par une ride rocheuse qui les sépare d'Ilay, au sud par le cône majestueux du pic de l'Aigle. Le lac du Petit Maclu se déverse dans celui du Grand Maclu. Celui-ci a comme émissaire un canal de 500 m qui rejoint le lac d'Ilay. Un chemin longe les deux lacs, entre l'eau et la falaise.

Circuit conseillé Carte de la région des Lacs page ci-contre

★★ LAC DE CHALAIN ET PIC DE L'AIGLE

◗ *Circuit de 46 km tracé en mauve sur la carte de la région des Lacs et la carte de microrégion – Comptez env. 2h30. Quittez Doucier à l'est par la D 39 vers Songeson, Menétrux-en-Joux. Traversez Ilay et prenez à gauche la D 678 que vous quittez avant d'arriver à La Chaux-du-Dombief. Laissez votre voiture 250 m plus loin, sur la route de La Boissière.*

★★ Pic de l'Aigle

🥾 *45mn à pied AR par un sentier signalé au départ et parfois mal tracé, qui monte en appuyant à droite, vers le promontoire boisé du pic de l'Aigle. La montée est assez raide.* Du sommet du pic de l'Aigle (993 m), souvent appelé Bec de l'Aigle, on découvre tout le Jura, dans le sens transversal. Le **point de vue** domine la cluse d'Ilay, empruntée par la D 678, en travers des hauteurs de La Chaux-du-Dombief.

Sur la gauche se dressent les chaînes du Jura derrière lesquelles apparaît, par très beau temps, le sommet du mont Blanc, sur la droite s'étendent les plateaux dont on distingue le rebord, au-dessus de la plaine de la Saône.

Laissez à droite la route qui conduit à La Boissière et engagez-vous dans une route étroite et en montée.

★ Belvédère des Quatre Lacs

🥾 *15mn à pied AR.* De ce belvédère, on découvre les lacs d'Ilay, de Narlay, du Grand et du Petit Maclu.

Le circuit rejoint la N 5 que vous prenez à gauche, jusqu'à Pont-de-la-Chaux, et se poursuit à gauche par la D 75 qui permet d'atteindre Le Frasnois. Prenez alors à droite la D 74, puis tout de suite à droite vers le hameau de Narlay.

Lac de Narlay

Ce lac a comme traits caractéristiques sa forme triangulaire, alors que les autres lacs sont allongés, et ses 48 m de profondeur, record de la région. Ses eaux se perdent dans plusieurs entonnoirs situés à l'extrémité ouest et cheminent sous terre pendant 10 km ; leur résurgence alimente le lac de Chalain. Selon la légende, quand on lavait le linge dans le lac de Narlay, le savon était inutile : cadeau d'une fée amoureuse du lac, affirmaient les vieux Comtois.

Revenez à la D 74, que vous prenez à droite en direction de Chevrotaine.

Lac du Vernois

Il apparaît tout à coup, à un détour de la route, entouré de bois. Nulle habitation à la ronde ; une impression de paix et de solitude. Les eaux de ce petit lac se perdent dans un entonnoir et rejoignent en sous-sol celles du lac de Narlay. *Poursuivez par la D 74 puis la D 90 vers Fontenu.*

Fontenu

L'église de ce village est entourée de tilleuls centenaires. Environ 800 m après Fontenu, on rejoint la rive nord du lac de Chalain d'où s'offre un excellent **point de vue★★** *(parking, belvédère, aire de pique-nique).*

★★ Lac de Chalain

Site archéologique d'intérêt national depuis 1995, Chalain est un trésor pour les chercheurs qui s'y livrent à de nombreuses expériences. Le lac a en effet contribué à protéger les vestiges de peuplements très anciens.

Maisons néolithiques sur pilotis – *Accès par le camping La Pergola (parking payant), à Marigny.* Ces maisons avaient été reconstituées au bord du lac avec les techniques de l'époque. À des fins d'expérimentation archéologique, on les a laissées se dégrader naturellement. Il n'en reste aujourd'hui pratiquement plus rien.

Base de loisirs – 🧍🧍 Malgré le caractère historique exceptionnel du site, le lac de Chalain n'attire pas que les chercheurs ou les passionnés d'archéologie. Ce vaste plan d'eau est devenu l'une des plus grandes bases de loisirs de la région. Depuis ses plages – plage du domaine de Chalain, plage de Doucier et plage de la Pergola – on pratique en été diverses activités nautiques comme la planche à voile, le canoë ou tout simplement la baignade. Mais l'eau n'y est

---

LES VESTIGES D'UNE CITÉ LACUSTRE

En juin 1904, la captation d'eau pour une usine électrique jointe à une grande sécheresse produisirent un abaissement de niveau de près de 9 m. C'est alors qu'apparurent, sur la rive ouest du lac de Chalain, de nombreux pilotis de bois où l'on vit d'abord les vestiges d'une cité lacustre vieille de cinq millénaires, datant de l'âge de la pierre polie. En réalité, les fouilles successives ont révélé sur près de 2 km, le long des rivages ouest et nord, des restes d'habitations disposées au bord du lac et dont les bases étaient immergées à l'époque des hautes eaux. Selon les archéologues, des hameaux étaient installés au bord du lac, vraisemblablement pour des raisons défensives, de 3600 à 800 av. J.-C. Les pilotis les mettaient à l'abri des variations du niveau du lac. Autre avantage majeur de ce milieu lacustre : la bonne conservation des vestiges de cette occupation dans l'eau, qui permet de découvrir ce que les habitants mangeaient et ce qu'ils cultivaient (orge, blé, lin et pavot !) (👉 *www.chalain.culture.gouv.fr*).

pas chaude toute l'année, et les pêcheurs en profiteront alors pour tester leur adresse ou leur patience : le lac est en effet classé en 2e catégorie piscicole et regorge de brochets et de perches.

Faites demi-tour et, en appuyant toujours à droite sans redescendre au bord du lac (sens interdit), prenez, en direction de Doucier, la D 90.

Vous admirez un autre **point de vue★★**, 500 m après avoir rejoint la D 90.

Regagnez Doucier par la D 90 et la D 39.

😀 NOS ADRESSES DANS LA RÉGION DES LACS

HÉBERGEMENT

PREMIER PRIX

À Doucier

Domaine de Chalain – *39130 Doucier - à 3 km au NE -* ℘ *03 84 25 78 78 - www.chalain. com -* ♿ 📶 *- de fin avr. à mi-sept. - 712 empl. 20/40 € - bungalow, mobile home, chalet 37/167 € -* ✕ *restaurant traditionnel et snack.* En bordure du lac de Chalain, ce camping est idéal pour les vacances en famille. Activités sportives pour tous les âges et animations à toute heure de la journée et de la soirée en période estivale. Plage et parc aquatique à proximité. Location de trente-cinq chalets « haut de gamme » (wifi, lave-vaisselle, salon de jardin, télévision).

À Clairvaux-les-Lacs

Yelloh ! Village Le Fayolan – *Chemin du Langard - 39130 Clairvaux-les-Lacs - à 1,2 km au SE par la D 118 -* ℘ *03 84 25 88 52 - www.yellohvillage-fayolan. com -* 🏊 ♿ *- de fin avr. à déb. sept. - 300 empl. 18/48 € -* ✕ *ouvert tte la journée.* Distribution aérée pour ce camping de bon standing en bordure d'un lac. Restaurant-snack-épicerie, piscine, complexe aquatique avec sauna, hamam et jacuzzi, discothèque et nombreuses propositions sportives.

Camping Le Grand Lac Flower – *Chemin du Langard - 39130 Clairvaux-les-Lacs - à 800 m au SE par la D 118, rte de Châtel-de-Joux et chemin à droite -* ℘ *03 84 25 22 14 - www.odesia-clairvaux.com -* ♿ *- de mi-mai à fin août - 121 empl. 15/30 €.* Si l'on passe outre l'inclinaison de la partie campable, légère à certains endroits, on trouvera satisfaction dans cette structure bien entretenue. L'épicerie à l'entrée, le bloc sanitaire principal doté de matériaux modernes et la plage de sable fin en contrebas font de ce camping un choix intéressant.

Village club Les Crozats – *R. Principale - 39130 Uxelles -* ℘ *03 84 25 26 19 - www.odesia-lacs.com - maisons bois 315/882 €/ sem. selon sais. - possibilité de location lors des grands-weekend de mai.* Atmosphère familiale dans un chalet traditionnel, ambiance « club vacances ».

Hôtel La Chaumière du Lac – *21 r. du Sauveur - 39130 Clairvaux-les-Lacs -* ℘ *03 84 25 81 52 - www. la-chaumiere-du-lac.fr -* 🅿 *- 10 ch. 50/65 € -* 🍽 *8 € -* ✕ *19/38 €.* Les matins sont calmes au bord du lac et sa plage à quelques pas de l'hôtel. Les chambres sont agréables et donnent sur l'eau ou les arbres. Spécialités du Jura au menu. Belle terrasse.

À Bonlieu

Chambre et table d'hôte L'Escapade – *12 r. de la Maison-Blanche - 39130 Bonlieu -* ℘ *03 84 25 26 60 - www. escapadebonlieu.weebly.com -* 📨

5

🅿 ♿ 🛜 - *5 ch. 58 € ⌤ - table d'hôte 20 € bc.* Gilles et Martine ont joliment restauré cette ancienne ferme et aménagé des chambres confortables. Terrasse à l'étage avec vue sur le jardin ou les prairies et l'étang. Petit-déjeuner et table d'hôte dans la longue salle à poutres massives et fenêtres cintrées. Conseils personnalisés pour les randonnées (pédestres, VTT, kayak, raquettes).

Au Frasnois

Chambre d'hôte Les Cinq Lacs – *66 rte des Lacs - 39130 Le Frasnois - à 3,5 km au N d'Ilay par la D 75 -* ℘ *03 84 25 51 32 - www.5lacs.fr -* 📧 🅿 ♿ *- réserv. préférable - 5 ch. 73 € ⌤ -* ✕ *23 €.* Voilà le point de départ de promenades de rêve autour des lacs tout proches. Votre chambre, confortable et joliment décorée, porte le nom de l'un d'entre eux. Salon et billard. Optez pour la demi-pension pour apprécier la table d'hôte et ses spécialités locales. Deux chalets tout bois aménagés en gîtes.

BUDGET MOYEN

À Bonlieu

Hôtel-restaurant Les Alpages – *1 chemin de la Madone - 39130 Bonlieu -* ℘ *03 84 25 57 53 - www.hotel-lesalpages.com -* 🅿 🛜 *- fermé nov.-janv. et dim. soir, lun. sf vac. scol. et j. fériés - 8 ch. 1/2 P. 80/90 €/pers. -* ✕ *36 €.* Prenez de la hauteur dans ce chalet perché et admirez la vue. Chambres confortables et rénovées ouvrant pour la plupart sur les lacs et les collines boisées. Dégustez les saveurs comtoises dans la salle à manger panoramique et détentez-vous dans le jardin ensoleillé ou dans l'élégant petit salon. Terrasse agréable en fin de journée l'été.

RESTAURATION

PREMIER PRIX

À Doucier

La Sarrazine – *145 r. de la Chaline - 39130 Doucier - à 3 km au S du lac de Chalain par la D 27 -* ℘ *03 84 25 70 60 - tlj - formule déj. 14,50 €, 13/21 €.* Ce restaurant aux grandes fresques murales a changé de propriétaire, mais ses spécialités restent les mêmes : pieds de porc et grillades au feu de bois. Vins du Jura à l'honneur.

BUDGET MOYEN

À Bonlieu

Au Chalet – *2 rte du Lac - 39130 Bonlieu - à 1,5 km à l'E de Bonlieu par la D 678, rte de St-Laurent-en-Grandvaux -* ℘ *03 84 25 57 04 - www. restaurant-au-chalet.com -* 🅿 ♿ *- fermé 24 déc.-1er fév., mar. soir et merc. soir sf sais. - formule déj. sem. 13,50 € - 31,50/41 €.* Ce joli chalet et sa grande terrasse se dressent sur la route menant au lac de Bonlieu. L'intérieur, où domine le bois, est très sympathique. La cuisine honore les produits du terroir et la carte des vins puise dans toutes les régions françaises.

La Poutre – *25 Grande-Rue - 39130 Bonlieu -* ℘ *03 84 25 57 77 - www.aubergedelapoutre.com -* 🅿 *- fermé déc.-avr., mar. et merc. (sf juil.-août) et lun. midi - 33/75 € - 8 ch. 55/70 € - ⌤ 8 €.* Ferme familiale de 1740 située au centre du bourg. Dans la salle à manger rustique (poutres et vieilles pierres), on se régale d'une cuisine raffinée 100 % maison.

À Doucier

Le Comtois – *806 r. des Trois-Lacs - 39130 Doucier -* ℘ *03 84 25 71 21 - www.lecomtoisdoucier.com - fermé les midis du lun. au jeu. - formule déj. 19 € - menu 32 €.* Plaisant décor campagnard, cuisine jurassienne revisitée, service soigné et très bon accueil font la réputation de cette coquette auberge. Attrayante sélection de vins du Jura.

ACTIVITÉS

Baignade – La qualité des eaux des lacs peut s'altérer en cas de fortes pluies. *Rens. Unité territoriale santé environnement du Jura (ARS Franche-Comté) ✆ 03 84 86 83 46.*

Parc aquatique Les Lagons – *39130 Doucier - Lac de Chalain - ✆ 03 84 25 78 77 - www.chalain. com -* 🅿 ♿ *- fermé mi-sept.- Pâques ; mai, sept. : lun.-ven. 14h-18h30, sam., dim., 11h-18h30, juin : lun.-vend. 13h-18h30, sam., dim. 11h-18h30, juil., août : tlj 10h30-19h - accès aux bassins : 4,50/6,30 € (enf. 3 €).* La plage comprend une grande variété d'aires de loisirs pour petits et grands. Baignade surveillée en juil.-août, location de pédalos, kayaks, VTT, parcours dans les arbres. Dans une ambiance tropicale, « les Lagons » proposent bains à bulles, bassins chauffés et cascades, ainsi qu'un espace détente (sauna, hammam).

Écurie des Quatre Lacs – *Rte des Lacs - 39130 Le Frasnois - ✆ 06 86 92 01 52 - http:// ecuriedes4lacs.com.* Spécialisé dans la randonnée itinérante à cheval à la semaine, le week-end, en été ou dans les neiges hivernales. Chevauchées aux abords des lacs, dans les vignobles jurassiens ou sur les plateaux du haut Jura.

Route des Lacs – Itinéraire touristique (150 km environ) permettant de découvrir une vingtaine de lacs, une dizaine de cascades et une multitude de belvédères et d'observer les savoir-faire artisanaux de la région (travail du bois, fabrication du comté, etc.). Se rens. auprès des offices de tourisme.

Fontenu, lac de Chalain.
H. Lenain/hemis.fr

Cascades du Hérisson

Jura (39)

Né à 805 m d'altitude, le Hérisson est un cours d'eau souvent tumultueux qui commence son parcours de manière éblouissante. Il s'enfonce rapidement dans le plateau de Doucier en descendant de 255 m sur 3 km. Dans ses célèbres gorges, il ne fait pas un saut direct, mais offre de multiples rebonds et forme l'un des plus beaux ensembles de chutes du massif jurassien… Spectacle particulièrement grandiose en période humide.

NOS ADRESSES PAGE 331
Hébergement, restauration, achats, activités, etc.

S'INFORMER
Office du tourisme du pays des Lacs et Petite Montagne –
36 Grande-Rue - 39130 Clairvaux-les-Lacs - ℰ 03 84 25 27 47 - www.juralacs.com - juil.-août : 9h30-18h30, dim. et j. fériés 9h-13h ; avr.-juin : tlj sf dim. 9h-12h, 14h-18h, j. fériés 9h-13h ; sept. : tlj sf dim. 9h-12h, 14h-18h, sam. 9h-12h ; reste de l'année : se rens. - fermé 1er janv., lun. de Pâques, 1er et 11 Nov., 25 déc. - 2e bureau 1 bis pl. du Col.-Varroz - 39270 Orgelet - ℰ 09 70 71 77 05 - juil.-août : 9h-12h30, 14h30-19h, dim. 10h-12h30 ; 7 avr.-30 juin, sept. et vac. scol. (hors juil.-août) : se rens.

SE REPÉRER
Carte de microrégion C2 (p. 268).
À partir de Lons-le-Saunier, empruntez vers l'est la D 471 puis la D 39 pour rallier Doucier (26 km), puis Ilay et les cascades.

À NE PAS MANQUER
La cascade de l'éventail ; les eaux bleutées du Gour Bleu ; la traversée de la cascade du Grand Saut.

ORGANISER SON TEMPS
Privilégiez l'automne pour un débit maximal des cascades. Pour les photos, le Hérisson coulant d'est en ouest, l'après-midi sera plus favorable.

AVEC LES ENFANTS
Le parc animalier du Hérisson de Menétrux-en-Joux, la Maison des cascades.

Randonnées Carte des cascades p. 330

Parcours de 7,4 km AR tracé en violet sur la carte des Cascades – Comptez 3h AR de la Maison des cascades au saut Girard. Le sentier ne fait pas une boucle et vous devrez revenir sur vos pas. De la Maison des cascades au pied de l'Éventail, des chaussures de ville peuvent suffire, sinon prévoyez impérativement de bonnes chaussures. Dénivelé 255 m.

Plusieurs points de départ s'offrent aux visiteurs. Le sentier des cascades suit les gorges, presque toujours sous bois. Il est parfois très escarpé mais sécurisé.

AU DÉPART DE DOUCIER

Depuis Doucier, parcourez 8 km vers le sud-est par la D 326.

Lac de Chambly et lac du Val
La route (D 326), qui remonte la vallée du Hérisson en aval des cascades, offre sur ces deux lacs de belles échappées à travers la végétation. Le fond de la

Cascade du Hérisson.
GFC Collection/age fotostock

vallée est plat et verdoyant, les versants abrupts et boisés. Le cours d'eau, après avoir traversé les lacs du Val et de Chambly, va se jeter dans l'Ain.

Poursuivez la D 326 jusqu'au parking et garez votre voiture. Le parking aménagé à proximité de la cascade de l'Éventail est payant (7 €) - de mi-juin à fin sept. : tlj ; de déb. avr. à mi-juin : w.-end et j. fériés - fermé Vend. saint, 1er et 11 Nov., 25-26 déc. - billet donnant accès à la Maison des cascades.

👥 Maison des cascades

Accès unique par Doucier (D326). Val-Dessus - ☎ 03 84 25 77 36 - www.cascades-du-herisson.fr - ♿ - 16 juin-9 sept. : 10h30-19h ; de mi-avr. à mi-juin et 10-30 sept. : tlj sf mar. 11h-17h30, w.-end 10h30-18h - possibilité de visite guidée sur demande - 2,50 € (-12 ans 2 €) - entrée gratuite à la Maison des cascades avec le ticket de parking - 8 € billet famille (2 adultes + 2 enf.) - parking (4/10 €), chasse au trésor enf. (1 €).

Après la projection d'un documentaire *(20mn)* sur le patrimoine artisanal de la vallée et la richesse de ses paysages, un parcours ludique, composé de maquettes, d'une fresque des cascades en relief et de panneaux, explique l'histoire et la formation géologique de ces chutes d'eau et présente la faune et la flore de la région. Les cascades du Hérisson livrent là une partie de leurs secrets.

5

LA MEILLEURE SAISON

C'est à l'automne, après une forte période de pluie, que le spectacle prend toute son ampleur. La vue des masses liquides se précipitant, soit en jet rectiligne puissant, soit en larges rideaux, vaut bien le petit désagrément de se promener en imperméable et de déraper un peu sur la terre mouillée. Après une longue période de beau temps, la rivière, dépourvue d'affluents en raison de la proximité de sa source, peut être presque à sec. Si les chutes perdent une grande partie de leur attrait, le lit du torrent, surtout entre le Gour Bleu et le Grand Saut, présente des affouillements intéressants : dallages naturels, marmites de géants, étagements de cavernes.

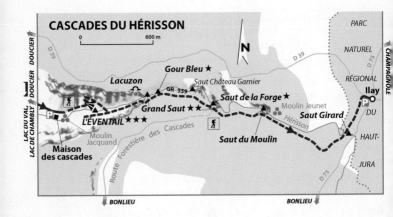

★★★ Cascade de l'Éventail

Après avoir parcouru 200 m, on parvient à son pied. C'est de là que l'on a la meilleure vue : l'eau tombe par rebonds successifs, d'une hauteur de 65 m, formant ainsi une grandiose et frémissante forteresse. Le sentier s'élève ensuite jusqu'au sommet de l'Éventail par une pente très raide. Franchissez le Hérisson sur la passerelle Sarrazine, et suivez à droite le sentier jusqu'au belvédère : vue sur la vallée du Hérisson et la cascade.
Regagnez le haut de la cascade et poursuivez sur le sentier.

Grotte Lacuzon

La grotte Lacuzon n'est plus accessible au public du fait d'éboulements. De nombreuses grottes de la province ont été utilisées comme refuges pendant les conflits qui se sont succédé au 17e s. Celle située près du Grand Saut abrita plusieurs années les archives des chartreux de Bonlieu. Elle aurait aussi servi de repaire au héros de l'indépendance comtoise **Lacuzon** (p. 321). C'est la vision très romancée qu'en donnent certains écrivains.

★★ Cascade du Grand Saut

C'est du pied du Grand Saut que l'on a la meilleure vue sur cette cascade. L'eau tombe d'un seul bond, d'une hauteur de 60 m. S'il était auparavant possible de traverser la cascade derrière la chute, il vous faudra désormais résister à la tentation pour raisons de sécurité.
Le sentier en corniche, souvent en forte montée, comportant des passages très étroits munis de mains courantes, conduit ensuite à la cascade du Gour Bleu.

★ Gour Bleu

Au pied d'une petite cascade, dite du Gour Bleu, s'étend une belle vasque *(gour)* dont les eaux présentent une transparence bleutée.
On gagne ensuite le **saut Château Garnier**, puis le saut de la Forge.

★ Saut de la Forge

L'eau se précipitant du haut d'une paroi rocheuse cintrée et en surplomb constitue un très joli spectacle. La chute alimenta réellement le moulin d'une forge pendant des siècles, si bien que le lit de la rivière est encore parsemé de scories noires, déchets de l'extraction du fer. *Buvette à proximité du saut.*

Saut du Moulin et saut Girard

🐾 *L'AR au départ du saut de la Forge prend 1h.*

Le chemin, tantôt sous bois, tantôt à travers prés, mène au saut du Moulin, près des ruines du moulin Jeunet, et au saut Girard, haut d'une vingtaine de mètres. L'histoire raconte que l'abbé Girard, un chartreux désespéré par sa communauté, aurait sauté dans le vide et aurait donné son nom au saut. *Au pied du saut Girard (buvette à proximité), le chemin franchit le Hérisson et gagne le carrefour d'Ilay à proximité de l'Auberge du Hérisson.*

AUTRES POINTS DE DÉPART

Ilay (♿ p. 322)

Laissez votre voiture à hauteur de l'Auberge du Hérisson. Suivez le même itinéraire en sens inverse, et en commençant par la descente.

Bonlieu

▶ *2 km par une route forestière. Prenez, à l'est de l'église de Bonlieu, la route signalée qui offre à gauche une belle vue sur le cours inférieur du Hérisson. Laissez votre voiture près d'une buvette à hauteur du saut de la Forge et gagnez le pied de la cascade de l'Éventail.*

À proximité Carte de microrégion p. 268

Parc animalier du Hérisson C2

▶ *Val Dessous, à Ménétrux-en-Joux.* 🔗 *03 84 25 72 95 - www.parc-heria.com - avr.-oct. : 10h-18h ; vac. de fév. et vac. de Noël : 13h30-16h30 ; reste de l'année : w.-end, merc. et j. fériés 13h30-16h30 - 8 € (-12 ans 6,90 €) - tte l'année nourrissage des animaux de la mini-ferme (paniers en vente à l'accueil). Juil.-août, vac. de Pâques et vac. de la Toussaint : possibilité de restauration sur place avec les produits de la ferme.*

👥 Dans la belle vallée du Hérisson, ce parcours de 2 km est jalonné de rencontres avec des pensionnaires plutôt rares dans nos contrées : aurochs, bisons et autres bovidés primitifs. L'élevage des dalmatiens et la miniferme sont très appréciés des enfants, qui peuvent caresser les animaux, assister à leur nourrissage et voir des démonstrations d'obéissance rythmée.

😊 NOS ADRESSES PRÈS DES CASCADES

5

HÉBERGEMENT

PREMIER PRIX

Auberge du Hérisson – 5 rte des Lacs - 39150 Chaux du Dombief - 🔗 03 84 25 58 18 - www.herisson. com - 🅿 ♿ 🛜 - fermé oct.-mi-fév. - 16 ch. 63/70 € - 🍽 10 € - 1/2 P. ou P. complète possible - 🍴 21,90/49 €. Auberge située au pied du sentier qui mène aux cascades du Hérisson. Chambres pratiques et toutes simples. À table, cuisine du Jura (coq au vin jaune).

Chambre d'hôte et Restaurant L'Éolienne – 39130 Le Frasnois - Hameau de La Fromagerie (à 1 km au N d'Ilay par la D 39) - 🔗 03 84 25 50 60 - www.eolienne. net - 🅿 - fermé mi nov.-mi déc. - 5 ch. 59/66 € 🍽 - 🍴 22 €. En pleine nature, à deux pas du saut Girard, chambres tout confort dans un coquet chalet de bois. Repas de carnivore ou végétarien et spécialités jurassiennes. Relais équestre. Parcours et exposition botaniques.

Gigny

286 Gignissois – Jura (39)

Dans la verdoyante vallée du Suran, Gigny occupe un site d'habitat très ancien, révélé par d'importantes découvertes archéologiques. Érigée au 9ᵉ s. par l'abbé Bernon, l'un des fondateurs de Cluny, l'abbaye bénédictine de Gigny a aujourd'hui disparu, mais l'église abbatiale, bien grande pour un si petit village, témoigne encore de ce riche passé religieux.

😊 NOS ADRESSES PAGE CI-CONTRE
Hébergement, restauration, achats, activités, etc.

🛈 S'INFORMER

Office du tourisme de St-Amour – *17 pl. d'Armes - 39160 St-Amour - 📞 03 84 48 76 69 - www.tourisme-paysdesaintamour.com - juil.-août : 9h-12h, 14h-18h, sam. 8h30-12h30, dim. et j. fériés 9h-13h ; avr.-juin et sept. : tlj sf dim. 10h-12h, 14h-17h, sam. 8h30-12h30 ; reste de l'année : tlj sf dim.-lun. 10h-12h, 14h-17h, sam. 8h30-12h30 - fermé 1ᵉʳ janv., 1ᵉʳ Mai, 1ᵉʳ et 11 Nov., 25 déc.*

⊳ SE REPÉRER

Carte de microrégion B3 (p. 268). Gigny se trouve à 29 km au sud de Lons-le-Saunier, par la D 117.

🏛 À NE PAS MANQUER

L'impressionnante église abbatiale romane ; la cité fortifiée de St-Amour ; le château de Chevreaux et sa vue sur la plaine de Bresse.

🕐 ORGANISER SON TEMPS

Gigny et son église se visitent en 1h, mais comptez une journée pour découvrir St-Amour et le château de Chevreaux.

Visiter

Église abbatiale

9h-20h - possibilité de visite guidée, se rens. auprès de la mairie au 📞 03 84 85 42 37.

L'abbatiale fut construite de 886 à 893 par l'abbé Bernon, de Baume-les-Messieurs. C'est ce même abbé qui, en 910, participa avec douze moines à la création de l'abbaye de Cluny. Plusieurs fois remaniée, l'église de Gigny, n'en demeure pas moins d'un grand intérêt. Elle a été entièrement rénovée en 2015, Sur la croisée du transept s'élève le clocher octogonal du 17ᵉ s., surmonté d'un toit au galbe élégant ; deux de ses côtés ont conservé de l'époque romane leur double arcature aveugle. L'intérieur, aux dimensions imposantes, est sobre et dépouillé. La nef est séparée des bas-côtés par des piliers circulaires à chapiteaux cubiques. Dans le chœur, les grandes arcades et les piliers octogonaux très massifs datent probablement du 10ᵉ s. Sur l'ancien maître-autel a été déposée une châsse de saint Taurin, patron de la paroisse. Le bas-côté gauche conserve des dalles funéraires du 16ᵉ s.

À proximité Carte de microrégion p. 268

St-Amour A3

⊙ *15 km à l'ouest.*

Frontière entre trois départements, cette petite ville était fortifiée, comme en témoigne encore la fameuse **tour Guillaume** (13ᵉ-16ᵉ s.). Quelques

---

LA GROTTE DE LA BAUME

Cette grotte naturelle d'une falaise affouillée par le Suran, située sur la commune de Nesle-et-Massoult, fut fréquentée par les hommes du paléolithique. Elle a révélé le plus ancien témoignage d'activité humaine dans le Jura : un **biface** datant de quelque 145 000 ans… Les vestiges abandonnés sur place (silex, os de renne, pollens, restes d'animaux divers) ont fourni de précieux renseignements sur le mode de vie de l'homme préhistorique.

---

monuments, dont la fontaine des Dauphins, illustrent la prospérité de la ville à partir du 16ᵉ s. L'apothicairerie de l'hôpital (4 allée des Capucins), occupant l'ancien réfectoire des moines du couvent des Capucins, est classée monument historique *(3,50 € (-16 ans 1 €) - visite guidée sur demande à l'office de tourisme (1h) juil.-août : tlj sf sam.-lun. 10h30..*
En quittant St-Amour à l'est par la D 3 vers St-Julien, la route grimpe sur les derniers contreforts du Revermont et vous dévoile de belles vues sur la Bresse.

Château de Chevreaux B3

▶ *15 km au nord-ouest par la D 51 et Cuiseaux. 11 r. du Château - ℘ 09 50 35 95 77 - www.chateaudechevreaux.com - horaires, se rens. - possibilité de visite guidée sur demande (1h30) - accès libre au château tte l'année, sf intérieur.*
Encore masquées par une végétation envahissante dans les années 1990, les belles ruines de ce château retrouvent leur fierté grâce à des équipes de jeunes bénévoles du monde entier qui viennent le restaurer. On y jouit d'une **vue★** panoramique sur la plaine de la Bresse. Les anciennes écuries et la tour de la Prison abritent des expositions temporaires.

😊 NOS ADRESSES PRÈS DE GIGNY

♿ *Voir aussi nos adresses près de l'église de St-Hymetière.*

HÉBERGEMENT ET RESTAURATION

BUDGET MOYEN

Hôtel-restaurant du Commerce – *7 pl. de la Chevalerie - 39160 St-Amour - ℘ 03 84 48 73 05 - www.hotelducommerce-stamourjura.fr - 🅿 ♿ 🛜 - fermé 15 déc.-31 janv., dim. soir et lun. - 10 ch. 79/85 € - ⬜ 11 € - 23/56 €.*
Cet hôtel fait figure d'institution à St-Amour. Le hall cossu ouvre sur une vraie table gastronomique. Chambres réparties sur 2 niveaux.
Philippe Bouvard – *1 Grande-Rue - 39160 Balanod - ℘ 03 84 48 73 65 - http://restaurantphilippebouvard.eatbu.*
com - fermé dim. soir, mar. soir, merc. soir et lun. - formule midi en sem. 14 € - menu 29/69 €. Une petite auberge chaleureuse et conviviale, portée par le chef Philippe Bouvard, passionné et généreux, qui… n'a pas la grosse tête ! Parmi ses spécialités, le soufflé au comté, mais il cherche à donner au terroir des accents de nouveauté. Une adresse où l'on se sent bien.

AGENDA

Festival De bouche à oreille – *2ᵉ quinz. de juillet - ℘ 03 84 85 47 91 - www.festival-jura.com.* Ce festival itinérant dans les villages de la Petite Montagne change de lieu chaque soir, proposant soirées gastronomiques, concerts, spectacles, lectures de contes, etc.

5

Église de Saint-Hymetière

Jura (39)

Ce joyau de l'art roman dresse son harmonieuse silhouette, miraculeusement intacte, sur les bords du Revermont. Un peu à l'écart du village de St-Hymetière, elle veille imperturbablement sur la campagne jurassienne depuis le 11ᵉ s.

☺ NOS ADRESSES PAGE CI-CONTRE
Hébergement, restauration, achats, activités, etc.

🗊 S'INFORMER
Bureau Communauté de communes Petite Montagne - *15 r. des Tilleuls - 39240 Arinthod - 𝄞 03 84 48 04 78 - www. petitemontagne.fr - 8h30-12h, 13h30-17h30 - fermé w.-end et j. fériés.*

▶ SE REPÉRER
Carte de microrégion B3 (p. 268). De Lons-le-Saunier au nord, prendre

la D 52 vers le sud et Orgelet, puis la D 109 qui mène à ce petit village désolidarisé de son église.

☺ À NE PAS MANQUER
L'église de St-Hymetière.

👤👤 AVEC LES ENFANTS
Le moulin de Pont-des-Vents et ses délicieux sablés et tartes.

Visiter

★ Église
Pl. de la Fontaine - 𝄞 03 84 48 00 67 - 9h-18h - gratuit.
Véritable miraculée, l'église de St-Hymetière (11ᵉ s.) est l'une des rares églises romanes de la région parvenues intactes jusqu'à nous, tant les conflits y ont été dévastateurs. Comment rester insensible à son harmonieux clocher octogonal, à son porche dallé de pierres tombales anciennes, à ses flancs épaulés de contreforts massifs, percés d'étroites fenêtres archaïques et ornés de hautes bandes lombardes ? À l'intérieur, le chœur en cul-de-four et le bas-côté droit évoquent l'édifice primitif, alors que la voûte principale et le bas-côté gauche font apparaître les reprises de maçonnerie effectuées au 17ᵉ s. (♿ *ABC d'architecture p. 468*).

À proximité Carte de microrégion p. 268

La Carbone du bœuf B3
▶ *Suivez la direction du sentier de la Caborne jusqu'au parking (1 km de l'église).*
🥾 *1,5 km, 1h AR par un sentier escarpé.* Celui-ci vous mène à travers les gorges de la Valouse vers des points de vue, deux cascades et un gouffre. La Carbone du bœuf est le plus grand porche de grotte du Jura (20 m de haut) ; à l'intérieur, la « salle du Bœuf » est éclairée mais les 176 m de réseau souterrain qui prolongent la grotte ne sont accessibles qu'aux spéléologues.

Arinthod B3

◗ *4 km au nord par la D 109.*

Le village est situé dans une plaine fertile entre deux chaînons parallèles du Revermont. La place principale s'orne d'une fontaine de 1750 ; elle est bordée de maisons à arcades épaulées par de robustes contreforts. *Un circuit avec des panneaux fait le tour du bourg. Départ au parking de la mairie (45mn).*

Église – Elle s'ouvre par un grand clocher-porche desservi par un seuil surélevé ; à la retombée de ses arcs d'ogive, on peut reconnaître les symboles des quatre évangélistes. La nef est intéressante par son long berceau brisé dans lequel des fenêtres ont été ouvertes au 17ᵉ s. Remarquez la chaire (17ᵉ s.) et le grand crucifix suspendu à la première travée du chœur, œuvre de Rosset (18ᵉ s.).

Montfleur B3

◗ *16 km au sud-ouest.*

Écomusée vivant du moulin de Pont-des-Vents – *R. du Moulin -* ☎ *06 06 40 79 29 - http://moulin.ecomusee.jura.free.fr - & - juil.-août : tlj sf lun. 15h-19h ; avr.-juin et sept.-oct. : merc. et vend. 15h-19h ; reste de l'année : se rens. - fermé dim. (sf 3ᵉ du mois avr.-oct.), 25 déc.-28 fév., certains j. fériés - possibilité de visite guidée (45mn) - 4,50 € (-12 ans gratuit).*

Ce moulin à turbines du 19ᵉ s., alimenté par les eaux du Suran, reste en activité malgré le départ du dernier meunier en 1975. Des démonstrations et une production de farine de blé et de maïs (gaudes) perpétuent des savoir-faire aujourd'hui méconnus : avec la farine produite sont fabriqués sur place des pains, de savoureux sablés et des tartes. À l'étage, explications sur le rôle du moulin, l'histoire du pain, les céréales et la restauration du site.

☻ NOS ADRESSES PRÈS DE SAINT-HYMETIÈRE

RESTAURATION ET HÉBERGEMENT

BUDGET MOYEN

Le Clocher – *73 r. de la Cotette - 39320 St-Julien -* ☎ *03 84 85 44 79 - www.chambres-charme-jura. com -* 🅿 & *- 5 ch. 85 € -* ☕ *-* ✗ *table d'hôte s/réserv. - 25 € (-10 ans 10 €).* Bâtie au pied du village, cette maison bourgeoise de 1860 abrite des chambres soignées et spacieuses. À la saison chaude, le dîner est servi sur la belle terrasse avec vue sur la vallée du Suran. En hiver, plats mijotés maison (velouté d'oignon au comté fruité, terrine de campagne, lapin à la moutarde, poulet au vin du Jura…).

ACHATS

Coopérative-fromagerie de St-Julien – *Rte de Lons - à 1,8 km au N de St-Julien par la D 117 -* ☎ *03 84 85 42 61 - www. boutiqueducomte.com - 8h45-12h15, vend. et sam. 14h30-18h30.* Vente de quatre comtés différents, affinés sur place. Fromage blanc, crème, etc.

5

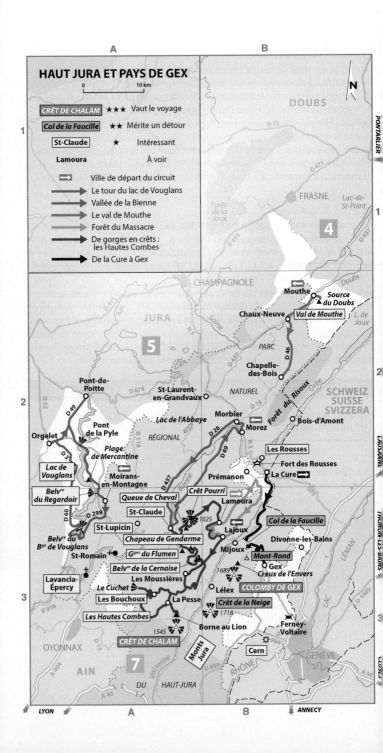

Haut Jura et pays de Gex 6

Cartes Michelin Départements 321 et 328 – Ain (01), Doubs (25), Jura (39)

Lac de Vouglans

Jura (39)

Un village englouti ! Ce terrible scénario a fait couler presque autant d'encre que d'eau ! Les années et les rancœurs ont passé, et les eaux couleur émeraude d'un des plus grands lacs artificiels de France (35 km de long) font aujourd'hui la joie des vacanciers et des sportifs.

NOS ADRESSES PAGE 342
Hébergement, restauration, achats, activités, etc.

⊞ S'INFORMER

Office du tourisme de Jura Sud –
3 bis r. du Murgin - 39260 Moirans-en-Montagne - ☏ 03 84 42 31 57 - www.jurasud.net - juil.-août : 9h-12h, 14h-18h, sam. 9h30-12h30, 14h-18h, dim. 9h30-12h30 ; vac. scol. (hors juil.-août) : tlj sf dim. et j. fériés 9h-12h, 14h-18h, sam. 9h30-12h30, 14h-18h ; reste de l'année : tlj sf w.-end et j. fériés 9h-12h, 14h-18h.

▶ SE REPÉRER

Carte de microrégion A2-3 (p. 336). Porte d'entrée du site, Pont-de-Poitte se situe à 17 km au sud-est de Lons-le-Saunier, par la D 678.

✪ À NE PAS MANQUER

Un site somptueux où pratiquer toutes sortes d'activités.

⊙ ORGANISER SON TEMPS

Une journée pour découvrir le lac, ou plus si affinités !

⊕⊕ AVEC LES ENFANTS

Le musée du Jouet de Moirans-en-Montagne, les plages surveillées du lac, où ils pourront s'ébattre en toute sécurité, le festival Idéklic à la mi-juillet.

Circuit conseillé Carte du lac de Vouglans p. 341

★ LE TOUR DU LAC DE VOUGLANS

▶ *Circuit de 65 km tracé en rouge sur la carte du lac et sur la carte de microrégion – Comptez une journée (2h sans les visites).*
Les gorges de l'Ain sont noyées sur 35 km par la retenue du barrage de Vouglans. Nous recommandons de les parcourir en fin d'après-midi. Aucune route ne suit le lac sur sa totalité, mais le parcours proposé ci-dessous s'en rapproche souvent et offre de superbes points de vue.

Moirans-en-Montagne

Blottie dans une combe boisée, ce centre d'artisanat et de fabrication de jouets abrite l'église St-Nicolas du 15e s., en partie remaniée au 19e s., et qui abrite une Pietà en bois du 17e s.

★ **Musée du Jouet** – *5 r. du Murgin - ☏ 03 84 42 38 64 - www.musee-du-jouet.com - ♿ - juil.-août : 10h-19h ; reste de l'année : tlj sf mar. (hors vac. scol.) 10h-12h30, 14h-18h30, w.-end 14h-18h30 - fermé 1er janv., 1er nov., 25 déc. - possibilité de visite guidée (30mn) - 7,50 € (-18 ans 5,50 €) - 21 € billet famille (2 adultes + 2 enf.) - 7,50 € ateliers enf. (inclus dans la visite guidée thématique des expositions) - audioguide disponible.*

Musée du jouet, à Moirans-en-Montagne.
Musée du jouet

Bon à savoir – *Des visites suivies d'ateliers (7,50 €, -18 ans 5,50 € - réserv. obligatoire) sont proposées aux vac. scol. pour les enf. et leur famille.*

Clin d'œil aux couleurs vives des jouets en bois produits dans le Jura, les bâtiments du musée ressemblent à de gros Lego rutilants. Autour du bâtiment principal, une **aire de jeux** de plein air bien fournie (toboggan, balançoires, jeux à ressort, agrès…) invite à entrer dans l'univers ludique, que soulignent des fresques au trait fluide et léger de l'artiste-illustratrice Françoise Petrovitch. À l'intérieur, un parcours en six temps (« De tout temps et en tous lieux », « Dedans », « Dehors », « De l'idée au jouet », « Les fabriques de l'imaginaire », « Les mondes virtuels ») passe en revue toutes les facettes du jeu à travers les siècles. L'exposition permanente, très riche, puise dans la vaste collection du musée (l'une des plus importantes en Europe) et présente **3 000 jouets d'hier et d'aujourd'hui**, créant une atmosphère propice à l'évocation des souvenirs et aux échanges entre générations. Enfin, le musée est aussi une vitrine de l'**industrie jurassienne du jouet**, ce que rappelle le quatrième temps de l'exposition, consacré au travail du bois dans le Jura et aux inventions qui s'ensuivirent ; dans la boutique, on trouvera une large sélection de jouets fabriqués dans la région.
Prenez la D 470 vers le sud.

6

Villards-d'Héria

Sur la gauche, une petite route en forte pente conduit aux fouilles.

Site archéologique – *Rte du Pont-des-Arches - ℰ 03 84 42 31 57 - www.jurasud.net - fermé jusqu'en 2020.* Ce site gallo-romain est un ancien lieu de culte composé de deux temples et d'importantes installations balnéaires. Il fut sans doute un lieu de pèlerinage pour les Séquanes qui habitaient la région au 1er s.

Des hauts de Villards-d'Héria, on découvre le lac d'Antre *(privé)*, enchâssé dans les épicéas au pied d'une immense falaise. Ce cadre sauvage et mystérieux inspira nombre de légendes, dont celle d'un village englouti : la fameuse **cité d'Antre**.

Au rond-point, prenez la direction du barrage de Vouglans (D 289, puis D 299).

Belvédère du barrage de Vouglans

2 km à partir de la D 299. Plate-forme et abri.

Vue sur le barrage et l'usine d'EDF.

À Menouille, tournez à droite dans la D 60, qui passe à hauteur de la crête du barrage.

Barrage de Vouglans

Ce barrage sur l'Ain fut mis en service en 1968. Il s'agit d'un ouvrage de type « voûte mince » (6 m d'épaisseur à la crête pour un développement de 420 m), de 103 m de hauteur. Il forme la troisième retenue de France (après celles de Serre-Ponçon et de Ste-Croix), soit un lac long de 35 km, représentant 600 millions de m³ d'eau (*ABC d'architecture p. 473*).

Continuez sur la D 60 vers le nord.

Au-delà de Cernon, peu avant l'intersection avec la D 3, on domine l'un des plus beaux méandres de la vallée engloutie : **vue★★** sur une presqu'île boisée s'avançant jusqu'au milieu du lac dans un décor sauvage *(parking à droite de la route)*. Un peu plus loin sur la droite, la forêt de Vaucluse porte le nom de la chartreuse qui fut engloutie lors de la mise en eau de la retenue. En remontant vers Orgelet, on passe à proximité de la **base nautique de Bellecin**, où l'on peut, à la belle saison, se délasser par une séance de bronzage ou de natation sur la plage aménagée.

Barrage de Saut-Mortier

Visites guidées à partir de 12 ans (2h, 10 €/pers.) et « pic-nics électriques » en été sur réserv. - www.edf.fr - prévoir chaussures plates et fermées.

À l'aval immédiat du barrage de Vouglans, la centrale hydroélectrique de Saut-Mortier a également été mise en service en 1968. Elle est équipée de 2 turbines Kaplan d'une puissance maximum de 44 MW.

À l'embranchement avec la D 3, tournez sur la gauche vers Orgelet.

La route s'élève et l'horizon s'étire jusqu'aux crêtes boisées du haut Jura.

Orgelet

Ville natale de **Cadet Roussel**, qui y naquit en 1743, cette petite ville possède une **église** qui vous surprendra par la hauteur de sa voûte gothique et l'ampleur de ses tribunes. Celles-ci surmontent la travée ouest portant l'orgue et

---

LA FORCE DE L'AIN

Contrairement à sa voisine de naissance – il n'y a que 15 km entre sa source et celle du Doubs –, l'Ain ne musarde pas et se fraye de force un chemin dans le difficile relief jurassien. Ses eaux tombent en cascade, bouillonnent sur des rapides ou se faufilent parmi les éboulis de rochers jusqu'à ce que l'homme, intéressé par une telle force, la jalonne d'usines hydroélectriques et de retenues qui domptent et canalisent son cours impétueux.

Gorges de l'Ain – Après la cluse de la Pyle, la rivière pénètre dans des gorges qui, enserrant désormais les bassins créés par un escalier de barrages, se prolongent jusqu'à sa sortie du Jura. Avant sa confluence avec la Bienne, l'Ain entaille le plateau du haut Jura ; après, il attaque la montagne bugésienne. À Neuville-sur-Ain, le Revermont, rebord du massif jurassien, est franchi : la rivière développe désormais dans la plaine son cours sinueux et coule parallèlement au Rhône avant de lui apporter son tribut.

les premiers bas-côtés de part et d'autre de la nef (𝄞 03 84 25 27 47 - juil.-août : se rens. auprès de l'office du tourisme de Clairvaux-les-Lacs - possibilité de visite guidée (1h)).

On y découvre aussi un **pavement coloré** de la fin du 13ᵉ s. Il est issu des ruines du château, récemment dégagé, qui dominait la ville. De là, belle **vue** sur Orgelet.

Gagnez Pont-de-Poitte par la D 470, puis la D 49.

Pont-de-Poitte

Du pont, vue sur le lit de l'Ain. Aux basses eaux, les « marmites de géants » sont très apparentes. En hautes eaux, le seuil rocheux disparaît sous l'écume.

Quittez Pont-de-Poitte par la D 49 vers le sud. Après 6 km, prenez à gauche la D 60, puis tournez encore à gauche en direction de St-Christophe.

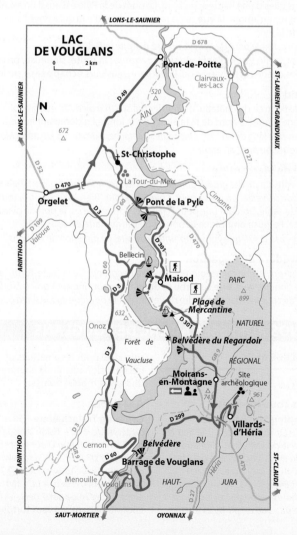

6

St-Christophe

Village adossé à une falaise que dominent les pans de mur d'un château et l'**église St-Christophe** – *Visite sur demande, se rens. auprès de la mairie au* ℘ 03 84 25 44 27. Étape de pèlerinage, édifiée au 12ᵉ et au 15ᵉ s., elle possède d'intéressantes œuvres et statues en bois : saint Christophe (15ᵉ s.) d'inspiration germanique ; dans la chapelle latérale, Christ en albâtre, fragment d'un retable en bois (16ᵉ s.) et Vierge à l'Enfant de l'école bourguignonne du 15ᵉ s.
Descendez au bourg de La Tour-du-Meix et prenez à gauche la D 470.

Pont de la Pyle

Cet ouvrage en béton, exceptionnel par ses dimensions (351 m de long et 9 m de large) et son élégance, fut construit en 1968 à l'occasion de la mise en eau de l'immense retenue de Vouglans. Les eaux du lac masquent en partie ses trois piles d'une hauteur de 74 m. Le pont de la Pyle est aussi un excellent belvédère : en amont, la **vue** se dégage sur le bras d'eau qui a noyé l'ancienne cluse de la Pyle.
À 200 m après le pont de la Pyle, prenez à droite la D 301.

Aussitôt, belle **vue★** d'enfilade sur la retenue ; la route, sinueuse, procure, entre les chênes et les sapins qui la bordent, plusieurs **échappées★** sur le lac.

Maisod

🚶 De l'entrée du château, un sentier balisé *(1h à pied AR)* et agréablement ombragé mène au bord de la falaise, puis la longe en dominant le lac.
Poursuivez le long de la D 301. Une route se détache, à droite, 1,5 km après Maisod. Elle aboutit au bord du lac.

Plage de Mercantine

Garez-vous sur un des grands parkings, puis longez le lac par la gauche sur 50 m. Baignade surveillée en juillet-août. Chiens interdits. Bien à l'écart de la route, la plage de sable, bordant une petite clairière, donne vue sur le port de plaisance à droite. Pelouse ombragée et boucle de promenade en sous-bois.
Rejoignez la D 470 que vous empruntez à droite, en direction de Moirans.

★ Belvédère du Regardoir

Du rond-point, une route vous emmène au Regardoir. De la plate-forme aménagée *(longue-vue)*, **vue** superbe et dominante sur une section en croissant du lac de retenue, dans un cadre de verdure. *Aire de pique-nique sur la gauche.*

😊 NOS ADRESSES AU LAC DE VOUGLANS

HÉBERGEMENT

PREMIER PRIX

À La Tour-du-Meix
Camping Surchauffant – *39270 La Tour-du-Meix - Au lieu-dit Le Pont-de-la-Pyle (à 1 km au SE par la D 470 et chemin à gauche, à 150 m du lac - accès direct) -* ℘ 03 84 25 41 08 - www.camping-surchauffant.fr - ♿ - *de fin avr. à mi-sept.* - 200 empl. 12/25 € selon

sais. Idéal pour les amateurs de pêche, baignade ou ski nautique. Chalets et mobile homes.

À Maisod
Camping Trelachaume – *50 rte du Mont-du-Cerf - 39260 Maisod - à 2,2 km au S par la D 301 et rte à droite -* ℘ 03 84 42 03 26 - www.camping-trelachaume.com - 🏊 ♿ - *de mi-avr. à déb. sept.* - 180 empl. 13,50/24 € pour 2 pers. Endroit plaisant qui vaut surtout

pour la vue sur le lac de Vouglans, les montagnes et les forêts environnantes. Chalets, mobile homes et roulottes loués à la semaine. Voile, volley.

À Présilly

Chambre d'hôte La Baratte – *39270 Présilly - à 5 km au N d'Orgelet par la D 52 puis D 175 - ℘ 03 84 35 55 18 - www.labaratte. fr -* ⌧ **P** *- avr.-oct. - 4 ch. 73 € ⌖.* Chambres confortables dans une ferme rénovée.

RESTAURATION

BUDGET MOYEN

À Moirans-en-Montagne

Le Regardoir – *45 av. de Franche-Comté - 39260 Moirans-en-Montagne - ℘ 03 84 42 01 15 - www.leregardoir.com -* **P** *- fermé 20 déc. -20 janv., lun. midi, vend. et sam. hors sais. - 23/33 €.* Repas traditionnel ou pizza… à 168 m au-dessus du lac, vous ne vous lasserez pas d'admirer ses eaux turquoise.

ACTIVITÉS

👥 **Baignade** – En juillet et août, les plages de Pont de la Pyle, Bellecin et la Mercantine sont surveillées.

Centre sportif de Bellecin – *39270 Orgelet - ℘ 03 84 25 41 37 - www.bellecin.com - du 7 juil. au 31 août.* Point location de catamaran, kayak, paddle et voilier.

Base de loisirs du Surchauffant – *Pont de la Pyle - 39270 La Tour-du-Meix - Surchauffant - ℘ 03 84 25 46 78 - www.bateaux-croisieres.com - avr.,*

mai, juin et sept. : sam. et dim. 15h, autres jours sur réserv. ; juil.-août : tlj 14h45, 16h30 - 11,90 € (enf. 6,90 €). Croisières sur le lac.

Canoë-Kayak Pontois – *2 r. de la Gare - 39130 Pont-de-Poitte - ℘ 03 84 48 34 33 - mai-sept. sur réserv. - 12/18 €.* Sorties en canoë-kayak au départ de Pont-de-Poitte.

Canoë-Kayak Pontois – *Chalet du foyer rural du val de l'Ain - 39130 Pont-de-Poitte - ℘ 06 79 45 83 31 - juil.-août - 12/18 €.* Descentes en canoës ou kayaks sur la rivière d'Ain de 5 à 20 km. Horaires de départ fixes ou adaptables : 9h, 10h30, 11h30, 14h et 15h30.

Tour du lac en VTT – *www.jura-tourism.com.* Parcours de 80 km autour du lac, de Pont-de-Poitte au village de Vouglans. L'itinéraire passe la plupart du temps en sous-bois.

AGENDA

👥 **Festival Idéklic** – *4 j. mi-juil. - Moirans-en-Montagne - ℘ 03 84 42 00 28 - www.ideklic.fr.* Une grande fête des enfants qui propose ateliers et spectacles.

Triathlon international du Jura – *Fin août au lac de Vouglans - www.triathlon-jura-vouglans.fr.* Au choix, course de longue distance (plus de 100 km dont 1 900 m à la nage) et/ou course sprint (environ 35 km) avec 300 participants.

👥 **Noël au pays du jouet** – *W.-end av. Noël - Moirans-en-Montagne - ℘ 03 84 42 31 57.* Une fête exceptionnelle avec de grandes compagnies de spectacle de rue. Marché de Noël.

Saint-Claude

9 732 Sanclaudiens – Jura (39)

St-Claude est avant tout un site magnifique au confluent de la Bienne et du Tacon. Sa très célèbre abbaye connut une période de croissance du 11e s. au début du 12e, mais sa prospérité eut raison de l'esprit de pauvreté monastique et entraîna sa décadence dès le 16e s. De cette période faste, la ville n'a gardé que la cathédrale. Sa situation privilégiée au cœur du Parc naturel régional du Haut-Jura lui assure un réel dynamisme dans l'artisanat et le tourisme.

😊 NOS ADRESSES PAGE 350
Hébergement, restauration, achats, activités, etc.

🚩 S'INFORMER

Office du tourisme Haut-Jura St-Claude – *1 av. de Belfort - 39200 St-Claude -* 📞 *03 84 45 34 24 - www.saint-claude-haut-jura.com - juil.-août : 9h-18h, sam. 9h-12h30, 13h30-18h, dim. et j. fériés 9h30-12h30 ; mai-juin et sept. : tlj sf dim. et j. fériés 9h-12h, 14h-18h ; reste de l'année : se rens.*

Visites guidées – *Visites thématiques en juil.-août ; reste de l'année : sur demande préalable - (3/4,50 €) - se rens. à l'office de tourisme.*

▶ SE REPÉRER

Carte de microrégion A3 (p. 336).
À 138 km au nord-est de Lyon par l'A 404 jusqu'à Oyonnax, puis la D 31 et la D 436. De Lons-le-Saunier, 59 km au sud-est par la D 52 vers le sud jusqu'à Orgelet, puis la D 470 et la D 436 ; de Genève, par le col de la Faucille.

👀 À NE PAS MANQUER

La place Louis-XI et la vue sur les vieux remparts ; la rue de la Poyat ; la cathédrale St-Pierre ; le musée de l'Abbaye ; l'exposition de pipes, diamants et pierres fines.

🕐 ORGANISER SON TEMPS

Prévoyez une journée pour visiter la ville et un peu plus si vous aimez marcher (plus de 150 sentiers balisés autour de la ville).

👫 AVEC LES ENFANTS

La visite de l'Atelier des savoir-faire et, avec les plus petits, celle du Monde des automates.

Se promener Plan de ville page ci-contre

★★ Site

Gagnez la **place Louis-XI** A2, d'où la **vue**★ au-dessus des remparts est très belle. Prenez le Grand Pont et rejoignez par les escaliers le faubourg Marcel. Du bas de la pittoresque rue de la Poyat, on a une vue sur la vallée du Tacon. En pente très raide, cette rue unissait le quartier haut (de l'abbaye) au quartier populaire et artisanal du faubourg et était l'un des deux accès dans la cité, quand les ponts modernes n'existaient pas. Il faut imaginer les cortèges des pèlerins gravissant la colline pour atteindre la châsse de saint Claude.

★ Cathédrale St-Pierre B2

Pl. de l'Abbaye - 📞 *03 84 45 04 10 - www.saint-claude.fr -* ♿ *- 8h-19h - gratuit - possibilité de visite guidée sur demande préalable (45mn) juil.-août ; reste de l'année : se rens. à l'office de tourisme.*

Nulle part ailleurs, vous ne trouverez semblable cathédrale! Elle fut transformée pour être intégrée à l'enceinte de la ville, d'où son architecture militaire. Seul vestige de l'abbaye, au centre de laquelle il se trouvait, cet édifice de style gothique, élevé aux 14e et 15e s., étonne par sa façade classique (ajoutée au 18e s.) qui contraste étrangement avec son **abside fortifiée**, protégée par des échauguettes surmontées de flèches. La tour du 15e s. a été surhaussée au 18e s.

Intérieur – Il comporte un vaste vaisseau rectangulaire sobre et lumineux porté par 14 piliers octogonaux massifs. À gauche de l'entrée, le **retable italien★★**, restauré, fut offert en 1533 par Pierre de La Baume, dernier

> **POINTS DE VUE**
> Depuis la **grotte Ste-Anne** B2, jolie vue sur la ville, que l'on surplombe de 200 m. Agréable point de vue également depuis la terrasse de la **place du 9-Avril-1944**. Enfin, du milieu du **viaduc**, on appréciera mieux l'exiguïté des espaces plans qui a obligé les immeubles à « pousser » en hauteur.

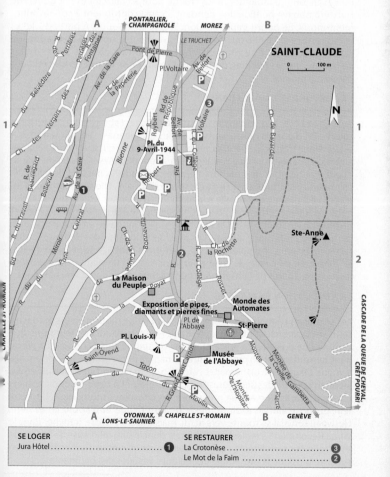

SE LOGER		SE RESTAURER	
Jura Hôtel	❶	La Crotonèse	❸
		Le Mot de la Faim	❷

D'un ermitage à Saint-Claude

Vers 430, un jeune homme d'Izernore, le futur **saint Romain**, choisit de mener une vie d'ermite dans l'épaisse forêt du haut Jura. Son frère **Lupicin** le rejoint. Des disciples se présentent, chaque jour plus nombreux, attirés par la sainteté et les miracles des deux ermites. Quand, cinquante ans plus tard, saint Lupicin meurt, un monastère qu'on appelle **Condat** surgit autour de l'arbre de saint Romain. De nombreux prieurés et quantité de « granges » (installations rudimentaires ne comprenant que deux ou trois moines) ont été créés dans le haut Jura. 1 500 religieux vivent sur ces domaines, qu'ils défrichent obstinément. Dans le buis des forêts, ils façonnent des objets de piété pour les pèlerins : statuettes, crucifix, chapelets, etc. C'est l'origine des articles en bois tourné qui feront plus tard la richesse de la région.

LES SAINTS MOINES

Au 6e s., **saint Oyend**, puis, au 7e s. **saint Claude**, grand seigneur, archevêque de Besançon (qui abandonne sa charge pour se faire moine et gouverne l'austère abbaye bénédictine pendant 55 ans) contribuent à son rayonnement moral. Le bourg s'appelle alors St-Oyend-de-Joux. À partir du 12e s., le monastère et la ville qui en dépend prennent le nom de **St-Claude**, en référence au corps resté intact de l'abbé mort 600 ans plus tôt. Sur les routes de Bourgogne, les pèlerins, dont Louis XI en 1482, se hâtent vers les reliques des saints moines.

LA FORTUNE ET LA DÉCADENCE

Aux 13e et 14e s., la discipline religieuse se relâche ; l'abbaye, dont la fortune, sous l'effet des dons qui accompagnent les pèlerinages, s'accroît sans cesse, est devenue trop riche. Dès lors, nombreux sont ceux qui se font religieux par ambition cupide. Pour que ces bénéfices soient plus élevés, les moines diminuent leur nombre : à la maison mère de St-Claude, ils passent de 500 à 20. La noblesse comtoise envie les richesses de l'abbaye. Elle se fait attribuer les places vacantes et, dès qu'elle a la majorité au chapitre, édicte que seuls les nobles peuvent entrer à St-Claude. Chaque moine a sa maison particulière, et un train de vie somptueux. On va dîner en ville, on chasse en costume laïque, perruque en tête, épée au côté. Les proches et les amis des deux sexes sont reçus librement… Ne parvenant pas à réformer l'abbaye, le St-Siège décide, en désespoir de cause, de créer pour la ville (1737) un siège d'évêque, dont les moines, libérés de l'observance bénédictine, deviennent les chanoines.

LA RÉVOLUTION EN MARCHE

Les seigneurs chanoines, découronnés du prestige moral de leurs prédécesseurs, n'apparaissent plus, aux yeux des 14 000 habitants de leur terre, que comme une poignée de privilégiés sans vergogne. Vers 1770, six villages du haut Jura entament un procès contre le chapitre afin d'obtenir leur affranchissement. Ce procès a un immense retentissement car **Voltaire**, alors à Ferney, vient au secours des serfs jurassiens, qu'il soutient à travers des pamphlets corrosifs. Après cinq ans de procédure, les chanoines triomphent. L'évêque leur propose alors d'avoir un geste de miséricode et d'abolir le servage. Nouveau refus. Il se tourne vers le roi, mais Louis XVI n'ose trancher dans le vif. La Révolution va régler la question : la principauté religieuse de St-Claude est abolie, ses serfs libérés, ses biens confisqués et vendus. Aujourd'hui, il n'en subsiste plus que la cathédrale et quelques vestiges des bâtiments.

LES RELIQUES DE SAINT CLAUDE

Jusqu'en 1794, le **tombeau de saint Claude** attira des foules de pèlerins. Empereurs, rois, grands seigneurs sont venus le vénérer. **Anne de Bretagne**, jusqu'alors stérile, prénomma Claude (qui deviendra l'épouse de François Ier) la fille qu'elle eut de Louis XII, après son pèlerinage jurassien. Du corps du saint brûlé pendant la Révolution, il reste quelques reliques dont certaines sont visibles dans la cathédrale.

évêque résidant à Genève, reconnaissant à saint Pierre d'avoir échappé aux troubles politiques et religieux.

Dans le collatéral droit, la chapelle consacrée à saint Claude abrite la **châsse** contenant des reliques du saint. Le chœur est orné de **vitraux★**, rénovés en 1999, et de magnifiques **stalles★★** en bois sculpté commencées avant 1449 et achevées en 1465 par le Genevois Jehan de Vitry. Elles présentent sur les dorsaux les apôtres et les prophètes en alternance, puis d'anciens abbés du monastère ; sur les grandes et petites jouées, des scènes de l'histoire de l'abbaye, dont saint Romain et saint Lupicin, qui en furent les fondateurs ; sur les parcloses et les miséricordes, les restaurateurs de la fin du 19e s. ont repris des scènes de la vie quotidienne. Malheureusement, la partie sud de cet ensemble fut détruite par un incendie dans la nuit du 26 septembre 1983. Après un long travail de recherche, les stalles incendiées ont été reconstruites sous la direction de la Conservation régionale des Monuments historiques.

★ Musée de l'Abbaye/Donations Guy Bardone - René Genis B2

3 pl. de l'Abbaye - 📞 *03 84 38 12 60 - www.museedelabbaye.fr - juil.-août : 10h-12h, 14h-18h ; vac. scol. (hors juil.-août) : 14h-18h ; reste de l'année : tlj sf lun.-mar. 14h-18h - fermé 1er janv., 1er Mai, 1er nov., 25 déc. - possibilité de visite guidée sur demande (1h) - 6 € (-18 ans à 4 €) - possibilité de visite guidée sur demande (1h30, + 2 €) - gratuit 1er dim. du mois.*

Installé dans le palais abbatial (15e-18e s.), ce beau musée se divise en deux parties. Au sous-sol se trouvent les **vestiges archéologiques de l'abbaye du 11e au 18e s.** Dans un espace superbement mis en valeur, on découvre une portion de l'ancien monastère dans laquelle se superposent tombes et cloître du 11e s., chapelles du 13e et du 15e s., aménagements du 18e s. La vie des moines et leur histoire sont expliquées sur des panneaux et bornes interactives. La voûte de la chapelle de Claude Venet (1478) est décorée d'une **peinture murale du Christ en majesté★**. Ne manquez pas l'inscription d'appel à la prière au-dessus de l'entrée de la chapelle. En sortant, faites quelques pas dans le jardin pour admirer la façade cuivrée du bâtiment et la vue sur la montagne. Sur la pelouse, remarquez **L'Homme qui marche sur colonne** de Rodin et **Le Coureur, grand** de Germaine Richier.

La deuxième partie du musée présente la superbe **collection★★** de plus de 330 œuvres (pour deux-tiers des dessins) donnée à la ville de St-Claude par les peintres collectionneurs **Guy Bardone** (1927-2015) et **René Genis** (1922-2004). Ces artistes qui ont traversé le siècle ont ainsi réuni des pièces, essentiellement figuratives, allant de la fin du 19e s. jusqu'aux années 1990, au fil de leurs rencontres et de leurs coups de cœur. Réalisations de l'école de Réalité poétique, d'inspiration cubiste, impressionniste ou nabiste se retrouvent ainsi confrontées et le musée peut s'enorgueillir de posséder 32 dessins de **Bonnard**, des œuvres de **Baudin, Brianchon, Lesieur, Marquet**, mais aussi **Picasso, Buffet, Braque, Chagall, Giacometti, Goya, Villon, Rebeyrolle, Dufy, Vuillard,**

6

NOM D'UNE PIPE

Les Romains fumaient du chanvre dans des pipes en terre cuite ou en fer. **Nicot**, alors ambassadeur au Portugal, introduit la pipe à la cour de France, en même temps que le tabac, en 1560. À la fin du 18e s. la vogue s'affirme. En 1854, un Corse propose à un papier, **Daniel David**, habitant le village de Chaumont, près de St-Claude, de lui fournir de la racine de bruyère, bien supérieure au buis, qui prend un goût affreusement âcre, pour la fabrication des pipes. David essaie ce nouveau bois et vient s'installer à St-Claude. Le succès est triomphal.

Jusqu'en 1885, la ville a détenu le monopole mondial de cette fabrication. Au pic de sa production, du milieu du 19e s. jusque vers 1950, St-Claude emploie ainsi jusqu'à 4 000 salariés.

Mais les guerres mondiales ont favorisé le développement de fabriques concurrentes à l'étranger. Cette industrie fait encore la renommée de la ville. Si elle n'emploie plus qu'un petit nombre de personnes, le marché de la pipe, aujourd'hui stable, assure la pérennité de l'activité.

Roussel… Une salle est consacrée aux donateurs et un film présente leurs œuvres et l'histoire de la donation. Au 2e étage, une salle accueille des expositions temporaires.

Exposition de pipes, diamants et pierres fines B2

1 pl. Jacques-Faizant - ☎ *03 84 45 17 00 -* ♿ *- mai-sept. : 9h30-12h, 14h-18h30 ; reste de l'année : tlj sf dim. 14h-18h - fermé 1er nov.-19 déc., 1er janv., 25 déc. - 6 € (-16 ans 3,50 €) - projection d'un film avant le début de la visite (25mn).*

Vous y découvrirez une collection de pipes des 18e et 19e s. d'une grande variété, certaines artistiquement décorées, et très diverses par leur matériau (écume, terre cuite, cuivre, émail, bruyère, corne…), par leurs dimensions, par leur origine (pipes du monde entier). Remarquez la collection des pipes marquées des noms des personnalités intronisées dans la salle capitulaire de la célèbre Confrérie des maîtres papiers de St-Claude. Notez aussi une machine à sculpter, sur le principe du pantographe. L'exposition, animée par quelques automates, fait également connaître les diamantaires, les pierres fines, naturelles et synthétiques, brutes et taillées, l'outillage du diamantaire et du lapidaire et la progression du travail de la taille. On remarquera les copies de quelques couronnes et pièces d'apparat faisant partie de joyaux et de trésors célèbres. Deux vidéos un peu vieillottes *(25mn)* relatent l'histoire des deux activités dans le haut Jura et en présentent les aspects techniques.

Monde des automates B2

Pl. Jacques-Faizant - ☎ *03 84 41 42 38 -* ♿ *- 10h-12h, 14h-18h, fermé lun., 1er janv., 1er Mai, 25 déc. - 4,50 € (6-16 ans 3 €, -6 ans gratuit).*

Passionné d'électromécanique, Raymond Jacquier a créé ces 90 personnages inspirés des *Fables* de La Fontaine, de scènes de la vie quotidienne ou du

---

LA CONFRÉRIE DES MAÎTRES PIPIERS

En attirant les plus grands amateurs de pipes, St-Claude a logiquement vu se développer la prestigieuse **Confrérie des maîtres pipiers**. De nombreuses personnalités furent intronisées dans cette confrérie unique en France, parmi lesquelles Edgar Faure, Jacques Faizant, Michel Drucker, Francis Perrin, Gérard d'Aboville et Patrick Louis Vuitton.

Saint-Claude, la ville dans le cirque de la Bienne et du Flumen.
Ph. Roy/hemis.fr

monde de l'enfance. Il suffit d'appuyer sur un bouton pour donner vie aux automates, pour la plupart en peluche.

La Maison du Peuple A2

12 r. de la Poyat - ✆ 03 84 45 42 26 - ♿ -visites guidées mar. et jeu. à 15h (vac. scol.), reste de l'année mar. à 15h sur réserv. - 6 € (enf. 2,50 €).

Créé en 1910, cette ancienne coopérative a accueilli de nombreuses activités. Depuis 1984, l'association La Fraternelle fait revivre ce lieu. L'exposition permanente « Archéologie d'un rêve » permet de découvrir cet ensemble architectural original. En fin de parcours, les visiteurs peuvent visionner un film retraçant l'histoire du mouvement coopératif dans le haut Jura. Lieu de mémoire, de diffusion culturelle et de création artistique, la Maison du Peuple abrite trois salles de cinéma art et essai, un café, un théâtre à l'italienne, un espace d'arts plastiques et une boutique-artothèque. *Voir aussi p. 352.*

À proximité Carte de microrégion p. 336

★ St-Lupicin A3

◐ *11 km à l'ouest par la D 436. Après le pont sur le Lizon, prenez à droite la D 470. À Lavans, empruntez à droite la D 118.*

En 445, saint Lupicin, abbé de St-Claude, fonda dans ce village un prieuré. L'**église**, mis à part la voûte du 17e s., est un édifice roman (11e-12e s.) exceptionnel ; sa rénovation complète s'est achevée en 2009, redonnant au bâtiment sa forme originale et son toit à double pente. Lors des travaux, le tombeau de saint Lupicin (5e s.) a été mis au jour et est désormais visible à travers une vitre. Sous l'autel de gauche se trouve la châsse contenant les ossements du saint, et sous l'autel de droite, un bas-relief dû au peintre Henri Charlier (1883-1975). Les armoiries sont celles de Claude Venet, leur identification en 2008 confirma le lien fort entre le prieuré et St-Claude.

Chapelle St-Romain A3

▶ *23 km à l'ouest par la D 436. Après le pont sur le Lizon, prenez à droite la D 470. À hauteur de Pratz, tournez à gauche dans la D 300. Laissez votre voiture à l'entrée du hameau, et suivez tout droit (30mn à pied AR) le chemin en descente. De Pâques à la Toussaint.*

De style roman bourguignon, la chapelle est située dans un site charmant. La **vue★** plonge, 270 m plus bas, sur la Bienne, sortie de ses gorges, qui décrit de paresseux méandres entre des versants boisés. Le lundi de la Pentecôte, la chapelle est un but de pèlerinage très populaire dans la région.

★ Église de Lavancia-Épercy A3

▶ *23 km au sud-ouest par la D 436.*

Elle est l'une des deux seules églises tout en bois de France. Chef-d'œuvre de l'exposition internationale sur le bois de 1951 à Lyon, elle fut remontée en 70 jours à l'emplacement prévu pour une église dans le plan de reconstruction de 1946 : Lavancia, de même que ses voisines Épercy et Dortan, avait été incendiée par les occupants allemands en 1944. Elle compte une grande variété d'essences, dont on peut admirer l'agencement tant à l'extérieur qu'à l'**intérieur★** (remarquez les symboles surmontant le porche), dans un camaïeu de rouge, d'ocre et de brun.

😊 NOS ADRESSES À SAINT-CLAUDE

HÉBERGEMENT

PREMIER PRIX

❶ Jura Hôtel – A1 - *40 av. de la Gare -* 🖉 *03 84 45 24 04 - www. jurahotel.com -* 🅿 📶 *- 35 ch. 56/69 € -* 🍴 *8,90 € -* 🍽 *tlj sf dim. ; formule déj. 15,90 € - 26/32 €.* Cet hôtel qui surplombe la rivière compte deux catégories de chambres : les meilleures, plus calmes, ont vue sur la montagne (l'une d'entre elles comporte une terrasse). Côté restaurant : cuisine traditionnelle bien réalisée, servie dans une salle spacieuse, dotée d'un beau panorama sur la ville et la Bienne.

Hôtel Saint-Hubert – Hors plan - *3 pl. Saint-Hubert -* 🖉 *03 84 45 10 70 - www.hotel-saint-hubert.fr - 30 ch. 53/120 € -* 🍴 *9,70 € - rest. fermé sam.-dim. -* 🍽 *restaurant (15,60/27,60 €) et brasserie (12,50 €).* Préférer une chambre avec vue sur la montagne. Avec son bar en zinc et ses banquettes en skaï, la brasserie offre un service rapide et efficace. Accueil sympathique.

À proximité

PREMIER PRIX

Camping du Martinet – Hors plan - *39200 Villard-Saint-Sauveur -* 🖉 *03 84 45 00 40 - www.camping-saint-claude.fr -* 🚹 *- avr.-sept. - 107 empl. 9/22 €, location cabanes en bois (40/45 € pour 2 pers.), roulotte viticole (75/96 € pour 2 pers.) et chalets (55/99 € pour 2/6 pers.) -* 🍽 *snacks, pizzas, kota grill.* Dans la vallée de Saint-Claude, beau camping offrant de grands emplacements en pleine nature. Accès au centre nautique et à la piscine municipale. Départ de randonnées.

RESTAURATION

PREMIER PRIX

❸ La Crotonèse – B1 - *fermé dim., lun. - formule déj. 13 €.* Ce restaurant italien propose des pizzas à manger sur place ou à emporter et des assiettes repas.

BUDGET MOYEN

❷ Le Mot de la Faim – A-B2 - *12 r. du Pré -* 🖉 *03 84 45 52 32 -*

www.lemotdelafaim.fr - fermé 31 déc.-10 janv., 14-29 août., 24-25 déc., dim. et lun. sf réserv. groupes. - 28/47 €. Ne craignez pas de pousser la porte de cette salle sans attrait particulier ! Vous serez agréablement surpris par la cuisine, fraîche et savoureuse, et la gentillesse du service. La carte, respectueuse du rythme des saisons, plaira tout spécialement aux amateurs de poissons.

La Bruyère – Hors plan - *14 r. Carnot -* 📞 *03 84 42 10 10 - www. restaurant-labruyere.com - fermé dim., lun., mar. soir, merc. soir, jeu. soir - plat du jour 16,50 €, menus 22,50/27 €.* Installé dans une ancienne usine de pipe, ce restaurant a conservé la grande salle munie d'un plancher en bois, les murs en pierres apparentes et les ébauchons de pipe. Cuisine régionale et lyonnaise.

ACHATS

Genod Maître Pipier – *13 fg Marcel -* 📞 *03 84 45 00 47 - www. maitrepipier.com - lun.-vend. 9h-11h30, 14h-18h, sam. en juil.-août - fermé j. fériés - 2 € pour la visite des ateliers.* C'est un jeune maître pipier qui a repris cet atelier. Il vous montrera avec passion les étapes qui transforment un ébauchon en une digne pipe.

Marché – *Pl. du 9-Avril-1944 - jeu. mat.* Ce marché, situé sur la place principale de St-Claude, réunit d'intéressants produits et les commerces traditionnels (boucher, poissonnier, primeurs) y côtoient de petits exploitants régionaux. Les poulets de la rôtisserie bressane ont du succès, de même que l'étal du fromager garni de spécialités locales. En juil.-août, un marché artisanal a lieu à la Grenette chaque jeudi.

Crémerie Clément – *5 et 7 r. du Pré -* 📞 *03 84 45 09 70 - www. cremerie-clement.com - lun. 8h-12h30, 14h30-19h30, mar.-sam. 8h-19h30, dim. et j. fériés 8h-12h30.* Miel, vins du Jura et d'Arbois, apéritifs de St-Claude, bières du Jura, charcuterie, terrines, fromages, chocolats… Vous trouverez de tout et du régional dans cette crémerie qui existe depuis 1920 !

À proximité

Sté Coopérative Fromagère du Haut Jura – *Maison des Fromages - 39310 Les Moussières -* 📞 *03 84 41 60 96 - http://fromagerie-haut-jura. fr - 9h-12h15, 14h30-18h30 - fermé mar., dernier après-midi du mois, 25 déc., 1er jan. - galerie de visite : 9h - 11h30, 14h30 - 17h.* Cette coopérative fromagère s'est dotée d'une galerie vitrée permettant d'assister à la fabrication de plusieurs fromages (entre 9h et 11h30) : comté, morbier, bleu du Haut Jura, raclette, mousseron jurassien et tomme affinée au marc local. La fruitière abrite également une boutique et une salle de projection vidéo.

Chacom – *11 rte de la Faucille - 39200 Villard-Saint-Sauveur -* 📞 *03 84 45 00 00 - www. pipechacom.com - lun.-sam. 10h-19h - visite des ateliers merc. 10h (20 juil.-20 août) sur rés. (2,50 €).* Auparavant situés dans le centre de Saint-Claude, les ateliers de cette usine de production de pipes, qui est l'une des deux dernières en France, ont déménagé à Villard-Saint-Sauveur. Un très bel espace musée-exposition et boutique présente d'anciens meubles d'atelier, des instruments de fabrication et de nombreux accessoires. Trois films tournés dans les anciens locaux retracent le processus de fabrication d'une pipe.

Librairie Zadig – *3 r. du Pré -* 📞 *03 84 45 15 01 - lun. 14h-18h,*

6

mar.-sam. 9h30-12h, 14h30-19h - fermé dim. et j. fériés. Cette librairie indépendante propose un bon rayon sur la région où vous trouverez aussi bien beaux livres et travaux sur le patrimoine et l'histoire, que romans et livres de contes.

ACTIVITÉS

La ligne des Hirondelles – *☎ 03 84 45 34 24 - www. saint-claude-haut-jura.com.* De St-Claude à Dole, ce sont 123 km et plus de 2h de voyage ferroviaire qui vous font découvrir les paysages changeants depuis les montagnes du haut Jura jusqu'aux vignobles du Bas-Jura. Le passage des viaducs de Morez est particulièrement marquant. Un peu avant Champagnole, jolie vue sur la villa de Syam *(voir p. 308)* dans son nid de verdure. Possibilités de voyages commentés, randonnées accompagnées dans les sites desservis et journées découverte *(62 € la journée A/R et visites sur place - se rens. à l'office de tourisme).*

L'Atelier des savoir-faire – *1 Grand-Rue - 39170 Ravilloles - à 3 km de St-Lupicin sur la D 118 - ☎ 03 84 42 65 06 - www. atelierdessavoirfaire.fr - vac. scol. hors sais. : mar.-sam. 14h30-18h ; juin et sept. : mar.-sam. 10h-12h, 14h30-18h ; juil. et août : 10h30-18h30 ; déc. : mer.-sam. 14h30-18h - 5 € (7-15 ans 3 €).* Dans l'ancienne tournerie Bourbon, vous visiterez les ateliers présentant l'artisanat du haut Jura : tournage sur bois, fabrication de lunettes ou de pipes, horlogerie… La structure propose aussi des stages créatifs et différentes animations.

La Route de l'artisanat – *Guide des artisans, artistes, musées, maisons thématiques disponible dans les offices de tourisme et à la Maison du Parc du Haut Jura.*

EN SOIREE

La Frat'– *☎ 03 84 45 42 26 - www.maisondupeuple.fr - cinéma tlj - café 18h-21h sf vac. scol. 16h30-21h, fermé dim., lun. - spectacles et concerts 10 €.* À la fois théâtre, café, cinéma d'art et essai, la Maison du Peuple présente une programmation variée autour de la danse, la musique, le théâtre et les arts graphiques.

AGENDA

Fête des Soufflaculs – *Fin mars - ☎ 03 84 45 34 24 (office de tourisme).* À cette occasion, les hommes de la ville vêtus de blanc et portant masque et soufflet parcourent les rues en soufflant devant les dames, ou sous leurs jupes ! Cette étrange tradition viendrait du temps des moines qui, le mercredi des Cendres, traversaient la ville avec des soufflets pour en chasser le démon. Le sens de la parodie propre au Moyen Âge en fit une fête populaire qui, en se changeant en carnaval, traversa les siècles. « Plons-plons » et « réguiseurs » font aussi le spectacle !

Festival de musique du haut Jura – *Juin - www. festivalmusiquehautjura.com - 6/30 €.* Concerts de musique classique et conférences dans différents monuments ou sites patrimoniaux du haut Jura.

Morez

5 391 Moréziens – Jura (39)

Morez (prononcez « moré »), métropole de l'industrie horlogère jusqu'en 1860, est depuis deux siècles le pôle majeur de production de lunettes en France, avec plus de la moitié de la production nationale. Désenclavée par d'audacieux viaducs, la ville s'étire sur 3 km au fond de la vallée de la Bienne, qui a longtemps été pour elle une source d'énergie capitale.

☺ NOS ADRESSES PAGE 358
Hébergement, restauration, achats, activités, etc.

🖩 S'INFORMER

Office du tourisme Oh ! Jura – *Pl. Jean-Jaurès - 39400 Morez - ℰ 03 84 33 08 73 - www.haut-jura. com - juil.-août : 9h-18h, dim. 9h-12h ; vac. de fév. et vac. de Noël : tlj sf dim. 9h-12h, 13h30-17h30, sam. 9h-12h ; reste de l'année : tlj sf w.-end 9h-12h, 14h-17h - fermé 1er janv., 11 Nov., 25 déc.*

▶ SE REPÉRER

Carte de microrégion B2 (p. 336). Sur la N 5 qui mène de Champagnole au col de St-Cergue. De cette route, vue plongeante sur l'agglomération et ses ouvrages d'art. Depuis St-Claude, prendre la D 69.

⊛ À NE PAS MANQUER

Le musée de la Lunette ; une escapade dans la vallée de la Bienne.

🕐 ORGANISER SON TEMPS

Comptez une journée pour visiter la ville et ses alentours, et tâchez de faire un détour par une fromagerie pour savourer un morbier.

🚸 AVEC LES ENFANTS

Le musée de la Lunette et ses expériences d'optique très ludiques.

Se promener

★ Musée de la Lunette

Pl. Jean-Jaurès - ℰ 03 84 33 39 30 - www.musee-lunette.fr - 16 juil.-24 août : 10h-18h ; reste de l'année : tlj sf mar. 10h-12h, 14h-18h - fermé certains w.-end (se rens.) et j. fériés, 1er-25 déc. - possibilité de visite guidée (1h) - 5 € (-16 ans 3 €).
🚸 Un grand bâtiment contemporain accueille cet espace consacré à l'industrie de la lunette. On y découvre le patrimoine industriel local, les lunettiers d'hier et d'aujourd'hui, et à travers un film *(16mn)* l'histoire de l'industrie morézienne et les techniques de fabrication des montures métalliques qui sont sa spécialité. Des bésicles utilisés par les moines du 13e s. aux incroyables lunettes Theo, en passant par le face-à-main de Sarah Bernhardt, la fascinante collection Essilor-Pierre Marly (350 pièces exposées) vous invite à un voyage dans l'histoire de cet instrument qui, de prothèse optique, est devenu accessoire de mode. Un espace interactif explique le fonctionnement de l'œil par des jeux et expériences sur l'optique. Le musée possède aussi une collection de peintures du 17e-19e s. (école flamande et lyonnaise).

À proximité Carte de microrégion p. 336

St-Laurent-en-Grandvaux B2

▶ *12 km au nord par la N 5.*
Station d'altitude et centre commercial du Grandvaux. On nomme ainsi le haut plateau ondulé que dominent d'environ 200 m la crête de la Joux-Devant et

6

LE PARC NATUREL RÉGIONAL DU HAUT-JURA

Grâce à des extensions en 1998 et 2003, le Parc naturel régional du Haut- Jura, créé en 1986 et dont le siège est à Lajoux (👁 p. 371), couvre une superficie de 178 000 ha englobant 122 communes, dont St-Claude et Morez. Son objectif est de promouvoir un développement de qualité (agriculture, tourisme) tout en valorisant le patrimoine naturel et culturel ; l'artisanat, particulièrement riche (pipes, jouets, travail du bois…), y retrouve toute sa place : la route des savoir-faire du haut Jura permet leur découverte. Cette zone de moyenne montagne, dont le point culminant est proche du crêt de la Neige (Ain), est propice en hiver à la pratique du ski (alpin et fond) et, en été, aux randonnées pédestres et VTT.

---

la forêt du Mont-Noir, à l'est. St-Laurent, détruit par un incendie en 1867, a été reconstruit de façon banale.

Lac de l'Abbaye A2

▶ *18 km à l'ouest. Propriété privée, pêche uniquement pour les clients de l'Hôtel de l'Abbaye en mode « no-kill » sur espaces réservés.*
Situé à 887 m d'altitude, ce lac a une superficie de 97 ha et compose, avec l'église, un très beau décor.

Circuit conseillé Carte Au cœur du haut Jura p. 357

VALLÉE DE LA BIENNE

▶ *Circuit de 82 km tracé en violet sur la carte du haut Jura et sur la carte de microrégion – Comptez 3h.*
Quittez Morez par la N 5. À 2 km au nord se trouve Morbier.

DES BÉSICLES AUX LUNETTES

Cloutiers, horlogers, forgerons, émailleurs ont longtemps prospéré sur les bords de la Bienne, mais la ville a fini par se spécialiser dans la lunetterie. L'usage des lunettes remonte au 13e s. Une nouvelle étape fut franchie en 1796, avec la première monture en fil de métal que l'on doit à un artisan, **Pierre-Hyacinthe Caseaux**, maître cloutier installé près de Morez. Il crée alors le premier atelier de lunetterie dans la région. On y fabrique des **bésicles** faites de deux branches de fer forgé soudées à des cercles. Cette fruste fabrication remporte un succès local. Vers 1830, un artisan de Morez va proposer sa marchandise à la foire de Beaucaire. Il noue des relations d'affaires qui font connaître les lunettes jurassiennes dans toute la France. De nouvelles fabriques se créent. Vers 1840, Morez lance le **pince-nez**, entreprend la fabrication de verres optiques et devient la métropole de la lunetterie : la ville a produit jusqu'à 12 millions de pièces en une année. Actuellement, Morez et sa région comptent 60 entreprises lunetières (54 % du marché français). Mais celles-ci subissent la concurrence des producteurs étrangers, notamment chinois. La lunetterie morézienne s'oriente désormais vers le haut de gamme, valorisant la créativité de ses artisans et développant nouveaux matériaux et technologies innovantes.

Jumelles de théâtre, fin 19ᵉ-début 20ᵉ s., coll. Essilor-Pierre Marly, au musée de la Lunette.
B. Becker/Musée de la Lunette

Morbier

Également très investie dans la lunetterie, cette petite ville qui domine Morez doit sa réputation à un fromage qui porte son nom, mais n'était plus fabriqué sur place. Après l'obtention de l'AOC en décembre 2000, une fromagerie a réparé cette incroyable lacune. Elle abrite aussi un charmant petit musée (*Rte Royale - hameau des Marais - ☎ 03 84 33 59 39 - 8h30h-12h, 16h30-19h, vend.-sam. 8h30-12h, 15h-19h, dim. et j. fériés 8h30-12h ; vac. de fév. et vac. de Noël : 8h30-12h, 16h30-19h, vend.-sam. 8h30-12h, 15h-19h, dim. et j. fériés 15h-19h - fermé 1ᵉʳ janv., 25 déc. - possibilité de visite guidée sur demande - gratuit.*) expliquant les différentes étapes de fabrication. Le morbier, reconnaissable à sa fine rayure de charbon végétal, est de retour.

Prenez la D 26 en direction de Tancua, Les Mouillés, La Rixouse.

La route suit les **gorges★** de la Bienne.

À La Rixouse, prenez la D 437 à gauche vers St-Claude.

Après Valfin-lès-St-Claude, on découvre une très belle perspective à gauche dans l'axe des gorges.

Peu avant St-Claude (☞ p. 344), prenez à droite la petite route d'Avignon (D 303), en lacet et en forte montée, qui offre à 1,5 km un beau point de vue sur St-Claude.

Retournez sur la D 437 ; arrivé dans le bourg, prenez à gauche la D 69 en direction de Morez. Un parking est aménagé dans le premier grand tournant, à droite. De l'autre côté de la route, des escaliers descendent vers le sentier de la cascade des Combes.

Cascade des Combes et gorges de l'Abîme

🚶 *Deux boucles sont possibles, 1h à pied AR ; dépliant à l'office de tourisme. Certains passages sont difficiles par temps humide.*

Belle promenade ombragée. Par temps de pluie, la cascade s'épanouit en éventail, l'Abîme sort à cet endroit de gorges étroites et spectaculaires, tombant de 6 m après un défilé très encaissé. Notez que l'Abîme est un torrent tumultueux :

L'ART DU MORBIER

Dès la fin du 18e s., lorsqu'il restait du lait après la préparation du comté, les fermiers de Morbier réservaient le restant de caillé dans une cuve en le recouvrant d'une fine couche de cendre récupérée sur la paroi du chaudron, pour le protéger des insectes. À la traite suivante, après la préparation des comtés, le reste du lait venait recouvrir la première épaisseur, créant ce fromage pas comme les autres.

Aujourd'hui, le lait (70 à 80 l pour un fromage) est d'abord caillé avec la présure. Après le décaillage, on brasse et on chauffe à 40 °C environ. Recueilli dans un moule circulaire, le fromage est pressé légèrement et égoutté ; on le partage ensuite en deux disques dont on enduit les faces de cendre, ce qui fera apparaître une fine raie de charbon végétal traversant sa pâte molle et goûteuse. Mis sous presse, il va en cave pendant deux mois environ pour l'opération finale de l'affinage. Un concours annuel du meilleur morbier a lieu dans la ville en février-mars.

échelles, passerelles et passages en surplomb devront être empruntés si vous voulez vraiment en découvrir les gorges.

En remontant vers Cinquétral, un belvédère aménagé dans un virage dévoile une superbe **vue★★** sur le site de St-Claude, que l'on domine alors de près de 400 m.

La route continue sur un plateau vallonné.

Maison de la flore de Longchaumois

3 r. des Recrettes - 39400 Longchaumois - ℘ 03 84 60 66 94 - www.longchaumois. fr/presentation/la-maison-de-la-flore - de mi-juin à fin août : 14h-18h ; de déb. à mi-juin et de déb. à mi-sept. : sur demande - fermé sam. - 4 € (-14 ans 2 € - possibilité de visite guidée (2h) mar. 14h30. Pause nature dans ce petit musée (expositions saisonnières de plantes et fleurs de la région, collection de papillons), bornes aux oiseaux et dans le parc arboré attenant (sentier botanique). Une exposition présente le travail à l'ancienne des monteurs de lunettes, ainsi que les activités liées à l'eau et la forêt.

★ **Belvédère de la Corbière** – *1h à pied AR. Du chalet d'informations touristiques, suivez la petite route en face vers la fromagerie. Au poteau La Raisse, continuez tout droit (chemin caillouteux étroit). Au poteau Maison Gauthier, prenez à gauche, puis à droite aux poteaux Route d'Orcières et Monts de Bienne.*

Du belvédère, **vue★** sur la vallée de la Bienne et les plateaux forestiers.

Vers Morez, la route dessert le belvédère de la Garde.

Belvédère de la Garde

À 500 m à l'ouest de Morez, ce belvédère aménagé au bord de la route de St-Claude (D 69) fait découvrir les viaducs, étagés sur les escarpements encadrant la ville, et offre, vers la droite, une vue d'enfilade de l'agglomération.

★ **Roche au Dade** – *30mn à pied AR. Suivez la petite route qui s'amorce sur la D 69, un peu à l'ouest du belvédère de la Garde, puis le sentier balisé par des marques rouges, qui passe à proximité de la maison familiale de Lamartine.* Du belvédère, **vue★** sur l'entaille de la Bienne, Morez et ses viaducs, et la Dôle !

Jolies **vues** sur le site de Morez et ses étonnants viaducs.

Traversez Morez et quittez la ville par la D 25, parallèle à la N 5. Dans un virage très serré, un spectaculaire belvédère est aménagé.

★ Belvédère des Maquisards

Il domine les gorges en aval du fort des Rousses, sur l'autre rive à droite.
La D 25, chemin de promenade très sinueux, sous bois, puis à gauche la D 29 offrent quelques échappées sur le fond des **gorges** de la Haute-Bienne et de son affluent, le bief de la Chaille.

Regagnez Morez par la N 5 et la station des Rousses (p. 364).

😊 NOS ADRESSES À MOREZ

VISITES

Métiers traditionnels du haut Jura – Il est souvent possible, durant la saison touristique, de visiter divers ateliers d'artisans : taille des diamants et des pierres fines, fabrication d'horloges comtoises (Bellefontaine), lunetterie ; travail de l'émail (Maison de l'émail à Morez). *Pour plus de détails, adressez-vous à l'office de tourisme.*

HÉBERGEMENT ET RESTAURATION

BUDGET MOYEN

Hôtel de la Poste – *1 r. du Dr-Regad -* 🕿 *03 84 33 11 03 - www.hotelpostemorez.com -* 🅿 ♿ 🛜 *- 20 ch. 64/110 € -* 🍽 *9 € -* ✗ *à partir de 22 €.* Cet ancien relais de poste vit une seconde jeunesse grâce à la nouvelle décoration intérieure de l'entrée, du bar et du restaurant, chaleureuse et élégante. Demandez absolument une chambre rénovée, car les autres subissent encore l'effet de l'âge. La cuisine et la cave, réputées dans le secteur, offrent une place de choix aux spécialités jurassiennes.

ACHATS

Fromagerie de Morbier – *Rte royale - au carrefour des Marais, col de la Savine, N 5 -* 🕿 *03 84 33 59 39 - lun.-sam. 9h-12h, 16h-19h, dim. et j. fériés. 9h-12h - fermé 25 déc. et 1ᵉʳ janv.* Salle d'exposition « de l'herbe au fromage » et vidéo sur la fabrication du morbier.

À découvrir aussi : la tomme du Jura, le mont-d'or, le bleu de Gex, la cancoillotte et le saucisson au comté ou au morbier.

ACTIVITÉS

Pêche – La Bienne est une rivière à truites (1ʳᵉ catégorie). Réserve de pêche et un parcours « no-kill » (pêche sans ardillons, remise à l'eau des captures). *Se rens. à l'office de tourisme pour connaître la réglementation régionale.*

Sports d'hiver – Morez est à proximité de 3 stations familiales : Bellefontaine (1 000 à 1 260 m) possède 3 téléskis et 70 km de pistes de ski de fond - *www.bellefontaine-hautjura.fr* ; Longchaumois (900 à 1 416 m) a 1 téléski, 25 km de pistes de ski de fond et propose la conduite d'attelage de chiens de traîneau - *www.longchaumois.eu.* Morbier (875 à 1 150 m) est une petite station avec 3 téléskis et 100 km de pistes de ski de fond - *www.morbier.fr.*

Via Ferrata de la Roche au Dade – *Se garer dans le centre-ville et monter la D 69 à pied pendant 10mn.* Un parcours qui escalade la falaise au-dessus de Morez (400 m de parcours en 1h30 à 2h). Pont de singe, pont népalais, mur vertical… Vous serez récompensés par la vue magnifique depuis le belvédère. *Location de matériel chez Murer Sport –* 153 r. de la République - 🕿 03 84 33 03 35 - 9h-12h, 14h-19h, fermé dim., lun. hors sais. d'hiver.

Renne au parc polaire de Mouthe.
D. Delfino/hemis.fr

Val de Mouthe

1 055 Meuthiards – Doubs (25)

Entre Chapelle-des-Bois et Mouthe, un microclimat particulièrement sévère permet un enneigement assez régulier, et fait du val un site d'entraînement très recherché par les skieurs de fond (plus de 250 km de pistes). Région sportive par excellence, le val de Mouthe accueille des manifestations d'envergure internationale comme la mythique Transjurassienne, ou la Coupe du monde de combiné nordique, régulièrement organisée aux impressionnants tremplins de Chaux-Neuve.

😃 NOS ADRESSES PAGE 362
Hébergement, restauration, achats, activités, etc.

🛈 S'INFORMER

Office du tourisme du Val de Mouthe – *45 Grande-Rue - 25240 Mouthe - ☎ 03 81 69 22 78 - www.otmouthe.com - vac. de fév., juil.-août et vac. de Noël : 9h-12h, 14h-17h, j. fériés 9h-12h ; vac. de Pâques : tlj sf dim. 9h-12h, 14h-17h, lun. 14h-17h ; reste de l'année : tlj sf w.-end 9h-12h, 14h-17h - fermé certains j. fériés.*

▶ SE REPÉRER

Carte de microrégion B2 (p. 336). Centre névralgique du val, le village de Mouthe se situe à 15 km au sud de Malbuisson, par la D 437 ; et à 32 km au nord-est de Morez par les D 18, D 46 et D 437. Station du TGV à Frasne, à 22 km au nord.

👁 À NE PAS MANQUER

La source du Doubs ; la rencontre avec les animaux du Parc polaire ; la maison Michaud, à

6

Chapelle-des-Bois, devenue écomusée.

🕐 **ORGANISER SON TEMPS**
À découvrir, sans se presser, au rythme de la randonnée ou du VTT l'été, des raquettes ou du ski de fond l'hiver, pour un vrai bain de nature…

👪 **AVEC LES ENFANTS**
Une rencontre avec les animaux du Parc polaire ; l'écomusée de Chapelle-des-Bois.

Circuit conseillé Carte de microrégion p. 336

LE VAL DE MOUTHE

▷ *Circuit de 20 km tracé en vert sur la carte de microrégion – Comptez 2h.*

Mouthe B2

Mouthe devrait son nom soit à une motte ou butte qui devait être à l'origine surmontée d'un fortin, soit à l'appellation donnée aux maisons dans les bois. C'est souvent avec un petit frisson qu'on évoque ce village qui a la réputation d'être le plus froid de France. Mais c'est surtout l'amplitude des températures entré l'été et l'hiver qui est impressionnante.

Source du Doubs – Gagnez la source du Doubs en prenant la route qui part du monument aux morts de Mouthe *(parc de stationnement à 100 m de la source)*. Le Doubs prend naissance dans le val de Mouthe, couvert de prairies et de bois de sapins. À l'altitude de 937 m, il sort, limpide, d'une caverne située au pied d'une hauteur abrupte de la forêt du Noirmont.

🐾 Un **sentier d'interprétation** mène à la rivière. Le matin, la source prend des allures féeriques pour le plus grand plaisir des photographes ! Le sentier se poursuit par la tourbière du Moutat, vestige de l'époque glaciaire et habitat de rares espèces boréo-arctiques.

Chaux-Neuve B2

▷ *6,5 km au sud-ouest par la D 437.*

Réputé pour ses vertigineux tremplins, Chaux-Neuve complète ainsi les possibilités d'entraînement au combiné nordique. C'est également le paradis des chiens de traîneau. Bien antérieure à ces installations, l'église apporte des éléments intéressants sur l'histoire de Chaux-Neuve… et de la Franche-Comté.

Église St-Jacques-et-St-Christophe – Il faut entrer dans cette église pour découvrir tout l'intérêt qu'elle présente. Construite au 15ᵉ s., dans le style gothique, elle comporte trois nefs à croisées d'ogives, dont les culots sont ornés de décorations héraldiques. Remarquez en particulier le **blason des Habsbourg**, qui rappelle que la Franche-Comté a appartenu à la couronne des Habsbourg de 1477 à 1678. Ceux-ci régnaient aussi sur la Flandre, ce qui explique la présence de peintures d'inspiration flamande du 16ᵉ s. : deux panneaux représentent des scènes de la vie de la Vierge (Annonciation, Visitation, Assomption). Le fait qu'ils soient peints des deux côtés indique qu'ils proviennent d'un tryptique. La **statue en albâtre de saint Pierre** est un exemple de l'école germanique du 16ᵉ s. et témoigne, elle aussi, des échanges entretenus avec cette autre région sous influence habsbourgeoise. La sobriété des murs souligne la splendeur inattendue du mobilier et des ornements. Le maître-autel à couronnement (🔎 *ABC d'architecture p. 470*) et les autres retables évoquent, par leurs richesses, la gloire de l'Éternel, tandis que la **statue en bois polychrome de saint Joseph** (17ᵉ s.), tenant délicatement par la main l'Enfant Jésus, invite à une méditation sur le mystère de l'Incarnation du Dieu qui s'est fait homme. Les fonts baptismaux du 18ᵉ s. offrent un intéressant ensemble

associant bois peint et sculpté, cuve en pierre et bas-relief, peinture sur toile. *Clés et explications sur demande auprès de M. Denis Pagnier -* 📞 *06 72 63 45 24.*

Tremplins de saut à ski – *Juil.-août : visite hebdomadaire - se rens. auprès de M. Pagnier au* 📞 *06 81 53 46 47. Visite interactive des installations avec borne de téléchargement et masque de réalité virtuelle.*

Les tremplins sont accessibles toute l'année. En été, les sauts se font sur des tapis synthétiques mouillés. Les escaliers vous permettent de rejoindre les plates-formes de départ, où vous ressentirez déjà les premières sensations du sportif en regardant les équipements en dessous de vous, même si vous n'avez pas envie de vous élancer. *Initiation au saut à ski possible (se rens.).*

Prenez à gauche la D 46 en direction de Chapelle-des-Bois.

★ **Parc polaire** – Le Cernois-Veuillet - 25240 Chaux-Neuve - 📞 03 81 69 20 20 - www.parcpolaire.com - juil.-août : 10h-18h30 ; reste de l'année : 10h-17h30 - fermé lun. (sf j. fériés) - possibilité de visite guidée sur demande (1h) - 9,50 € (-15 ans 8 €) - snack, horaires, se rens.

👥 Claude et Gilles Malloire, les fondateurs du parc, et leur équipe de soigneurs-guides vous invitent à découvrir, dans leur ferme d'alpage du Haut-Doubs, la subtile organisation des groupes d'animaux sauvages, mais aussi la vie rude en milieu nordique à travers un film *(15-20mn)*, une exposition et, bien sûr, la rencontre avec les animaux.

Si le parc s'est constitué au départ autour d'une meute de chiens nordiques, il est en constante évolution et accueille aujourd'hui beaucoup d'autres espèces telles que daims, mouflons corses, lièvres alpins ou marmottes. Il s'inscrit dans un programme de préservation de ces espèces. En 2006, les premiers rennes sont arrivés de Suède, suivis de ceux de Finlande deux ans plus tard. Comme pour la meute, tout a été mis en œuvre pour leur socialisation ; ils sont désormais une quarantaine, formant la plus grande harde d'Europe occidentale. Ces dernières années, des aurochs sont arrivés de Bavière, puis des chevaux konik polski, des yacks, des cerfs élaphe, des aurochs ou encore des bisons d'Europe. Deux périodes sont intéressantes pour visiter le parc : mai-juin au moment des naissances ; et en automne quand les mâles se battent, mais les animaux sont alors plus difficiles à approcher.

Poursuivez sur la D 46, qui traverse la combe des Cives.

Chapelle-des-Bois B2

Au 17e s., vivaient dans ces contrées très boisées (alt. 1 100 m) des ramasseurs de poix (résine d'arbre servant notamment à la fabrication des chandelles). Se trouvant trop éloignés de l'église de Chaux-Neuve, ils entreprirent de construire une chapelle « es-bos » (en forêt) et défrichèrent les environs.

De simple village montagnard entouré de pâturages, Chapelle-des-Bois, blotti au fond d'une vaste combe, au sein du Parc naturel du Haut-Jura, est devenu un haut lieu du ski de fond. Les environs offrent, en été, de nombreuses possibilités de randonnées. Deux doubles médaillés olympiques régionaux de combiné nordique, Fabrice Guy à Mouthe et Sylvain Guillaume, à Foncine font logiquement la fierté du pays et ont donné leur nom à des pistes assez… athlétiques ! Ce sont en effet des pistes noires, et il faudra vous aussi vous entraîner avant d'essayer de suivre leurs traces.

> **LE TAVAILLON**
> Cette technique consiste à découper de très fines lamelles de bois (à Chapelle-les-Bois, il s'agit d'épicéa) qu'on empile les unes sur les autres de manière à couvrir les maisons et protéger leurs façades contre la neige ou la pluie.

6

Église – C'est une fois franchie la double porte d'entrée que l'architecture néoromane (choix étonnant, si l'on pense que l'église a été construite au 17e s.) s'apprécie vraiment. Le maître-autel est recouvert d'un rare cuir de Cordoue, polychrome. Son retable, de style baroque, a été réalisé par des artisans de Pontarlier au 18e s.

En continuant sur la D 46, on parvient à la maison Michaud.

Écomusée – *Combes des Cives - ℘ 03 81 69 27 42 - www.ecomusee-jura.fr - juil.-août : 10h-12h, 14h-18h30, dim.-lun. 14h-18h30 ; mai-juin et sept. : 10h-12h, 14h-17h30, dim.-lun. 14h-17h30 ; reste de l'année : tlj sf dim. 10h-12h, 14h-17h30, lun. 14h-17h30 - fermé sam., 1re sem. d'avr., nov., 1er janv., 25 déc. - possibilité de visite guidée sur demande (1h30) - 5 € (-16 ans 2,60 €) - enfournement du pain vend. 14h.*

Cette solide construction est l'une des plus anciennes fermes de la région. Bâtie vers la fin du 17e s., elle a été entièrement restaurée. Son immense toit et sa pittoresque cheminée – ou tuyé – sont recouverts de tavaillons. La visite permet de comprendre ce qu'était la vie autrefois dans une habitation isolée à travers un parcours dans les différentes parties du bâtiment. Reconstitutions des pièces d'autrefois et exposition des objets usuels. On peut voir notamment comment la vie s'organisait autour du tuyé qui, à l'intérieur, constituait une véritable pièce, lieu de réunion de la famille autour du feu, où l'on cuisait le pain, fumait les salaisons, fabriquait le morbier. Vente de pain et de gâteaux.

😊 NOS ADRESSES DANS LE VAL DE MOUTHE

HÉBERGEMENT

PREMIER PRIX

Auberge du Grand Gît – *8 r. des Chaumelles - 25240 Chaux-Neuve - ℘ 03 81 69 25 75 - www. aubergedugrandgit.com - 🅿 ♿ - fermé de mi-mars à mi-avr. et de mi-oct. à déb. déc. - 9 ch. 62/68 €, 58/62 €/pers en 1/2 pension - dortoir de 6 pers. 20/25 €/pers. (location des draps 5 €) ⊊ 9,5 €.* Vous apprécierez l'ambiance familiale et le calme des chambres lambrissées de ce chalet récent, posté près des tremplins des sauts à ski. Le patron mitonne une appétissante cuisine régionale qui vous sera servie dans une sympathique salle campagnarde.

Le Chalet de la Source – Hors plan - *Rte de la source du Doubs - ℘ 09 67 37 50 37 - www. lechaletdelasource.fr - 7 ch. 68/78 €, 1/2 P. 92/112 €, 2 dortoirs 20 €/ pers. - ⊊ 7 € - ✗ fermé lun., mar. - repas autour de 30 €, panier repas 9,50 €.* À deux pas de la source du Doubs, ce chalet est un arrêt idéal pour les randonneurs : paniers repas et massages énergétiques. Au restaurant, tout est fait maison à partir de produits locaux.

BUDGET MOYEN

Le Castel blanc – *Chauchoulet - 25240 Châtelblanc - à 6 km au S de Mouthe, par la D 437 - ℘ 03 81 69 24 56 - www.castel-blanc.com - dortoir de 8 lits, 17 €/pers. - 3 ch. d'hôtes et 3 appartements 77 € - 1/2 P possible - ✗ 18/25 €.* Cette vaste ferme en pleine nature accueille les randonneurs et les autres. Vous apprécierez le sauna revigorant et la savoureuse cuisine, aux accents du pays, préparée par le propriétaire. Ce dernier, passionné de sports d'hiver et d'été, saura vous orienter vers l'activité la plus adaptée en fonction de la saison.

RESTAURATION

PREMIER PRIX

Auberge de la Distillerie – *32 rte du Jura - 25240 Chapelle-des-Bois -*

Chez Michel - 📞 *03 81 69 21 64 -* *www.auberge-distillerie.fr -* 🅿️ 📶 *- fermé 2ᵉ quinz. de juin, 11 nov.-20 déc., se rens. hors saison - 14/28 € - ch. 32/42 € - 🍽 6 € - 1/2 P. 43,80/46,80 €.* Spécialités régionales, salle charpentée et grande cheminée pour une atmosphère de ferme de montagne dans ce restaurant sans prétention. N'oubliez pas de goûter le sorbet citron vert à la gentiane ! Chambres modestes.

ACHATS

Vuez Frères Biscuiterie des Sapins – *12 Grande-Rue - 25240 Mouthe -* 📞 *03 81 69 29 23 - tlj 4h45-19h sauf dim. 6h-13h.* Boîtes-découvertes, pain d'épice du Fan-Club de Fabrice Guy, Chocoranges de Mouthe : vous trouverez dans cette boulangerie-pâtisserie bicentenaire un grand choix de délices très locaux ! L'occasion de vous délecter de la sublime glace aux bourgeons de sapin !

ACTIVITÉS

Glisses Nordiques – *30 chemin des Pâturages - 25240 Chapelle-des-Bois -* 📞 *03 81 69 10 85 - www. glissesnordiques.fr - nov.-avr.* Cette école de ski propose différentes formules d'initiation ou de perfectionnement, allant du cours individuel aux stages à temps plein. Promenades en raquettes, préparation au biathlon et autres épreuves sportives.

Les Équipages Adam's – *25240 Chapelle-des-Bois - La Combe des Cives -* 📞 *03 81 69 14 05 - http://lesequipagesadams. com/- 20-25 €.* Une autre manière de visiter la région en toute saison : promenade en traîneau à chien ou en charrette, initiation à la conduite d'un attelage, visite de la base nordique, tir à l'arc. Attelages spéciaux pour les personnes handicapées. Pensez à réserver très en avance car l'activité est très prisée.

Sentiers VTT et randonnées pédestres – *Disponible à l'office du tourisme du val de Mouthe, une carte détaillée recense tous les itinéraires balisés, à suivre à VTT (169 km de sentiers) ou à pied (197 km de sentiers).*

AGENDA

Coupe du monde de combiné nordique – *Janv. à Chaux-Neuve - www.worldcup-chauxneuve.fr.*

Trail blanc de Mouthe - *En janv. -* 📞 *06 86 51 35 63 - http://trail-blanc-mouthe.fr.* Parcours de 9 ou 17 km.

👥 **Envolée nordique** – *Dernier dim. de janv. - Chapelle-des-Bois - www.skiclubmontnoir.com.* Modeste et conviviale, cette course de ski de fond d'une demi-journée *(25 ou 45 km)* se fait par équipe de deux. L'Envolée des moineaux est réservée aux enfants.

Transjurassienne – *2ᵉ dim. de fév. - www.transjurassienne.com.* Course de ski de fond longue distance en style classique ou en skating. Différents parcours, mais la course traditionnelle relie Lamoura et Mouthe *(68 km)*.

Transju'trail – *1ᵉʳ dim. de juin - www.transjutrail.com.* Même parcours que la Transjurassienne mais dans l'autre sens et, cette fois, les coureurs sont à pied (36 ou 72 km) !

6

Les Rousses

★

3 410 habitants dont 2 840 Rousselands – Jura (39)

À deux pas de la Suisse, la station des Rousses est réputée pour ses vastes domaines skiables et ses champions olympiques. La qualité des animations et une réelle convivialité assurent son succès auprès d'une clientèle souvent familiale. Et quand le massif perd son blanc manteau, marcheurs et vététistes découvrent des paysages sauvages et des panoramas somptueux.

😊 NOS ADRESSES PAGE 369
Hébergement, restauration, achats, activités, etc.

ⓘ S'INFORMER
Office du tourisme des Rousses – *495 r. Pasteur - 39220 Les Rousses - ℘ 03 84 60 02 55 - www.lesrousses. com - de mi-juil. à mi-août : 9h30-12h30, 13h30-18h ; reste de l'année : se rens. - fermé 11 Nov. Autres bureaux :*
Point info de Lamoura - Grande-Rue - ℘ 03 84 41 27 01 - juil.-août : horaires, se rens. ;
Point info de Bois-d'Amont - 165 r. des Couennaux - ℘ 03 84 60 91 57 - juil.-août : horaires, se rens. ;
Point info de Prémanon - accueil de l'Espace des Mondes-Polaires - ℘ 03 84 60 02 55 - même horaires que l'Espace des mondes-polaires.

▶ SE REPÉRER
Carte de microrégion B2 (p. 336). De Morez (8,5 km au nord) ou du col de la Faucille (18 km au sud), accès, sinueux, par la N 5. La station regroupe quatre villages : Les Rousses, Prémanon, Lamoura et Bois-d'Amont.

👁 À NE PAS MANQUER
Le fort des Rousses ; le musée de la Boissellerie à Bois-d'Amont ; les caves d'affinage ; les forêts du Massacre et du Risoux, pour des randonnées ou du ski de fond.

🕐 ORGANISER SON TEMPS
Comptez un ou deux jours pour un tour rapide de tous les centres d'intérêt. Mais le site mérite une exploration plus attentive, à pied ou à ski.

👥 AVEC LES ENFANTS
Été comme hiver, le lac des Rousses : base nautique ou terrain d'initiation au ski de fond ; le fort des Rousses Aventure, le musée et la patinoire de l'Espace des mondes polaires Paul-Émile-Victor de Prémanon.

Découvrir la station

SKI ALPIN

Pas moins de 4 domaines skiables, dont un en Suisse, offrent plus de 50 km de pistes de tous niveaux : 17 vertes, 20 bleues, 14 rouges, 5 noires. Elles sont desservies par 32 remontées mécaniques. Divers forfaits regroupent plusieurs domaines ou la totalité du massif. Des navettes gratuites ski-bus relient Lamoura, la Serra, les Jouvencelles, le Noirmont…
Les Tuffes – Alt. maxi : 1 420 m. Domaine privilégié des débutants et des familles. Nombreuses pistes pour enfants, très longues pistes vertes et bleues

et 2 pistes rouges. Amateurs de surf, vous pourrez pratiquer votre sport aux Tuffes (ou éventuellement au Noirmont), qui sont équipées d'un télésiège. Mais attention, vous ne serez pas seul sur la piste !

La Serra – Alt. maxi : 1 495 m. Le niveau monte car, malgré une très belle piste verte, le domaine s'adresse davantage aux habitués qui fréquentent les pistes bleues ou rouges.

Le Noirmont – Alt. maxi : 1 560 m. Débutants, s'abstenir ! Même la longue piste verte requiert un minimum d'assurance, ne serait-ce que pour utiliser sereinement le télésiège. Quant aux pistes rouges et noires, elles font la joie des surfeurs et autres équilibristes qui dévalent les pentes parfois verglacées.

> **ÇA GLETTE !**
> Le parler rousseland a des expressions qui ne manqueront pas de vous surprendre. La mairie des Rousses met en ligne un petit dictionnaire qui pourra vous amuser ou vous aider !
> *www.mairielesrousses.fr*

La Dôle – Alt. maxi : 1 680 m. Sommet du massif, la Dôle s'élève en Suisse. Les bons skieurs y sont les bienvenus, car ils trouveront abondance de pistes bleues, rouges ou noires. La Dôle est couronnée par une station de radars reconnaissable à ses **radômes**, curieuses sphères blanches. Cette station contrôle le trafic aérien pour l'aéroport de Genève. Souvent fréquenté par des chamois, le sommet est également un point de rendez-vous pour les randonneurs entraînés ; quand les conditions météorologiques sont favorables, le panorama sur le lac Léman et sur les Alpes est inoubliable.

SKI DE FOND

Avec plus de 200 km de pistes, la station et ses environs constituent l'un des paradis français des skieurs de fond. Le lac des Rousses, les forêts du Massacre et du Risoux, ainsi que le domaine skiable suisse, tout proche, sont des terrains de jeux sans égal. Les pistes sont balisées pour permettre la pratique du pas alternatif ou du pas de patineur (skating). Tous les niveaux sont également prévus grâce à plus de 32 pistes de difficultés variées (de vertes à noires). Depuis 1979, la célèbre **Transjurassienne** *(Voir Nos adresses, p. 363)* s'élance de Lamoura pour une course de 68 km.

LUGE

👫 Des pistes de luge sont aménagées à la Porte des Jouvencelles (massif des Tuffes), au pied du massif de Noirmont et de celui de la Serra, ainsi que dans les villages de Lamoura et Prémanon. À Bois-d'Amont, un « espace ludique » (payant) est dédié aux enfants et aux familles.

RAQUETTES

6

Sport accessible à tous, la randonnée en raquettes requiert, comme la marche à pied, un minimum d'entraînement physique. Avant de vous lancer audacieusement dans de longues excursions (11 itinéraires balisés), vous pouvez vous initier ou vous entraîner sur les 5 pistes damées près des villages *(2,50 €/j. - enf. 1,90 €)*. Si le sens de l'orientation n'est pas votre point fort, ou si la faune et la flore locales vous sont inconnues, vous suivrez avec intérêt les randonnées organisées et encadrées par un accompagnateur de l'École du ski français (ESF) des Rousses ou de Lamoura. L'ESF organise aussi des sorties nocturnes en raquettes.

👥 Des « espaces liberté », pistes damées en accès libre, permettent de pratiquer marche, luge, ski de fond ou raquettes : idéal pour une balade en famille.

Se promener

Les Rousses

Les maisons de bois des Rousses ont aujourd'hui disparu au profit de lotissements et d'établissements hôteliers. Au cœur d'un territoire longtemps disputé, le village ne s'est développé que très tardivement autour de son église du 18e s. Celle-ci présente une particularité géographique amusante : les eaux de pluie qui tombent sur la pente nord de la toiture s'écoulent vers la mer du Nord par l'Orbe et le Rhin ; celles que reçoit la pente sud vont à la Méditerranée par la Bienne et le Rhône. De la terrasse de l'église, **vue** sur le lac des Rousses et sur la chaîne du Risoux.

> **ALLER AUX ROUSSES**
> Ce serait à une expression cynégétique, **aller aux rousses**, que le village devrait son nom, les chasseurs désignant sous ce nom le gibier de couleur rousse (faisans, renards, etc.). Mais plus probablement, les « rousses » désigneraient les espaces défrichés au Moyen Âge.

Fort des Rousses

Construit au 19e s., c'est l'un des plus vastes de France. Peu impressionnant à première vue, il cache un incroyable réseau de galeries souterraines qui pouvaient contenir jusqu'à 3 000 hommes. Les abords du fort sont désormais accessibles aux promeneurs *(parcours ludique pour les enfants, rens. à l'office de tourisme.).*

Fort des Rousses Aventure – *Fort des Rousses -* 📞 *03 84 60 02 55 - www.fort-des-rousses.com - visite guidée sur demande préalable (1h45) tte l'année - fermé 1er janv., 25 déc. - 6,80 € (-10 ans gratuit) - visite des caves d'affinage de comté, activités aventures, parcours d'orientation : sur demande à l'office de tourisme.*

👥 Après les commandos, partis en 1997, c'est aux vacanciers de tester leur équilibre et leur courage sur un parcours divisé selon le niveau de difficulté. Il combine une grande variété d'obstacles et d'équipements : passerelle suspendue, pont de singe, via ferrata, tyroliennes… Les entrailles du Fort s'ouvrent aussi, pour deux parcours en souterrain : les enfants y perceront les secrets du fort, les adultes se mettront au défi sur les circuits d'entraînement des forces commandos. Sensations garanties !

Caves Juraflore – *R. du Serg.-Chef-Marc-Benoît-Lizon -* 📞 *03 84 60 02 24 - www.fort-des-rousses.com -* ♿ *- tlj sf sam. - 6,80 € (-14 ans 4 €) - réserv. obligatoire, sur le site Internet - visite guidée des caves d'affinage (1h45), présentation des techniques d'hier et d'aujourd'hui de fabrication du fromage - projection d'un film (20mn) et dégustation de comté - prévoyez des vêtements chauds.*

Aujourd'hui démilitarisé, le fort abrite d'immenses **caves d'affinage** du comté ; la plus longue mesure 214 m ! Avec la projection d'un film, les techniques de fabrication de ce fromage n'auront plus de secret pour vous. Dégustation en fin de visite.

Lac des Rousses

▶ *2 km au nord.*

👥 Il s'étend sur près de 100 ha et s'anime chaque été dès les premières chaleurs. Ses plages et ses activités nautiques en font un lieu très apprécié des estivants *(baignade surveillée en été).*

Parc naturel régional du Haut-Jura, ski de fond au lac des Rousses.
J.-D. Sudres/hemis.fr

À proximité Carte de microrégion p. 336

Bois-d'Amont B2

▶ *9 km au nord-est par la D29^{E2}.*

Bois-d'Amont est une petite commune tranquille au bord de l'Orbe, mais ne vous y trompez pas, elle abrite des athlètes acharnés comme Jason Lamy-Chappuis, huit fois champion de France entre 2006 et 2015, médaillé d'or aux Jeux olympiques de Vancouver en 2010 en combiné nordique, et champion du monde de ski nordique en 2011, 2012 et 2015.

Musée de la Boissellerie – *12 r. du Petit-Pont -* 🖀 *03 84 60 98 79 - www. museedelaboissellerie.com -* 🛦 *- visite guidée (1h15) 10h30 (sur demande préalable), 14h30 et 16h30 - fermé lun., 12 nov.-20 déc., 1ᵉʳ janv., 25 déc. - 6,50 € (-16 ans 3,50 €) - réduction sur présentation de la carte Rusée ou Jura musées.* Le village a longtemps été spécialisé dans le travail du bois, en particulier de l'épicéa. Cette activité traditionnelle est présentée dans une ancienne scierie restaurée et transformée en musée. Les différents métiers du bois, en particulier celui de boisselier (fabrication de boîtes), sont évoqués par des démonstrations et des documents audiovisuels, et les techniques de fabrication sont présentées, avec notamment la maquette animée par des roues à aubes et le châssis, grandeur nature, actionné par une turbine hydraulique.

Forêt du Risoux B2

▶ *Au nord-est.*

Dominant le lac des Rousses et la vallée de l'Orbe, cette magnifique forêt, d'une cinquantaine de kilomètres de long pour 4 à 5 km de large, a un tiers de sa superficie en France et le reste en Suisse. On peut faire, sous ses futaies, un grand nombre de promenades : fort du Risoux, crêt des Sauges, etc. En saison, les skieurs de fond y trouveront un terrain de jeu plein de charme, à la fois balisé et sauvage.

6

Prémanon B2

▶ *8 km au sud-ouest par la N 5 puis les D 29 et D 25.*

Dominé à l'ouest par le **mont Fier** (1 282 m), ce village et les hameaux avoisinants, bâtis à plus de 1 000 m, s'étagent par paliers depuis les bords de la Bienne, aux confins de Morez, jusqu'à la petite vallée des Dappes, qui constitue la frontière, au pied de la Dôle, en Suisse. Le village accueille le Centre national de ski nordique, formant tous les moniteurs de cette discipline. Visiblement bien entraîné, Vincent Gauthier-Manuel a rapporté dans son village de Prémanon 3 médailles des JO paralympiques de Vancouver en 2010 (2 argent, 1 bronze) et 3 autres dont une en or des JO de Sotchi en 2014 !

Espace des mondes polaires Paul-Émile Victor – *146 r. Croix-de-la-Teppe - ℘ 03 89 50 80 20 - www.espace-des-mondes-polaires.org - juil.-août et des vac. de Noël à la fin des vac. de fév. : 9h-13h, 14h-19h, sam. 14h-19h, (jeu. 19h30-21h45 pour la patinoire) ; reste de l'année : tlj sf lun.-mar. 14h-19h, dim. 14h-18h (sam. 19h30-21h45 pour la patinoire) - fermé 1ᵉʳ janv., 1ᵉʳ Mai, 25 déc. - possibilité de visite guidée - musée 8 € (-15 ans 4 €), patinoire 6 € (-15 ans 4 €) ; billet combiné (musée + patinoire) 10 € (-15 ans 5 €).*

Ce nouvel espace de 5 000 m² propose une immersion dans les mondes polaires à travers un musée, une patinoire, ainsi qu'un restaurant, un auditorium, un office de tourisme, un jardin polaire, un atelier pédagogique et une boutique. Le **musée** plonge le visiteur au cœur de la banquise, à travers différentes thématiques, telles que les écosystèmes polaires, le froid et la nuit polaire, les peuples de l'arctique et les conquêtes et les recherches polaires. Un parcours à la fois pédagogique, ludique et interactif qui met aussi en avant les archives personnelles du grand explorateur, **Paul-Émile Victor** (1907-1995), originaire du Jura. Le bâtiment, créé par des architectes jurassiens, a été conçu comme une base d'expédition polaire, en respectant les normes environnementales et en visant une autonomie d'énergie et un faible impact écologique. Pour les amateurs, la journée peut être complétée par une sortie à la **patinoire**, qui, à travers son décor et son ambiance, rappelle une banquise.

Lamoura B3

▶ *9 km au sud-ouest par la D 25.*

Musée du Lapidaire – *173 rte de Longchaumois - ℘ 03 84 41 19 37 - www.lamoura.fr - ♿ - juil.-août et vac. scol. : 10h-12h, 14h-18h, dim. 14h-18h ; reste de l'année : 14h-18h - fermé sam., avr. et de déb. oct. à mi-déc., 1ᵉʳ janv., 25 déc. - possibilité de visite guidée sur demande (50mn) - 4 € (-17 ans 2 €).*

À quelques lieues de la vallée de la Joux et des ateliers horlogers suisses, l'art de la taille des pierres précieuses a longtemps apporté un complément de revenu aux habitants isolés dans la montagne jurassienne. Quelques collections de pierres et d'outils, une petite démonstration et une vidéo illustrent ce savoir-faire aujourd'hui en voie de disparition dans la région.

Un sentier d'interprétation autour du lac de Lamoura permet de comprendre le fonctionnement de cet écosystème spécifique qu'est la tourbière.

Circuit conseillé Carte Au cœur du haut Jura p. 357

FORÊT DU MASSACRE

▶ *Circuit de 34 km tracé en orange sur la carte du haut Jura et sur la carte de microrégion – Comptez 45mn. Quittez Lamoura au nord-est par la D 25.*

Aujourd'hui très prisée pour le ski de fond, cette forêt, anciennement appelée « forêt de la Frasse », doit son nom actuel aux troupes du duc de Savoie qui, assiégeant Genève en 1535, refoulèrent et massacrèrent en ces lieux un détachement de mercenaires envoyés en renfort par François Ier.

Il s'agit de l'une des forêts les plus élevées du Jura français. Elle culmine au **crêt Pela**, à 1 495 m d'altitude : **vue** sur le Valmijoux, le Mont-Rond et les Alpes. Les boisements sont principalement constitués de peuplements d'épicéas. La forêt cache un spécimen rare : l'**épicéa muté**. Elle conserve aussi de nombreuses espèces des époques glaciaires telles que la chouette chevêchette ou la chouette de Tengmalm pour l'avifaune, l'orchis vanillé, le camerisier bleu ou la myrtille pour la flore. Des visites du massif sont organisées en saison.

La pittoresque **route de la combe du Lac** (D 25) longe de beaux épicéas.

Aux Jouvencelles, tournez à droite en direction du parking de téléski, puis 100 m plus loin prenez le chemin communal des Tuffes. Après avoir dépassé les dernières habitations, tournez à gauche dans une route qui s'embranche sur la route forestière ; laissez votre voiture 750 m après.

Belvédère des Dappes

alt. 1 310 m. *15mn à pied AR.* **Vue** *(table d'orientation)* sur les agglomérations des Rousses et de La Cure, le lac des Rousses, le Noirmont, la Dôle et, par temps clair, les Alpes suisses (les Diablerets).

Poursuivez par la route forestière tracée au cœur de la forêt du Massacre. D'un point situé à l'est du crêt Pela s'offre une échappée sur le mont Blanc par la trouée du col de la Faucille.

Regagnez Lamoura par Lajoux (voir p. 371), la D 292 à droite, puis la D 25 à gauche.

😊 NOS ADRESSES AUX ROUSSES

INFORMATIONS UTILES

Météo, enneigement – 📞 03 84 60 02 55 - www. lesrousses.com - rens. sur la météo et l'ouverture des pistes : www. inforoute39.fr - rens. sur l'état des routes.

HÉBERGEMENT

😊 Si vous restez une nuit dans l'un des 4 villages, votre hébergeur doit vous remettre une « Carte rusée » qui vous donnera des réductions sur les tarifs des activités de la station.

BUDGET MOYEN

Hôtel La Redoute – *357 rte Blanche* - 📞 *03 84 60 00 40* - *www.hotel-les-rousses.com* - 🅿 📶 - *fermé avr. et oct. - 25 ch. 67/102,50 € - ⊡ 9,90 € -* ✕ *formule déj. 15,80 €, 49 €.* Un hôtel sobre, à l'entrée de la station. Les

chambres sont simples, mais bien tenues. Grande salle à manger rustique. Spécialités régionales.

Le Lodge – *309 r. Pasteur* - 📞 *03 84 60 50 64* - *www. hotellelodge.com* - 📶 *- 11 ch. 96/141 € - ⊡ 12 €.* En plein centre-ville, hôtel de charme au décor de chalet. Chambres petites mais bien aménagées : mobilier en bois clair, excellente literie et couettes de qualité.

RESTAURATION

À proximité

BUDGET MOYEN

Arbez Franco-Suisse – *601 r. de la Frontière - La Cure - à 1,5 km au SE des Rousses par la N 5* - 📞 *03 84 60 02 20 - www.arbezie-hotel.com* - 🅿 *- formule déj. 15 € - 29/45 € - 10 ch. 89 € - ⊡ 10 €.* Bienvenue en principauté d'Arbézie ! Ce nom fut

6

donné par Edgar Faure à cet hôtel unique construit sur la frontière, tenu par la famille Arbez depuis 4 générations. Si vous dormez dans l'une des chambres, vous aurez peut-être la tête en Suisse et les pieds en France ! Le restaurant propose une cuisine traditionnelle de montagne.

L'Atelier – *1867 r. de Franche-Comté - 39220 Bois-d'Amont - à 8 km au N des Rousses par D 29E et D 415 -* $\mathscr{C}$ *03 84 60 94 15 - www.restaurant-latelier.fr - fermé dim. soir, lun. et mar. (sf vac. scolaires) - 19/35 €.* Cet Atelier, s'il évoque les Beaux-Arts dans son joli décor d'esprit contemporain, se consacre avant tout à la gastronomie. Vous y dégusterez les poissons du lac et une cuisine classique dont la carte varie au gré des saisons.

ACHATS

Boissellerie du Hérisson – *101 r. Pasteur - www.boissellerie-du-herisson.com/- tlj 9h30-12h, 14h, 19h ; de mars à juin et de sept. à nov. mar.-sam. 10h-12h, 14h-19h.* Une multitude d'objets en bois réalisés par des artisans jurassiens : jouets comme autrefois, jeux de société, coffrets à peindre, tire-bouchon, casse-noix, cuillère à miel, etc.

Fromagerie des Rousses – *137 r. Pasteur -* $\mathscr{C}$ *03 84 60 02 62 - www.lesmontsdejoux.com - lun.-sam. 9h-12h, 15h-19h (18h30 en basse sais.), dim. 10h-12h ; fermé 1er Mai, 25 déc., 1er janv., Ascension.* Une adresse incontournable pour de délicieux fromages (comté, tomme du Jura, morbier) et produits laitiers. Galerie de visite pour observer la fabrication et la salle d'affinage (à 9h). Vente également de salaisons,

champignons, confiseries, miel du Jura, vins et alcools de la région.

ACTIVITÉS

Jura sports et forme – *128 r. des Écoles -* $\mathscr{C}$ *03 84 60 52 89 - www.jurasportsetforme.com - lun.-jeu. 9h-21h, vend. 9h-13h, 16h-21h, sam. 9h-17h, dim. 9h-13h.* Sur près de 2000 m², ce centre offre toutes les possibilités de détente et de remise en forme. Forfaits de la séance (9 €) à la semaine (45 €).

Centre équestre Tinguely – *Rte du Mont-St-Jean -* $\mathscr{C}$ *03 84 60 04 09 - www.centre-equestre-tinguely.com - lun.-sam., juil.-août : dim. sur réserv. - baptême poney : 8,50 €, cours poney (1h) : 14 €, cours cheval (1h) : 21 € (enf. 18,50 €).* Cours de tout niveau, promenades, randonnées en calèche et en traîneau, en station ou itinérantes.

Excursion en train – $\mathscr{C}$ *03 84 60 02 55 - www.lesrousses.com - de déb. juin à déb. sept. - se rens. à l'office de tourisme (tarifs, achats des billets) ou en gare de La Cure.* Un petit train relie La Cure à Nyon, au bord du lac Léman, où vous avez la possibilité de prendre le bateau pour Yvoire en rejoignant l'embarcadère.

AGENDA

Transjurassienne – ♿ *p. 500, 508-509.*

Traversée du Massacre – *Déb. mars - club de ski de Prémanon - www.traverseedumassacre.com.* Course de ski nordique à travers la forêt (21 km ou 42 km).

Festival du film polaire et de montagne – *Espace des mondes polaires Paul-Émile-Victor à Prémanon. Tous les deux ans.*

Lajoux

Jura (39)

Petit village sur la route du col de la Faucille, Lajoux est le cœur du Parc naturel du Haut-Jura et la porte d'entrée des Hautes Combes. Il abrite une fromagerie et plusieurs artisans, mais surtout la grande Maison du Parc et son exposition ludique sur l'environnement jurassien. Station familiale d'été et d'hiver, Lajoux se situe sur les parcours de la Grande Traversée du Jura.

NOS ADRESSES PAGE 375
Hébergement, restauration, achats, activités, etc.

S'INFORMER

Point Info de Lajoux – *27 Le Village - 39310 Lajoux - ℘ 03 84 41 28 52 - www.saint-claude-haut-jura.com - vac. scol. (hors juil.-août) : 9h-12h30, 13h30-17h30 ; de mi-déc. à mi-mars (hors vac. scol.) : 9h-12h30, 13h30-17h, dim. 9h-13h ; juil.-août : tlj sf w.-end 14h-19h ; reste de l'année : se rens. - fermé j. fériés.*
Bureau d'informations touristiques de La Pesse – *10 r. de l'Épicéa - 39370 La Pesse - ℘ 03 84 42 72 85 - www.saint-claude-haut-jura.com - vac. de fév. et vac. de Noël : 9h-12h30, 13h30-17h30 ; juil.-août : tlj sf dim. 9h-12h, 14h-17h30, jeu. 9h-12h ; reste de l'année : se rens. - fermé certains j. fériés.*

SE REPÉRER

Carte de microrégion B3 (p. 336).
À 19 km à l'est de St-Claude par la D 436 et à 14 km à l'ouest du col de la Faucille par les D 436, D 936 et D 1005.

À NE PAS MANQUER

Les paysages des Hautes Combes ; une balade été comme hiver, tiré par les chiens de traîneau.

ORGANISER SON TEMPS

Prévoyez une journée pour découvrir la région en voiture. Plusieurs jours si vous souhaitez profiter de la riche nature du Parc naturel du Haut-Jura.

AVEC LES ENFANTS

Une escapade dans le Parc naturel du Haut-Jura (gorges, forêts, cascades…), sans oublier la Maison du parc.

Découvrir le Parc naturel régional du Haut-Jura

Cœur du Parc naturel, Lajoux accueille la Maison du Parc du Haut-Jura et quelques artisans (layetier, potier) qui perpétuent des savoir-faire ancestraux.
Maison du Parc du Haut-Jura – *29 Le Village - 39310 Lajoux - ℘ 03 84 34 12 30 - www.parc-haut-jura.fr - ⅙ - de déb. janv. aux vac. de fév., juil.-août et j. fériés : 9h-13h, 14h-18h, sam. 14h-18h ; reste de l'année : 14h-18h, w.-end et j. fériés 9h-13h - fermé lun. - 5 € (-12 ans 3 €).*

Au rez-de-chaussée, une vidéo *(30mn)* invite les visiteurs à reconnaître différents bruits : aboiement du chevreuil, glace qui craque, cloches, etc. Au premier étage, un grand espace ludique compose une exposition sur la nature, l'écologie, les frontaliers. Vidéos, ambiances sonores, bornes interactives… permettent de mieux comprendre la géographie du Jura et les activités du Parc. Vous pourrez également visiter un **grenier fort** : ces solides constructions, à l'écart des fermes à cause des incendies, abritaient jadis les denrées rares et les objets ayant quelque valeur.

Un nouvel espace sur les zones humides explique notamment comment se forment les tourbières, quelles sont leurs richesses et comment les préserver.

6

Circuit conseillé

DE GORGES EN CRÊTS : LES HAUTES COMBES
Carte Au cœur du haut Jura p. 357

Circuit tracé en grenat sur la carte du haut Jura et sur la carte de microrégion – Comptez 6h.
Quittez Lajoux par la D 292, gagnez Les Molunes, puis Les Moussières.

Les Moussières
Après avoir traversé un paysage de fermes isolées, vous arrivez au hameau des Moussières. Point de passage entre les abbayes de St-Claude et de Chézery autrefois, le village est aujourd'hui une petite station de montagne.

Maison des Fromages – ☏ 03 84 41 60 96 - http://fromagerie-haut-jura.fr - ♿ - 9h-12h15, 14h30-18h30 - fermé mar., 1ᵉʳ janv., 25 déc. - possibilité de visite guidée sur demande (1h30) - 5,30 € (-13 ans 3,60 €) - possibilité de dégustation vins et fromages (payant). Cette coopérative fromagère était spécialisée dans le bleu de Gex. Les autres fromages AOC, comté et morbier, ainsi que celui à raclette lui assurent une activité toute l'année. Une galerie permet au visiteur d'observer toutes les étapes de fabrication. C'est le matin à 8h que le gros du travail se fait ; on peut aussi suivre quelques manipulations vers 15h30. Panneaux explicatifs dans la galerie.
Prenez la D25 vers le sud jusqu'à L'Embossieux. Tournez à gauche en direction de La Pesse.

La Pesse
Le bourg s'intègre bien dans les objectifs du Parc naturel régional. Il a su développer des activités reposant à la fois sur la qualité de ses paysages et sur son artisanat. Les Hautes Combes sont l'endroit idéal pour des balades en traîneau à chien : plusieurs meutes sont présentes sur les différentes communes. À La Pesse, un artisan fabrique le matériel des traîneaux. On trouve aussi un spécialiste des maisons en gros rondins repérables dans la région. Leur spécificité repose sur l'irrégularité des pièces de bois, qui s'emboîtent pourtant parfaitement entre elles.

👥 **Musée rural « Vie et métiers d'autrefois dans le haut Jura »** – *23 r. de la Fruitière - ☏ 03 84 42 70 47 - www.fruitiere-lapesse.com - ♿ - 9h-11h30, 14h30-18h, lun. 15h-17h - fermé 1ᵉʳ janv., 25 déc. - possibilité de visite guidée sur demande - 4 € (-12 ans gratuit).* Petit musée dans lequel sont regroupés outils et objets usuels d'autrefois dans des mises en scènes de la vie à la ferme et des activités traditionnelles.
Depuis La Pesse, prenez la route en face de l'église vers la borne au Lion.

Borne au Lion et ★★★ Crêt de Chalam (🔾 p. 376)
Revenez à La Pesse et prenez à gauche la D 25 sur 7,5 km. Au croisement avec la D 124, prenez à droite en direction de St-Claude. Après 2 km, empruntez à gauche la route forestière en direction du Cuchet. Attention, la route est en mauvais état. Prenez le chemin à droite qui vous mène à un parking.

Belvédère du Cuchet
🚶 *Prenez le sentier sous les arbres qui mène au belvédère (15mn AR).*
Il traverse la classique forêt de hêtres et de sapins puis un massif de chênes pubescents, rare à cette altitude (1 018 m). Le belvédère offre un beau

Perdu sous la neige au creux d'une combe, à Lajoux.
J-C.&D. Pratt/Photononstop

panorama sur la vallée de la Bienne. Le tintement des cloches de l'église de Choux, 200 m plus bas, résonne remarquablement jusqu'à la corniche.
Reprenez la D 124 à gauche. Vous avez à peine le temps d'apprécier la vue sur la vallée du Tacon que vous tournez à droite en direction des Bouchoux.

★ Les Bouchoux

Prenez à gauche la rue qui mène à la place de l'église, au sommet de l'éperon sur lequel se trouve le village.

Sur cette place originale, entourée des bâtiments municipaux, l'église en tôle fait face à la croix des Couloirs, qui se détache blanche au-dessus des sapins. Les deux inscriptions au-dessus des portes du sanctuaire, illustration de la sagesse populaire, ne manqueront pas de vous surprendre. De cette plate-forme perchée au-dessus de la vallée du Tacon, entourée de falaises, il vous suffit de fermer les yeux pour entendre tous les sons de la montagne avec une grande netteté.

Quittez le village par la D 25^{E1} vers L'Embossieux. Au niveau de l'industrie de tavaillons, vous longez à droite une grande combe au fond de laquelle se trouve

LE BLEU DE GEX

La légende raconte qu'un moine de Chézery se rendant à St-Claude fut pris dans une tempête de neige. Un paysan des Moussières le sauva du froid et des loups en le portant sur son dos. En remerciement, le moine lui confia le secret de ce fromage bleu persillé.

Au 14e s., des moines dauphinois rejoignent l'abbaye de St-Claude et y apportent leurs techniques du bleu persillé. Mais ce n'est qu'à l'abolition du servage, à la Révolution, que l'élevage bovin et la production du « bleu de Septmoncel » se développent sur le plateau. Le bleu de Gex obtient en 1935 la délimitation d'une aire de fabrication exclusive et devient le premier fromage AOC français en 1977.

6

une tourbière, autrefois très exploitée par les habitants de la région. Reprenez la D 25 vers Les Moussières. Au hameau, tournez à droite vers Bellecombe (D 25ᴱ⁵).

Bellecombe
La région de Bellecombe mérite bien son nom. Après le premier grand virage, on découvre un **paysage**★ de prairies vallonnées dominées par les monts du Jura. Ce trajet est splendide dans la lumière du soir.
Au niveau de La Simard, traversez la D 292 et prenez la D 292ᴱ¹ puis tournez à gauche. Prenez à droite la D 25, puis la première route à gauche vers le belvédère.

Belvédère de la Roche blanche
Alt. 1 139 m. Parking.
Vue sur la vallée du Flumen, St-Claude et Septmoncel. *Redescendez sur la D 25 et garez-vous là. Longez la D 25 à pied vers le nord en étant vigilant, la route est étroite. Un autre belvédère est aménagé 700 m plus loin.*

★ Belvédère de la Cernaise
De ce promontoire, établi au-dessus du vide, on a une **vue** plongeante sur la vallée du Flumen, St-Claude et le plateau de Septmoncel.
Suivez la D 25. Au lieu-dit L'Évalide, prenez à gauche la D 436 vers St-Claude.

★ Gorges du Flumen
Le torrent de Flumen, affluent du Tacon, a taillé des gorges au fond desquelles il bondit en cascades successives dont la plus belle se voit, de la route, entre le tunnel et le Chapeau de Gendarme. Certaines années, au mois d'août, on peut cueillir dans le fond de la vallée d'odorants cyclamens. Entre St-Claude et Septmoncel, la D 436 suit, en corniche, ces **gorges**★ célèbres et ouvre sur elles des perspectives impressionnantes. Elle traverse, en tunnel, un éperon rocheux, puis offre une vue, en avant, sur la principale cascade du Flumen.

★ Chapeau de Gendarme
Parking.
Vous découvrirez cette curiosité géologique dans les « lacets de Septmoncel » (route en corniche suivant les gorges du Flumen) : il s'agit d'un ensemble de strates épaisses, horizontales à l'origine, qui, sous une lente pression, ont été soulevées à l'ère tertiaire et se sont tordues sans se rompre.
Belvédère du Saut du Chien – *Parking.* Belle **vue** sur les gorges.
À l'entrée de St-Claude, prenez à droite, puis tout de suite à droite sur la D 304 en direction de Lamoura.

★ Cascade de la Queue de Cheval
Laissez votre voiture sur le parking à la sortie du village de Chaumont, et prenez à droite le sentier (1h AR).
Celui-ci conduit au pied de la cascade, qui descend en deux bonds d'environ 50 m. Petit conseil : faites cette balade après une forte pluie, ou le matin pour prendre de belles photos.
Continuez sur la D 304. Laissez votre voiture au hameau de la Main-Morte après le pont et prenez le sentier à gauche vers le crêt Pourri.

★ Crêt Pourri
30mn à pied AR.
Beau **panorama**★ de la table d'orientation (1 025 m).
Suivez la D 304 jusqu'à Lamoura, que vous traversez en direction de Lajoux, par la D 436 à gauche.

😊 NOS ADRESSES À LAJOUX

♿ *Voir aussi nos adresses au Crêt de Chalam.*

VISITES

Nombreux artisans (layetiers, tavaillonneurs, potiers, créateurs de vitraux, de perles, d'objets en feutre) et producteurs (fermiers, apiculteurs, fromageries ouvertes à la visite) sur la route des savoir-faire du haut Jura et la route des fromages du haut-Jura, ainsi que sur le réseau « Espace et Temps de la Neige » (voir les documents édités par le parc, à la Maison du Parc du Haut-Jura et dans les offices de tourisme). Horaires et tarif, se rens.

HÉBERGEMENT ET RESTAURATION

PREMIER PRIX

La Maison des Inuits – *Le Manon -* 📞 *03 84 41 26 93 - www.gite-jura-inuits.com -* ♿ *- 1/2 P. 56/65 €/pers.* ☕ L'environnement est mis à l'honneur dans ce gîte bioclimatique : récupération des eaux de pluie, panneaux solaires, produits bio… Après une randonnée accompagnée proposée par vos hôtes, vous pourrez profiter du confort du lieu ou d'un bon sauna. Deux chalets indépendants (5/6 pers.) peuvent être loués au week-end ou à la semaine, camping (8,50 €/pers.).

Le Pré Fillet – *39310 Les Molunes -* 📞 *03 84 41 62 89 - www.hotel-leprefillet.com -* 🅿 ♿ *- fermé sem. du 1er Mai, mi-oct.-mi-nov., dim. soir et lun. - tlj 15 juin-15 sept. - 72/77 € -* ☕ *10 € -* 🍴 *formule déj. 12/16 € - 50 €.* Situé en pleine campagne, cet hôtel familial propose de jolies chambres toutes différentes. Accueil chaleureux et restaurant apprécié pour sa cuisine de terroir et sa belle carte des vins. Sauna, Jacuzzi, tennis.

BUDGET MOYEN

Hôtel de la Haute Montagne – *46 Le Village -* 📞 *03 84 41 20 47 - www.hotel-de-la-montagne. com - fermé 15 j. après Pâques et 3 oct.-12 déc. - 20 ch. 72/111 € -* ☕ *10,50 € -* 🍴 *16/43 € - 1/2 P. 69 €/pers.* Façade rafraîchie pour cet hôtel situé au centre d'un bourg de montagne. Chambres sobres, refaites à neuf. Cuisine familiale et recettes du pays.

ACTIVITÉS

Ferme des Huskies – *39370 La Pesse - Le Sarnasson -* 📞 *03 84 42 48 95 - www.raids-traineaux.com.* C'est avec passion que l'équipe de ce grand chenil vous présentera ses chiens de traîneau. En hiver, vous pourrez conduire un attelage ou juste vous faire promener ; en été, cani-rando ou balade en cani-trottinette. Activités handisports.

Sentiers de découverte – 📞 *03 84 34 12 27 - http://randonature.parc-haut-jura.fr -* Le portail présente des circuits de randonnée et des sentiers d'interprétation. La Bienne, les sources de l'Héria, le lac de Lamoura… De nombreux sites ont été aménagés pour présenter les milieux naturels caractéristiques de la région.

Grande Traversée du Jura – *15-17 Grand-Rue -* 📞 *03 84 51 51 51 - www.gtj.asso.fr - se rens. auprès des offices de tourisme.* 6 itinéraires de randonnées sont balisés, doublés d'un réseau de 150 hébergements. Il ne reste plus qu'à choisir le moyen de transport… et la saison : en été, vous avez le choix entre la marche à pied (400 km), le VTT (380 km), le vélo (360 km), l'équitation (500 km) ; en hiver, le ski nordique (180 km) ou les raquettes (90 km).

6

Crêt de Chalam

★★★

Ain (01)

Ce n'est pas l'Olympe, mais c'est quand même le sommet le plus élevé (1 545 m) de la chaîne qui domine, à l'ouest, la Valserine. Son accès un peu ardu ne décourage pas les nombreux randonneurs qui viennent chercher un dépaysement garanti et un panorama qui, par temps favorable, offre un spectacle de toute beauté.

 NOS ADRESSES PAGE 378
Hébergement, restauration, achats, activités, etc.

S'INFORMER

Point Info de Lajoux – *27 Le Village - 39310 Lajoux -* 📞 *03 84 41 28 52 - www.saint-claude-haut-jura. com - juil.-août : tlj sf w.-end 14h-19h ; vac. scol. (hors juil.-août) : 9h-12h30, 13h30-17h30 ; de mi-déc. à mi-mars (hors vac. scol.) : 9h-12h30, 13h30-17h, dim. 9h-13h ; reste de l'année : se rens. - fermé j. fériés.*

SE REPÉRER

Carte de microrégion A3 (p. 336). Privilégiez le départ de La Pesse, petit village situé à 22 km au sud de St-Claude par la D 124, puis la D 25.

À NE PAS MANQUER

L'impressionnant panorama du sommet du crêt ; le rappel historique de la borne au Lion.

ORGANISER SON TEMPS

Comptez environ 1h30 de marche aller-retour.

AVEC LES ENFANTS

Une leçon d'histoire de la région autour de la borne au Lion.

Se promener

Sac à dos, solides chaussures de marche, eau (et appareil photo !) sont indispensables pour partir à l'assaut de ce somptueux belvédère.
À La Pesse, prenez la route en face de l'église. Après 4 km (fin de la route goudronnée et panneau « La borne au Lion »), garez-vous et continuez à pied.

Borne au Lion

Depuis le parking, rejoignez le refuge-belvédère puis empruntez le sentier de gauche pour rejoindre la borne (10mn à pied AR).
Fréquentes dans cette région frontalière, les anciennes bornes sont devenues des repères précieux pour les randonneurs. La borne au Lion est l'une des plus célèbres. Sur cette dernière, située en contrebas d'un monument en l'honneur des maquis de l'Ain et du haut Jura, on distingue le lion (Franche-Comté), les fleurs de lys (le royaume de France) et la date (1613). Appelée borne des Trois Empires, puis borne au Lion, elle marquait à l'époque la limite entre la France,

---

CHASSE AU TRÉSOR

Plusieurs légendes rapportent que deux marquises, qui voulaient s'enfuir en Suisse à cause de la Révolution, furent détroussées et tuées à la **combe d'Évuaz**. Elles auraient eu le temps de cacher une partie de leurs richesses, mais avec beaucoup de soin, car… on cherche encore !

Parc régional du Haut-Jura, paysage agricole sur le plateau surplombant la Valserine.
Ph. Roy/hemis.fr

l'Espagne et la Savoie. Elle fut aussi, en juillet 1944, le point de ralliement du maquis harassé par les attaques allemandes, et 3 000 hommes y séjournèrent pendant deux mois. Belle **vue** sur les monts Jura.

🚶 *Prenez le sentier de droite depuis le refuge aménagé (1h30 à pied AR).* On traverse bientôt un plateau planté d'épicéas, et on aperçoit le sommet du crêt. *Montée raide sur les 100 derniers mètres.*

★★ Panorama

La vallée de la Valserine apparaît dans toute sa longueur. L'horizon est limité, à l'est, par les **monts du Jura**, la plus haute chaîne et la dernière avant l'effondrement de la plaine suisse. Juste devant soi, on a la **roche Franche**, aux pentes ravinées ; sur la gauche, le **Reculet**, puis le **crêt de la Neige**. Alors que ce dernier était considéré comme le point culminant du Jura, avec ses 1 718 m, le Reculet, haut de 1 717 m, a longtemps jeté un certain trouble dans les esprits. Nouveau rebondissement en 2003, grâce à un cartographe de la DDE de Vesoul : un sommet à proximité du crêt de la Neige dévoile 1 720 m de haut. Ce record est confirmé par l'IGN. Sur la droite, au-delà du col du Sac, on aperçoit le **grand crêt d'Eau**. Derrière la chaîne, entre le Reculet et le grand crêt d'Eau, émerge, par temps clair, le **mont Blanc**. Vers l'ouest, la **vue** est très étendue sur les chaînons et les hauts plateaux jurassiens.

6

😊 NOS ADRESSES AU CRÊT DE CHALAM

🥾 *Voir aussi nos adresses à Lajoux et dans la Valserine (p. 408).*

HÉBERGEMENT

PREMIER PRIX

Chambres d'hôte La Dalue – *39310 Bellecombe - à 5 km au NE de La Pesse par la D 25, dir. Les Moussières -* 📞 *03 84 41 69 03 - www.gite-la-dalue.com - 2 dortoirs (10 et 8 pers.) 16/18 € -* 🍴 *6 € - 4 ch. 56 €* 🛏 *- repas 16 €.* En pleine forêt, cette ancienne ferme est une fameuse étape pour marcheurs et fondeurs sur les grands sentiers de randonnée du Jura. Dortoirs, chambres, rustiques mais agréables dans l'ancien grenier à foin. Table d'hôte de spécialités locales comme la langue de bœuf fumée au genévrier ou la chèvre salée, sans oublier les plats au bleu de Gex ! Camping à la ferme en été.

RESTAURATION

PREMIER PRIX

Le Commerce – *01410 Chézery-Forens -* 📞 *04 50 56 90 67 - www. hotelducommerce-blanc.fr - fermé oct.-janv., mar. soir, merc. (sf vac. scol.) - menus 13/30 € - 5 ch. 60 € -* 🛏 *7,80 €.* Cette attachante maison propose une petite restauration dans un cadre authentiquement campagnard. Chaque dimanche on retrouve le fameux poulet à la crème et aux morilles. Sur la terrasse, on se laisse bercer par le murmure des eaux de la Valserine…

BUDGET MOYEN

Ferme-auberge La Combe aux Bisons – *Pré Reverchon - 39370 La Pesse - L'Embossieux (à 1,5 km au N de La Pesse par la D 25, dir. L'Embossieux) -* 📞 *03 84 42 71 60 - www.lacombeauxbisons. fr -* ♿ *- fermé 1er déc.-28 déc., lun., mar., merc. soir, jeu. soir, dim. soir sf fév., juil., août lun., mar. soir, dim.soir - réserv. obligatoire - 26,30/37,80 €.* Cette accueillante ferme du haut Jura, entourée de forêts et de grands pâturages où paissent des bisons, présente un décor digne du Far West ! Le maître des lieux et son équipe accommodent cette viande tendre et goûteuse de multiples façons, sans oublier pour autant de proposer quelques spécialités fromagères ainsi que des vins jurassiens.

Auberge de la Chaumière – *13 r. en Bonneville - 39370 Les Bouchoux -* 📞 *03 84 42 71 63 - fermé jeu. soir (lun. soir et jeu. soir hors saison), sur rés. - formule déj. 13 €, menus 21/29 € - ch. 44/48 € -* 🛏 *7 €.* C'est dans une ancienne cure construite en 1630 que l'auberge a été créée en 1980. Cuisine soignée préparée par le « patron ». Terrasse en bois dans un jardin avec vue sur la montagne.

Monts Jura

★

Ain (01)

En amont de la vallée de la Valserine, les villages de Mijoux et de Lélex, rejoints récemment par celui des Menthières près de Bellegarde, se sont regroupés pour former, avec le col de la Faucille, la station la plus méridionale du Jura. La plus élevée aussi, car son grand domaine skiable atteint une altitude de 1 680 m, offrant de spectaculaires panoramas et d'impressionnants dénivelés.

 NOS ADRESSES PAGE 383
Hébergement, restauration, achats, activités, etc.

S'INFORMER

Maison du tourisme Monts Jura – *435 r. des Monts-Jura - 01410 Lélex - ℘ 04 50 20 91 43 - www.monts-jura. com - horaires, se rens.*

SE REPÉRER

Carte de microrégion AB3 (p. 336). De Bellegarde-sur-Valserine (D 991 vers le nord), on suit la Valserine jusqu'aux monts du Jura et les principaux sites de la station : Lélex (29 km au nord), puis Mijoux (8 km plus au nord). Car depuis Bellegarde-sur-Valserine (TGV).

À NE PAS MANQUER

Le sentier des Balcons du Léman, reliant les principaux crêts de la région (Mont-Rond, Colomby de Gex, crêt de la Neige) ; le col de la Faucille.

ORGANISER SON TEMPS

Tout dépend de votre forme : 3h aller-retour du sommet de la télécabine de la Catheline au crêt de la Neige, environ 4h aller-retour pour le Colomby de Gex…

AVEC LES ENFANTS

Les parcours accrobranche du col de la Faucille l'été ; le ski l'hiver.

Se promener Carte de microrégion p. 336

Lélex B3

À Lélex, le caractère montagnard de la haute vallée s'affirme. Notez les maisons bardées de tavaillons qui protègent le côté sud, exposé aux intempéries.

★★ **Ascension du crêt de la Neige –** *Comptez 3h à pied AR depuis la gare supérieure de la télécabine par un sentier non dangereux, mais glissant (chaussures de montagne antidérapantes recommandées).*

Alt. 1 718 m. Au départ de Lélex, prenez la **télécabine de la Catheline –** *℘ 04 50 20 91 43 - www.monts-jura.com - de mi-déc. à fin mars : 9h-17h ; juil.-août : merc., w.-end et j. fériés 9h-13h, 14h15-18h - 8 € (-16 ans 5,50 €).*

De Crozet, côté pays de Gex, la **télécabine du Fierney** permet aussi de rejoindre le col du Crozet – *℘ 04 50 20 91 43 - www.monts-jura.com - juil.-août : w.-end et j. fériés 9h-17h30 ; de mi-déc. à fin mars : 9h-17h - 8 € (-16 ans 5,50 €) - dép. en continu.*

Des gares supérieures des télécabines, à 1 450 m d'altitude, dirigez-vous vers le sud en direction du crêt de la Neige. Après le Grand Crêt, vous découvrirez à l'est, le lac Léman, Genève et son jet d'eau. Du sommet, le **panorama** est

6

saisissant sur la chaîne des Alpes, depuis les Alpes bernoises jusqu'à la barre des Écrins.

Entre Lélex et Mijoux, le Valmijoux égrène ses sites au charme agreste. La Valserine coule paisiblement à travers des prés verdoyants.

Mijoux B3

Cet agréable village est décoré de fresques murales qui illustrent d'anciens métiers de la région. Il est relié au col de la Faucille et au Mont-Rond par des remontées mécaniques – *℘ 04 50 20 91 43 - www.monts-jura.com - de fin déc. à mi-mars : 8h45-16h45 ; juil.-août : w.-end et j. fériés 10h30-13h, 14h-17h30 - 8 € (-16 ans 5,50 €).*

À Mijoux, prenez à droite la D 936 qui s'élève au-dessus du Valmijoux jusqu'au col de la Faucille.

★★ **Col de la Faucille** – 👍 *p. 382.*

Découvrir le domaine skiable

SKI ALPIN

Les trois domaines skiables regroupent 49 pistes (60 km) de descente de tous niveaux, desservies par 31 remontées mécaniques dont 3 télécabines. Ces domaines offrent les meilleurs dénivelés du Jura : 800 m. La neige y est assurée par 30 ha couverts, si nécessaire, par neige de culture.

Lélex-Crozet (900-1 700 m) – Dans le village, un jardin d'enfants permet aux plus jeunes de s'initier sans risque aux joies de la glisse. Le sommet de la station culmine à 1 680 m (Monthoisey). De très belles pistes vertes, bleues et rouges descendent du sommet vers la Catheline, puis Lélex et vers Fierney.

Mijoux-La Faucille (1 000-1 550 m) – Un télésiège relie Mijoux au col de la Faucille. Un télécombi conduit ensuite au sommet du Mont-Rond (1 534 m), idéal pour les débutants qui trouvent là de larges et belles pistes vertes et bleues ; les skieurs confirmés pourront aussi descendre 2 pistes rouges. Très longue descente (pistes bleues et vertes) vers Mijoux.

Menthières (1 000-1 530 m) – Un télésiège vous emmène, depuis Menthières, 260 m plus haut. Il vous faudra prendre un téléski pour rejoindre le crêt des Frasses. Un deuxième téléski permet de remonter à proximité du sommet à mi-parcours. Une longue piste bleue et deux pistes rouges partent du sommet.

℘ Afin d'éviter les files d'attente, vous pouvez acheter votre forfait ski alpin sur le site Internet de la station - www.monts-jura.com. Avantages tarifaires.

SKI DE FOND

La Vattay (1 300-1 500 m) – Sa renommée internationale est largement justifiée, tant par son accueil (restaurant, bar, location de matériel, école de ski nordique…) que par la qualité de ses 100 km de pistes damées en double largeur (patineur et trace) ou ses pistes de compétition.

La Valserine (900-1 080 m) – Moins connu, moins sportif, mais très agréable, ce domaine dévoile les charmes d'une belle vallée encore sauvage. Les 40 km de pistes sont damés à la fois pour le pas du patineur et le pas alternatif.

RAQUETTES

Des sentiers balisés partent du col de la Faucille, des Menthières, de La Vattay, des villages de Mijoux et de Lélex et des gares supérieures des télécabines Ils

Parc naturel régional du Haut-Jura, randonnée au Montrond, col de la Faucille.
Ph. Roy/hemis.fr

mènent au coeur de la réserve naturelle de la Haute Chaîne du Jura (le plan
de circulation au sein de la réserve varie en fonction des saisons, bien suivre
le balisage). Accès payant depuis La Vattay (5,50 €, -15 ans 4,50 €) - gratuit
pour les autres itinéraires.

À proximité Carte de microrégion p. 336

★★ Mont-Rond B3

◉ On y accède généralement depuis le col de la Faucille, en prenant, à partir
de la D 1005, la route d'accès au télécombi du Mont-Rond. *Laissez votre voiture au parc de stationnement et prenez le télécombi - ☏ 04 50 20 91 43 - www.
monts-jura.com - de mi-déc. à fin mars : 9h-17h ; juil.-août : 10h30-18h ; juin et
sept. : w.-end horaires, se rens. - 8 € (-16 ans 5,50 €) - on peut également emprunter à Mijoux le télésiège qui conduit à la gare inférieure de la télécabine du col
de la Faucille (juil.-août : w.-end, merc. et j. fériés 10h30-13h, 14h15-17h30 - 10 €
télésiège + télécombi, 8 € télésiège seul).*

🚶 Du sommet de la télécabine, suivez le chemin du Mont-Rond. C'est l'un
des belvédères les plus fameux du Jura. Il comporte le Petit et le Grand Mont-
Rond, le premier étant le plus intéressant.

Belvédère du Petit Mont-Rond – Près de la gare supérieure du télécombi s'élève un relais de radio et de télévision. De la table d'orientation du
Petit Mont-Rond *(de là, on peut poursuivre jusqu'au Colomby de Gex)*, l'impression est saisissante. D'un seul coup se révèle le grandiose panorama qui, au-
delà de l'effondrement où s'est formé le lac Léman, embrasse les Alpes sur
250 km de large et 150 km de profondeur, ainsi que toute la chaîne du Jura
et de la Dôle (Suisse).

★★★ Colomby de Gex B3

◉ *Même accès que pour le Mont-Rond. Prenez le télécombi pour atteindre le
belvédère du Petit Mont-Rond et poursuivez à pied, ou passez au pied du télécombi et suivez le chemin balisé (GR 9) qui longe la ligne de crête (durée : 4h AR).*

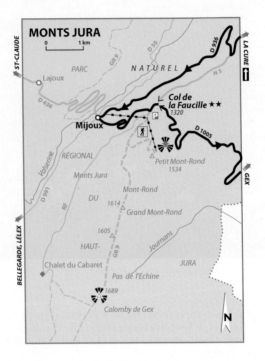

C'est l'un des points culminants (1 689 m) de la plus haute chaîne du Jura, celle qui plonge directement sur l'effondrement de la plaine suisse. Le sommet offre un superbe panorama, très semblable à celui du Mont-Rond : le regard embrasse là aussi la chaîne des Alpes sur un développement de 250 km.

Circuit conseillé Carte des monts Jura ci-dessus

★★ DE LA CURE À GEX

Circuit de 27 km tracé sur la carte des monts Jura – Comptez 30mn (sans les haltes).

En venant de La Cure, la D 1005 – une des grandes routes de circulation franco-suisse – laisse à droite la forêt du Massacre au-delà de la dépression du Valmijoux où coule la Valserine, alors que, sur la gauche, s'élève la Dôle (1 677 m), en territoire helvétique.

Mijoux (☝ *p. 380*)

★★ Col de la Faucille

Il franchit à 1 320 m d'altitude la grande échine qui sépare la dépression du Rhône et du lac Léman d'un côté, et la Valserine de l'autre. Ce col est célèbre puisque c'est l'un des principaux passages de la chaîne du Jura. À proximité du col, la route traverse d'abord un certain temps deux murailles de sapins, puis tout d'un coup dévoile, exactement dans l'axe de la route, le géant des Alpes : le mont Blanc. En fin d'après-midi, par beau temps, l'apparition soudaine de cette masse, dont la neige étincelante est teintée de rose par le soleil déclinant, est un moment inoubliable. Des abords du col, belle **vue★** sur le fond de la vallée de la Valserine que l'on domine de plus de 300 m.

★★ Descente sur Gex

Le col franchi, on traverse des bois de sapins puis, après l'hôtel La Mainaz, la D 1005 s'en dégage et effectue un grand lacet au-dessus des pâturages et des hôtels du Pailly. Laissez votre voiture dans la partie élargie de ce coude pour jouir du **panorama★★** splendide. Le lac Léman baigne généralement dans une atmosphère brumeuse ; parfois même, une mer de nuages le recouvre tout entier, mais alors les sommets des Alpes se découpent très nettement.

Plus bas, dans un autre lacet très serré qui contourne une maison, on verra, sur le bord de la route, la fontaine Napoléon, datant de la construction de cette voie magnifique (1805) et rappelant le nom de son initiateur.

Peu après, le pays de Gex apparaît, tout entier étalé au pied des pentes ; les prés, les bois ont fait place à un vaste jardin, inondé de soleil, auquel les champs donnent l'aspect d'un damier.

Gex (♿ p. 386)

☺ NOS ADRESSES DANS LES MONTS JURA

HÉBERGEMENT

PREMIER PRIX

La Petite Chaumière – 01170 Gex - Col de la Faucille - ☎ 04 50 41 30 22 - www.petitechaumiere.com - 🅿 ♿ - fermé avr. et mi oct.-20 déc. - 34 ch. 77/94 € - ☐ 11 € - 1/2 P. 68/81 € - ✗ 23/40 €. Grand chalet au pied des pistes. Petites chambres de style montagnard. Une résidence abrite des studios parfaitement adaptés pour un séjour en famille ou entre amis. Restaurant sans prétention.

UNE FOLIE

Hôtel La Mainaz – Rte du Col-de-la-Faucille - 01170 Gex - ☎ 04 50 41 31 10 - www.la-mainaz.com - 🅿 🛜 - 21 ch. 147/639 € - ☐ 25 € - ✗ brasserie 35/55 € (tlj sf lun. midi) et restaurant gastronomique. Cet imposant chalet de bois domine la descente du col. Panorama splendide, par temps clair, sur les Alpes, le mont Blanc et le lac Léman. Hôtel entièrement rénové dans un style cosy.

RESTAURATION

BUDGET MOYEN

Hôtel-Restaurant La Couronne – Col-de-la-Faucille - 01170 Gex - ☎ 04 50 41 32 65 - www.hotelcouronne.fr - 🛋 - fermé déb. avr.-déb. mai et déb. oct.-mi-déc. - 15 ch. 73/93 € - ☐ 11 € - ✗ 27/42 €. Hôtel-restaurant coloré au sommet. La plupart des chambres disposent d'un balcon et offrent une agréable vue sur le Mont-Rond. Spacieuse salle à manger ou terrasse au grand air. Brasserie de montagne ouverte le midi.

ACHATS

Trabbia Vuillermoz – Rte Val-Mijoux - 01410 Mijoux - ☎ 04 50 41 31 72 - www.vuillermoz.fr - 9h30-12h, 14h-18h30 - fermé lun. sf vac. scol. Ce joaillier lapidaire propose une large gamme de bijoux à prix variés. Un intéressant petit musée vous présentera pierres brutes, taillées et outils traditionnels du lapidaire. Vidéo (5mn) sur la taille des pierres fines et précieuses.

6

ACTIVITÉS

Juraventure – *Col de la Faucille - 01170 Gex -* 📞 *06 84 84 74 94 - www.juraventure.fr - mai-juin et sept.-15 oct. : w.-end et j. fériés ; juil.-août : tlj, 10h-19h (dernier départ 17h) - 20-23 € (enf. 12-15 €).* Parc d'aventures en forêt : ponts suspendus, lianes et tyroliennes vous emmèneront d'arbre en arbre pour un circuit de plus de 2h. Les plus sensibles au vertige se consoleront au minigolf.

Luge sur rails – *Col de la Faucille - 01170 Mijoux -* 📞 *04 50 20 91 43 - www.monts-jura.com - juin-juil. : sam.-dim. 13h-18h, juil.-août : tlj 10h30-18h, sept. : sam., dim. 13h-18h - fermeture selon conditions météorologiques - 6 €.* Montée sur rail, cette luge au col de la Faucille permet d'expérimenter les sensations de la glisse même en été. Ce parcours de plus d'1 km offre de beaux virages et une vrille impressionnante.

AGENDA

Fête des Bûcherons – *Fin juil. à Mijoux.* Fête traditionnelle avec défilé et concours de coupe de bois.

Col de la Faucille.
B. Gibbons/FLPA/age fotostock

Divonne-les-Bains

9286 Divonnais – Ain (01)

Une situation exceptionnelle entre massif du Jura et lac Léman, la magnifique perspective des Alpes suisses, des eaux thermales réputées : Divonne est plutôt gâtée par la nature. Ajoutez-y l'un des plus grands casinos de France, des palaces, un lac artificiel de 45 ha, et la petite ville prend des allures de villégiature de luxe. Mais il y en a pour toutes les bourses et pour tous les goûts, tant les activités y sont variées.

😊 NOS ADRESSES PAGE 387
Hébergement, restauration, achats, activités, etc.

🚩 S'INFORMER
Office du tourisme de Divonne-les-Bains – *4 r. des Bains - 01220 Divonne-les-Bains - ℘ 04 50 20 01 22 - www.divonnelesbains.com - avr.-oct. : 10h-12h, 14h30-18h30, dim. et j. fériés 9h-13h ; reste de l'année : tlj sf dim. 10h-12h, 14h-18h, j. fériés 9h-13h - fermé lun., 1er janv., 1er Mai, 25 déc.*

▶ SE REPÉRER
Carte de microrégion B3 (p. 336). De St-Claude (52 km à l'est), accès par la D 436 jusqu'à Mijoux, la D 936 et la D 1005, par le col de la Faucille, jusqu'à Gex, et enfin la D 984c. Ville frontalière du pays de Gex, on y vient aussi de Genève (19 km au nord par la E 25).

👁 À NE PAS MANQUER
Pour se ressourcer, les thermes de Divonne ; les superbes paysages formés par le lac Léman et les Alpes du haut du col de la Faucille ; une incursion dans le canton de Vaud voisin ; le plaisir d'une croisière sur le lac Léman.

🕐 ORGANISER SON TEMPS
Comptez un ou deux jours. À la tombée de la nuit, le casino s'illumine.

👫 AVEC LES ENFANTS
Détente dans l'un des parcs de loisirs du lac de Divonne ou sur la plage.

Se promener

Hippodrome
℘ 04 50 20 03 72 - 11 août-15 oct. : horaires, se rens. - 4 € (-18 ans gratuit).
Près du lac de Divonne, l'hippodrome est utilisé pour des courses de trot et de galop en période estivale.

Lac
👫 Créé en 1964, ce grand plan d'eau artificiel est très prisé en été pour sa **plage** (*℘ 04 50 20 04 96 -* &. *- baignade surveillée juin-août - 3,30 € (-25 ans 2,70 €).*) et également fréquenté par les véliplanchistes et autres amateurs de voile. Un centre nautique est d'ailleurs à leur disposition avec une piscine olympique découverte – *℘ 04 50 20 03 81 - www.centrenautiquedivonne.com -* &. *de mi-mai à mi-sept. - 4,70 € (-17 ans 2,90 €).* Également deux **parcs de loisirs** (le parcours-aventure dans les arbres Forestland et le minigolf Joy's Club).

À proximité Carte de microrégion p. 336

PAYS DE GEX

Très proche de Genève, le pays de Gex a tout son commerce tourné vers la Suisse. Au 18e s., Voltaire, installé à Ferney, obtient du roi Louis XVI que le tabac et le sel entrent en franchise de Suisse dans le pays de Gex. C'est

6

HISTOIRE D'UNE CITÉ THERMALE

Divonne tire son nom de **Divonna**, divinité celte des eaux. L'endroit était déjà fréquenté par les Romains. Un aqueduc souterrain de 11 km alimentait *Noviodum* (Nyon), la capitale de leur Colonie équestre. Puis, pendant des siècles, les cinq sources, qui jaillissent à température constante (6,5 °C) ont coulé en pure perte. Ce n'est qu'en 1848 que la station fut fondée par **Paul Vidart**. Vite réputée, elle attira de nombreuses personnalités tels le prince **Jérôme Bonaparte**, **Guy de Maupassant** et bien d'autres.

de là que vient le nom de « zone franche » donné à la région. Après plusieurs différends avec la Suisse, l'affaire est tranchée en 1932 par la cour de La Haye qui rétablit la zone franche. Séparé du reste de la France par la montagne, le pays de Gex est, depuis cent cinquante ans, soumis à un régime douanier spécial.

Gex B3

◗ *8 km au sud-ouest de Divonne-les-Bains par la D 984ᶜ.*

Situé sur la rive gauche du Journans, Gex occupe un site idéal d'altitude moyenne (628 m), à proximité de la haute montagne et au voisinage de Genève. De la place Gambetta, en terrasse, on découvre le mont Blanc.

Le débouché du col de la Faucille *(voir p. 382)* fut commandé de bonne heure par un château fort autour duquel s'éleva Gex. La ville devint le siège du gouvernement d'une petite principauté, dépendant de la Savoie, rattachée à la France en 1601. Un curieux petit coin de terre limité au nord et à l'est par la Suisse, à l'ouest par la grande chaîne du Jura, au sud par le Rhône.

Creux de l'Envers B3

🥾 *2h à pied AR. Le chemin d'accès s'amorce au bas de la rue du Commerce par la rue Léone-de-Joinville, avec retour par la rue de Rogeland sur la D 1005 au nord de Gex.*

Promenade très agréable. Le creux de l'Envers ouvre dans le flanc de la montagne, au pied du Colomby de Gex, une entaille importante, presque entièrement boisée, où coule le Journans. Dans l'étranglement connu sous le nom de **portes Sarrasines**, le torrent se faufile à travers une étroite fissure dont les escarpements calcaires, très rapprochés, semblent des montants de porte.

★★ Col de la Faucille B3 (🕒 *p. 382*)

Un belvédère aménagé à proximité du sommet dévoile une magnifique composition formée par le lac Léman et le massif alpin.

NOS ADRESSES À DIVONNE-LES-BAINS

La carte d'hôte remise par votre hébergeur à Divonne vous permet de bénéficier d'avantages tarifaires.

TRANSPORTS

04 50 20 01 22 - www.divonnelesbains.com. Des services de bus assurent régulièrement des liaisons vers la Suisse et particulièrement vers Coppet. Rens. auprès de l'office de tourisme de Divonne. En été, une navette fait la liaison entre l'office du tourisme de Divonne et Genève le mercredi et le samedi.

HÉBERGEMENT

BUDGET MOYEN

Hôtel Le Jura – *54 r. d'Arbère -* 04 50 20 05 95 *- www.hotel-divonne.net -* ☐ 🛜 *- 21 ch. 98/157 € -* ☐ *11 €.* ☐ Affaire familiale aux chambres bien tenues. Celles de l'annexe sont neuves (mobilier actuel) dont une avec terrasse. Petit-déjeuner servi dans la véranda ouverte sur le jardin.

La Terrasse fleurie – *315 r. Fontaine -* 04 50 20 06 32 *- www.laterrassefleurie.fr -* 🛜 *- 26 ch. 90/125 € -* ☐ *9,50 € -* ✗ *formule déj. 16,80 € - 20,80/39 €.* Situé en centre-ville, cet hôtel très calme, ouvert sur une petite cour, propose de jolies chambres lumineuses. Celles du 3e étage ont une belle vue.

À proximité

POUR SE FAIRE PLAISIR

Auberge des Chasseurs – *711 rte des Naz-Dessus - 01170 Échenevex -* 04 50 41 54 07 *- www.aubergedeschasseurs.com -* ☐ 🏊 *- mars.-oct. - 15 ch. 90/180 € -* ☐ *12 € -* ✗ *25/50 €, formule déj. 20/25 € (fermé lun., mar. midi,*

merc. midi et dim. soir). Coquette maison recouverte de vigne vierge. De sa belle terrasse, contemplez le spectacle du mont Blanc. Ou bien paressez au bord de la piscine en plein air. Intérieur scandinave avec boiseries peintes, photographies de Cartier-Bresson et autres œuvres : sérénité et art de vivre. Chambres cosy et personnalisées. Cuisine traditionnelle.

RESTAURATION

UNE FOLIE

Le Rectiligne – *2981 rte du Lac -* 04 50 20 06 13 *- www.lerectiligne.fr -* ☐ ♿ *- fermé dim. et lun. de sept. à mai - formule déj. 33/38 € - 58/100 €.* Maison blanche moderne dont le restaurant et la terrasse donnent sur le lac. L'espace est volontairement épuré et zen (tons pastel, mur d'eau). Goûteuse cuisine actuelle.

PETITE PAUSE

Les Quatre Vents – *Pl. des Quatre-Vents -* 09 66 92 05 32 *- tlj 6h30-19h30, dim. 6h30-17h.* Pour ceux qui ne se contentent pas d'une simple boisson chaude, ce salon de thé propose un grand choix de pâtisseries maison à déguster dans une ambiance conviviale, tout en découvrant les œuvres de quelques artistes régionaux.

EN SOIRÉE

Casino de Divonne-les-Bains – *Av. des Thermes -* 04 50 40 34 00 *- www.divonne-casino.com/- 10h-4h sauf sam. 10h-5h (à partir de 20h pour les jeux traditionnels).* Machines à sous, les plus importants jackpots d'Europe et les roulette, black jack, punto-banco, boule, etc. sont à votre

6

disposition de 16h à 4h du matin. Également sur place, restaurants, bar, hôtel, spectacles, golf et spa.

ACTIVITÉS

Forestland – *Av. du Pont-des-Îles - près du lac - ✆ 06 76 64 20 31 - www.forestland.fr - avr.-août : 10h-19h ; sept.-oct. 10h-18h, - fermé nov.-mars - 25 € (enf. de 12/21 €).* Quatre parcours acrobatiques de niveaux différents permettront à toute la famille de circuler d'arbre en arbre. Passerelles, tyroliennes, pont de singe, lianes… pour 2h de parcours. Attractions pour les enfants de 2 à 12 ans et lasergame (à partir de 7 ans).

Golf du Domaine de Divonne – *604 r. des Bains - ✆ 04 50 40 34 11 - www.domainedivonne.com - 50/110 €.* Ce golf 18 trous très réputé occupe un magnifique parc vallonné de 60 ha, situé au pied du Jura. Club-house comprenant un restaurant avec terrasse tournée vers la chaîne du Mont-Blanc.

Joy's Club - Minigolf de Divonne – *783 av. des Alpes - au bord du lac de Divonne - ✆ 04 50 20 14 12 - www. minigolfdivonne.fr - avr.-oct., 10h-23h.* Un lieu idéal pour passer un moment en famille dans un agréable cadre verdoyant, près du lac de Divonne. Minigolf californien, quads, karting, bateaux tamponneurs, trampolines, VTT et « rosalies » feront la joie des petits et des grands. Vous pourrez même vous rafraîchir à l'ombre, sur la terrasse, sans perdre de vue votre progéniture…

Randonnées – *4 r. des Bains - ✆ 04 50 20 01 22 - www. divonnelesbains.com - avr.-oct. merc. 15h - 5,50 € (enf. 3 €, gratuit -6 ans).* L'office du tourisme de Divonne propose des randonnées et visites de sites. Parmi celles-ci, le circuit des sources de Divonne vous conduira au cœur de l'histoire de la station et vous dévoilera les secrets de cette « eau divine ».

Valvital – *235 av. des Thermes - Centre thermal Paul-Vidart - ✆ 04 50 20 05 70 - www.valvital.fr - lun. et merc. 9h-21h30, mar., jeu., vend. 9h-20h30, sam. 9h-18h, dim. et j. fériés 9h-14h - 17 €.* Cet établissement dédié à l'origine aux cures thermales s'est également spécialisé dans le bien-être. Piscine d'eau thermale, bassin ludique avec jacuzzi, saunas, hammam, salle de musculation, cardiotraining, cours d'aquagym et de fitness. Un espace esthétique propose toute une gamme de soins dans une ambiance zen.

À proximité
Croisière sur le lac
Léman – *17 av. de Rhodanie - 1001 Lausanne - Compagnie générale de navigation - CH-1000 Lausanne 6 - ✆ 0848 811 848 - www.cgn.ch.* Des croisières en bateau sont organisées toute l'année. En été, croisière en bateau de la Belle Époque.

AGENDA

Les Vaches Folks – *Déb. juil. - www.lesvachesfolks.fr.* Depuis plus de 10 ans, ce festival mélange les genres en proposant une programmation de musique rock, pop et folk.

Ferney-Voltaire

9 482 Ferneysiens – Ain (01)

Polémiste de génie, Voltaire ne s'est pas contenté de créer Ferney, il lui a donné une notoriété internationale. Car, même si sa position frontalière reste attractive, c'est encore avant tout le souvenir du philosophe que les voyageurs viennent y chercher.

> **NOS ADRESSES PAGE 393**
> **Hébergement, restauration, achats, activités, etc.**

S'INFORMER

Office du tourisme du Pays de Voltaire – *30 Grand-Rue - 01210 Ferney-Voltaire -* 📞 *04 50 28 09 16 - www.paysdevoltaire.com - juil.-août : 10h-12h30, 14h-18h30, sam. 9h30-13h, 14h-17h, dim. 9h30-13h30 ; mai-juin : 10h-12h30, 14h-18h30, sam. 9h30-13h, 14h-17h, j. fériés 9h30-13h30 ; reste de l'année : tlj sf dim. et j. fériés 10h-12h30, 14h30-18h, sam. 10h-12h30, 14h30-17h - fermé certains j. fériés.*

Visites guidées – 📞 *04 50 28 09 16 - www.paysdevoltaire.com -* ♿ *- 11 juil.-24 août : merc.-vend. 10h30 - fermé 20 juil. et j. fériés - 6 € (-25 ans 4 €) - sur réserv. à l'office de tourisme.*

SE REPÉRER

Carte de microrégion B3 (p. 336). Seuls la frontière et l'aéroport séparent Ferney de la banlieue de Genève (desserte TGV). Côté France, accès par la D 1005 (10 km au sud-est de Gex).

SE GARER

Le château de Voltaire se trouve en centre-ville. Garez-vous près de l'hôtel de ville et longez le cimetière.

À NE PAS MANQUER

Une visite au château de Ferney pour les admirateurs de Voltaire ; un saut à Genève, vraiment très proche ; une visite des expositions du Cern.

ORGANISER SON TEMPS

Comptez environ 3h pour visiter Ferney et son château, mais prévoyez de rester deux jours si vous souhaitez faire une escapade à Genève.

AVEC LES ENFANTS

Le fameux jet d'eau et les bords du lac Léman.

Visiter

★ Château de Voltaire

Allée du Château - 📞 *04 50 40 53 21 - http://chateau-ferney-voltaire.fr -* ♿ *- avr.-sept. : 10h-18h ; reste de l'année : 10h-17h - fermé 1er janv., 1er Mai, 1er et 11 Nov., 25 déc. - possibilité de visite guidée sur demande (1h) - 8 € (-26 ans gratuit) - gratuit 1er dim. du mois (nov.-mars).*

Construit par Voltaire à la place d'une forteresse qu'il jugeait trop sévère, le château est un édifice « d'ordre dorique, qui doit durer mille ans ». Les deux premiers siècles se sont plutôt bien passés et semblent confirmer la solidité de cette belle demeure.

En 1765, Voltaire juge son château trop petit et fait appel à l'architecte Léonard Racle pour ajouter deux ailes. La demeure contient encore de nombreux souvenirs du philosophe, dont son portrait à 40 ans par Quentin de La Tour et des caricatures que Voltaire n'appréciait pas…

6

LES DÉLICES

Pour compléter au mieux la visite de Ferney, un détour s'impose par la Suisse toute proche pour découvrir les **Délices**, où Voltaire vécut de façon intermittente de 1755 à 1765. C'est de sa retraite genevoise qu'il acheva l'une de ses œuvres majeures : *Candide*. Aujourd'hui, les Délices abritent l'**Institut et musée Voltaire**, consacré à l'écrivain et à son époque *(expositions permanentes et temporaires, cycles de rencontres thématiques, bibliothèque) – 25 r. des Délices - 𝄞 (+ 41) 22 418 95 60 - www.ville-ge.ch/imv/-musée : tlj sf w.-end 14h-17h, sam. 14h-17h pendant la durée des expos temporaires (avr.-nov.) - bibliothèque : tlj sf w.-end 9h-12h, 14h-17h, sur inscription - fermé 23 déc.-2 janv., j. fériés, vend. et lun. de Pâques, 1er Mai, 7 sept. - entrée libre.*

Un étonnant tombeau fut également érigé à l'intérieur, qui conserva le cœur de Voltaire avant qu'il ne soit offert à Napoléon Ier et déposé à la Bibliothèque nationale ! En 1999, le château à l'abandon fut racheté par l'État. Entièrement restauré en 2018, le château propose un nouveau parcours de visite autour des meubles, objets – dont des fauteuils Louis XV – et tableaux ayant appartenu à Voltaire. Après la visite, on pourra flâner dans le parc, également restauré, et remarquer le gigantesque **if conique** dans l'ancien potager. Un café littéraire cultivant l'esprit voltairien complète la visite.

À proximité Carte de microrégion p. 336

★ Cern/Organisation européenne
pour la recherche nucléaire B3

Rte de Meyrin - prenez la D 35 vers St-Genis-Pouilly, tournez à gauche sur la D 984F. La réception du Cern se trouve de l'autre côté de la frontière - 1211 Genève - 𝄞 (+ 41) 22 767 76 76 - http://outreach.web.cern.ch/outreach/fr - &. - lun.-vend. 8h-17h45, sam. 8h30-17h15 - fermé dim., j. fériés suisses et w.-end de Pâques, vac. de Noël - accès libre.

Sur le site de Meyrin, deux espaces d'exposition permettent au public de comprendre les expériences extrêmement complexes menées par le Cern, organisme de recherche réputé mondialement. Le **Microcosm** est le musée interactif (expériences, vidéos, simulations) sur la technique et les particules - *lun.-vend. 8h30-17h30, sam. 9h-17h - gratuit*. Le **Globe de la science et de l'innovation**, grande sphère en bois de 27 m de haut et 40 m de diamètre, abrite la nouvelle exposition permanente du Cern « Univers de particules », high-tech et futuriste, à l'image du nouvel accélérateur *(voir ci-contre)*.

Le Cern propose aussi des visites guidées du laboratoire *(1/2 j.)*, incluant une présentation de ses activités de recherche, un film et la visite d'une des **expériences** et/ou d'un **accélérateur** en surface – *en anglais : lun.-sam. 11h-13h ; lun., mar., jeu. et vend. 13h-15h ; visites suppl. en août : lun.-sam. 9h-11h ; en français : merc. et sam. 10h-15h - réserv. obligatoire 15 j. à l'avance - gratuit - non adapté aux enfants de moins de 10 ans. ⚲ p. 392.*

Ne manquez pas la visite de Genève, située seulement à quelques kilomètres (voir Guide Vert Suisse).

Voltaire en son royaume

LE « ROI VOLTAIRE »

En 1758, à 64 ans, le philosophe, qui réside aux Délices (⟲ *page ci-contre*), près de Genève, a des difficultés avec les Genevois que les comédies jouées sur son théâtre effarouchent. C'est alors qu'il achète, en territoire français, mais près de la frontière, la terre de Fernex. Selon les circonstances, il pourra ainsi passer d'un asile à l'autre.

Voltaire écrivait en 1759 : « Pendant que je jouissais dans ma retraite de la vie la plus douce qu'on puisse imaginer, j'eus le plaisir philosophique de voir que les rois de l'Europe ne goûtaient pas cette heureuse tranquillité, et de conclure que la situation d'un particulier est souvent préférable à celle des grands monarques […]. »

À partir de 1760, Ferney (il changera le nom de la seigneurie) est sa résidence favorite. Il agrandit le château, crée le parc et prend au sérieux son rôle de seigneur. Le village, assaini, est doté d'un hôpital, d'une école, de fabriques d'horlogerie ; de bonnes maisons de pierre sont construites, 80 bâtiments en tout ! En 1878, la ville prend le nom de Ferney-Voltaire en hommage au philosophe.

LA COUR DE FERNEY

Pendant dix-huit ans, Ferney abrite une petite cour : grands seigneurs, gens d'affaires, artistes, écrivains reçoivent l'hospitalité du patriarche, assistent aux représentations données dans son théâtre. L'immense fortune que Voltaire a réalisée, grâce à d'heureuses spéculations sur les fournitures militaires, lui permet d'avoir en permanence 50 invités. Des curieux viennent de loin pour l'apercevoir dans le parc ; quand il sort du château – par exemple, qui l'eût cru, pour aller à la messe chaque dimanche – c'est entre deux haies d'admirateurs. Il écrit ses contes, multiplie les brochures, les pamphlets, mène campagne contre les abus de toute nature et notamment contre le servage dans le haut Jura. Sa correspondance est prodigieuse : il écrit ou dicte à Ferney au moins 20 lettres par jour ; plus de 10 000 ont été publiées. Il meurt en 1778, lors de son voyage triomphal à Paris.

L'ESSOR DE FERNEY AU 20e S.

À la mort du « patriarche » de Ferney, la ville subit un déclin. Elle conservera la forme urbanistique que Voltaire lui a donnée jusque dans les années 1950, quand elle connaît de nouveau un développement spectaculaire. Industriels, universitaires, financiers ne cessent d'affluer. Une partie du territoire de la commune a servi à la construction de l'aéroport international de Genève, et les participants aux événements organisés à Genève séjournent à Ferney, moins chère que la ville suisse.

Ferney profite de sa proximité avec Genève, s'intègre dans des dynamiques internationales et a même repris une position prépondérante dans le monde des idées grâce aux installations du Cern. Elle reste aussi une destination touristique importante pour des visiteurs toujours attirés par la renommée de Voltaire.

Le grand collisionneur de hadrons (LHC)

COMPRENDRE LE BIG BANG

Tandis que vous vous promenez dans le verdoyant pays de Gex, circulent sous vos pieds, à 100 m sous terre, des centaines de milliards de protons. Lancés quasiment à la vitesse de la lumière dans un anneau de 27 km, ils parcourent cette boucle plus de 11 000 fois par seconde pendant des heures !

Ce gigantesque accélérateur de particules doit révolutionner la compréhension scientifique de l'Univers et permettre de répondre à plusieurs questions fondamentales de la physique : quelle est l'origine de la masse ? Quelle était la nature de la « soupe primordiale », cette matière qui, quelques microsecondes après le Big Bang, contenait les ingrédients de tout ce qui existe ? Qu'est-ce que la matière noire ? Notre espace-temps a-t-il plus de quatre dimensions ?

L'UN DES DÉFIS TECHNOLOGIQUES MAJEURS DU 21ᵉ S.

Cette installation titanesque constitue un instrument d'une complexité et d'une taille sans égales. Les particules circulent dans un vide poussé, comparable à celui rencontré dans l'espace interplanétaire. Le contrôle des faisceaux est essentiel, car un seul d'entre eux a une énergie comparable à celle d'un TGV lancé à 200 km/h. Grâce à près de 9 000 aimants supraconducteurs, les deux faisceaux de protons tournent en sens contraire dans deux tubes séparés, sauf en quatre points d'interaction où se produisent 600 millions de collisions à la seconde. En ces points, d'immenses détecteurs, véritables cathédrales souterraines, enregistrent les nouvelles particules produites. Les données enregistrées par les détecteurs sont ensuite traitées par plus de 100 000 processeurs informatiques, répartis sur 130 sites dans 34 pays.

Si le LHC est l'endroit le plus chaud de la galaxie aux points de collision, il est aussi le plus froid, étant maintenu à -271, 2 °C par un système de refroidissement cryogénique, plus froid que le vide intersidéral. Lieu des extrêmes, il est le fruit du travail scientifique d'équipes internationales. Pour construire le LHC, le génie civil a du faire preuve de beaucoup d'ingéniosité. Afin de creuser le puits du détecteur CMS à Cessy, il a fallu congeler la terre avec de la saumure à -23 °C et de l'azote liquide à -80 °C, puis injecter d'énormes soutiens en béton, et cela à 100 m de profondeur.

UNE INNOVATION CONTINUELLE

Le 30 mars 2010, les premières collisions à des énergies record marquaient le début du programme scientifique du LCH et un gros succès pour le Cern. C'est ici que l'on a identifié, le 4 juillet 2012, avec une certitude de 99,99 % le fameux boson de Higgs, joliment appelé la particule « divine » car c'est lui qui est à la base de la transformation d'énergie en matière, une véritable révolution dans la physique fondamentale. Pour mémoire, en 1990, le Cern a inventé le Web et l'a mis gracieusement à la disposition de tous.

NOS ADRESSES À FERNEY-VOLTAIRE

HÉBERGEMENT

BUDGET MOYEN

Hôtel de France – *1 r. de Genève - ☎ 04 50 40 63 87 - www.hotelfranceferney.com - P - fermé sam., dim., lun. midi, 1re sem. de mai, 1er au 15 août et du 25 déc. au 2 jan. - 14 ch. 99/130 € - ☕ 11 € - ✕ formule déj. 16/38 €, menus 42/51 € - RV conseillée.* Cette maison du 18e s. a sur se moderniser tout en conservant le charme de l'ancien (pierres et poutres d'époque). Les chambres sont coquettes avec leurs boutis et leurs meubles de famille. Le restaurant de l'hôtel, entièrement rénové, est vraiment chaleureux avec ses belles poutres. La carte, plutôt actuelle, change selon les saisons, inspirée par les marchés du pays de Gex.

RESTAURATION

PREMIER PRIX

Mamma Trattoria – *13 r. de Versoix - ☎ 04 50 40 79 55 - www.restaurant-mamma-trattoria.fr - fermé sam., dim. - formule midi 15 € - 15/25 €.* Une cuisine italienne généreuse réalisée avec des produits de qualité. On s'y sent comme à la maison dans un petite salle joliment décoré.

POUR SE FAIRE PLAISIR

Le Pirate – *1 chemin de la Brunette - ☎ 04 50 40 63 52 - www.lepirate.fr - fermé 3 semaines en août, dim. et lun. - formule déj. 23/45 €- 43/69 €.* Cette adresse dédiée aux produits de la mer est une institution. Corsaires et flibustiers d'un soir viennent y déguster poissons, coquillages et crustacés. Bien agréables, la profusion de plantes vertes dans le jardin d'hiver et la terrasse.

VISITES

Randonnées – Publié par l'office du tourisme Pays de Gex-Bellegarde, un dépliant propose plusieurs circuits de randonnée sur le thème des « frontières » : frontières religieuses, culturelles, défendues, oubliées ou partagées : une manière originale de découvrir le pays de Gex.

ESCAPADE EN SUISSE

Les bateaux de la Compagnie générale de navigation, qui desservent régulièrement les rives suisse et française du lac Léman, offrent de multiples possibilités, dont des **croisières** à thème (gourmandes, Belle Époque). Les excursions peuvent durer de 20mn à une journée entière.

Compagnie générale de navigation – *Infoline ☎ (0041) 900 929 929 - www.cgn.ch - horaires variables selon saisons et destinations.*

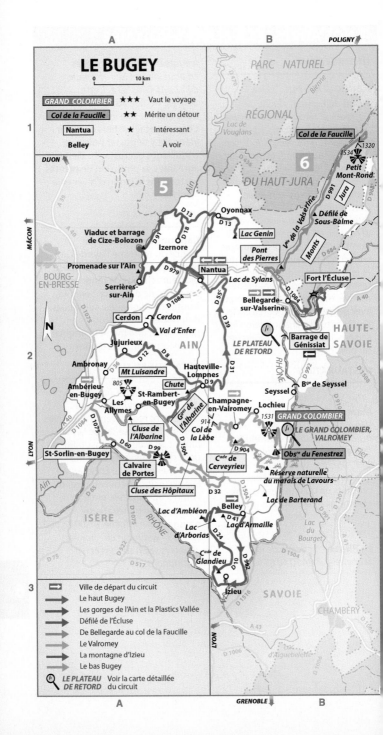

LE BUGEY

0 _____ 10 km

GRAND COLOMBIER ★★★ Vaut le voyage

Col de la Faucille ★★ Mérite un détour

Nantua ★ Intéressant

Belley À voir

- Ville de départ du circuit
- Le haut Bugey
- Les gorges de l'Ain et la Plastics Vallée
- Défilé de l'Écluse
- De Bellegarde au col de la Faucille
- Le Valromey
- La montagne d'Izieu
- Le bas Bugey

LE PLATEAU DE RETORD Voir la carte détaillée du circuit

POLIGNY

PARC NATUREL

RÉGIONAL

DU HAUT-JURA

Col de la Faucille
1320
1534
Petit Mont-Rond

Défilé de Sous-Balme

Fort l'Écluse

HAUTE-SAVOIE

Barrage de Génissiat

B^{ge} de Seyssel

GRAND COLOMBIER

LE GRAND COLOMBIER, VALROMEY

Obs^{re} du Fenestrez

Réserve naturelle du marais de Lavours

Lac de Barterand

Lac du Bourget

SAVOIE

CHAMBÉRY

Lac d'Aiguebelette

DIJON

MÂCON

BOURG-EN-BRESSE

LYON

Oyonnax

Viaduc et barrage de Cize-Bolozon

Izernore

Lac Genin

Pont des Pierres

Promenade sur l'Ain

Nantua

Lac de Sylans

Serrières-sur-Ain

Bellegarde-sur-Valserine

Cerdon

Cerdon

Val d'Enfer

AIN

LE PLATEAU DE RETORD

Jujurieux

Ambronay

Hauteville-Lompnes

Mt Luisandre
805

Chute

St-Rambert-en-Bugey

Champagne-en-Valromey

Seyssel

Lochieu

1531

Ambérieu-en-Bugey

Les Allymes

G^{ges} de l'Albarine

Cl^{de}
914
Col de la Lèbe

C^{ade} de Cerveyrieu

Cluse de l'Albarine

St-Sorlin-en-Bugey

Calvaire de Portes

Cluse des Hôpitaux

Belley

Lac d'Ambléon

Lac d'Armaille

Lac d'Arborias

C^{ade} de Glandieu

Izieu

ISÈRE

RHÔNE

GRENOBLE

LYON

Bugey 7

Carte Michelin Départements 328 – Ain (01)

Nantua

★

3 525 Nantuatiens ou Catholards – Ain (01)

Le site de Nantua est classé depuis 1936 : son grand lac s'échappant d'une imposante cluse couverte de sapinières compose un site de caractère autour des maisons de couleurs pastel. Promenades sur l'esplanade, baignades et loisirs aquatiques préparent délicieusement, entre deux dégustations de quenelles pour les gourmets, à la découverte du haut Bugey et des gorges de l'Ain.

> **NOS ADRESSES PAGE 406**
> **Hébergement, restauration, achats, activités, etc.**

🛈 S'INFORMER

Office du tourisme de Nantua –
*14 r. du Dr-Mercier - 01130 Nantua -
📞 04 74 12 11 57 - www.hautbugey-
tourisme.com - juil.-août : 9h30-12h30,
14h-18h, lun. et j. fériés 10h30-12h30,
14h-18h ; reste de l'année : se rens. -
fermé certains j. fériés.*

▶ SE REPÉRER

Carte de microrégion A2 (p. 394).
Située à 86 km au nord-est de Lyon
(A 42, puis A 404), la ville est à découvrir
de la D 1084, qui longe le lac. TGV à
Bourg-en-Bresse (41 km à l'ouest).

😊 À NE PAS MANQUER

L'abbatiale St-Michel et le *Saint
Sébastien* d'Eugène Delacroix ; le
musée de la Résistance et de la
Déportation ; le superbe point de
vue sur la cluse de Nantua, près des
Neyrolles ; les paysages naturels
du haut Bugey, en particulier le
belvédère du Cerdon et les gorges
de l'Albarine.

🕑 ORGANISER SON TEMPS

Prévoyez trois jours pour la ville et
les sites naturels qui l'entourent.

👪 AVEC LES ENFANTS

Le lac de Nantua ou le lac Genin
pour leurs activités nautiques ;
les grottes du Cerdon et leurs
ateliers préhistoriques ; le musée
d'Archéologie d'Izernore.

Se promener

★ Lac

👪 Long de 2,5 km, large de 650 m, le lac s'est formé dans la cluse, derrière un dépôt laissé par un ancien glacier. De nombreuses sources contribuent à l'alimenter, dont la source des Neyrolles. Par le « Bras du lac », ses eaux se jettent dans l'Oignin, affluent de l'Ain. L'esplanade du lac, ombragée de beaux platanes, et l'avenue du Lac offrent de belles vues sur le plan d'eau encadré par les hauteurs du haut Bugey dont les falaises du côté nord s'achèvent par un talus d'éboulis boisé. Base nautique assez complète, le lac est pendant la haute saison le théâtre de nombreuses activités sportives et de loisirs : baignades surveillées, pédalo, canoë, voile, plongée, ski nautique, pêche…

★ Abbatiale St-Michel

*Pl. d'Armes - 📞 04 74 12 11 57 - www.hautbugey-tourisme.com - ♿ - 8h30-19h
(en dehors des offices), dim. et j. fériés 14h-19h - entrée libre.*
La « sœur aînée de Cluny », également surnommée « église d'influence
bourguignonne la plus à l'est », est l'édifice roman le plus important de l'Ain.

Nantua avec, au premier plan, le clocher de l'abbatiale St-Michel.
H. Hughes/hemis.fr

Dominée par un clocher du 19ᵉ s. très ouvragé, elle conserve les vestiges d'une abbaye bénédictine (12ᵉ s.) détruite à la Révolution. Son beau portail a été endommagé à la Révolution : on reconnaît à peine le Christ entouré des symboles des quatre évangélistes. C'est à l'intérieur qu'on découvrira ses trésors. À gauche, la **chapelle Ste-Anne** (16ᵉ s.) a conservé sa voûte Renaissance ornée d'un superbe réseau d'arcatures moulurées. Dans le chœur, l'autel de pierre porte de très beaux anges de marbre sculpté. À sa gauche, vous pourrez admirer le magnifique **Saint Sébastien secouru par les saintes femmes★★** (1836) par Eugène Delacroix ; il fut acheté par l'État et envoyé à Nantua à l'instigation du député de l'Ain Félix Giraud. Là, retournez-vous vers la nef et levez la tête : surprise, les piliers de la nef s'évasent en anse de panier !

RETOUR AUX ORIGINES

Une abbaye bénédictine s'installe sur le site de Nantua dès le 7ᵉ s. Au Moyen Âge, ville franche fortifiée, elle entre dans le tourbillon des querelles qui opposent les gens du Bugey, de la Comté, de la Savoie, de Genève, sans compter la France et l'Empire. Entre 1440 et 1449, un prieur de l'abbaye, Amédée VIII de Savoie, devient un des papes du grand schisme d'Occident sous le nom de **Félix V**. En 1601, **Henri IV** annexe la ville au domaine royal. Le surnom de **catholards** aurait été donné aux habitants de Nantua par les Suisses protestants à cause des « cathèles », système de cordes et de poulies utilisé comme potence durant les guerres de Religion.

Le temps des diligences profite à Nantua, relais entre Bourg-en-Bresse et Genève. Mais au 19ᵉ s., le chemin de fer fait tomber Nantua dans le marasme et l'oubli. Après l'armistice de 1940, la ligne de démarcation passant près de la ville, la population aide les clandestins. Dès l'été 1943, se forme le maquis avec le soutien des habitants ; nombre d'entre eux seront déportés. Aujourd'hui, le développement de l'automobile et du tourisme ont redonné à ce site d'exception comme un second souffle de vie.

Cette curiosité fut sans doute provoquée par un élargissement imprévu de la voûte. Remarquez aussi l'orgue (1847) ; œuvre du facteur Nicolas-Antoine Lété, il compte près de 3 000 tuyaux.

★ Musée de la Résistance et de la Déportation de l'Ain

Dans la rue qui longe l'église - 3 montée de l'Abbaye - ℘ 04 74 75 07 50 - http:// patrimoines.ain.fr - ♿ - de déb. mars à mi-nov. : 10h-12h30, 13h30-18h - fermé mar. - possibilité de visite guidée sur demande (1h) - 4 € (-26 ans gratuit) - gratuit 1er dim. du mois.

L'ancienne maison d'arrêt de Nantua, où des résistants furent internés, est le cadre de ce musée du souvenir qui se révèle très vivant. Après des travaux de rénovation, il s'est recentré sur les habitants de l'Ain. Habilement mises en valeur par des **scénographies audioguidées★**, commentées en voix off par d'anciens maquisards français et un soldat anglais, les collections d'objets (dont 90 % proviennent de dons locaux) sont riches et restituent l'atmosphère des années 1940 : l'Occupation, la Résistance, l'organisation des maquis et la déportation. Cartes en relief, affiches de propagande, bornes interactives, extraits de témoignages…

À proximité Carte de microrégion p. 394

Lac de Sylans B2

▶ *8 km à l'est. Quittez Nantua par la D 1084 au sud-est. Vous longerez le lac de Sylans par sa rive nord, 2,5 km après Les Neyrolles.*

Ce grand lac (2 km de long et 300 m de large) occupe le fond d'une cluse ; ses eaux se sont accumulées derrière un barrage naturel formé par des éboulements. Elles s'écoulent dans deux directions opposées : une partie rejoint la Valserine, affluent du Rhône ; l'autre rejoint le lac de Nantua, dans le bassin de l'Ain. Enchâssé dans un val profond et étroit, le lac profite peu des rayons du soleil. Pendant les hivers rigoureux, il se couvre d'une épaisse couche de glace. Celle-ci fut largement exploitée au début du siècle, avant l'apparition de la glace artificielle (1921), surtout pour approvisionner Paris.

℘ *04 74 12 11 57 - www.hautbugey-tourisme.com - se rens. à l'office de tourisme.*

Circuits conseillés Carte du haut Bugey

et des gorges de l'Ain p. 401

LE HAUT BUGEY

▶ *Circuit de 130 km tracé en vert sur la carte du haut Bugey et sur la carte de microrégion – Comptez une journée.*

MARIA-MÂTRE OU LA GOURMANDISE PUNIE

En randonnant sur les hauteurs de Nantua, peut-être rencontrerez-vous un rocher en forme de statue avec une sorte de galette sur la tête. Une légende affirme qu'il s'agit d'une femme du pays, l'infortunée Maria-Mâtre. La bonne chère n'est pas un vain mot en pays catholard, et cette fameuse cuisinière n'avait pas sa pareille derrière les fourneaux. Gourmande mais inventive, elle réalisa un jour une superbe et croustillante galette aux écrevisses. Après l'avoir goûtée, elle la trouva si bonne qu'il n'en resta plus au retour de son mari. Affamé et courroucé, ce dernier invoqua la justice divine, qui s'abattit sur la malheureuse, la transformant en statue de pierre.

> **« VOUS ALLEZ VOIR COMMENT ON MEURT POUR 25 FRANCS »**
> C'est le député nantuatien **Jean-Baptiste Baudin**, dont la statue orne la place d'Armes, qui prononça cette phrase célèbre sur les barricades parisiennes, le lendemain du coup d'État du 2 décembre 1851 (les salaires des députés étaient alors de 25 francs par jour). Autre grande personnalité locale, l'anatomiste **Xavier Bichat** (1771-1802) légua son nom au collège où il fit ses études, ainsi qu'à un grand hôpital parisien.

Quittez Nantua au nord par la D 1084. À Montréal-la-Cluse, continuez sur la même route à gauche, et, 2 km après Ceignes, prenez à droite la route qui quitte la D 1084, suivez-la sur 300 m.

Grottes du Cerdon

À Labalme-sur-Cerdon, sur la D 1084. 📞 04 74 37 36 79 - www.grotte-cerdon. com - juin-août : 10h-18h, dim. et j. fériés 10h30-18h ; vac. de Pâques (zone A) et vac. de la Toussaint (zone A) : 10h30-18h - fermé nov.-avr. - 9,50 € (-12 ans 6,50 €) - 16 € comprenant les ateliers préhistoriques - possibilité de visite avec audioguide tlj sf merc. 10h-15h30 - parcours pédagogiques - aire de pique-nique. Prévoir un pull, température entre 10 et 15 °C avec un passage à 2-4 °C - ateliers sur la préhistoire (feu et propulseur, fouilles archéologiques), horaires et tarifs se rens.

👤👤 Ces grottes accueillent aujourd'hui un parc de loisirs préhistoriques qui propose des ateliers divers : fabrication de lampe à graisse, fouilles archéologiques, techniques du feu, poterie… et s'inscrit tout à fait dans son environnement naturel. Les aménagements en bois, les sentiers à travers la forêt, les vastes aires de pique-nique, les chaises longues installées ici et là en font un lieu de promenade très agréable. Situées sous d'anciennes fortifications, ces grottes furent longtemps utilisées comme cave de mûrissage pour le fromage local. Elles sont aujourd'hui aménagées pour la visite : un petit train conduit les visiteurs à l'entrée du site. Le circuit suit l'ancien lit de la rivière souterraine aujourd'hui disparue… et débouche sur un belvédère en plein milieu de falaise. C'est le lac de Nantua (beaucoup plus important autrefois) qui alimentait cette rivière. La galerie présente de belles stalactites (le dais), stalagmites (la statue cambodgienne) et draperies sonores, et mène à une immense salle s'ouvrant au jour par une arche de 30 m de haut. Accès à l'ancienne résurgence de la rivière en pleine falaise. *Poursuivez sur la D 1084.*

Belvédère de Cerdon

En direction de Cerdon, un belvédère a été aménagé sur la droite de la route (au niveau du restaurant). Il offre une magnifique **vue★★** panoramique sur le vignoble de Cerdon et les paysages du haut Bugey.

Val d'Enfer

Près du village de Cerdon, qui eut cruellement à souffrir des représailles nazies, la route pénètre au creux d'une courbe du Valromey. Dans ce site sauvage du pont de l'Enfer, là où s'étaient regroupées d'importantes forces du maquis, a été érigé le **Mémorial des maquis de l'Ain et de la résistance** en mémoire de ses 700 morts *(voir p. 403)*. Cet imposant monument (œuvre de Charles Machet) présentant un buste de femme adossé à une muraille abrite la tombe du maquisard inconnu et domine le cimetière où reposent 88 résistants.

7

★ Cerdon

Niché au creux d'une vallée profonde, mais ensoleillée, que l'on découvre soit du belvédère de Cerdon, soit par la D 11, ce village est réputé pour son vin rosé pétillant bénéficiant de l'appellation VDQS (Vin délimité de qualité

Le Bugey

Une légende rapporte qu'un petit-fils de Noé se serait installé avec sa compagne, **Bugia**, dans les montagnes du Bugey, d'où l'origine du nom. Le **haut Bugey**, **et ses sombres sapins,** est appelé **Bugey noir**. Très accidenté, le **bas Bugey, avec ses fameux vignobles,** offre un tout autre paysage.

UN TERRITOIRE DISPUTÉ...

Au 9ᵉ s., le Bugey est rattaché au royaume de Bourgogne, puis au Saint Empire. En 1077, une grande partie du territoire passe sous la domination du comte de Savoie qui, peu à peu, se l'approprie en totalité. En **1601**, la maison de Savoie cède, par le traité de Lyon, le Bugey ainsi que la Bresse et le pays de Gex à Henri IV, roi de France, en échange du marquisat de Saluces.

Sillonnées de passages transversaux (cluses), les petites montagnes du Bugey ont toujours été franchies facilement. Cela leur a attiré longtemps bien des convoitises et des luttes armées. **Places fortes et châteaux** disséminés dans la région, aux endroits stratégiques, en témoignent.

Parallèlement, de nombreux **monastères et abbayes** se sont implantés, les monts apportant l'isolement et l'espace bénéfiques à la vie monacale. Elles sont devenues puissantes : gardant précieusement les reliques de leurs saints, elles attirèrent de nombreux pèlerins. L'Église prenant part aux luttes de pouvoir entre les différents suzerains, la jalousie des rois puis la Révolution mirent fin au règne des abbayes.

Au 18ᵉ s., les troupes espagnoles foulent le sol du Bugey lors de la guerre de Succession d'Espagne. Au 19ᵉ s., les nations coalisées contre Napoléon prennent la région comme théâtre de leurs luttes. Il faut attendre 1855 et l'arrivée du chemin de fer Lyon-Genève par la cluse de l'Albarine pour que le Bugey tire enfin un réel profit de sa position de lieu de passage. En 1871, la percée du Mont-Cenis et la construction de la ligne d'Italie font d'**Ambérieu** une gare importante ; c'est aussi au chemin de fer que **Bellegarde** doit son essor. Le front de la guerre de 14-18 est resté éloigné de la région, mais les combats de 1939-1945 laisse une empreinte terrible en Bugey, qui a payé au prix fort le combat des maquisards et le courage de ses habitants.

... PUIS DÉLAISSÉ

Au lendemain de la guerre, la région doit se reconstruire. Mais l'exode rural vide les campagnes qui perdent la moitié de leurs habitants. Les petites villes industrielles du début du 20ᵉ s. voient leur activité décliner ; seule **Oyonnax**, dont le secteur industriel avait misé sur les nouveaux matériaux, prend le tournant de la modernité. Le travail du plastique, requérant une main-d'œuvre peu qualifiée dont les salaires sont faibles, sollicite des vagues de migration portugaises, puis maghrébines et turques.

Les années 1980 apportent de nouveaux espoirs à la région. Avec la construction de l'**A 40**, impressionnante et très coûteuse réalisation aux vertigineux viaducs (environ 100 m de haut) et interminables tunnels (plus de 3 km), et l'ouverture de la gare **TGV** de Bellegarde, dont la ligne relie Genève et Paris, le Bugey redevient un lieu de passage important. Mais cela ne se traduit pas en retombées économiques locales. Banlieue de Genève, parc de résidences secondaires, secteur industriel reposant sur quelques entreprises, le Bugey a du mal à trouver un nouveau dynamisme. Qualité de vie, nature préservée et patrimoine architectural seront sans doute les clés de son renouveau.

supérieure) et fabriqué selon la méthode champenoise ou celle de Die, dite « ancestrale »). Il produit également des vins AOC depuis 2009.

Les rues de Cerdon, très étroites, sont agrémentées de nombreuses fontaines et de ponts de pierre qui enjambent de petits cours d'eau.

Rejoignez la D 1084, que vous suivez en direction de Pont-d'Ain. Environ 6 km après, prenez à gauche la D 36 vers Ambronay. Il est également possible de rejoindre plus directement Jujurieux par la D 63, qui s'embranche en face de la sortie de Cerdon. Faites attention car la route, très pittoresque, est assez dangereuse.

Jujurieux

Même si la crise industrielle lui a fait perdre de sa superbe, ce village aux 13 châteaux (excusez du peu !) conserve d'importants témoignages de l'extraordinaire développement qu'il a connu grâce au tissage au siècle dernier.

Musée des Soieries Bonnet – *18 r. Claude-Joseph-Bonnet -* 𝄞 *04 74 36 97 60 - www.tourisme-ain-cerdon.fr - visite guidée sur demande préalable (50mn) mai-oct. : 10h-13h, 14h-18h - fermé lun. - 5 € (-18 ans 4,50 €).*

C'est en 1835 que **C.-J. Bonnet**, grand fabricant de soie lyonnais, décide d'implanter une importante fabrique dans son pays natal. La manufacture devient rapidement l'une des plus importantes soieries en France. Loin des

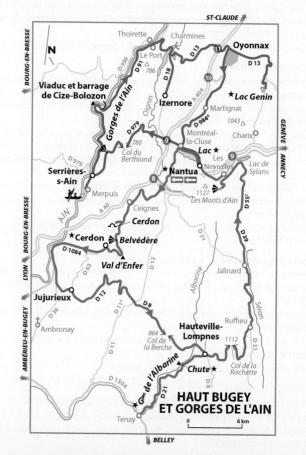

7

AUTOROUTE DES TITANS –
C'est à François Mitterrand, surpris par le gigantisme des ouvrages, que l'on doit ce nom qui désigne une portion spectaculaire de l'A 40. Accès dans le sens Lyon-Genève - sortie N° 9 - aire du Lac.

perturbations sociales, il regroupe les différentes étapes de la fabrication selon des conceptions très paternalistes. Dans l'enceinte de l'usine, un grand pensionnat, encadré par des sœurs, accueillait près de 400 jeunes filles à qui l'on apprenait très tôt les métiers de la soie. En 2001, la production industrielle s'est arrêtée. Aujourd'hui, cet ensemble exceptionnel est au cœur d'un vaste plan de sauvegarde et d'inventaire scientifique, la soierie ayant, au fil du temps, rassemblé quelque 300 000 objets et documents d'archives textiles. La visite des ateliers explique le processus de création d'une étoffe, de l'esquisse au tissu fini.

Rejoignez la D 12, que vous prendrez vers Corlier. À la sortie de ce village, empruntez à droite la D 8 jusqu'à Hauteville-Lompnes.

Hauteville-Lompnes

Située sur un plateau élevé (850 à 1 200 m), Hauteville-Lompnes (prononcez *Lone*) est réputée pour l'exceptionnelle pureté de son air. Station de moyenne montagne, elle bénéficie d'un cadre privilégié et d'équipements sportifs complets (VTT, ski de fond, équitation…).

Prenez à droite la pittoresque D 21, qui longe les gorges de l'Albarine.

★ Gorges de l'Albarine

De la route, on peut voir, à l'origine des gorges, la **chute**★ de l'Albarine appelée « cascade de Charabotte », particulièrement majestueuse après de fortes pluies. L'eau tombe de 150 m du haut des falaises en hémicycle qui marquent le rebord du plateau de Hauteville.

Retournez à Hauteville et prenez vers l'est la D 9, par le col de la Rochette (1 112 m), jusqu'à Ruffieu. Prenez vers le nord la D 31, puis la D 31ᶠ sur la droite à la sortie de Jalinard, puis à gauche, la D 39 et à droite la D 55ᶜ. Au Replat, tournez à gauche sur la D 55ᴰ vers le lac de Sylans et les Neyrolles. Après le tunnel, prenez en face la D 39.
Après quelques lacets, on jouit d'une **vue**★★ admirable sur les escarpements de la cluse de Nantua et son lac ; au coucher du soleil, le spectacle est magnifique.

Retournez au village des Neyrolles, où la D 39 rejoint la D 1084 qui, à gauche, ramène à Nantua.

LES GORGES DE L'AIN ET LA PLASTICS VALLÉE

▶ *Circuit tracé en violet sur la carte p. 401 et sur la carte de microrégion – Comptez une journée.*
Quittez Nantua par la D 1084 jusqu'à Montréal-La Cluse. Prenez en face la D 979 en direction de Bourg-en-Bresse.
Après le col du Berthiand, un belvédère aménagé dans la descente dévoile une partie de la vallée de l'Ain.
Avant le pont, prenez à droite la D 91ᶜ vers Serrières.

Serrières-sur-Ain

Très beau site autour d'un pont qui enjambe l'Ain d'une seule arche.
Prenez la D 91 vers le sud et Merpuis. Environ 2 km après le pont, tournez à droite en direction de Merpuis, puis avant l'entrée du village, vers le plan d'eau d'Allement (très forte descente).

Le maquis de l'Ain

Dans tout le Bugey, ainsi que dans le haut Jura, les villes et les paysages sont marqués par une histoire à la fois douloureuse et glorieuse, celle de l'occupation allemande et du maquis de l'Ain.

LE MAQUIS S'ORGANISE

Alors que la résistance dans l'Ain s'organise dès 1941, le phénomène des maquis débute en 1943, à la suite des émeutes à Oyonnax contre le STO, travail obligatoire en Allemagne ; les réfractaires rejoignent les montagnes du Bugey. Au cœur du massif protégé par les vallées du Rhône et de l'Ain et commandant d'importants passages routiers et ferroviaires, le maquis installe des camps. Dès l'été 1943, le colonel Henri Petit, dit Romans, forme les jeunes recrues au combat ; il va aussi travailler à l'image du maquis comme armée disciplinée pour contrer la propagande de Vichy et s'attirer le soutien des populations. Le **défilé du 11 Novembre 1943 à Oyonnax** est l'événement majeur qui va décider de l'avenir du maquis et de la lutte armée contre l'occupation allemande. Les troupes du maquis défilent dans la ville occupée, déposent au monument aux morts une gerbe avec une inscription « Les vainqueurs de demain à ceux de 1914-1918 », entonnent « La Marseillaise » devant les habitants ébahis puis exaltés et quittent la ville pour rejoindre le maquis sans que l'occupant ne puisse réagir. Cette démonstration d'audace et d'organisation aurait décidé les forces alliées de Londres à soutenir celles du maquis en leur envoyant armes et argent. Fin 1943, il y a entre 450 et 500 hommes dans les camps, et les opérations de sabotage s'intensifient.

LA LUTTE ARMÉE

Aux opérations de harcèlement et à la guérilla, les forces d'occupation répondent par **des déportations et des exécutions sommaires**. Nantua, pour ne citer qu'elle, subit une rafle de 150 hommes le 14 décembre 1943. La citadelle du maquis se trouve en Valromey ; elle est l'objet en février 1944 d'une attaque allemande. Le 5 à l'aube, 5 000 Allemands encerclent le massif, puis en camion, à pied ou à skis montent à l'assaut des plateaux d'Hauteville, Retord et Brénod. La neige rend les opérations difficiles. Les forces de la Résistance doivent se disperser après des escarmouches ponctuelles. Du 6 au 12 février, les villages et les populations ont à souffrir des sévices et des violences de l'ennemi. Le jour de Pâques 1944, une rafle de plus de 300 hommes est orchestrée par Klaus Barbie à St-Claude (Jura). Reconstitué, le maquis reprend ses opérations et sabote 52 locomotives à Ambérieu le 6 juin 1944. Le débarquement en Normandie accentue les attaques allemandes. En juillet, une deuxième attaque est étendue à tout le Bugey et au haut Jura. Neuf mille hommes, appuyés par l'aviation et l'artillerie légère, dispersent le maquis dont les groupes se replient sur les plus hautes chaînes. Le village de Cerdon est pillé et incendié le 11 juillet. Les maquisards participent aux batailles de l'avancée des Alliés. Besançon est libérée le 8 septembre, mais le front se stabilise devant Montbéliard, qui n'est libérée que le 17 novembre après de nombreux combats.

Entre 1940 et 1945 dans l'Ain, **700 maquisards sont morts** au combat ou ont été fusillés, **641 civils** sont morts, **sur les 891 déportés de l'Ain, 595 ne sont pas revenus**. Les chiffres sont encore plus élevés dans le Jura. À la libération, Nantua et Oyonnax sont décorées de la **médaille de la Résistance**.

DES PEIGNES DE CHARME À LA « PLASTICS VALLÉE »

La fabrication, en hiver, par les montagnards, de très beaux peignes avec le buis des forêts jurassiennes, mais aussi avec le bois de hêtre et de charme, est dans la région une tradition ancienne. À la fin du 18e s. viennent s'ajouter progressivement d'autres matériaux, notamment la corne. En 1869, le **Celluloïd** est découvert aux États-Unis, et cette matière plastique est pour Oyonnax, dès 1878, l'occasion de nouveaux développements de la fabrication non seulement du peigne, mais aussi des objets de parure auxquels viennent s'adjoindre les jouets. Quand, plus tard, la **Galalithe**, la **Bakélite**, l'**acétate de cellulose**, etc. apparaissent sur le marché, Oyonnax les utilise sans tarder et maintient sa prépondérance. À partir de 1924, une matière thermoplastique, le **Rhodoïd**, contribue de manière importante à la prospérité économique de la ville. Après la Seconde Guerre mondiale, l'industrie plastique repart de plus belle. Aujourd'hui, ce sont 660 entreprises qui forment, sur une superficie de 490 km², la « Plastics Vallée », nom donné par un journaliste américain en comparaison avec la célèbre Silicon Valley (🖰 www.plasticsvallee.fr).

Promenade sur l'Ain

🗐 🕽 04 74 37 23 14 - www.ile-chambod.com - se rens. pour les promenades - réserv. obligatoire.

Embarquez sur un bateau à fond plat qui vous fait découvrir quelques secrets de cette vallée, autrefois utilisée pour le flottage du bois et largement modifiée par les ouvrages hydroélectriques.

Revenez à Serrières et continuez sur la D 91 qui suit les gorges de l'Ain en direction de Thoirette.

La route suit le relief et découvre de superbes **vues**★ sur la rivière, qui prend parfois des couleurs irréelles.

Viaduc de Cize-Bolozon

Détruit en 1944, cet élégant viaduc a été reconstruit en 1950. Dans un site assez sauvage, il en impose, avec ses 280 m de long et ses quelque 53 m de haut.

Continuez sur la D 91 en direction de Thoirette.

Barrage de Cize-Bolozon

Surmonté d'une grue, ce barrage n'est pas de première jeunesse, car il a été construit entre 1928 et 1931. Il est de type « mobile » (156 m de longueur).

La vallée s'élargit progressivement, mais garde une majesté mise en valeur par les reliefs qui la bordent.

Continuez sur la D 91. Arrivé au Port, ne traversez pas le pont, mais prenez la D 18 en direction d'Oyonnax.

Après Matafelon-Granges, la route traverse la retenue formée par le barrage de Charmines.

Poursuivez la D 18 à droite et rejoignez Izernore.

Izernore

Izarnodurum était un village des Séquanes, puissante tribu de la Gaule antique. Placé sur une voie commerciale importante, ce village connut son apogée au 2e s., avec la construction d'un nouveau temple et de thermes. Ceux-ci constituent, avec quelques *villae* et le quartier des Amphores, les vestiges du village gallo-romain détruit par les invasions barbares au 4e s., puis de nouveau aux 8e et 10e s. Certaines thèses voudraient qu'Izarnodurum soit la fameuse Alésia, mais les preuves manquent.

👥 **Musée d'Archéologie d'Izernore** – *Pl. de l'Église -* ☎ *04 74 49 20 42 - www.archeologie-izernore.com - juin-août : 9h-12h, 14h-18h ; reste de l'année : tlj sf mar. et sam. 9h-12h, 14h-17h - fermé dim.-lun. et j. fériés - possibilité de visite guidée (1h30) - 2 € (-18 ans gratuit), ateliers 2 €/enf. - gratuit J. de l'archéologie (juin).* Ce petit musée présente quelques pièces de la vaste collection d'Izernore mais surtout il retrace, à travers quatre salles aménagées, les étapes suivies par un objet archéologique, de sa mise au jour à son exposition. Durant les vacances scolaires, le musée organise des ateliers pour les enfants (jeux antiques, réalisation d'une fresque ou de poteries)

En sortant du musée, suivez le chemin des Pierres (parcours pédagogique) jusqu'aux ruines du temple gallo-romain, dédié à une divinité des eaux.

Reprenez la D 18 vers le nord, la D 13 à droite vous emmène à Oyonnax.

Oyonnax

🛈 **Office de tourisme du Haut-Bugey** – *1 r. Bichat - 01100 Oyonnax -* ☎ *04 74 12 11 57 - www.hautbugey-tourisme.com - juil.-août : 9h30-12h30, 14h-18h, sam. 9h30-12h30, 14h-17h ; reste de l'année : tlj sf sam. 10h-12h30, 14h-17h - fermé dim. et j. fériés - dépliants gratuits pour faire le tour du centre-ville ou se promener le long de la Sarsouile (2h).*

Jadis célèbre pour ses peignes en bois, Oyonnax (prononcez *Oyona*) est aujourd'hui une cité industrielle très réputée pour le travail des matières plastiques. La création en 1986 de la « Plastics Vallée », qui groupe dans un rayon de 50 km une concentration exceptionnelle d'entreprises spécialisées, a fait d'Oyonnax la capitale des matières plastiques. Siège du lycée technique Arbez-Carme (École nationale des matières plastiques) depuis près d'un siècle, la ville est aussi celui du **Pôle européen de plasturgie** (ouvert en automne 1991), destiné à former, au niveau national, des ingénieurs plasturgistes.

Musée du Peigne et de la Plasturgie – *88 cours de Verdun -* ☎ *04 74 81 96 82 - www.oyonnax.fr -* ♿ *- 14h-18h, 1ᵉʳ dim. du mois 14h-18h - fermé lun. et j. fériés, janv. et 3 premières sem. d'août - possibilité de visite guidée sur demande (1h) - 3,60 € (-16 ans gratuit) - gratuit 1ᵉʳ dim. du mois - ateliers vac. scol.*

Les collections de ce musée illustrent parfaitement l'évolution et la variété de la production oyonnaxienne : peignes en buis, corne et Celluloïd, lunettes, boutons, boucles, bijoux, fleurs artificielles, etc. Des machines ayant servi à la fabrication de peignes en corne et en Celluloïd, de nombreux peignes du monde entier complètent l'exposition. De nombreux objets telles les mantilles en Celluloïd et les lunettes en plastique témoignent de l'habileté et du goût artistique des fabricants *(voir encadré ci-contre).*

Depuis le centre-ville, la direction du lac Genin est indiquée. Empruntez la D 13, et après 7 km prenez à droite vers le lac.

★ Lac Genin

De taille plus modeste, ce petit lac, fierté d'Oyonnax, est situé dans un joli **site★** encadré de prairies et de pentes boisées. Ses rives ombragées constituent d'agréables promenades. Il offre diverses possibilités en fonction des saisons : baignades surveillées en été, patinage en hiver.

Revenez à Oyonnax, retournez devant le musée puis prenez la direction de l'A 404, puis de Martignat et de Montréal-la-Cluse (D 984ᴰ). La D 1084 à gauche vous ramène vers Nantua.

NOS ADRESSES À NANTUA

HÉBERGEMENT

BUDGET MOYEN

L'Embarcadère – *13 av. du Lac -*
04 74 75 22 88 - www.
hotelembarcadere.com - 🅿 ♿
2 ch. - 47 ch. 69/117 € - 🍵 *10,50 € -*
✗ *formule déj. 19 € - 25,50/76 €.* La
moitié des chambres offrent une
échappée sur le lac, et toutes se
déclinent dans des tons chauds.
La vue panoramique sur l'eau, la
cuisine goûteuse et raffinée et le
service impeccable sont les atouts
maîtres du restaurant.

À proximité

PREMIER PRIX

Lac Hôtel – *22 av. de Bresse -*
1460 Montréal-la-Cluse - 🕾 *04 74*
76 29 68 - www.lac-hotel.com -
🅿 *- fermé dim., 2e sem. d'août et*
19 déc.-1er janv. - 28 ch. 55 € - 🍵
8 €. Chambres pratiques, tenue
rigoureuse et prix « mini » sont les
atouts de cet hôtel construit au
voisinage d'un nœud routier.

RESTAURATION

😋 Ne manquez pas de goûter
la fameuse sauce Nantua, qui
accompagne les quenelles de
brochet ; elle doit son goût à un
savoureux crustacé, l'écrevisse.

BUDGET MOYEN

Belle Rive – *23 rte de la Cluse -*
🕾 *04 74 75 16 60 - www.bellerive-*
nantua.com - fermé dim. soir, lun.
soir, mar., merc. soir, et 3 sem.
en oct. - formules déj. 14/16 €. -
22/44 €. En dégustant les
spécialités locales, vous pourrez
profiter de la vue sur le lac dans ce
restaurant sans prétention.

Restaurant Durdu – *3 rte de la*
Cluse - 🕾 *04 74 75 11 32 - www.*
restaurant-nantua.com - ouv. midi
mar.-dim. et soir jeu.-sam. - formule
midi 14/16 € - 24/34 €. Pour profiter
de la vue sur le lac de Nantua, rien

de tel que la jolie terrasse de ce
restaurant situé au bord de l'eau.
Bonne spécialités de la région et
accueil chaleureux.

À proximité

PREMIER PRIX

Auberge du lac Genin – *18 rte du*
lac Genin - 01130 Charix - 🕾 *04 74 75*
52 50 - www.lacgenin.fr - 🅿 ♿ *-*
fermé de mi-oct. à déb. déc., dim.
soir et lun. - formule déj. 13 € -
20/22 € - ch. 57/67 € - 🍵 *6,50 €.*
Prenez la peine de monter jusqu'au
lac Genin pour dénicher cette
auberge de montagne, située dans
un site boisé, sur les berges du
plan d'eau. Salle à manger rustique
où l'on prépare sous vos yeux des
grillades cuites au feu de bois. Belle
terrasse. Chambres modestes.

BUDGET MOYEN

Bernard Charpy – *308 r. de*
la Croix-Chalon - 1460 Brion -
🕾 *04 74 76 24 15 - www.restaurant-*
bernard-charpy.fr - 🅿 ♿ *- fermé*
sem. de l'Ascension, 1 sem. août,
lun., sam. midi et dim. soir - formule
déj. 21/24 € - menus 32/61 € - réserv.
conseillée. Sous la charpente
apparente de la salle à manger
relookée version contemporaine,
vous dégusterez une attrayante
cuisine traditionnelle (très beau
choix de poissons frais).

La Renaissance – *66 r. Anatole-*
France - 1100 Oyonnax - 🕾 *04 74 77*
00 44 - www.larenaissance-
oyonnax.fr - lun.-sam. 12h-14h,
19h-21h30 - 25/35 €. Une excellente
cuisine maison et un accueil très
sympathique. La carte change très
régulièrement au gré des saisons.

ACHATS

Vêtement

Cotélac – *4 r. du Dr-Mercier -*
🕾 *04 74 75 04 04 - www.cotelac.fr -*
lun.-sam. 9h30-19h - fermé dim. (sf
en juil.) et j. fériés. Le Tricotage de

Nantua (TN) a fait peau neuve en devenant Cotélac, grande marque de prêt-à-porter. Le magasin d'usine de Nantua propose 30 à 40 % de réduction sur les retours d'usine, les prototypes et sur la nouvelle collection avec petits défauts.

Vin

Gaec Michel et Stéphane Girardi – *4 r. de la Gumarde - 01450 Cerdon -* ☎ *04 74 39 95 90 - www.cerdon-girardi.com - 8h-12h, 13h30-19h, w.-end 10h30-12h et 14h30-18h30 - fermé 1er janv. et 25 déc.* Dégustation et vente de Cerdon (méthode ancestrale et méthode traditionnelle). Visite commentée et gratuite de la cave.

La Grand'Cave – *362-374 r. du 12-Juillet-1944 - 1450 Cerdon -* ☎ *04 74 39 95 67 -* ☎ *06 88 35 41 17 - www.closdescondamines. com - 5,50 € - 4 ch. 57,50/67,50 € avec poss. de cuisiner.* La méthode ancestrale, pratiquée dans le vignoble de Cerdon, se caractérise par une interruption de la 1re fermentation en cuve, conférant au vin un faible degré d'alcool et la naissance d'une mousse fine après la mise en bouteille. Visite commentée de la cave (groupes sur réserv.) et vente directe des différents produits du terroir.

Fromage

Fromagerie de Brénod – *60 pl. de l'Église - 1110 Brénod -* ☎ *04 74 36 01 24 - www.comte.com -* 🅿 ♿ *- 8h45-12h15, mar. et jeu. 15h30- 18h45, vend.-sam. : 14h30-18h45 - fermé lun. sf vac. scol. 15h30-18h45.* La fruitière de Brénod transforme plus de 3 millions de litres de lait par an en comté, crème, beurre et fromage blanc. Accès libre à la galerie de visite, panneaux explicatifs.

Bière

Brasserie Rivière d'Ain – *5 r. Samuel-Perry - 1640 Jujurieux -* ☎ *04 74 39 01 88 - http:// rivieredain.fr - vend. 14h-17h30, sam. 10h-12h, 14h-17h30.* Une ferme brasserie artisanale créée en 2005. L'orge est cultivée dans la ferme et les bières sont brassées avec l'eau de la rivière.

ACTIVITÉS

Randonnée nature – *Agnès Godard, au Poizat -* ☎ *06 11 17 27 14 - www.enpleinenature.fr.* Découvrir les plantes sauvages, les cueillir et les cuisiner vous tente ? Spécialiste de marche nordique, Agnès Godard vous propose aussi randonnées, balades en raquettes et soirées sous un tipi.

Aire de Vent - Didier Marinet – *1 allée Abert-Camus - 1200 Bellegarde -* ☎ *06 72 15 80 68 - www.airedevent.com - Randonnée : 15 €/journée - baptême parapente : 55 €.* Didier Marinet accompagne sportifs et amateurs de randonnées et partage ses connaissances sur la faune et la flore.

Canoë l'Esquimaude – *Av. de l'Oiselon - 1160 Pont-d'Ain - (sous le pont de Pont-d'Ain) -* ☎ *06 08 78 98 78 - www.canoe01.fr - tlj déb. mai-fin sept. à partir de 17 €/pers. (6 €/enf.).* Pour descendre l'Ain en canoë-kayak.

AGENDA

Estivales du Lac – *Juil. - Nantua. Animations au bord du lac.*

La Valserine

Ain (01)

Ce nom qui chante comme une cascade annonce un torrent qui descend du haut Jura pour se jeter dans le Rhône et rassemble, chemin faisant, de nombreux cours d'eau. Les paysages de cette vallée s'ouvrent idéalement sur les monts Jura et la Suisse toute proche.

😊 NOS ADRESSES PAGE 411
Hébergement, restauration, achats, activités, etc.

🛈 S'INFORMER

Office du tourisme de Bellegarde-sur-Valserine – *13 r. de la République - 01200 Bellegarde-sur-Valserine - ✆ 04 50 48 48 68 - www. terrevalserine.fr - juil.-août : 9h-12h30, 14h30-19h, dim. et j. fériés 9h-13h ; avr.-juin et sept. : tlj sf dim. 9h-12h30, 14h30-18h ; reste de l'année : se rens. - fermé 1er Mai - Dépliant sur le patrimoine, surtout industriel.*

▶ SE REPÉRER

Carte de microrégion B2 (p. 394). La Valserine est un affluent

du Rhône qu'elle rejoint au niveau de Bellegarde-sur-Valserine, à proximité de la frontière suisse et de Genève.

⊘ À NE PAS MANQUER

Le spectacle naturel des pertes de la Valserine ; le défilé de l'écluse ; l'impressionnant fort de l'écluse.

🕓 ORGANISER SON TEMPS

Comptez deux journées pour visiter la vallée et ses alentours.

Se promener

Cette excursion est à faire de préférence l'apr.-midi, en remontant la vallée du sud vers le nord.

La rivière Valserine a donné son nom au val de la haute montagne jurassienne où se déroule son cours. Elle naît dans les prairies du **Valmijoux**. Longue de 50 km, elle descend de 1 000 m depuis sa source jusqu'à son confluent avec le Rhône, à Bellegarde-sur-Valserine. Son régime est torrentiel : on a vu, en 1899, son niveau monter subitement de 26 m au pont des Oulles.

Le val s'allonge entre deux lignes de montagnes parallèles dont les sommets les plus connus sont le **crêt de Chalam** (1 545 m) et le **crêt de la Neige** (1 718 m). Il est ainsi nommé parce qu'il conserve, parfois toute l'année, la seule neige « éternelle » du Jura, dans quelques creux exposés au nord.

😊 En 1884, grâce à un barrage construit sur la Valserine, les Bellegardiens furent parmi les premiers Français à bénéficier d'un éclairage public électrique.

★ Berges de la Valserine

Montez la rue de l'office de tourisme et, au rond-point, prenez la D 1084 vers Lyon. Garez-vous au parking situé derrière le viaduc du chemin de fer (rue Louis-Dumont). 🚶 La Valserine longe la ville, mais son cours encaissé a longtemps été difficile d'accès. Un sentier a été aménagé au départ du viaduc. Compter 2h aller-retour pour ce beau parcours qui mène jusqu'aux pertes de la Valserine. Il nécessite un peu de souffle, car il y a de nombreux escaliers. Attention : par temps de pluie, le sentier est parfois boueux et les pierres peuvent être glissantes.

Érosion de roches et succession de petites cascades.
Gregory_DUBUS/iStock

★ Pertes de la Valserine

Pour les rallier en voiture, quittez Bellegarde par la D 1084 au nord. Passez sous la voie ferrée et suivez la D 1084 sur environ 2 km. Parking à droite de la route.

🚶 *45mn à pied AR.* Descendez le sentier, sous bois et coupé de marches. Gagnez le site très curieux où la rivière disparaît dans les fentes étroites des rochers. Ce phénomène impressionnant se répète sur 200 m environ. Les profondes marmites de géants, appelées « Oulles », ont été creusées et polies par le torrent. Le « pont des Oulles » est le nom d'un ancien ponceau métallique qui le franchissait. Les chutes de la Valserine se trouvent un peu en amont. Vous pouvez observer en direct, mais avec la plus extrême prudence, le travail de l'eau qui sculpte de superbes marmites avant de s'enfoncer dans la roche.

Circuits conseillés Carte de microrégion p. 394

★ DÉFILÉ DE L'ÉCLUSE

▶ *Circuit de 32 km au départ de Bellegarde-sur-Valserine, tracé en bleu sur la carte de microrégion.*

Bellegarde-sur-Valserine B2

La ville de Bellegarde émerge au 19e s. avec l'arrivée du chemin de fer et de l'électricité. Elle comprend quelques éléments architecturaux intéressants de la fin du 19e s. et des années 1920-1930.

Prenez la D 1206 vers l'est qui vous mène dans la cluse.

C'est une fort belle cluse qui sépare le **grand crêt d'Eau** (1 621 m) de la **montagne de Vuache** (1 101 m). Le défilé de l'Écluse est surveillé par d'imposantes fortifications. Le fort inférieur est relié au fort supérieur par un escalier de 1 165 marches creusé dans le rocher ! Outre le fleuve et la voie ferrée, deux routes l'empruntent : la D 1206, grande voie de passage franco-suisse, sur la rive nord, et la D 908A, plutôt route de promenade, sur la rive sud. Toutes deux offrent des vues très pittoresques.

Passé Longeray, tournez à droite, juste avant l'entrée du tunnel, vers le fort.

★ Fort l'Écluse B2

Rte de Genève - ☏ 04 50 56 73 63 - www.fortlecluse.fr - de mi-juin à mi-sept. : 10h-18h30; reste de l'année : sur demande - fermé 1er janv., lun. de Pâques, 11 Nov., 25-26 déc. - possibilité de visite guidée sur demande (45mn) - 5 € (-16 ans 3,50 €) - 10 € billet combiné avec le château de Voltaire.

Érigé à même la roche, le fort l'Écluse n'était qu'une simple tour à l'époque de Jules César. Il devint par la suite maison forte, remplacée au 13e s. par un fort. Il joua, au cours des siècles, un véritable rôle de frontière, verrouillant le défilé. À partir du traité de Lyon de 1601 et jusqu'à la moitié du 18e s., les ingénieurs du roi vont travailler à agrandir et renforcer les bâtiments. En 1815, après des jours de combats acharnés, les armées autrichiennes viennent à bout du fort, dévasté. Il se relèvera bientôt.

Bel ensemble de fortifications de montagne, le fort actuel fut bâti de 1820 à 1840 au-dessus du Rhône. Sa position stratégique lui valut d'être âprement disputé par les Allemands en 1944 : « Toujours l'ennemi s'use devant le fort l'Écluse » peut-on lire au-dessus de l'ancienne porte, au fond de la cour. Il faut beaucoup de courage pour gravir les 1 165 marches jusqu'au fort supérieur *(45mn à 1h AR, selon la condition physique)*, mais le point de vue de la **terrasse** le mérite ! Expositions annuelles.

Passez sous le tunnel et poursuivez par la D 1206 à droite. Dans Chevrier, prenez à droite la D 908A et regagnez Bellegarde par la D 1508.

DE BELLEGARDE AU COL DE LA FAUCILLE

▶ *Circuit tracé en orange sur la carte de microrégion (p. 394) – Comptez une demi-journée, plus si vous décidez de suivre la crête à pied, à partir du col de la Faucille. Quittez Bellegarde-sur-Valserine par la D 1084. 4 km après Châtillon-de-Michaille, prenez à droite la D 14 puis, à Montanges, la D 14A à droite.*

★ Pont des Pierres B2

Il franchit la rivière entre Montanges et La Mulaz. Audacieuse et élégante, son arche unique, de 80 m d'ouverture, enjambe la gorge à une hauteur de 60 m. Par temps pluvieux, le spectacle est impressionnant : la Valserine, couverte d'écume, resserrée entre d'abruptes parois verticales, reçoit de bruyantes cascades qui dévalent des deux versants, entraînant terre et pierres.

À La Mulaz, prenez à gauche la D 991.

Défilé de Sous-Balme B1

La route remonte la vallée en longeant des falaises boisées. Entre Chézery-Forens et Lélex, la Valserine traverse le sauvage défilé de Sous-Balme, long de 5 km, resserré entre le crêt de Chalam et le Reculet.

Remontez la vallée jusqu'à la station Monts Jura.

★ Monts Jura B1 (♿ p. 379)

Suivez la D 991 jusqu'au village de Mijoux. Empruntez ensuite la D 936 qui monte en lacets jusqu'au **col de la Faucille★★**, connu pour sa vue spectaculaire sur le Jura. Vous pouvez aussi gagner le **Petit Mont-Rond**, dont le panorama circulaire va du Jura français aux rives du lac Léman.

😊 NOS ADRESSES DANS LA VALSERINE

HÉBERGEMENT

PREMIER PRIX

Hôtel Hermance – *19 r. J.-Bertola - 01200 Bellegarde-sur-Valserine - 📞 04 50 56 28 04 - www. hotelhermance.com - 🅿 ♿ - fermé 2 sem. déb. août - 25 ch. 60/65 € - ☕ 8 €.* Cet hôtel modeste, dont les chambres ont été récemment rénovés, est situé en plein centre-ville. Préférez celles du 4e étage (ascenseur) plus calmes. Les propriétaires habitent dans l'hôtel et l'accueil est agréable. Réservez absolument pour le w.-end.

À proximité

PREMIER PRIX

Hôtel du Sorgia – *39 Grande-Rue - 01200 Lancrans - 📞 04 50 48 15 81 - www.lesorgia.fr - 🅿 - fermé 1er mai, 15 août-08 sept., 22 déc.-17 janv., dim. soir et lun. - 9 ch. 69/75 € - ☕ 9,50 € - ✕ 29/44 €.* Au cœur du village, la famille Marion reçoit les visiteurs dans son auberge depuis 1890. Chaque chambre est personnalisée. Salle à manger champêtre et terrasse fleurie dressée au bord du jardin. Cuisine du marché.

RESTAURATION

À proximité

BUDGET MOYEN

Auberge du Pont des Pierres – *754 r. Paul-de-Vanssay - 1200 Montanges - 📞 04 50 56 36 35 - www.pontdespierres.fr - fermé mar.-merc. - 21/38 €.* Cette auberge a été créée par un enfant du pays et ne désemplit pas ! Le jeune chef ne manque pas de talent pour cuisiner les produits du cru, soigneusement choisis : poisson du lac Léman, porc et volaille de l'Ain, etc. Tout est fait maison (pain et glace compris) et l'on se régale… à petits prix.

ACTIVITÉS

À proximité

Via Ferrata du fort l'Écluse – *Lieu-dit Longeray - 01200 Léaz - 📞 04 50 56 73 63 - www.fortlecluse. fr - tte l'année (interdit la nuit, à éviter par mauvais temps) - gratuit.* Surtout destinée aux personnes expérimentées, cette via ferrata, créée en août 2005, trouve sa place sur la paroi calcaire très raide du fort l'Écluse. On franchit le fossé par un pont de singe de 15 m. Comptez 1h30 d'efforts pour venir à bout de ce parcours d'une longueur de 400 m, et de 150 m de dénivelé. On en redescend par un sentier glissant (20mn).

AGENDA

BD de l'Ain – *Nov. - www. bddanslain.fr - entrée payante.* Ce festival de BD accueille chaque année plus d'une vingtaine d'auteurs pour des séances de dédicaces et des expos. Marché de l'occasion. Une BD sur l'histoire de la ville du Moyen Âge à nos jours est en vente à l'office de tourisme (13 €).

Barrage de Génissiat

Ain (01)

Jusqu'en janvier 1948, date de la mise en eau du barrage de Génissiat, le Rhône, en arrivant à Bellegarde, disparaissait aux basses eaux dans une fissure profonde de 60 m. C'était la « perte » du Rhône. Le site a été transformé en un lac-réservoir long de 23 km ; il occupe les gorges taillées par le fleuve, deux falaises distantes de 1,70 m au point le plus resserré, qui réapparaissent pendant les « chasses », désormais très décriées.

😊 NOS ADRESSES PAGE 415
Hébergement, restauration, achats, activités, etc.

🔲 S'INFORMER
Office du tourisme de Bellegarde-sur-Valserine – *13 r. de la République - 01200 Bellegarde-sur-Valserine - ℘ 04 50 48 48 68 - www. terrevalserine.fr - juil.-août : 9h-12h30, 14h30-19h, dim. et j. fériés 9h-13h ; avr.-juin et sept. : tlj sf dim. 9h-12h30, 14h30-18h ; reste de l'année : se rens. - fermé 1ᵉʳ Mai - Dépliant sur le patrimoine, surtout industriel.*

▶ SE REPÉRER
Carte de microrégion B2 (p. 394). Le barrage se situe à 13 km au sud de Bellegarde-sur-V., par la D 25, la D 991 à Billiat, puis la D 72ᴬ. Sur la crête de l'ouvrage, belles vues sur la retenue.

😊 À NE PAS MANQUER
L'impressionnant ouvrage, haut de 104 m et le fonctionnement des canaux évacuateurs du Rhône, en période de hautes eaux.

🕐 ORGANISER SON TEMPS
C'est au début de l'été que le barrage est le plus spectaculaire, lorsque les canaux évacuateurs du fleuve fonctionnent à plein.

👫 AVEC LES ENFANTS
Le « saut de ski », qui peut générer une splendide gerbe d'écume.

Découvrir

Site
En amont de l'emplacement choisi pour établir le barrage, le Rhône est encaissé entre de hautes falaises, ce qui permet de relever son niveau de 69 m sans provoquer de submersions importantes. La qualité du calcaire sur lequel devaient s'ancrer les 600 000 m³ de béton de l'ouvrage était une question d'une importance primordiale : il aurait pu y avoir risque de voir les eaux passer sous le barrage par les fissures du sous-sol. L'homogénéité de la roche fut reconnue satisfaisante, et les travaux purent commencer en 1937.

Barrage
Jadis surnommé le « taureau furieux », le Rhône est aujourd'hui corseté par une ceinture de barrages qui canalise ses emportements. Haut de 104 m à partir des fondations, long de 140 m à la crête, épais de 100 m à la base, le barrage de Génissiat est de type **barrage-poids**, c'est-à-dire qu'il résiste par sa seule masse à la poussée des eaux. La retenue d'eau, de 53 millions de m³, s'étend sur 23 km jusqu'à la frontière suisse. Pour parer aux violentes crues du Rhône, dont le débit peut passer de 140 à 2 800 m³ par seconde, deux canaux

Le Rhône, fleuve sous contrôle

Né en Suisse, à 2 200 m d'altitude, dans les cirques glaciaires de l'Oberland, entre les cols de la Furka et du Grimsel, le Rhône a, jusqu'à son arrivée dans le lac Léman (alt. 309 m), une allure torrentielle. Entré trouble et boueux dans ce lac, il en sort remarquablement limpide : un nouveau fleuve, le Rhône de France, commence.

LA TRAVERSÉE DU JURA

La pente moyenne est sept fois moins forte que dans le cours suisse. Mais le régime demeure irrégulier ; la hauteur d'eau varie, suivant la saison, de 0,30 m à 5 m.

Peu après avoir quitté Genève, le Rhône reçoit l'Arve, rapide et abondante, qui lui apporte les eaux des glaciers du Mont Blanc. Trente kilomètres plus loin, il se heurte à la haute et abrupte barrière du Jura dont il lui faudra franchir les chaînons parallèles par une succession de cluses. La première de ces cluses est le pittoresque défilé de l'Écluse ( *p. 409*). Le Rhône, large de 350 m à sa sortie de Genève, s'est ici fortement rétréci pour se frayer un passage : il n'a plus que 20 m.

LES CENTRALES

L'aménagement du fleuve a été confié, sur le territoire français, à la Compagnie nationale du Rhône.

De Genève à Lyon, neuf centrales utilisent les eaux du haut Rhône : deux en Suisse, celles de Verbois et de Chancy-Pougny ; sept en France, celles de Génissiat, Seyssel, Chautagne, Belley, Brégnier, Sault-Brenaz et Cusset-Villeurbanne.

LES CHASSES DU RHÔNE

Les alluvions de l'Arve en provenance du massif du Mont-Blanc s'accumulent dans la retenue de Verbois ; si celle-ci n'est pas régulièrement vidangée, les crues inondent une partie de Genève.

Dès le début du 20e s., les « chasses » du Rhône étaient organisées pour les quelques barrages existant ; avec la multiplication des retenues, un accord franco-suisse (1967) devint nécessaire pour fixer la fréquence des chasses et régler leur organisation. Tous les trois ans, 1,5 million de tonnes de matériaux fins sont ainsi chassés de Suisse pour rejoindre la Méditerranée. Le barrage de Génissiat joue alors un rôle important dans la coordination de ce transfert, fortement dépendant des débits. Depuis 2003, un moratoire devait permettre de trouver une solution moins destructrice pour l'environnement. Si la chasse de mai 2012 n'a pu être évitée, elle pourrait bien être la dernière, la Suisse envisageant de nouveaux aménagements.

POUR OU CONTRE LES CHASSES ?

Elles consistent à vidanger partiellement les barrages situés sur le fleuve afin d'évacuer une partie des sédiments entassés en rives ou fond de lit. Ces variations hydrographiques peuvent mettre en danger la faune piscicole.

évacuateurs ont été construits, l'un à l'air libre sur la rive droite, le « saut de ski », l'autre en souterrain sur la rive gauche. Le « saut de ski » donne naissance, lorsqu'il fonctionne (généralement au début de l'été), à une majestueuse gerbe d'écume. *Un circuit de découverte à pied permet une balade entre « saut de ski », château et barrage avec des points de vue et des aires de pique-nique.*

Centrale Léon-Perrier

℘ 04 72 00 69 69 - http://cnr.tm.fr - ♿ - visite guidée sur demande préalable (1h30) 10h-18h - fermé de mi-déc. à mi-janv. - 10 € (-18 ans 5 €) - à partir de 8 ans - pièce d'identité, chaussures plates et fermées indispensables.

Au pied du barrage avec lequel elle fait corps, la centrale Léon-Perrier porte le nom du fondateur de la Compagnie nationale du Rhône. Elle peut produire 1,7 milliard de kWh en année moyenne. La **salle des machines** est l'une des réussites françaises pouvant être mises à l'actif de l'« esthétique industrielle ». La visite guidée propose un parcours interactif et pédagogique où se mêlent art, histoire et technologie hydraulique.

Circuit conseillé Carte du plateau de Retord ci-dessous

LE PLATEAU DE RETORD

◗ Circuit de 73 km au départ du barrage de Génissiat, tracé en violet sur la carte du plateau de Retord – Comptez env. 3h. Empruntez la D 72ᴬ et traversez la D 991 pour prendre la D 30 vers le sud.

Col de Richemont

Après avoir traversé la Michaille, région ondulée qui s'étend au pied de la montagne depuis le Rhône, vous pénétrez dans la forêt pour n'en ressortir qu'après le col (alt. 1 036 m). Juste avant le monument au mort, à travers une futaie, vous pourrez entrevoir la vallée du Rhône, la montagne de Vuache et par temps clair, la chaîne du Mont-Blanc. Une fois le col passé, on pénètre dans le **haut Valromey** aux belles prairies ondulées. Le contraste avec la traversée de la forêt rend les paysages encore plus beaux.

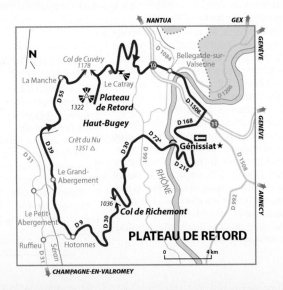

PLATEAU DE RETORD

Arrivés à Hotonnes, prenez à droite la D 39 vers Le Grand-Abergement. La route remonte le cours du Séran et vous emmène sur le plateau de Retord. Poursuivez au-delà du village pour rejoindre la D 55, qui longe le crêt du Nu par la droite. Tournez à droite dans la D 101 à la Manche, pour gagner les hauteurs du plateau.

Plateau de Retord

De molles ondulations herbeuses, coupées de bocages, se succèdent. Dans ce paysage très doux, très vert, on éprouve une sensation d'isolement, de calme, de repos. Fin mai, début juin, c'est un immense champ de narcisses. Pour les randonneurs, des vues s'offrent à la fois sur le Valromey, la vallée du Rhône, le Jura. L'itinéraire, bientôt, domine la Michaille : le **panorama★★** *(table d'orientation au Catray)* s'étend sur les Alpes (mont Blanc au sud-est), la Valserine, le défilé de l'Écluse, le lac du Bourget.

Regagnez Bellegarde par la D 101, prenez la D 1508 vers le sud, puis à droite la D 168 vers St-Germain-sur-Rhône. La D 214 vous ramène au barrage de Génissiat.

😊 NOS ADRESSES PRÈS DU BARRAGE

HÉBERGEMENT

PREMIER PRIX

Auberge Le Catray – *Rte de Cuvéry - 1200 Châtillon-en-Michaille - à droite de la table d'orientation - ☎ 04 50 56 56 25 - www.auberge-lecatray.com - 🅿 - fermé 20 oct.-15 nov. - 3 ch. 58/80 € 🛏 - ✕ 19/26 € (fermé lun.-mer. sf pour les pensionnaires).* Perchée sur le rebord du plateau de Retord, cette auberge offre une vue splendide sur la vallée du Rhône et le massif du Mont-Blanc. Le bâtiment et l'entrée manquent de charme mais les chambres, dont le confort est variable, sont propres et agréables. Préférez celles avec vue. En hiver, spécialités de montagne et cuisine de terroir au restaurant.

FAIRE UNE PAUSE

Auberge de Retord – *La Vézeronce - 01260 Le Grand-Abergement - Sur le plateau, juste à côté de la chapelle de Retord - ☎ 04 79 87 68 58 - tlj sauf lun. 12h-16h - fermé oct. – l'ouverture dépend surtout des conditions météorologiques, tél. pour vous* assurer que l'auberge n'est pas fermée. L'endroit parfait pour vous abriter des vents de Retord ou dévorer un bon goûter après une longue randonnée. Boissons chaudes dans des grands bols et pâtisseries maison, feu de cheminée, trophées de chasse et animaux naturalisés : un agréable goût de retour en enfance dans cette chaleureuse auberge. Petite terrasse en été.

ACTIVITÉS

Stade international de Biathlon – *Les Plans-d'Hotonnes - 01260 Hotonnes - ☎ 04 79 87 59 67 - www.plateauderetord.fr - de fin avril à déb. nov. - 2,3 km - tarifs initiation biathlon : biathlon laser (dès 8 ans) séance de 2h : 5 à 10 pers. : 18 euros/pers.* Ouverte de fin avril à début novembre, cette structure dispose d'un anneau pour la pratique du roller et d'une piste bitumée de 2 km pour le ski à roues, mélangeant lignes droites, virages, montées et descentes dans un cadre verdoyant. Location de matériel sur place et encadrement possible en biathlon.

Grand Colombier

Ain (01)

Culminant à 1 531 m, le Grand Colombier est le sommet le plus élevé du Bugey. Certes, les routes en lacet et les chemins pierreux ne facilitent pas son accès, mais les exceptionnels panoramas qui attendent les courageux justifient largement cet effort. Les points de vue n'ont d'égal que la taille du massif… géants !

😊 NOS ADRESSES PAGE 421
Hébergement, restauration, achats, activités, etc.

🛈 S'INFORMER

Office du tourisme de Culoz – Grand Colombier – Marais de Lavours – *45 av. Jean-Falconnier - 01350 Culoz - 𝄞 04 79 87 00 30 - www.bugeysud-tourisme.fr - mai-août : lun., merc. et jeu. 9h30-12h30, 14h-18h ; sept. : lun. et merc. 9h-12h30, 14h-17h30 ; oct.-déc. : merc. 9h-12h30, 14h-17h30 ; reste de l'année : se rens. - fermé j. fériés.*
Office du tourisme Valromey-Retord Grand Colombier – *3 pl. Brillat-Savarin - 01260 Champagne-en-Valromey - 𝄞 04 79 87 51 04 - www.bugeysud-tourisme.fr - mai-août : lun. et jeu.-vend. 9h-12h, 14h-17h ; 1er sept.-21 déc. : jeu. et sam. 9h-12h, 14h-17h ; reste de l'année : se rens. - fermé j. fériés.*

▶ SE REPÉRER

Carte de microrégion B2 (p. 394). De Bellegarde-sur-V., prenez la D 25 jusqu'à Billiat, puis à gauche la D 991 jusqu'à Seyssel et tout droit jusqu'à Anglefort (D 992). La D 120A mène au sommet après 15 km de montée assez rude, mais qui en valent la peine ! De Virieu-le-Petit ou de Culoz (desserte TGV), empruntez la D 120.

👁 À NE PAS MANQUER

Les superbes panoramas.

🕐 ORGANISER SON TEMPS

Une journée entière vous permettra de faire le circuit du Colombier et le Valromey. À pied ou à vélo, prévoir la journée juste pour le massif.

👫 AVEC LES ENFANTS

Maison du marais de Lavours ; l'Observatoire de la Lèbe. Profitez des paysages splendides qui vous entourent pour vous adonner aux joies du cyclotourisme en famille.

Découvrir Carte du Grand Colombier p. 419

DE VIRIEU-LE-PETIT À CULOZ

▶ *Circuit de 29 km tracé en vert sur la carte du Grand Colombier – Comptez env. 2h (attention, zones de dénivelé à 14 %).*
Au départ de Virieu, la route aborde la montagne du Grand Colombier par une série de lacets tracés dans un paysage pastoral. Après l'orée de la forêt, le parcours, traversant de magnifiques sapinières, devient très beau. On laisse à gauche la route de Lochieu, quand, peu après, vers la grange de Fromentel, un beau replat d'alpages offre des échappées sur le bassin de Champagne-en-Valromey. Après un nouveau kilomètre de montée en forêt, la route menant au relais-hôtel du Colombier se détache à gauche, alors qu'un dernier lacet à flanc de montagne permet d'atteindre le col.

Le Rhône depuis la montagne du Grand Colombier ; au fond le lac du Bourget.
C. Moirenc/hemis.fr/Getty Images

★★★ Grand Colombier

🔹 Du parking, deux sommets sont facilement accessibles à pied : au nord, celui arrondi qui porte la croix *(30mn à pied AR - table d'orientation)* ; au sud, le point culminant qui se termine en arête abrupte sur le versant ouest *(45mn à pied AR)*. Ils révèlent des panoramas amples et magnifiques sur le Jura, la Dombes, la vallée du Rhône, le Massif central et les Alpes. Par beau temps, trois lacs scintillent au soleil : Léman, Bourget, Annecy.

Sur le versant oriental de la montagne, la route parcourt d'abord de hauts pâturages avant de pénétrer en forêt.

Dans un lacet, à 5 km du sommet, prenez à droite vers le Fenestrez.

★★ Observatoire du Fenestrez

Un sentier conduit au bord de la falaise d'où l'on domine d'environ 900 m la plaine de Culoz. On découvre, au sud-est, le lac du Bourget, puis Chambéry ; à l'est, le lac d'Annecy. Au-delà, la vue s'étend jusqu'à la chaîne des Alpes.

De retour à la route principale, la prendre à droite, descente à 15 %. À 4 km de là, on laisse à gauche la route vers Anglefort.

La descente sur Culoz *(12 % par endroits – 13 lacets)* offre des vues impressionnantes sur le Bugey, la vallée du Rhône et la plaine de Culoz, surtout lorsque la route est taillée au ras de l'abrupt, au pied de la forêt.

À proximité Carte de microrégion p. 394

Seyssel B2

 13 km au nord de Culoz par la D 992.

Les habitants de Seyssel, autrefois grand port fluvial de la Savoie sur le Rhône, ne peuvent ignorer le fleuve qui coupe la commune en deux. Ils en ont logiquement profité pour développer un commerce fructueux avec Lyon, et fabriquaient sur place leurs fameuses **seysselanes**, grandes barques à fond plat, qui servaient au transport des marchandises.

7

Seyssel est aujourd'hui surtout connu pour les excellents vins blancs de son terroir identifiés généralement sous le nom du cépage producteur, l'altesse. L'agglomération, jadis partagée entre la France et la Savoie, reste écartelée entre les départements de la Haute-Savoie et de l'Ain. Le pont suspendu reliant les deux bourgs – qui ont conservé chacun leur noyau ancien – constitue le trait le plus caractéristique du paysage seysselan. Plus récemment, un pont à haubans a été construit au sud de l'agglomération.

Barrage de Seyssel B2

▶ *1,5 km en amont de Seyssel.*

Ce barrage de compensation est destiné à régulariser le débit du Rhône à la sortie de Génissiat. L'ouvrage a créé un nouveau plan d'eau au pied de l'éperon qui porte l'église de **Bassy**, fort bien située. L'usine peut produire 50 millions de kWh par an.

Circuit conseillé Carte du Grand Colombier page ci-contre

LE VALROMEY

▶ *Circuit de 72 km tracé en vert clair sur la carte du Grand Colombier – Comptez 6h.*

Ce circuit reprend le circuit proposé pour découvrir le Grand Colombier et l'élargit à la découverte du Valromey : inclus dans le haut Bugey, le Valromey est la vallée, descendante par marches successives, du Séran.

Champagne-en-Valromey

Actuel centre du Valromey, il conserve encore quelques maisons anciennes. *Prenez la D 69ᶠ, puis la D 69.*

Lochieu

Musée départemental du Bugey-Valromey – 3 r. Centrale - ☎ 04 79 87 52 23 - http://patrimoines.ain.fr - avr.-oct. : 10h-12h30, 13h30-18h - fermé mar.-merc., 15 août - possibilité de visite guidée sur demande (1h) - 4 € (-26 ans gratuit) - gratuit 1ᵉʳ dim. du mois.

Installé dans un ensemble de maisons, dont une datant de la Renaissance avec pigeonnier, il associe la conservation de la mémoire et l'évocation de la vie régionale. Une projection commentée sur une **carte en relief** montre l'étonnante densité des cours d'eau, les pôles économiques et leur histoire. Au travers des objets s'esquissent les activités, la vie religieuse, mais aussi les personnalités de quelques initiateurs de la randonnée touristique ou sportive (tenue d'époque de la « fiancée du Mont Blanc », Henriette d'Angeville, qui le gravit en 1838). Le musée présente aussi une belle collection de 140 objets d'art, contemporains, en bois.

En sortant du musée, prenez à droite la direction de Virieu-le-Petit. Avant ce village, tournez à gauche sur la D 120ᶜ vers le Grand Colombier.

★★★ Grand Colombier

La montée, puis la descente par la D 120 sont abruptes (14 %) et en lacet. Continuez tout droit sur la D 120ᴮ.

★★ Observatoire du Fenestrez (🕭 p. 417)

Reprenez la D120ᴮ en sens inverse pour récupérer la D 120 en direction de Béon. À l'entrée de Béon, prenez à gauche la D 37 en direction de Ceyzérieu (attention au radar après la voie ferrée). Dans ce village, suivez la direction de la réserve de Lavours.

Réserve naturelle du Marais de Lavours

☎ 04 79 87 90 39 - www.reserve-lavours.com - ♿ - 7 juil.-2 sept. : tlj sf lun. 10h-12h, 14h-18h ; 23 avr.-6 juil. : w.-end et j. fériés 10h-12h, 14h-18h ; reste de l'année : se rens. - accès libre au sentier sur pilotis - possibilité de visite guidée sur demande (2h).

Le Rhône, rejoint par le Fier (dont le val franchit la montagne du Gros Foug) et le Séran, s'étale et divague dans un large lit de cailloux et de graviers encombré d'îlots formant les marais de Chautagne et de Lavours. L'ensemble (5 000 ha) constitue l'un des derniers grands marais continentaux d'Europe de l'Ouest. Il servit longtemps de réserve de tourbe pour les habitants de la région.

Pour découvrir le marais, vous pouvez suivre un sentier sur pilotis de 1,2 km doté de panneaux pédagogiques.

Vous ne pouvez pas accéder directement à la Maison du marais. Laissez votre voiture au parking et parcourez 500 m à pied dans le hameau d'Aignoz.

La **Maison du marais** propose, outre de petits films sur les milieux humides et la constitution de la tourbe, quelques raretés de la flore et de la faune ou des contes régionaux dans divers espaces interactifs.

Revenez à Ceyzérieu et prenez la D 37 puis la D 105 vers Talissieu. La D 904 à gauche vous emmène à Artemare. Traversez la ville et montez à Don (direction musée de Lochieu). Au carrefour dans Don, prenez tout droit puis à gauche.

Pont du Diable et source du Groin

Le pont du Diable (que l'on franchit) enjambe un vertigineux et sombre canyon, au fond duquel s'écoule le Groin. *Empruntez la D 31ᴰ, à droite, la route est mauvaise mais allez jusqu'au hameau de Vaux-Morets, où vous vous garez.*

Prenez le chemin de la Source à la sortie du hameau à droite, passez le petit pont, puis à gauche au croisement : l'étonnante cuvette turquoise de la source du Groin se trouve derrière le totem *(15mn AR, baignade interdite).* Poursuivez la D 31ᴰ jusqu'à Don. Au carrefour principal, prenez la D 31 à droite. À la sortie du hameau de Chassin, à gauche un panneau « Cascade » à l'envers vous indique la route à prendre. Garez-vous sur le parking après le pont.

7

★ Cascade de Cerveyrieu

Le Séran s'est creusé là un lit rocheux avant de se précipiter de 60 m de haut sur des rochers détachés de la falaise. Il peut être à sec à certaines périodes de l'année. Belle vue sur le château de la Cascade, sur Artemare et sa campagne.

Revenez à Artemare et tournez à droite sur la D 69ᴰ qui permet de voir la cascade d'en bas (propriété privée). Tournez à droite sur la D 8. 2 km après le monument aux morts, le chemin de l'observatoire est sur la droite.

Col de la Lèbe

Observatoire de la Lèbe – *Chemin des Étoiles -* ☎ *04 79 87 67 31 - www. astroval-observatoire.fr - juil.-août : 11h-18h, sam. 14h-18h ; reste de l'année : tlj sf dim. 14h-17h, sam. se rens. - fermé vac. de Noël, 1ᵉʳ janv., 1ᵉʳ Mai - possibilité de visite guidée sur demande (1h) - 6 € (-16 ans à 4 €) - visites à 14h30 et 16h, se rens. ; visite nocture 21h45 ou 22h30 (2h, 13 €, -16 ans 10 €) 8 ans mini, se rens.*

À 914 m d'altitude, le col de la Lèbe n'est gêné par aucune pollution lumineuse ou atmosphérique. Par beau temps, observez les environs jusqu'au lac du Bourget, les éruptions solaires (sidérostat, lunette équipée d'un filtre), et, la nuit, les étoiles (télescopes de 530 à 610 mm). Une fresque sert de support à un rapide résumé de l'histoire de l'astronomie. Le lieu est parrainé par l'astrophysicienne du CNRS Anne-Marie Lagrange, originaire du Bugey.

Revenez sur vos pas. Prenez à gauche la D 54. Tournez à droite dans la D 31 et guettez le chemin de Vieu sur votre gauche.

Vieu

Le village occupe l'emplacement de la ville romaine qui fut métropole du Valromey. L'église est du 12ᵉ s. Brillat-Savarin (☞ p. 423) avait là sa gentilhommière où, pour ses amis, il mettait en pratique ses conseils gastronomiques.

Seyssel, vignoble au bord du Rhône.
C. Moirenc/hemis.fr

😊 NOS ADRESSES PRÈS DU GRAND COLOMBIER

HÉBERGEMENT

PREMIER PRIX

Chambre d'hôte

Chambre d'hôte Les Charmettes – *R. de la Fruitière - 01510 St-Martin-de-Bavel - La Vellaz (11 km au nord de Belley par la D 1504 jusqu'à Chazey-Bons, puis la D 31C et la D 105) - ☎ 04 79 87 32 18 - ⊠ ♿ - 3 ch. 48 € ☕. Séjour agréable garanti dans les anciennes écuries très bien restaurées de cette ravissante ferme du Bugey. Les chambres y sont mignonnes et confortables ; l'une peut accueillir des pers. handicapées. Cuisine aménagée et machine à laver à disposition. Calme assuré.*

À proximité

PREMIER PRIX

Au Vieux Tilleul – *01260 Belmont-Luthézieu - (10,5 km à l'ouest de Virieu-le-Petit par la D 69F, puis la D 54C) - ☎ 04 79 87 64 51 - www.le-vieux-tilleul.fr - 🅿 - tlj juin-août, merc.-dim. sept.-mai, fermé à Noël - 15 ch. 68 € - ⊡ 8,50 € - 1/2 P. 100 €/pers. - 🍴 31/47 €. Au ravissant décor, ajoutez le calme, le confort des chambres et un bon accueil. Vue splendide sur le Grand Colombier ou la forêt. Cuisine bien inspirée.*

Camping Le Colombier – *Île de Verbaou - 1350 Culoz - (à 1,3 km à l'E, au carr. des D 904 et D 992, au bord d'un plan d'eau) - ☎ 04 79 87 19 00 - www.camping-alpes.net - ♿ - de fin mars à fin sept. - 55 empl. 10/24 € et 12 mobile homes 218/720 € par sem. pour 4/6 pers. Ce camping bordant le plan d'eau compte des emplacements de confort inégal. On préférera bien sûr ceux qui combinent pelouse et ombrage, plus éloignés des nuisances sonores éventuelles. Le* secteur locatif dispose de douze mobile homes équipés ou non de sanitaires. Bloc sanitaire central, camping de belle architecture, et aires de jeux pour petits et grands.

PETITE PAUSE

Boulangerie Journet – *01350 Ceyzérieu - ☎ 04 79 87 90 60 - mar.-ven. 7h45-13h30, 15h-19h30, sam. 7h45-19h45, dim. 7h45-13h30. L'adresse privilégiée pour déguster une tranche de salé aux noix et aux oignons (prononcez « ouanions ») ou aux pommes (1,60 €). À savourer sur un banc près de l'église, avec une fontaine à disposition pour rincer les doigts gras !*

ACTIVITÉS

Cyclotourisme – Rens. auprès de l'office du tourisme Bugey-Sud-Grand-Colombier sur les circuits balisés de l'Ain à vélo (boucles « débutants », « confirmés », « familles »), sur les montées jusqu'au col du Grand Colombier, sur les parcours de VTT dans le massif, les liaisons avec le Plateau de Retord ou encore la Grande Traversée du Jura. Si vous faites l'ascension du Colombier au moins deux fois dans la même journée, vous avez votre place parmi les Fêlés du Colombier ! *(www.bugeyvelo.com).*

🚶👤 **ViaRhôna** –*www.viarhona. com. 50 km entre Seyssel et Belley pour piétons, vélos et rollers le long du Rhône.*

AGENDA

Fêtes du four – *Pour les dates et lieux, se rens. à l'office de tourisme. Les fours banaux sont allumés chaque été pour cuire pains, galettes et tartes de pays.*

Belley

9 058 Belleysans – Ain (01)

Capitale du Bugey, Belley (prononcez « Beulé ») s'étend dans un large bassin arrosé par le Furans et le Rhône. Détruite par un incendie en 1385, elle fut reconstruite et fortifiée par Amédée VII de Savoie. Un vestige de ces remparts, la Vieille Porte, clôt le boulevard du Mail, à portée des monuments qui attestent la riche histoire religieuse de cette ville épiscopale.

😊 NOS ADRESSES PAGE 426
Hébergement, restauration, achats, activités, etc.

🚩 S'INFORMER

Office du tourisme de Belley – *34 Grande-Rue - 01300 Belley - 📞 04 79 81 29 06 - www.bugeysud-tourisme.fr - mai-sept. : 9h-12h30, 14h-18h ; reste de l'année : tlj sf lun.-mar. 9h30-12h30, 14h-18h - fermé dim. et j. fériés (sf 14 Juil., 15 août) - dépliant décrivant un circuit historique dans le centre-ville.*

▶ SE REPÉRER

Carte de microrégion B3 (p. 394). À 57 km d'Ambérieu-en-Bugey,.

😊 À NE PAS MANQUER

La cathédrale St-Jean-Baptiste et ses peintures murales ; la balade dans le centre-ville ; le défilé de Pierre-Châtel.

🕐 ORGANISER SON TEMPS

Comptez environ 3h pour le tour de la ville.

👪 AVEC LES ENFANTS

La ViaRhôna à vélo ou à rollers ; les bases de loisirs aménagées sur le Rhône ou les lacs de la région.

Se promener

Cathédrale St-Jean-Baptiste

Pl. de la Cathédrale - 📞 04 79 81 29 37 - www.paroisse-belley.com - 9h-17h - possibilité de visite guidée (30mn).

Très remaniée par Antoine Chenavard au 19ᵉ s., ce bel exemple de cathédrale néogothique a gardé au nord une partie de son portail du 12ᵉ s. et son **chœur★** (1473) à chapelles rayonnantes, entouré d'un triforium à balustrades ajourées. La chapelle de la Vierge, derrière le maître-autel, abrite une Vierge

Belley, canal d'amenée, navigation sur le Rhône.
C. Moirenc/hemis.fr

en marbre sculptée par **Joseph Chinard** (1756-1813). Le **maître-autel**, en marbre de Carrare sculpté de scènes bibliques, a été remonté dans la chapelle à droite de l'entrée. Restaurées dans les années 1990, les peintures murales (œuvres d'Antoine Sublet) constituent un remarquable ensemble d'art religieux du 19e s.

Palais épiscopal
R. des Cordeliers.
Dès 555, un évêque résidait à Belley. Le palais épiscopal du 18e s. aurait été construit d'après les plans de Soufflot, l'architecte du Panthéon à Paris, ou d'un de ses disciples. Il abrite la bibliothèque municipale et la société savante Le Bugey, il sert aussi pour des réceptions et expositions.

Maison de St-Anthelme
R. Ste-Marie.
L'imposant séminaire construit en 1932 a été transformé en maison d'accueil par l'évêché en 1966.

JEAN-ANTHELME BRILLAT-SAVARIN

Quand il naît à Belley, en 1755, sa carrière est déjà toute tracée : il sera avocat, comme son père. Il s'installe confortablement dans la quiétude de la vie belleysane, s'intéressant aux sciences et aux arts, animant les réunions de famille et d'amis à Belley ou à Vieu, dans sa maison de campagne.

En 1789, il est élu député du tiers état et ne se départira pas, dans l'exercice de ses fonctions, de sa bonhomie, de sa tolérance. Il s'oppose à l'application de la Terreur à Belley dont il est maire, et devient l'objet des soupçons du régime. Girondin, il doit fuir devant les Montagnards, dominants en 1794. Après un séjour en Suisse, puis en Amérique, il regagne la France où il devient conseiller à la Cour de cassation durant le Consulat. Là, il occupe ses loisirs à écrire, d'abord des ouvrages juridiques et politiques, puis le petit chef-d'œuvre qui lui vaudra la célébrité : *La Physiologie du goût*. En 30 méditations, Brillat-Savarin aborde tous les problèmes du bien manger et du bien vivre : les principes philosophiques côtoient les réflexions sur la gourmandise, le sommeil, les rêves ; des théories scientifiques, il passe aux préceptes culinaires, sans jamais abandonner le ton débonnaire et joyeux qui a caractérisé toute sa vie d'érudit. Il meurt à Paris en 1826.

Rue du Chapitre

Au n° 8, belle maison Renaissance à tourelle du 16e s. avec une inscription gothique au-dessus de la porte.

Maison natale de Brillat-Savarin

62 Grande-Rue.

Construite en grande partie au 16e s., cette belle demeure à deux étages présente des cintres en façade. Sa cour intérieure, prolongée par un jardin, s'orne d'une loggia, d'une façade à 3 étages, de galeries (18e s.) et balustres et d'un vieux puits.

La promenade dans la Grande-Rue permet d'observer des maisons des 17e et 18e s., les cours intérieures étant souvent du 15e s. Le **buste** de Brillat-Savarin trône devant l'office de tourisme *(n° 34)*, ancienne maison du Baillage.

Randonnée Carte de la montagne d'Izieu ci-dessous

Prenez la D 992 vers l'est jusqu'à Massignieu-de-Rives, puis à droite la D 37. Après Nattages, suivez la direction de Chemillieu.

La vue s'ouvre sur le bassin d'Yenne, la dent du Chat, le mont Revard (par la trouée du col du Chat) et le massif de la Chartreuse (Grand Som, Grande Sure). *Au hameau de Nant, laissez votre voiture près d'un lavoir. Prenez aussitôt à gauche un chemin goudronné, puis rocailleux (interdit aux véhicules), bientôt tracé en corniche étroite, au-dessus du défilé de Pierre-Châtel.*

Défilé de Pierre-Châtel

 1h30 à pied AR.

À Yenne, le Rhône a trouvé le défaut de la cuirasse des plissements jurassiens ; il perce en cluse la montagne au défilé de Pierre-Châtel. La cluse est dominée par les bâtiments de l'**ancienne chartreuse** de Pierre-Châtel. Fondée en 1383, elle fut très vite transformée en **chartreuse-forteresse**, puis en forteresse au 17e s., lorsque la position devint frontière du fait de l'attribution de la Bresse et du Bugey à la France.

Du sommet d'un banc rocheux, à gauche du chemin, **vue★** sur la cluse. L'élégante arche du pont de la Balme, jetée sur le Rhône, retient particulièrement l'attention.

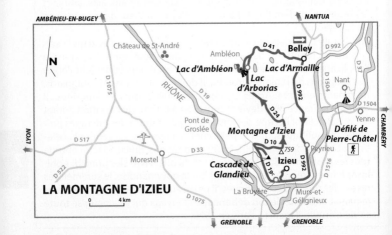

LE VIGNOBLE DU BUGEY

Épousant le coude du haut Rhône, au sud du département de l'Ain, le Bugey maintient bien vivantes ses traditions rurales et en particulier la culture de la vigne. Le vignoble (500 ha) est implanté dans trois secteurs principaux : la région au nord de Belley, la région de Cerdon et la région de Montagnieu. Les vins du Bugey sont classés AOC depuis 2009. Ce sont surtout des vins blancs, tranquilles ou mousseux, dont font partie les **AOC cerdon, montagnieu et manicle**, et sont issus des cépages altesse et chardonnay. Les vins rouges proviennent de cépages gamay, pinot noir, mondeuse noire et poulsard.

 Syndicat des vins du Bugey - www.vinsdubugey.net

Circuit conseillé Carte de la montagne d'Izieu page ci-contre

LA MONTAGNE D'IZIEU

▶ *Circuit de 45 km tracé en rouge sur la carte ci-contre. Comptez 2h30.*
Quittez Belley par la D 992 vers le sud, jusqu'au-delà de Murs-et Gélignieux.
L'itinéraire, en contournant la montagne d'Izieu, suit le Rhône qui, de nouveau, s'apprête à changer de direction : au confluent avec le Guiers, une rainure du plateau l'entraîne vers le nord-ouest.
Poursuivez par la D 19ᴰ vers Izieu.

Izieu

La petite route grimpant en lacet, dans un paysage de maquis, de bois, de vergers, conduit à ce village dont le nom reste lié à l'une des tragédies les plus bouleversantes de la Seconde Guerre mondiale avant de devenir un émouvant lieu de souvenir. Dans un hameau d'aspect paisible, situé à quelque 800 m de là, une colonie d'enfants juifs avait trouvé asile. Le 6 avril 1944, la Gestapo de Lyon arrêta les 44 enfants qui s'étaient réfugiés dans la maison d'Izieu et leurs 7 éducateurs, parce qu'ils étaient juifs. Une personne parvint à s'échapper lors de la rafle, et une seule rescapée revint des camps.

★ **Maison d'Izieu, mémorial des enfants juifs exterminés** – *70 rte de Lambraz -* 📞 *04 79 87 21 05 - www.memorializieu.eu -* &. *- juil.-août : 10h-18h30; déc. : tlj sf w.-end 9h-17h; reste de l'année : 9h-17h, sam. 14h-18h, dim. 10h-18h - fermé janv.-fév. et vac. de Noël, 1ᵉʳ Mai - possibilité de visite guidée (45mn) - 7 € (-10 ans 5 €) - visite enf. (en famille) vac. scol. (zone A) : merc. 14h30.* En 1987, après la condamnation de Klaus Barbie pour ce crime contre l'humanité, s'est constituée autour de Sabine Zlatin, directrice de la colonie en 1943 et 1944, l'Association du musée-mémorial des enfants d'Izieu.

À l'intérieur de la maison principale est évoqué ce que fut la vie quotidienne dans cet éphémère refuge (réfectoire, salle de classe partiellement reconstituée, dortoirs). Dans la grange sont retracés les itinéraires des enfants et de leurs familles sous le régime nazi ; on peut y voir deux films dont l'un se compose d'extraits inédits du procès de Klaus Barbie *(20mn, 11h, 14h, 15h).* Une salle est consacrée à la notion de « crime contre l'humanité ». Un centre de documentation est aménagé dans la magnanerie *(uniquement sur RV).*

De retour à la Bruyère, prenez à droite l'ancienne D 19 qui traverse les villages de Brégnier-Cordon et de Glandieu.

7

Cascade de Glandieu

Les eaux de cette cascade sont utilisées en semaine par deux petites centrales hydroélectriques qu'elle surplombe.

Prenez la D 10 à droite, puis empruntez à gauche la D 24 jusqu'à Ambléon.

Trois lacs

Sur la route du lac d'**Ambléon**, arrêtez-vous dans le virage pour une **vue** sur le Grand Colombier et le mont Blanc par temps clair. Les lacs d'**Arborias** et d'**Armaille**, desservis par de petites routes, parfois étroites et sinueuses, mais très agréables à parcourir, sont appréciés des amateurs de pique-nique.

Revenez à Belley par la D 41.

😊 NOS ADRESSES À BELLEY

HÉBERGEMENT

PREMIER PRIX

Hôtel Sweet Home – *Bd du Mail -* ☎ *04 79 81 01 20 - www. sweethomehotel.fr -* 🚹 *- 35 ch. 67/77 € -* 🍽 *9 € - 1/2 P. 82/92 € -* 🍴 *13,50/19 €.* Adresse utile pour l'étape en centre-ville. Chambres actuelles et fonctionnelles. Petit-déjeuner servi sous forme de buffet. Au restaurant : courte carte traditionnelle.

BUDGET MOYEN

Chambre d'hôte Au Saint-Jean – *92 r. St-Jean -* ☎ *04 79 81 55 27 - www.ausaintjean.com -* 🚱 🅿 *- 5 ch. 80 €* ☕. Une maison de campagne en cœur de ville entourée d'un joli jardin arboré. Salle de petit-déjeuner meublée avec style, chambres confortables et chaleureuses. Accueil sympathique. Parking privé.

À proximité

PREMIER PRIX

Chambre et table d'hôte Ferme des Grands Hautains – *37 sentier de la Conche (rte du Petit-Brens) - 01300 Brens - 3 km au sud de Belley par la D 31A -* ☎ *04 79 81 90 95 -* 🚱 🅿 *- fermé 15 nov.-20 déc. et dim. - 2 ch. 50/52 €* ☕ *- table d'hôte 18 €.* Dans ce havre de paix, les chambres, aménagées sous les toits sont douillettes, tout comme le salon. Vue superbe sur la vallée du Rhône et les montagnes de Savoie. À l'ombre des arbres en été ou au coin de la cheminée en hiver, vous dégusterez légumes du potager et viandes de la ferme. Terrasse indépendante.

RESTAURATION

À proximité

BUDGET MOYEN

La Fine Fourchette – *1300 Virignin - Les Routes- D 1504 -* ☎ *04 79 81 59 33 - www. restaurantlafinefourchette.fr -* 🅿 🚹 *- fermé dim. soir et lun. - formule déj. 28 €, 36/76 €.* En surplomb de la route, charmant pavillon tourné vers la campagne et le canal du Rhône. Les larges baies de la salle à manger, redécorée, s'ouvrent sur la terrasse. Cuisine classique.

PETITE PAUSE

La Cascade – *01300 St-Benoît - En face de la cascade de Glandieu -* ☎ *04 79 87 22 34 - www. la-cascade-restaurant.com -* 🅿 🚹 *- fermé dim. soir., lun., mar., sf juil.-août - formule déj. 15 €.* Pour une halte à l'ombre d'un grand platane bicentenaire, avec une glace ou une pâtisserie maison ou pour un repas plus consistant de plats du terroir. Décoration intérieure étrangement « stylée ».

ACHATS

Magasins d'usine

Magasin d'usine - Maroquinerie Le Tanneur – *511 av. Charles-de-Gaulle -* ☎ *04 79 81 03 97 - lun., merc., jeu. 10h30-12h30 ; mar., vend., sam. 10h30-18h30 - fermé certains lun., dim. et j. fériés.* À côté des bâtiments d'usine, vous trouverez une belle collection de sacs de luxe à prix abordables (-30 % sur les fins de série).

Vin

Distillerie Kario – *44 r. Ste-Marie -* ☎ *04 79 81 02 55 - www.distillerie-kario.fr - mai-oct. : 9h-12h, 14h-18h ; reste de l'année : tlj sf sam. 8h30-12h, 14h-18h - fermé dim. et j. fériés - possibilité de visite guidée sur demande - gratuit.* Vous pourrez vous y procurer la célèbre boisson tonique aux plantes créée en 1905 par un frère de la Sainte-Famille, mais aussi maintes préparations naturelles, des compléments alimentaires au marc du Bugey.

Le Caveau Bugiste – *326 r. de la Vigne-du-Bois - 01350 Vongnes -* ☎ *04 79 87 92 32 - www.caveau-bugiste.fr - 9h-12h, 14h-19h sf 25 déc. et 1er janv.* Vénérable et accueillante institution, le caveau propose notamment un manicle rouge, cru préféré de Brillat-Savarin.

Maison Angelot – *121 r. du Lavoir - 01300 Marignieu -* ☎ *04 79 42 18 84 - www.maison-angelot.fr - 9h-12h, 14h-19h (dim. 9h-12h, 15h-19h) - sur RV.* En 1987, Philippe Angelot prend les rênes du domaine, familial depuis le début du 20e s., avant d'être rejoint la même année par son frère Éric. Le vignoble, conduit en lutte raisonnée, s'étend sur 26 ha encépagés à 60 % de cépages blancs (chardonnay, roussette, aligoté) et à 40 % de cépages rouges et rosés (gamay, pinot, mondeuse). Les parcelles situées entre 200 et 350 m d'altitude sont exposées sud-sud-est. Vins du Bugey.

ACTIVITÉS

Lacs et plans d'eau – Sur le Rhône : à Massignieu, 5 km à l'est par la D 992 (base de loisirs) et à Murs-et-Gélignieux, 12 km au sud par la N 504.
Lacs : Virieu-le-Grand, 12 km au nord (baignade surveillée) et Barterand, 8 km au nord par la D 992 et la D 27 vers Saint-Champ (baignade surveillée).
🏊 **ViaRhôna** – *www.viarhona. com. 50 km entre Seyssel et Belley pour piétons, vélos et rollers le long du Rhône. Voir aussi p. 496.*

AGENDA

Les Entretiens de Belley – *2e vend. d'oct.* Dédiés à la gastronomie, aux produits du terroir et aux tendances de la consommation, ils accueillent scientifiques, chefs, professionnels, journalistes pour des conférences grand public.

Ambérieu-en-Bugey

9 058 Ambarrois – Ain (01)

De Saint-Exupéry à Laure Manaudou, l'exploit et le challenge font l'esprit d'Ambérieu, ville des sports et des transports. De ce carrefour idéalement situé, on s'engouffre rapidement dans les vallées du bas Bugey pour découvrir l'héritage historique et industriel de la région.

☺ NOS ADRESSES PAGE 432
Hébergement, restauration, achats, activités, etc.

▶ SE REPÉRER
Carte de microrégion A2 (p. 394). Accès par l'A 42 à l'ouest, les routes D 1084, D 1075 et D 1504 se rejoignent à Ambérieu.

☺ À NE PAS MANQUER
La promenade au mont Luisandre, la route des cluses et les petites rues de St-Sorlin.

🕐 ORGANISER SON TEMPS
Ne consacrez pas trop de temps à la visite d'Ambérieu mais préférez les curiosités alentour. Comptez une demi-journée pour le circuit.

👥 AVEC LES ENFANTS
Le musée du Cheminot d'Ambérieu-en-Bugey, le musée des Traditions bugistes de St-Rambert-en-Bugey ; la visite contée et théâtralisée au château des Allymes et les ateliers enfants pendant les vacances scolaires.

Se promener

Important nœud de communications ferroviaires et routières, Ambérieu-en-Bugey se développe dans la plaine de l'Ain, au débouché de la cluse de l'Albarine. Base aérienne dès 1909, elle a joué un rôle important dans les deux guerres et accueilli de grands pilotes comme Louis Mouthier ou Antoine de Saint-Exupéry. C'est à l'aérodrome d'Ambérieu, dit alors de Bellièvre, que ce dernier prit son premier envol en 1912.

Musée du Cheminot – 46 bis r. Aristide-Briand - *℘ 04 74 46 84 67 - http:// musee.cheminot.free.fr - juil.-août et vac. scol. (zone A) : 9h-12h, 14h-18h, lun. et w.-end sur demande ; reste de l'année : sam. 9h-12h, 14h-18h, dim. 14h-18h - fermé j. fériés - possibilité de visite guidée (2h30) - 4 € (-14 ans gratuit).* 👥 Cette ville, dont le développement a été fortement lié à l'histoire du chemin de fer, méritait bien un musée ferroviaire à la fois riche et complet. Lampisterie, travail des rames, trains à vapeur, atelier des apprentis, pupitres de conduite, tout y est expliqué en suivant l'évolution des chemins de fer. Le premier étage présente des scènes de vie des cheminots – dortoir, infirmerie, billetterie –, tandis que le second étage propose des expositions temporaires. Les bénévoles vous feront vivre un moment ludique et passionnant !

☺ Toute proche d'Ambérieu, la superbe cité médiévale de **Pérouges**★★ mérite largement le détour. Véritable joyau d'architecture, elle se découvre au fil de ses ruelles tortueuses bordées de pittoresques maisons. Pour plus de détails, consultez *Le Guide Vert Lyon et sa région.*

À hauteur du parking de la grande surface d'Ambérieu, prenez à gauche une route en montée vers le château des Allymes. La route, étroite, traverse une zone résidentielle. Laissez votre voiture à l'entrée du hameau de Brey-de-Vent, d'où se font à pied les promenades au mont Luisandre et au château des Allymes.

L'intérieur du musée du Cheminot.
Musée du Cheminot

À proximité Carte de microrégion p. 394

★ **Mont Luisandre** A2

🚶 *1h15 à pied AR.*

Dans le village, à gauche du lavoir, prenez entre deux maisons le sentier caillou-teux, en forte montée : après 15mn de marche, parvenu à un seuil, gravissez, à droite, à travers les pâturages et les friches, la rampe qui mène au sommet (805 m) surmonté d'une croix. En faisant le tour du bosquet, on jouit d'une **vue★** remarquable sur le château des Allymes, sur la Dombes où miroitent les étangs, sur le confluent de l'Ain et du Rhône, sur les monts boisés du Bugey.

Château des Allymes A2

🡆 *Hameau de Brey-de-Vent - ✆ 04 74 38 06 07 - www.allymes.net - juil.-août : 10h-12h30, 13h30-19h ; juin et sept. : 13h30-19h, w.-end 10h-12h30, 13h30-19h ; de mi-mars à fin mai et 1ᵉʳ oct.-5 nov. : 13h30-18h ; reste de l'année : se rens. - fermé 1ᵉʳ janv., 25 déc. - possibilité de visite guidée sur demande (1h20) - 5 € (-18 ans 2,50 €) - visite contée et théâtralisée, atelier enf. juil.-août, vac. de Pâques et vac. de la Toussaint : merc.*

👥 Cette forteresse savoyarde du 14ᵉ s., édifiée sur plan carré, enferme une cour protégée aux angles par un robuste donjon carré et par une tour ronde à belle **charpente★**. En faisant le tour des courtines au 2ᵉ étage, on bénéficie, par les ouvertures, de vues sur la Dombes *(voir Le Guide Vert Lyon Drôme Ardèche)* et la Bresse *(voir Le Guide Vert Bourgogne)*. Expositions temporaires dans le donjon. Le mercredi, pendant les vacances scolaires, visite contée du château. *Descendez dans la vallée vers St-Rambert-en-Bugey pour entamer le circuit.*

Circuit conseillé

Carte des cluses de l'Albarine et des Hôpitaux page p. 430

LE BAS BUGEY

🡆 *Circuit tracé en bleu clair sur la carte des cluses de l'Albarine et des Hôpitaux et sur la carte de microrégion.*
Les cluses séparent les deux parties du Bugey.

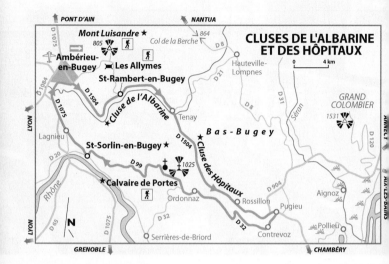

St-Rambert-en-Bugey

L'arrivée en surplomb du site est avantageuse. S'étirant le long de l'Albarine, dans un vallon verdoyant, St-Rambert est une petite ville industrielle.

Musée des Traditions bugistes – *7 av. de l'Europe - ☏ 07 86 67 31 76 - 9h-12h, 14h-17h, mar. et jeu. 9h-12h - fermé dim.-lun. et j. fériés - possibilité de visite guidée sur demande (1h30) - 4 € (-6 ans 2,50 €) - 7 € visite commentée gourmande (2h) avec dégustation de produits du terroir.* Situé dans les mêmes locaux que l'office de tourisme, ce musée présente la vie dans la vallée de l'Albarine de 1850 à 1940. La demeure bugiste est expliquée, ainsi que les anciens métiers comme le charbonnier, le charron ou encore le « schappiste ».

La proximité de Lyon et de ses industries textiles est à l'origine du développement du travail de la **schappe**. Cette petite industrie consistait à récupérer des déchets de soie pour fabriquer un fil solide et bon marché. Entre Argis et Tenay, dans le fond de la cluse, des usines se succédaient le long de la route, entourées de cités ouvrières ; elles se reconvertirent dans le Nylon et ses dérivés. Un incendie en 1986 leur a porté un coup fatal. Aujourd'hui, l'activité de ces usines n'a plus de rapport avec le textile.

Le circuit suit la D 1504 en empruntant les cluses.

★ Cluse de l'Albarine

Elle va d'Ambérieu à Tenay. L'Albarine, le chemin de fer et la route y serpentent de concert entre des versants encaissés. Quelques rares vignes tapissent les pentes inférieures. Les pentes supérieures, boisées, se terminent par des escarpements calcaires où l'on distingue de nombreuses strates inclinées ou redressées, des rochers ruiniformes… La vallée est très sinueuse et se resserre rapidement. Vous aurez parfois l'impression qu'un cirque vous entoure et que vous allez buter sur sa paroi ; c'est au dernier moment que se découvre l'issue.

★ Cluse des Hôpitaux

Elle s'ouvre entre Tenay et Pugieu. Comme il n'y coule plus qu'un mince ruisseau, elle est bien moins verdoyante que la cluse de l'Albarine. Ses défilés, ses escarpements rocheux, plus élevés et plus sauvages que ceux de l'Albarine, lui donnent un aspect sauvage qu'accuse l'absence presque totale

Paysage du Bugey.
passimage/iStock

d'habitations. En passant le long de Rossillon, notez les nombreux pignons à redents, typiques du Bugey. Passé la ville, la vallée s'élargit.

Dans Pugieu, prenez à droite la D 32B jusqu'à Contrevoz (bel ensemble de pignons à redents), que vous traversez pour emprunter la sinueuse D 32. 4 km après Ordonnaz, prenez à droite la D 99.

★ Calvaire de Portes

🚶 Laissez votre voiture sur le parc de stationnement qui se trouve à côté de la route (D 99). On aperçoit le calvaire, qu'on atteint par un sentier *(15mn à pied AR)*. Il est situé au sud-est de la **chartreuse de Portes** *(habitée par des religieux, elle ne se visite pas)*, à l'extrémité d'une crête à 1 025 m d'altitude, et offre un beau **panorama**★ sur les rides du bas Bugey. De la table d'orientation, on distingue, petite et pointue, la dent du Chat (1 390 m) ; sur la gauche se dresse, massif, le Grand Colombier (1 531 m). Sur la droite s'étend la plaine où l'Ain rejoint le Rhône.

La D 99 qui redescend vers Lagnieu offre quelques vues sur la vallée du Rhône et, au loin, le centre nucléaire de St-Étienne-d'Hières. La route descendant depuis la D 99 vers le vieux centre de St-Sorlin-en-Bugey permet à hauteur de l'ancien château d'avoir une belle **vue** sur le village et la vallée.

★ St-Sorlin-en-Bugey

Le village, réputé pour son exceptionnel fleurissement, occupe un site pittoresque au pied d'une falaise dominant un coude de la vallée du Rhône. Il faut absolument s'arrêter pour découvrir ses étroites ruelles et la montée à l'église qui dévoile des maisons très bien restaurées. Au croisement avec la montée des Sœurs, remarquez tout particulièrement la belle **fresque de saint Christophe** (16ᵉ s.).

L'église a connu plusieurs campagnes d'agrandissement et de restauration ; la plus importante a repris l'édifice intérieurement en rehaussant sa voûte et en édifiant de hauts piliers gothiques portant une voûte en réseau.

Revenez vers Ambérieu-en-Bugey par Lagnieu et la D 1075.

7

😊 NOS ADRESSES À AMBÉRIEU-EN-BUGEY

HÉBERGEMENT

PREMIER PRIX

Gîte des Allymes – *Hameau de Brey-de-Vent -* 🕿 *04 74 38 64 94 - www.gitedesallymes.com -* 📧 ♿ *- 5 ch. 55 € 🍽.* En face du four banal du village, une grande maison en pierre aménagée pour accueillir les visiteurs. Chambres dans l'ancienne grange (avec une cuisine indépendante), très beau gîte dans l'atelier-pressoir (min. 2 pers. pour 2 nuits, 2 ch., capacité 14 pers., 200 € les 2 nuits), auberge dans le bâtiment central.

Hôtel Ambotel – *R. du Pr. L.-Montagné, ZA de Pragnat-Nord - (D 1075) -* 🕿 *04 74 46 42 22 - www. ambotel.fr -* 📳 ♿ *- 34 ch. 75/80 € - 🍽 8,50 € -* ✕ *formule déj. 15/18 € - 26/36 €.* Cet hôtel se signale par son architecture rectiligne contemporaine et sa façade ocre. Chambres actuelles meublées en bois clair. Agréable salon-bar. La salle à manger joliment colorée propose une cuisine traditionnelle sans fioriture.

À proximité

BUDGET MOYEN

L'Auberge campagnarde – *1230 Évosges - Le village -* 🕿 *04 74 38 55 55 - www.auberge-campagnarde.com -* 📳 ⛵ ♿ 📶 *- fermé déc.-fév., mar. soir et merc. - 11 ch. 76/102 € - 🍽 10 € -* ✕ *formule déj. 20/25 € - 34/69 €.* Savourez la quiétude de cette auberge tenue par la même famille depuis cinq générations. Accueil chaleureux, chambres simples mais impeccables, minigolf, piscine. Salle à manger champêtre (objets anciens), terrasse fleurie et cuisine féminine aux accents du terroir.

RESTAURATION

À proximité

BUDGET MOYEN

Auberge de Contrevoz – *Rte de Preveyzieu - 01300 Contrevoz -* 🕿 *04 79 81 82 54 - www.auberge-de-contrevoz.com -* 📳 *- juil.-août : mar. midi et dim. midi, merc.-sam. ; reste de l'année : mar.-dim. midi. - fermé 2 sem. en janv. et première sem. des vacances de la Toussaint - formule déj. 21 € - 27,50/40 €.* On se sent bien dans cette maison régionale à l'intérieur rustique. Généreuse cuisine actuelle avec des touches terroir (menus à thèmes selon les saisons, truffe du Bugey…). Vins du Bugey.

ACTIVITÉS

👥 Lacs et plans d'eau – Lacs : Virieu-le-Grand, 12 km au N *(baignade surveillée)* et Barterand, 8 km au N par la D 992, puis la D 27 vers St-Champ *(baignade surveillée).*
Sur le Rhône : à Massignieu, 5 km à l'E par la D 992 *(base de loisirs)* et à Murs-et-Gélignieux, 12 km au S par la N 504.

Branche Évasion Parc Aventure – *Le Bois des Borsses - (à la sortie d'Ambérieu, sur la route du château des Allymes) -* 🕿 *04 74 39 95 82 - www.branche-evasion. fr - juil.-août : 10h-19h ; vac. scol. avr. : 13h15-19h ; mai : merc., sam. et « ponts » 13h15-19h, dim. 10h-19h ; juin : w.-end. 10h-19h ; reste de l'année : w.-end. 13h15-19h - fermé nov.-mars - 22,50 € (enf. 6/17,50 € selon âge).* Quatre hectares de chênaie vous attendent pour 11 parcours de difficultés différentes dans les arbres, dont certains avec des tyroliennes !

Centre nautique Bugey Côtière - Espace Laure Manaudou – *Av. de*

Mering - ☏ 04 74 38 92 60 - www. piscine-amberieu.fr - juil.-août : lun.-mar. 11h-19h00, merc.-vend. 11h-21h, w.-end et j. fériés 10h-18h ; reste de l'année : contacter le centre - entrée piscine 6 € (enf. 4,80 €), entrée espace bien-être 8,60 €. Même si Laure Manaudou et son frère ont quitté Ambérieu, la ville garde l'espoir de nouveaux titres sportifs. Ce centre propose activités aquatiques et espace bien-être pour vous détendre ou vous muscler en douceur.

Pêche – La région permet divers types de pêche et les espèces sont variées : **Albarine** (rivière de 1re catégorie), **étang de Buynand** (aire de pique-nique), **lac des Hôpitaux** (pêche en barque), **étang de la Cascade** (réservoir mouche). Se rens. à l'office de tourisme pour les contacts des sociétés de pêche, les tarifs, et le Guide de la pêche en Ain.

Via Ferrata/Canyoning – La via ferrata de la Guinguette (Hostiaz) a deux circuits (1h/2h30). Le canyon de Chaley est, lui, le site idéal pour découvrir le canyoning. http://gite.lafora.free.fr - réserv. obligatoire.

AGENDA

La Ronde des Grangeons – Sept. - Ambérieu-en-Bugey - www.amberieumarathon.org. Un beau parcours à travers les chemins viticoles (15 km) que l'on choisit de faire à son allure. Les ravitaillements se font dans les grangeons, ces petit bâtiments au milieu des vignes où les viticulteurs pressaient leur raisin ou rangeaient leurs outils, lieux de sociabilité paysanne.

Printemps des vins du Bugey – 1 sam. de mai - www. leprintempsdesvinsdubugey.com. Cette journée festive, qui met à l'honneur les vins du Bugey à travers des défilés et des dégustations, se tient chaque année dans une commune différente du vignoble.

Ambronay

2 615 Ambrunois ou Ambournois – Ain (01)

Oubliée l'abbaye, remaniée du 13ᵉ au 17ᵉ s., transformée en grange, prison, logements ? Le refuge bénédictin fondé au 9ᵉ s. par saint Barnard, chevalier de Charlemagne, se mue, depuis 2003, en un lieu vivant pour les arts du spectacle, accueillant en résidence jeunes espoirs et artistes confirmés... Grâce à son acoustique exceptionnelle, il revêt chaque année une dimension internationale à l'occasion du Festival de musique baroque.

☺ NOS ADRESSES PAGE CI-CONTRE
Hébergement, restauration, achats, activités, etc.

🔖 S'INFORMER
Office du tourisme du Pays du Cerdon – Vallée de l'Ain – *10 pl. Xavier-Bichat - 01450 Poncin - ℘ 04 74 37 23 14 - www.tourisme-ain-cerdon.fr - juin-août : 9h30-12h30, 14h-18h, w.-end et j. fériés 9h30-12h30 ; reste de l'année : tlj sf w.-end 10h-12h, 14h-17h30.*

▶ SE REPÉRER
Carte de microrégion A2 (p. 394). À 6 km au nord d'Ambérieu-en-Bugey par la D 36.

🕐 ORGANISER SON TEMPS
Haut lieu de la musique baroque et classique, Notre-Dame d'Ambronay accueille, chaque automne, un festival apprécié des mélomanes.

Visiter

Abbaye
Pl. Thollon - ℘ 04 74 34 52 72 - www.ambronay.org - avr.-sept. : 9h-18h ; reste de l'année : 9h-16h - possibilité de visite guidée sur demande - 5 € (-10 ans gratuit) - parcours enf. sur demande préalable vac. de Pâques, juil.-août et vac. de la Toussaint.

De Notre-Dame d'Ambronay, plusieurs fois reconstruite, subsistent l'église, le cloître, la salle capitulaire et la majorité des bâtiments conventuels.

★ **Abbatiale** – *Un enregistrement audio peut être démarré durant la visite, en dehors des offices.* L'église date en majeure partie des 13ᵉ et 15ᵉ s., avec quelques vestiges plus anciens (sous l'avant-chœur ont été découverts des restes de l'ancienne église carolingienne). La façade a été mutilée. Sur le linteau du portail central, on distingue la Résurrection des morts (13ᵉ s.) : au centre, Abraham reçoit les âmes dans son manteau.

Dans le chœur, verrières et stalles sculptées *(restaurées)* du 15ᵉ s. À gauche du chœur, la **chapelle Ste-Catherine** abrite le **tombeau**★ de l'abbé Jacques de Mauvoisin (15ᵉ s.), restaurateur de l'église. Dans le bas-côté gauche, dans un enfeu, on remarque une Pietà du 15ᵉ s. en pierre polychrome.

Cloître – *Accès par une porte du collatéral droit.* Le cloître (15ᵉ s.) compose un bel ensemble de style gothique. Il comporte, au-dessus d'arcades aux élégants fenestrages, une **galerie** à laquelle on accède par un **escalier d'angle Louis XIV** *(restauré)*. Dans l'escalier, regardez la peinture murale au plafond. En sortant de l'abbaye, prenez le temps d'une promenade tranquille autour des bâtiments et dans le parc.

☺ NOS ADRESSES À AMBRONAY

HÉBERGEMENT

PREMIER PRIX

Chambre d'hôte Le Grand Noyer – *Merland* - 📞 *06 08 40 46 89* - *http://legrandnoyer.wixsite. com* - 📷 🅿 ♿ - *2 ch. 65 € ☕*.
À côté des petites maisons de pierre du village, une nouvelle maison couleur ocre aux grandes baies vitrées qui donnent sur la vallée abrite ces belles chambres d'hôtes. Cuisine mise à disposition des hôtes. Plateaux de charcuterie de la ferme, fromage et verre de vin (15 €).

Gîte La Champonnière – *Lieu-dit La Champonnière - (sur la D 77D) -* 📞 *04 74 23 82 66 - 310/345 €/ sem. pour 4 pers.* Aménagé sur 2 niveaux, ce gîte de 60 m², contigu à la maison des propriétaires, peut accueillir jusqu'à 4 personnes. Cuisine, salle de séjour, 2 chambres, lave-linge. Terrasse avec salon de jardin et barbecue.

RESTAURATION

UNE FOLIE

Auberge de l'Abbaye – *47 pl. des Anciens-Combattants -* 📞 *04 74 46 42 54 - www.aubergedelabbaye-ambronay.com - fermé dim. soir, lun. et merc. soir, 2 sem. en août, 23 déc.-3 janv., 12h30-13h45 et 19h30-21h30 - réserv. conseillée -*
formule déj. 38 € en sem. - 55/125 €.
Cette auberge entièrement rénovée allie saveurs anciennes et contemporaines, dans sa déco comme dans son menu. Celui-ci est unique, renouvelé chaque jour en fonction des produits du marché. Belle cave où le client peut aller choisir sa bouteille.

ACHATS

Librairie Musicalame – 📞 *04 74 38 74 00 - 9h30-12h, 14h-17h30 - fermé w.-end.* Librairie musicale spécialisée dans la musique et la danse.

AGENDA

Festival de musique baroque – *De mi-sept. à mi-oct. -* 📞 *04 74 38 74 00 - http://festival.ambronay. org.* Plus de 35 ans de succès pour ce festival d'automne. Que ce soit la merveilleuse acoustique de l'abbaye, la richesse de la programmation ou la présence de nouveaux talents, tout concourt à faire de cette fête conviviale un rendez-vous très apprécié des mélomanes. Les principaux concerts ont lieu dans l'abbaye, mais sont complétés par des soirées musicales beaucoup plus intimistes à la tour Dauphine ou dans d'autres lieux privilégiés.

COMPRENDRE
LA RÉGION

Ornans, maisons au bord de la Loue.
D. Bringard/hemis.fr

La région aujourd'hui

La Franche-Comté et le massif du Jura dans son ensemble conservent l'image d'un terroir rural, renommé pour la qualité de ses produits : salaisons, fromages, vins… Pourtant, si le secteur agroalimentaire représente une part importante de son activité économique, tout comme la filière bois, c'est l'extraordinaire tissu industriel, hérité d'une tradition pluriséculaire, qui fait la richesse de la région. Un artisanat vigoureux complète ce tableau. Mettant à profit la beauté et le caractère préservé de ses paysages, ainsi que sa proximité avec la Suisse, la région tire aussi une part importante de son revenu du tourisme vert : elle attire les randonneurs l'été et les amoureux du ski de fond l'hiver.

Une destination nature

Administrativement, avant la réforme territoriale de 2015, la région Franche-Comté regroupait 4 départements (Doubs, Jura, Haute-Saône et Territoire de Belfort) pour une population d'un peu plus d'1 million d'habitants. Son territoire présente un fort contraste entre les zones densément peuplées – la moitié de la population se concentre sur l'axe Dole-Besançon-Montbéliard-Belfort – et des zones rurales dans lesquelles la densité de population est en moyenne de 59 hab./km². Seules les agglomérations de Besançon et de Belfort-Montbéliard dépassent les 100 000 habitants. Malgré le dynamisme de pôles industriels comme Besançon, Vesoul, Belfort ou encore Montbéliard et Dole, la Franche-Comté reste en effet rurale. Depuis le 1er janvier 2016, la Franche-Comté fait partie de la nouvelle région Bourgogne-Franche-Comté qui compte 2 819 800 habitants et s'étend sur 47 800 km² de superficie.

UN TERROIR AGRICOLE

L'importance de la production laitière

Historiquement, les productions végétales tenaient une place prépondérante en Haute-Saône, le reste de la région se spécialisant dans l'élevage et la fabrication de produits traditionnels tels le fromage ou les salaisons. Mais l'élevage bovin et la production laitière se sont imposés à toute la Franche-Comté.

Aujourd'hui, la région est une terre d'élevage : trois exploitations sur cinq élèvent des bovins. Plus de la moitié sont spécialisées dans l'élevage laitier.

Appréciée pour ses qualités laitières, la **vache montbéliarde, à la robe** d'un « rouge » franc et vif sur fond blanc, est un élément du paysage comtois. Les lourds efforts de modernisation, et la mise en place des quotas laitiers en 1985, ont changé la donne. Les animaux à viande ont envahi les plaines de Saône tandis que la montbéliarde se maintient dans le Doubs et le Jura, en zone de montagne. L'industrie laitière représente une part capitale de l'économie agricole régionale. Les contraintes de fabrication des fromages ont amené les Comtois à se doter, dès le 13e s., d'un outil de transformation et de commercialisation : la **fruitière** ou « fruits communs », coopérative regroupant des producteurs de lait d'un ou plusieurs villages, et lieu de fabrication du fromage. C'est là un des traits les plus anciens et les plus caractéristiques de la vie jurassienne. À la fin du 18e s., les fruitières s'étendirent jusque dans le bas pays. Aujourd'hui, elles s'assemblent en groupes coopératifs, tandis que se développent les sociétés privées d'affinage et de distribution. Avec le comté, morbier, bleu de Gex, cancoillotte et La Vache qui rit, fabriquée à Lons-le-Saunier, l'industrie fromagère représente la vitrine du terroir franc-comtois.

Une agriculture labellisée

Au 20e s., l'économie de subsistance a évolué vers une véritable agriculture commerciale s'appuyant sur des **produits labellisés**. Outre les fromages AOP (appellation d'origine protégée) comme le comté, le morbier ou le mont-d'or, il faut citer parmi les salaisons les saucisses de Morteau, qui bénéficient depuis 2010 du label IGP (indication géographique protégée) et celles de Montbéliard. Ce sont respectivement 4 000 et 3 500 tonnes de saucisses qui sont produites annuellement. N'oublions pas non plus le **vignoble**, dont les AOC et l'IGP (appellation Franche-Comté) ont permis le maintien bien que la majorité des domaines restent assez peu connus. Les grands noms comme le domaine Henri Maire à Arbois souffrent de la conjoncture économique actuelle.

UNE FORÊT DURABLE

Une civilisation du bois

Le mot Jura viendrait du bas latin *juria* (forêt). Dès le 6e s., les moines font des trouées dans le manteau forestier. Jusqu'au 15e s., le défrichement avance et la forêt laisse place aux hameaux. Aux 17e et 18e s., les plus beaux troncs partent par convois entiers pour devenir les mâts des vaisseaux royaux.

Le bois accompagne la vie locale. De nombreux objets en sont des dérivés : charpente, tavaillons pour protéger les murs des maisons, armoires et horloges découpées dans de belles veines de sapin… Les Comtois honorent toujours leurs forêts à travers les fêtes du bois ou bien encore la nomination du **sapin Président**, une tradition régionale qui date du 19e s. : lors de fêtes locales, les forestiers choisissent un arbre pour ses dimensions exceptionnelles et le laissent vieillir jusqu'à sa mort naturelle. Certains atteignent deux siècles d'âge et 40 m de hauteur.

L'économie sylvicole

La Franche-Comté est la deuxième région la plus boisée de France métropolitaine, après l'Aquitaine. Composée à 70 % de feuillus, la forêt recouvre plus de 43 % de son territoire et ces vastes étendues forestières constituent une extraordinaire ressource à exploiter. Tournerie, tabletterie : les forêts jurassiennes ont inspiré de nombreux métiers, et la filière bois représente une facette importante de l'économie régionale. La production sylvicole est dominée par le **bois d'œuvre** (1,9 million de m³, dont 65 % de conifères). Depuis 1994, la récupération de bois inutilisé a été encouragée par le **plan bois-énergie**. Sous forme de granulés (sciure compressée), ce combustible 6 à 10 fois moins coûteux que l'électricité alimente de nombreuses chaufferies d'établissement publics ou privés du département du Jura.

Une gestion concertée

L'avenir de la forêt jurassienne est assuré par une gestion concertée reposant sur une politique d'exploitation, d'accueil du public (randonneurs, skieurs…) et de protection (zones protégées, gestion de la faune sauvage *(voir Forêt de Chaux, p. 72)*. Les forêts sont exploitées sous forme de **futaies** ou bien sous forme de **taillis** (peuplement issu de rejets de souches et de drageons) pour le bois de chauffage. Les forestiers opèrent régulièrement des coupes pour favoriser les meilleurs arbres. Les futaies résineuses de moyenne ou haute altitude se rangent parmi les plus productives de France Afin de valoriser sur le marché le savoir-faire des exploitants forestiers et la qualité de leurs bois de résineux, Jurassiens français et suisses ont déposé ensemble, en 2004, un projet de création d'une **AOC bois du Jura** (qui n'a pas encore vu le jour).
 www.aocboisdujura.fr.

La fin du tout résineux

La politique nationale de plantation d'épicéas visant à pallier un déficit de bois de papier a démontré ses limites. Elle est désormais révolue. Les résineux restent dominants, mais le Fonds national forestier s'oriente peu à peu vers la diversification. La Haute-Saône est leader dans cette production du feuillu, en particulier du chêne, dont les débouchés sont nombreux (meubles, parquets…).

L'ESSOR DU TOURISME VERT

La Franche-Comté s'affirme comme une destination nature.

Tourisme d'hiver

Avec ses vastes territoires inexploités l'hiver et l'abondance de son enneigement, la région possède une ressource naturelle pour développer le tourisme hivernal. Par la diversité de son relief et son altitude moyenne, le massif du Jura est un véritable paradis pour la pratique du ski de fond, des raquettes ou du traîneau *(voir p. 500)*. Il offre aussi la possibilité de pratiquer le ski alpin dans les grands domaines skiables de Métabief et des Rousses.

Le massif des Vosges accueille deux stations familiales : le Ballon d'Alsace et la Planche des Belles Filles.

NAISSANCE D'UNE DESTINATION DE SPORTS D'HIVER

C'est un Anglais qui, après avoir passé un séjour en Scandinavie, rapporta dans le Jura les premiers skis. **Félix Péclet**, alors maire du village des Rousses, décela dans le ski un extraordinaire objet de loisir. Il organisa en 1907 la première course de fond aux Rousses.

À partir de 1950, le ski alpin connaît un véritable essor. Le massif jurassien s'équipe en remontées mécaniques, tandis que le ski de fond n'est réellement découvert par le grand public qu'aux Jeux olympiques d'hiver en 1968. Les images des athlètes évoluant dans des paysages de rêve séduisent : forêts de sapins croulant sous la neige, vastes domaines immaculés… Depuis, malgré le prodigieux développement du ski alpin, le ski de fond n'a cessé de faire des adeptes.

Tourisme vert

Des paysages préservés, des produits du terroir abondants et une identité culturelle forte composent une destination « verte ». Outre ses deux parcs naturels régionaux (les Ballons des Vosges et le Haut-Jura), la Franche-Comté compte 330 km de voies d'eau navigables (Doubs, Saône) et près de 10 000 km de sentiers de randonnée.

Gîtes ruraux, chambres d'hôtes, cabanes dans les arbres… Le nombre et la qualité des infrastructures d'accueil reflètent l'importance économique accordée à l'accueil d'un public, principalement familial ou retraité, en quête de tranquillité et d'un grand bain de nature.

Un dynamisme industriel renouvelé

INDUSTRIES DE POINTE

Bénéficiant d'une situation stratégique aux frontières de la Suisse et de l'Allemagne, non loin des métropoles françaises (Lyon, Strasbourg), la Franche-Comté, région la plus industrialisée de France – proportionnellement à sa population –, s'appuie sur une tradition industrielle du 18e s. Le riche tissu industriel de la région est composé majoritairement de **petites et moyennes industries** très compétitives. Plus des trois quarts des structures industrielles comptent moins de 20 salariés et un quart… n'en compte aucun. Le secteur de la **sous-traitance industrielle** englobe aujourd'hui plus d'un millier d'entreprises. Ses compétences vont du travail des métaux (fonderie, tôlerie, soudage) à celui des matières plastiques en passant par les traitements thermiques et de surface.

Fortement implantée dans la région, l'industrie représentait 17 % de l'emploi total contre environ 13 % en France (fin 2017, selon l'Insee). Mais la répartition des emplois industriels de Franche-Comté-Jura présente d'importantes disparités locales. Les trois pôles principaux sont **Sochaux-Montbéliard**, berceau de Peugeot, **Belfort**, où sont implantés deux grands acteurs du secteur énergétique ou du transport, Alstom et General Electrics, et **Besançon**, capitale de l'horlogerie et des microtechniques. Le Jura (et notamment la région de St-Claude) est doté d'un important tissu industriel de PME. Tavaux, près de Dole, accueille un grand nom de l'industrie chimique, Solvay – qui a fusionné en 2015 avec Ineos pour devenir Inovyn –, qui emploie 1 400 salariés. Quatre pôles de compétitivité viennent renforcer le développement de la recherche et de l'industrie en Franche-Comté : le pôle des Microtechniques, celui du Véhicule du Futur, Plastipolis et Vitagora (consacré au goût, à la nutrition et à la santé).

L'**automobile**, qui fournit directement ou indirectement près du quart des emplois salariés de l'industrie, domine encore le secteur secondaire. Cela est dû à la très forte implantation de Peugeot-Citroën dans la région, essentiellement à Montbéliard, mais aussi à Vesoul, Bessoncourt (Territoire de Belfort), et Mandeure. Le groupe entretient un vaste réseau de sous-traitants et d'équipementiers, parmi lesquels émergent Faurecia (Valentigney et Lure) ou les Jurassiens Manzoni (St-Claude) et Bourbon (St-Lupicin). La **métallurgie** et le **travail des métaux** emploient environ 17 % des salariés de l'industrie. Cette activité s'apparente le plus souvent à de la sous-traitance mécanique pour la filière automobile. Manzoni fait figure de géant dans un secteur qui compte une multitude de microstructures.

Sans grande surprise, c'est l'**industrie agroalimentaire** qui complète le trio de tête. Elle regroupe près de 10 % des emplois industriels et un millier d'établissements, surtout consacrés à la production fromagère (près de 200 000 t par an), emblématique de la région. Bel, à Dole et Lons-le-Saunier, est la plus grosse structure du secteur, avec un produit phare, La Vache qui rit *(voir p. 273)*. L'entreprise est également connue pour son Babybel, fromage de vache enrobé de cire rouge.

Le développement de l'**industrie du jouet** a entraîné celui de la région d'Oyonnax : la « Plastics vallée » rassemble 660 entreprises spécialisées dans le plastique. L'activité industrielle régionale ne saurait être pérenne sans l'existence d'un vivier de main-d'œuvre qualifiée, issue d'établissements d'**enseignement supérieur** de haut niveau et très bien structurés, qui forment chaque année près de 30 000 étudiants. L'université de Franche-Comté dispense des formations pointues, en adéquation avec les besoins des entreprises régionales : citons l'université de technologie de Belfort-Montbéliard et ses unités de recherche consacrées à l'étude des matériaux et des surfaces. On peut aussi mentionner l'École nationale supérieure de mécanique et des microtechniques (ENSMM) de Besançon, ou encore l'Institut de management européen des affaires (Imea) de Besançon-Montbéliard.

Le dynamisme de l'industrie comtoise s'illustre à travers ses performances à l'**exportation**. Ses principaux clients sont l'Allemagne, l'Italie, l'Espagne, l'Iran et la Suisse ; l'Allemagne est son premier fournisseur.

ARTISANAT ET TRADITIONS INDUSTRIELLES

La Franche-Comté est renommée pour ses artisans qui, trouvant sur place des matières premières de qualité, ont développé de nombreux savoir-faire.

Horlogerie

L'histoire de l'horlogerie comtoise commence au 17e s. pour connaître un véritable essor à partir du 19e s., associant la fabrication des montres à celle des horloges.

Les montres – En 1674, l'astronome hollandais **Huygens** invente le balancier à ressort spiral. Grâce à cette invention, les frères Dumont, maîtres horlogers, produisent les premières montres exécutées à la main, pièce par pièce, à Besançon et en 1777, **Frédéric Japy**, originaire de Beaucourt, crée sa manufacture d'ébauches de montres, qui remporte un vif succès. La production atteint 3 500 montres par mois. En 1793, l'arrivée à Besançon de l'horloger suisse **Mégevand** et de 80 compatriotes, maîtres ouvriers, crée l'événement et bouleverse la donne. La Convention finance leur projet de création d'une fabrique et d'une École nationale d'horlogerie. Mégevand met au point la fabrication en série. La progression des ventes est, dès lors, très rapide : en 1835, 80 000 montres sont fabriquées à Besançon, puis 240 000 en 1878. L'industrie horlogère gagne alors de nombreuses villes de la Comté. En 1878, l'Observatoire de Besançon ouvre ses portes : une de ses missions est de fournir l'heure exacte, de certifier la fiabilité des montres produites et ainsi de soutenir l'industrie horlogère.

Les horloges comtoises – Dans le même temps, les découvertes technologiques permettent la mise au point de l'horloge comtoise, mais également d'une multitude de modèles. La réalisation des horloges fait appel à plusieurs corps d'artisans. Le menuisier ébéniste réalisait le fût des horloges en chêne animé de moulurations. À partir de 1850, le sapin l'emporte et des décors peints à sujets naïfs apparaissent. Un oculus vitré permet d'apercevoir le balancier. L'émailleur stylise peu à peu les cadrans, qui seront ornés d'un médaillon central ou surmontés d'un fronton stylisé de cuivre ou de bronze doré.

L'ère du paysan horloger – À partir du 19e s., au cours de l'hiver, les paysans devenaient horlogers ou lunetiers. Une fois les travaux de la ferme terminés, ils assemblaient les mouvements ou fabriquaient des montures de lunettes dans les fermes du pays horloger, aux environs de Morteau ou dans les ateliers familiaux des villages avoisinant Morez et Morbier.

Les heures incertaines – Le 20e s. voit naître de grandes unités industrielles. La concurrence suisse impose en effet une évolution de l'activité, qui perd son caractère rural et artisanal pour se concentrer dans des usines modernes. L'essor est interrompu à la fin des années 1970 : l'irruption de la montre à quartz et les brutales adaptations induites plongent le Jura dans une grave crise dont tous les centres de production ne se relèveront pas.

Le renouveau – Malgré son caractère désormais marginal dans l'économie comtoise, l'horlogerie, activité emblématique de la région, a acquis un marché stable et une solide réputation. Elle est portée par des entreprises telles Pequignet, Michel Herbelin, Yonger & Bresson, Cheval Frères ou encore Leroy. La réorientation vers les produits haut de gamme sous la pression de la concurrence, notamment asiatique, l'accent mis sur la précision et le recours à la sous-traitance ont

sauvé la fabrication des montres, qui se maintient à Besançon, Morteau, Villers-le-Lac ou Maîche, Morez et Morbier étant pour leur part spécialisés depuis le 17e s. dans les horloges comtoises et horloges monumentales. Les horloges comtoises deviennent une valeur sûre grâce au retour du goût pour l'authenticité associé à une demande touristique. La Franche-Comté demeure la première région de France pour la production horlogère.

🕐 *Musée du Temps à Besançon (p. 40).*

Lunetterie

Au 18e s., **Pierre-Hyacinthe Caseaux**, artisan installé près de Morez, crée les premières lunettes à partir d'un fil de métal *(voir p. 354)*. Très vite, il reçoit des commandes d'un bijoutier-opticien de Genève et développe son atelier. D'autres virent le jour. La production atteint 11 millions de pièces en 1882. Faisant face à une concurrence de plus en plus forte au 20e s., l'industrie lunetière a dû se moderniser pour rester compétitive. Elle s'est spécialisée dans la fabrication de montures métalliques et la production de masse a quitté le bassin de Morez. Seules subsistent les entreprises qui ont développé leur stratégie sur la création, le design et les produits technologiques de qualité à forte valeur ajoutée. La moitié de la production française est fabriquée en Franche-Comté.

🕐 *Musée de la Lunette à Morez (p. 353).*

Piperie

St-Claude tient fièrement à sa renommée de capitale mondiale de la pipe. Si cette dernière fut introduite en France en 1560, ce n'est qu'à la fin du 18e s. que sa fabrication prit véritablement son essor, notamment avec l'arrivée de

la bruyère. À partir des années 1960, l'activité commença peu à peu à décliner. Les campagnes antitabac et la raréfaction de la bruyère finirent par avoir raison de cette industrie. Aujourd'hui, St-Claude compte encore quelques maîtres pipiers dotés d'une clientèle stable.
Exposition de pipes à St-Claude (p. 348).

Travail du bois

Dans cette région forestière, le bois fait partie du quotidien. Si de nombreux métiers traditionnels ont périclité au profit d'activités nouvelles, le travail du bois reste au cœur de nombreux métiers spécialisés.

Les métiers d'autrefois – Les **sabotiers** étaient les artisans incontournables du village, tandis que les **charbonniers** travaillaient au cœur de la forêt pour le levage des écorces de chêne et la fabrication du charbon de bois. Les **pelonniés** fabriquaient sur place des ustensiles domestiques : boîtes à sel, jattes à lait. Ils vivaient et travaillaient en groupe dans la forêt. Les outils et les techniques de coupe ont bien changé, mais n'ont pas totalement disparu, comme on s'en rend compte à l'occasion des traditionnelles fêtes de bûcherons.

Des métiers qui évoluent – Autrefois cantonné essentiellement au domaine religieux (statuaire, stalles), le travail du **sculpteur** connaît un succès croissant dans les galeries d'art. Les artisans du bois ne sont plus aussi nombreux, mais leurs spécialités survivent grâce au tourisme et à l'industrie du luxe. Citons par exemple le **layetier** qui fabrique toutes sortes de boîtes à tiroirs, le **sanglier** qui réalise des sangles pour les boîtes à fromage (l'excellent mont-d'or, par exemple), ou encore le **tavaillonneur** qui fend l'épicéa protégeant les façades des maisons du haut Jura. L'exploitation des sous-produits de la forêt est en plein développement : les mousses et racines sont exploitées et vendues aux fleuristes pour la réalisation de compositions florales.

Une mention spéciale doit être faite pour l'activité des **tourneurs sur bois**. Objets ludiques, décoratifs ou usuels en bois… bienvenue dans l'univers de la tournerie-tabletterie. Cette activité a été le point de départ de l'**industrie du jouet**. Les tourneurs qui faisaient yoyos, toupies, quilles ont dû s'adapter à l'arrivée du plastique. Désormais en plastique, le jouet jurassien représente le quart de la production française. La promotion du jouet jurassien se fait chaque année lors du Salon international du jouet à Paris, fin janvier, mais la tournerie-tabletterie doit faire face à une forte concurrence de la Chine.

TGV, UN SUCCÈS BELFORTAIN

L'histoire du TGV a commencé à Belfort dans les ateliers d'Alstom, il était donc logique qu'elle s'y poursuive. Alstom, né en 1928 de la fusion de la Société alsacienne de constructions mécaniques et de Thomson Houston, a en effet sorti le premier prototype de TGV en 1971 et continue d'en produire les motrices. Quarante ans plus tard, le TGV dessert deux nouvelles gares construites selon les normes de haute qualité environnementale, Besançon Franche-Comté TGV et Belfort-Montbéliard TGV, et à travers elles les deux plus grands bassins industriels de la région. La branche Est de la ligne Rhin-Rhône rapproche en temps la Franche-Comté de Paris, de l'Allemagne, son premier partenaire commercial, et de l'est de l'Europe. L'attractivité économique et touristique de la région s'en trouve renforcée.

Émaillerie

Pour fabriquer la fameuse horloge comtoise, il faut un cadran… en émail. Le développement de l'horlogerie a entraîné celui de l'émaillerie. Les horlogers achetaient les cadrans en cuivre émaillés dont ils avaient besoin pour les horloges, en Suisse, à La Chaux-de-Fonds ou au Locle. Faisant face à des coûts de plus en plus élevés, les Moréziens demandent à un émailleur du Locle, **David Huguenin d'Otrand**, de s'installer parmi eux en 1755. Il crée son atelier au Bas-de-Morez, puis à Morbier, et forme quelques compagnons. C'est ainsi que se sont créées les premières émailleries comtoises. Les émaux moréziens ont acquis une renommée internationale, dans le sillage de l'horlogerie comtoise. L'émaillerie a ensuite été utilisée pour la réalisation d'autres types d'objets : plaques de rue, plaques publicitaires, bornes kilométriques… Cela a d'ailleurs été le secteur le plus lucratif de l'entreprise Japy, de Fesche-le-Châtel.

Travail de la pierre

Parmi les activités qui ont complété les revenus des Haut-Jurassiens, la taille des pierres fines figure en bonne place. Le développement du métier de **lapidaire**, au 18e s., est lié à l'essor de l'horlogerie suisse, qui sous-traite les ébauches des montres et la taille des pierres fines aux régions rurales voisines. Main-d'œuvre disponible pendant les rudes hivers qui rendaient impossible tout travail à l'extérieur, nombreux torrents permettant l'entraînement des meules : le haut Jura et le pays de Gex présentaient le profil idéal. Le travail du lapidaire pouvait s'effectuer à domicile avec un outillage léger, posé sur un établi : une petite meule de plomb frottée d'émeri, actionnée par une manivelle et un fuseau sur lequel on fixe la pierre. Façonnée, celle-ci était ensuite polie à l'aide d'une meule. L'activité se développe tout au long du 19e s., autour de Septmoncel, dans la vallée de la Valserine, à Mijoux, Lélex et Chézery.

La qualité du travail des Jurassiens donne des idées aux **diamantaires**, qui utiliseront leurs services à partir de la seconde moitié du 19e s. Originaire de Divonne et établi à Paris comme diamantaire, **Eugène Goudard** fonde, en 1878, la première diamanterie jurassienne, sur la commune de Villard-St-Sauveur. Un second atelier jurassien sera établi à St-Claude en 1884.

La taille du diamant nécessite une technologie élaborée, une force motrice très élevée et ne peut plus être le fait d'un seul artisan : des coopératives ou des structures employant une vingtaine d'ouvriers en moyenne se forment. Ces ateliers s'établissent à proximité d'un cours d'eau, transformant l'énergie hydraulique pour l'utiliser sous forme d'énergie électrique, ou emploient une machine à vapeur. De nombreuses unités de ce type voient le jour dans le pays de Gex et la vallée de la Valserine. La ville de St-Claude devient même capitale mondiale de la taille du diamant au début du 20e s., employant plusieurs milliers d'ouvriers. Mais la crise des années 1930, puis la Seconde Guerre mondiale bouleversent l'économie régionale, et peu d'entreprises lapidaires et diamantaires y survivront dans le haut Jura. Aujourd'hui, seuls quelques artisans passionnés continuent à perpétuer la tradition. La SARL Trabbia-Vuillermoz se maintient à Mijoux (voir p. 383), tandis que Dalloz lapidaire, spécialisé dans la taille des pierres synthétiques, est situé à Septmoncel.

♿ *Musée du Lapidaire (p. 368).*

Saveurs comtoises

Terroir généreux, offrant des produits d'excellence, la Franche-Comté l'est sans conteste. Des fromages longuement mûris en fruitières, des viandes délicieusement fumées, que l'on accompagne de vins issus des cépages locaux : ici, les traditions ne sont pas un vain mot et tout un réseau d'artisans-producteurs continue d'exercer son savoir-faire au quotidien, pour le plus grand bonheur des gourmets avertis.

Les fromages

Le **comté** (AOP), la star des fromages comtois, se caractérise par un goût de noisette, obtenu grâce à des mois de maturation *(voir p. 291)*.
Le **morbier** (AOP) se caractérise par la raie noire de charbon végétal en son milieu. Le **mont-d'or** (AOP) ou « vacherin du haut Doubs » est un fromage à pâte molle contenu dans des boîtes d'épicéa (de mi-sept. à mi-mai). Le **bleu de Gex** (AOP) est un fromage au lait cru à la délicate saveur persillée. Le **ramequin** de St-Rambert-en-Bugey, fromage sans matière grasse, se mange en fondue. Spécialité surprenante, la **cancoillotte** est un fromage liquide qui se déguste froid ou chaud, agrémenté d'ail et de vin blanc. Elle est préparée à partir de « metton », du lait écrémé, caillé, chauffé, pressé puis affiné.
L'abondance des fromages a inspiré de nombreux plats : gratinées de fromage, croûtes, fondues…

La tradition des salaisons

LE FUMÉ DE LA COMTÉ

Les habitants du haut Doubs sont passés maîtres dans l'art de fumer les viandes. Les maisons de pierre ou fermes du haut Doubs possédaient jadis une grande cheminée pyramidale, le **tuyé**, dont la vocation était le fumage des viandes, essentiellement de porc. Celui-ci faisait l'objet d'un engraissement savamment calculé. Lors de sa mise à mort, à l'occasion d'une grande fête familiale, on offrait un « repas de cochon » qui comportait boudin, andouilles et autres cochonnailles. Les produits fumés caractéristiques de la Franche-Comté sont garantis par un **label** régional.

SAUCISSES DE MORTEAU ET DE MONTBÉLIARD

La saucisse de Morteau (IGP) est préparée selon des règles traditionnelles. La viande des porcs élevés en Franche-Comté est séchée et fumée en montagne à partir de 600 m d'altitude, dans un tuyé alimenté de bois et de sciure de résineux qui donne à la saucisse une odeur de sapin. La véritable saucisse de Morteau se reconnaît à sa bague et au petit morceau de bois qui obture l'une des extrémités. Son grand frère, le **jésus**, qui pèse 1 kg, a lui aussi contribué à la célébrité de la charcuterie comtoise. La saucisse de Montbéliard est également fumée à la sciure de résineux, mais l'ail et le cumin lui

Fromage Comté, prélèvement d'un échantillon.
DjelicS/iStock

apportent une saveur particulière. Elle est promue et défendue par la Confrérie des compagnons du Boitchu.

AUTRES SALAISONS

Le **brési** est une charcuterie du haut Doubs. Fabriqué à partir de bœuf séché, il est ensuite salé et fumé pendant trois mois. Il s'apparente à la viande des Grisons, célèbre spécialité helvétique. Servi finement tranché, il accompagne généralement les plats de raclette ou de fondue.

Le **jambon de Luxeuil** est élaboré à partir de cuisse entière de porc, macérée dans un bain de vin rouge d'Arbois, salée à la saumure, fumée et séchée durant environ huit mois.

Une gamme de vins étendue

La vigne représente une très petite partie de la surface agricole. Elle s'étend au sud-ouest de Salins, sur une étroite bande, large de 10 km, occupant les pentes calcaires du rebord ouest du Jura, ainsi que dans le Bugey sur les bords de l'Ain et du Rhône.

UN DES PLUS VIEUX VIGNOBLES DE FRANCE

La vigne est cultivée dans la région depuis l'époque gallo-romaine. Au Moyen Âge, seigneurs, ecclésiastiques et laïcs investissent dans la vigne. La maladie du phylloxéra, puis la Première Guerre mondiale ont porté un coup dur à la production. De retour à la croissance dans les années 1970, géré soit par des coopératives de producteurs, soit par de grandes maisons privées, le vignoble a acquis peu à peu ses lettres de noblesse grâce à une politique de qualité fondée sur des **appellations**. Le vin d'Arbois doit sa renommée à un travail de médiatisation par le principal exploitant *(voir p. 300)*. Mais les vins du Jura et du Bugey *(voir p. 427)* affrontent aujourd'hui la concurrence étrangère : de nombreuses zones de production non rentables ont disparu comme

Le comté, fleuron de la gastronomie comtoise

L'APPELLATION AOP

Les mutations dans les processus de fabrication du comté n'ont en rien altéré le savoir-faire traditionnel qui accompagne son élaboration et qui en fit le premier fromage français à être reconnu par une appellation d'origine protégée (AOP), en 1958. Ce décret définit une aire de production qui englobe le Doubs, le Jura et l'est de l'Ain. Le fromage doit être fabriqué avec le lait de montbéliardes ou de vaches de race pie rouge de l'Est, alimentées avec du fourrage : les aliments fermentés sont interdits dans l'aire d'AOP.

LA FABRICATION DU COMTÉ

Le comté est un fromage à pâte pressée cuite. Le lait cru, qui doit être collecté quotidiennement et transformé dans les 24 heures, est d'abord écrémé de 5 à 15 % afin d'obtenir un fromage dont la teneur en graisse est comprise entre 45 et 54 g pour 100 g de matière sèche. Il est ensuite versé dans de grandes chaudières en cuivre d'une capacité de 1 400 à 2 500 l, puis chauffé à 32 °C. Le fromager introduit la présure qui fait cailler le lait. Après décaillage, les grains de caillé sont brassés et chauffés de 54 à 56 °C. L'étape du soutirage consiste à transporter la masse de caillé vers les moules de pressage par des pompes ou dans une toile de lin. Après un pressage de 24 heures, la meule pèse environ 40 kg. Le fromage est d'abord mis en cave froide quelques jours, salé et frotté pour accélérer la formation de la croûte. Les meules quittent la fruitière pour un établissement d'affinage.

L'AFFINAGE DU COMTÉ

Le comté révèle tout un éventail d'arômes évoluant avec la durée de l'affinage pendant lequel il reçoit des soins quotidiens par les maîtres affineurs. Sa durée minimale d'affinage est de quatre mois, mais, placé sur des planches d'épicéa, le fromage fait souvent un séjour d'environ huit mois en cave, d'abord à 15 °C pendant deux mois, puis à 18 °C. On frotte la croûte avec un chiffon imbibé de sel dissous pour favoriser le développement d'une flore microbienne, la « morge », qui contribue à donner à la pâte ce goût de noisette très recherché. Les chefs de cave jugent de l'évolution de la fermentation en sondant les fromages. Enfin, le fromage est placé en cave de maturation à 6 °C. Les comtés massifs sans trous sont gardés plus longtemps à basse température. *Voir aussi les Routes du Comté (p. 294 et 499) et la maison du Comté à Poligny (p. 291).*

LE COMTÉ EN APÉRITIF

Coupé en lamelles ou en cubes, ce fromage se marie particulièrement bien avec des vins blancs secs, le vin jaune, le vin de paille ou le champagne. Vous pourrez l'accompagner d'amandes, de noix ou de noisettes. Vous pourrez aussi le servir en brochettes, intercalé entre de petits cubes de pomme et de jambon, ou encore entre des morceaux de poire et des olives vertes. Et si vous préférez le servir chaud, composez des brochettes de comté enroulé de lamelles de jambon cru, et passez-les au four 3mn…

dans la vallée de la Loue, où le vignoble n'existe plus qu'à Vuillafans.

LES CÉPAGES

Cinq cépages très anciens ont donné naissance à de nombreux vins blancs et rouges dont six AOC. Il s'agit, pour les vins blancs, du **savagnin** – qui couvre 15 % de l'encépagement – et du **chardonnay**, originaire de Bourgogne et introduit dans le Jura au 14ᵉ s. – qui représente à lui seul 45 % du vignoble.

Les vins rouges sont issus du **poulsard** (ou ploussard), du **pinot noir** (originaire de Bourgogne) et du **trousseau**, digne des grands crus de Bourgogne et de Bordeaux. Les vins rosés sont élaborés à partir du ploussard.

LES VINS

Les **vins rouges**, fruités et frais dans leur jeunesse, s'affirment avec l'âge. Le pinot noir, vin très rouge et fruité, accompagne à merveille un magret de canard. Le **pupillin**, du nom du village qui s'est proclamé capitale mondiale du cépage ploussard, a des arômes de fruits rouges épicés. Il s'apprécie tout au long d'un repas et en particulier avec la truite au lard.

Les **vins blancs**, secs mais souples, sont assez capiteux. Le savagnin donne un vin aux arômes de fruits secs, noisette et amande. Ils sont servis avec les poissons comme la truite meunière au bleu ou à la crème, les viandes blanches et le comté.

Le **vin jaune** (Château-Chalon), issu du savagnin, est l'or du Jura. Sa belle couleur ambrée, son parfum développé, sensible à distance, peuvent se maintenir, s'il s'agit d'une bonne année, pendant plus d'un siècle. Le vin acquiert le « goût de jaune » en vieillissant en fût pendant un minimum de six ans. Des traces de levures « en voile » spéciales au Jura produisent sa fermentation. On le sert avec le gratin d'écrevisses et la poularde au vin jaune et aux morilles.

Les **vins de paille** sont obtenus à partir des raisins amenés à l'état de surmaturation, conservés sur un lit de paille puis foulés et pressurés. Ce vin de liqueur est devenu très rare (il faut environ 100 kg de raisins pour 18 l de vin de paille !). Il se boit en apéritif.

La création des mousseux remonte au 18ᵉ s. Le **crémant** du Jura est issu du chardonnay et du pinot noir. Il se boit frappé au dessert.

Le **macvin**, vin de liqueur fait de moût de raisin marié à de l'eau-de-vie de Franche-Comté, peut atteindre 16 à 20°. Il se boit très frais à l'apéritif, accompagne le melon et clôt en douceur un repas.

LES ALCOOLS

L'**anis de Pontarlier** est l'apéritif traditionnel du haut Doubs. Il doit son goût à la distillation d'anis vert. Pour terminer un bon repas, rien n'est comparable au **marc**, au goût de fruits secs, considéré comme le « chauffe-cœur » par les vieux vignerons. Ceux qui préfèrent des notes plus douces se tourneront vers les liqueurs régionales, telles celles de sapin ou de myrtilles.

La **gentiane**, obtenue par distillation des racines de la plante, la **cerise** produite à Fougerolles, berceau des **eaux-de-vie** de fruits, notamment du kirsch, la fée verte (ou **absinthe**, *voir encadré p. 243*) et la **bière, fabriquée artisanalement,** sont autant de saveurs alcoolisées aux parfums de Franche-Comté. *Voir aussi « Souvenirs », p. 501 et « Routes thématiques », p. 498.*

Nature et paysages

La Franche-Comté vous charmera d'abord par la diversité de ses paysages naturels : forêts à perte de vue, lacs majestueux, myriade d'étangs, gorges sauvages, grottes et gouffres mystérieux, rivières impétueuses aux impressionnantes cascades et aux imprévisibles résurgences. Le paysage est dominé par des sommets majestueux : ballons vosgiens au nord, crêts jurassiens au sud, surplombant le lac Léman et la plaine suisse. Dans cet environnement préservé, faune et flore s'épanouissent.

Un paysage tourmenté

Épine dorsale de la Franche-Comté, la chaîne du Jura décrit un arc de cercle de 250 km de long entre les massifs des Alpes et les derniers contreforts des Vosges. D'altitude moyenne, elle est plissée à la manière d'un drapé aux versants abrupts, s'élevant d'ouest en est. C'est du pic de l'Aigle que se découvre le mieux l'ensemble des plateaux, qui viennent buter contre de hautes chaînes dominant la plaine suisse.

UN RELIEF UNIQUE

Les ballons vosgiens

Au nord de Belfort s'étend le plus méridional des massifs vosgiens, qui culmine au ballon d'Alsace. C'est une zone sédimentaire à l'histoire complexe : un climat tropical y a laissé des filons houillers et des gisements de grès rouge à l'ère primaire. Recouverte par la mer, puis surélevée à l'ère secondaire, façonnée par l'érosion et les glaciations du quaternaire, elle offre aujourd'hui des sommets aux formes arrondies, surmontés de landes d'altitude ou hautes chaumes.

La naissance du massif du Jura

À l'ère secondaire, il y a 260 millions d'années, se forment au fond des mers des dépôts qui s'accumulent en couches alternées de marnes et de calcaire. Cette série sédimentaire a connu un tel développement dans le Jura que le géologue Brongniart donna en 1829 le nom de « jurassique » à sa période de formation, partie centrale de l'ère secondaire (entre -205 et -135 millions d'années). La région a alors l'aspect d'une vaste surface aplanie, doucement inclinée vers l'est.

La paisible physionomie de la chaîne alpine va être profondément modifiée à l'ère tertiaire. Soumis à d'énormes pressions, bousculés et coincés par le vieux massif des Vosges, les sédiments accumulés dans la mer jurassique sont entraînés à de hautes altitudes. Les épaisses couches marneuses et

DES PAYSAGES ACCIDENTÉS

Chaîne de plissement, le Jura a donné naissance à un type de relief bien spécifique ; les dépressions ont été accentuées par l'érosion glaciaire qui a entaillé les plissements et élargi les vallées. Les monts sont soit creusés au sommet par une **combe** (vallée longitudinale), soit traversés par une **cluse**, tandis qu'entre eux s'allongent des fonds de vallée verdoyants. Sur la bordure occidentale des plateaux, l'érosion a créé plusieurs échancrures aux bords abrupts, vallées en cul-de-sac appelées **reculées**. La plus spectaculaire et la plus fascinante, par son caractère inaccessible et ses impressionnantes falaises, reste sans conteste la reculée de Baume-les-Messieurs.

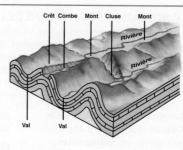

calcaires engendrent les hauts plis qui constituent la **montagne**. Vers l'ouest, la couverture sédimentaire, plus mince, épouse quant à elle les cassures affectant l'écorce terrestre, se faillant et se découpant en une série de **plateaux** étagés. La région dite du **vignoble** correspond à leur rebord occidental, qui domine la plaine bressane.

L'ère quaternaire est marquée par un refroidissement général de l'atmosphère du globe et par le développement de grands glaciers envahissant les vallées et les plateaux. Au moment de leur retrait, ces glaciers abandonnent une masse énorme de débris – les moraines – qui font obstacle à l'écoulement des eaux et sont à l'origine de la formation de la plupart des lacs jurassiens.

LE MONDE MYSTÉRIEUX DES GROTTES

S'ouvrant à la surface des plateaux ou au pied des parois abruptes d'une reculée, les grottes, communément appelées **baumes** dans la région, offrent l'occasion de pénétrer dans le monde des cavernes et d'y observer des rivières remarquablement limpides, des formations rocheuses inconnues de la surface, des gisements attestant le passage des hommes de la préhistoire.

La formation des cavités

Comme dans toute région calcaire, les assauts des rivières et le phénomène d'érosion très actif a dessiné peu à peu un vaste **réseau karstique** (Karst est le nom allemand de plateaux calcaires situés en Slovénie et Croatie). L'eau s'infiltre dans le réseau de cassures et de fissures de la roche qui s'agrandissent pour former des galeries. La formation des **gouffres** est due soit à l'agrandissement d'une fissure du plateau, soit à l'effondrement de voûtes sur le trajet de galeries.

Les merveilles souterraines

Au cours de sa circulation souterraine, l'eau abandonne le calcaire dont elle s'est chargée en pénétrant dans le sol. Elle édifie ainsi un certain nombre de concrétions aux formes fantastiques défiant quelquefois les lois de l'équilibre. Le suintement des eaux donne lieu à des dépôts de calcite qui constituent des draperies ornées de stalactites,

---

CIRCULATION SOUTERRAINE DE L'EAU

Les eaux souterraines ressortent sous forme de source ou **exsurgence** (la Cuisance dans la reculée des Planches, *voir p. 301*) ou bien de **résurgence** lorsqu'il s'agit d'une rivière déjà formée qui, après avoir creusé à la surface des petites cavités ou **dolines**, s'infiltre dans des **pertes** et réapparaît après un trajet souterrain (sources de la Loue et du Lison).

---

stalagmites et excentriques. Les **stalactites** se forment à la voûte de la grotte. Les **stalagmites**, de même nature, s'élèvent du sol vers le plafond en rejoignant la stalactite pour constituer un pilier. Les **excentriques** sont de fines protubérances formées par cristallisation, dépassant rarement 20 cm. N'obéissant pas aux lois de pesanteur, elles se développent dans tous les sens.

Les explorations

À la fin du 19e s., l'exploration méthodique du monde souterrain conduite par **É. A. Martel**, fondateur de la spéléologie moderne, a permis la découverte et l'aménagement d'un certain nombre de cavités. Malgré la découverte d'environ 4 500 grottes ou gouffres dans la région, la connaissance du monde souterrain reste incomplète et le réseau de grottes – tel que celui de la cavité du Verneau, dans la vallée du Lison – demeure le terrain d'explorations scientifiques ou ludiques de nombreux spéléologues.

Un univers souterrain ouvert au public

Certains aménagements sont remarquables. Miroirs d'eau, calmes lacs ou rugissantes cascades, concrétions sont rendus multicolores par un savant jeu de lumières : les grottes de Baume (*voir p. 281*) avec ses hautes salles, la grotte d'Osselle (*voir p. 74*) aux multiples colonnes, le gouffre de Poudrey (*voir p. 97*) et son immense salle d'effondrement.

Un cadre préservé

À l'ouest, la verte plaine bressane, pays de bocage, d'étangs et de vastes chênaies, contraste avec les vignes rousses du Revermont. À l'est, la zone des plateaux, domaine vert et bleu des sapinières et des lacs, s'échelonne en paliers de plus en plus élevés, coupés par des gorges et cascades d'une sauvage beauté.

LE JURASSIQUE ET LES DINOSAURES

Des ossements de dinosaures ont été signalés dans le Jura, **d'Arbois à Lons-le-Saunier**. Les premières découvertes eurent lieu en 1862 : au moment du creusement de la voie ferrée Besançon-Lyon, on mit au jour le plus vieux dinosaure de France, le **platéosaure**. La découverte d'un site au début des années 1980, en plein centre-ville de Lons-le-Saunier, continue de mobiliser nombre de spécialistes. La totale disparition des dinosaures, après 160 millions d'années de domination, est restée mystérieuse et captive paléontologues… et grand public.

Un important aven a été mis à jour par le paléontologue Patrick Paupe et son équipe au début des années 1980. Les nombreux ossements sont à découvrir à la galerie Cuvier du château des Ducs de Wurtemberg à Montbéliard.

🔥 *Dino-zoo, p. 97.*

LACS ET EAUX VIVES

L'abondance des eaux vives est l'un des traits de la montagne jurassienne : torrents écumants, cascades en nappe ou en éventail (du Hérisson, du Flumen, du saut du Doubs…), innombrables petites sources et puissantes résurgences alternent avec les nappes tranquilles de près de 70 lacs et d'une multitude d'étangs. De grands cours d'eau

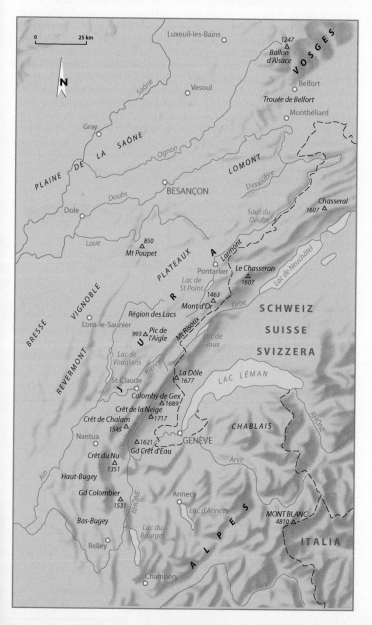

Des rivières poissonneuses

LE PARADIS DES PÊCHEURS

Les rivières du massif du Jura et des Vosges du Sud constituent des habitats privilégiés pour les truites et les ombres communs. Se transformant saisonnièrement en torrents de montagne, ponctuées de pertes et de résurgences, conservant souvent un débit suffisant au maintien de la faune piscicole toute l'année, elles sont le paradis des poissons et des pêcheurs. Les bassins piscicoles de la région comprennent à la fois des rivières fougueuses, idéales pour la pêche à la truite, et des cours d'eau ou canaux plus tranquilles où l'on trouve des salmonidés, carnassiers, poissons blancs, anguilles, lotes ou silures. Le sol calcaire que sillonnent les cours d'eau du bassin de l'Ain, du Doubs franco-suisse, du Dessoubre ou de la Loue convient parfaitement aux truites et ombres qui y ont une croissance accélérée. Le lac de Vouglans, traversé par l'Ain, est un parcours intéressant pour les pêcheurs de sandres et de brochets, tout comme la Saône en Haute-Saône. Sur une partie de la rivière du Doubs, on peut pêcher la carpe de nuit, mais cette pratique est très surveillée. Chabots, vairons, loches, chevesnes, blageons et barbeaux sont présents du côté de Salins-les-Bains, sur la Furieuse. Certaines espèces de poissons de fond comme les carpes, silures, barbeaux et anguilles sont sensibles aux pollutions et leur pêche peut être localement interdite. De nombreux parcours *no-kill* sont répertoriés par les Aappma (Associations agréées de pêche et de protection du milieu aquatique) ; cette pratique permet de pêcher des spécimens de taille impressionnante, comme les superbes brochets, carpes et amours blancs du plan d'eau de l'Orme (près d'Osselle) tout en respectant des écosystèmes fragiles. Les vallées du Doubs, de la Seille, de la Saône, entre autres, font l'objet de mesures de réhabilitation des zones humides, dans le cadre de la démarche Natura 2000.

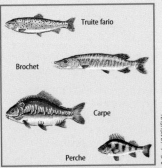

Truite fario

Brochet

Carpe

Perche

R. Corbel/MICHELIN

LES RIVIÈRES À TRUITES

– **Ain** en aval de Pont-d'Ain et son affluent l'**Albarine**
– **Bienne** au sud-ouest de Morez
– **Brenne** en amont du pont du Baudin au sud-ouest de Poligny
– **Cuisance** au nord et au sud de Salins-les-Bains
– **Cusancin** près de Baume-les-Dames
– **Dessoubre** près de St-Hippolyte
– **Doubs**
– **Lison** au nord-est de Salins-les-Bains
– **Loue** à l'ouest de Mouthier-Haute-Pierre
– **Seille** en amont de Voiteur au nord de Lons-le-Saunier
– **Sorne** au sud de Lons-le-Saunier
– **Suran** au nord et au sud de Montfleur
– **Tacon** et **Lizon** près de St-Claude
– **Valouse** à l'exclusion du lac de Cize-Bolozon au nord de Thoirette
– **Valserine** au nord de Bellegarde-sur-Valserine.

traversent également la région :
Saône, Doubs, Ain et Bienne. C'est
au printemps, au moment de la
fonte des neiges, que les rivières
débordent de vie et rappellent le
caractère sauvage et fougueux des
eaux de montagne. La qualité du
débit des rivières a fait naître de
grands aménagements tels que
le barrage de Vouglans, dans la
combe d'Ain, dont le lac permet
la pratique de nombreux sports
nautiques. C'est cependant l'aspect
environnemental qui prime
désormais : la pureté des rivières et
l'abondance des poissons font le
bonheur des pêcheurs. La présence
d'espèces d'oiseaux nicheurs en
milieu humide, l'incomparable
richesse faunistique et floristique
des tourbières ont motivé la création
d'espaces protégés : la tourbière
du lac de Remoray constitue une
réserve d'intérêt européen.

Des rivières capricieuses
Le relief jurassien impose aux
rivières un cours très particulier.
Pour progresser vers l'ouest, elles
doivent, le plus souvent, suivre
successivement chaque **val** jusqu'à
ce qu'une **cluse** leur permette de
passer dans le val voisin. Il s'ensuit
des détours considérables. Le Doubs,
du latin *dubius*, l'hésitant, dont la
source est à 90 km à vol d'oiseau
de son confluent avec la Saône,
parcourt 430 km pour le rejoindre.
Pareille à la source de la Loue, qui
naît d'une caverne haute de 60 m,
la source du Doubs, après avoir
voyagé sous terre, vient au jour sous
la forme d'une résurgence puissante
dans un vaste amphithéâtre
rocheux. La plupart des cours d'eau
sont tout en méandres qui génèrent
parfois des gorges profondes. Les
méandres encaissés du Dessoubre
et de la Loue et les sinuosités de l'Ain
sont particulièrement pittoresques.
Les vallées s'élargissent à l'ouest,
les falaises laissent place aux
collines, les rivières évoluent alors
majestueusement.

En parcourant les gorges
Le spectacle est varié ; que ce soit
sur le Rhône, le Doubs, la Loue ou
la Bienne… partout des chutes, des
cascades que les pluies grossissent
très vite. Le saut du Doubs, barrage
naturel que franchit le Doubs
dans une chute de 27 m, et les
cascades du Hérisson sont très
impressionnants. Le courant a ses
accidents : rapides, tourbillons ;
le lit est tantôt dégagé, tantôt
envahi de rochers, d'éboulis ; çà
et là, il est troué de **marmites
de géant**, creusées et polies par
des tourbillons. La forme des
montagnes qui bordent la rivière
varie également : falaises à pic, aux
strates bien dessinées, pitons isolés,
pentes adoucies ; la végétation
passe du pré à la broussaille, du
bois à la mousse.

Des lacs majestueux
On en compte 70 qui ont chacun
leurs particularités et leurs charmes.
Dans la région montagneuse, ils
s'étirent au fond des vals comme
le lac de St-Point, traversé par le
Doubs, ou occupent des cluses
à l'instar du lac de Nantua. Sur
les plateaux, ils résultent, pour la
plupart, de barrages formés par les
dépôts glaciaires (Chalain, Mortes
et Bellefontaine). D'autres sont des
retenues artificielles qui, dans les
années 1960, ont envahi la vallée
de l'Ain après la construction de
barrages destinés à alimenter des
usines hydroélectriques.
Leurs sites gracieux, les richesses
naturelles, les plaisirs de la natation,
du canotage, de la pêche ou de la
promenade en font des lieux de
villégiature très appréciés. Les lacs
des Mortes et de Bellefontaine,
à 1 100 m d'altitude, recèlent
une faune et une flore d'intérêt
national. L'avifaune est aussi très
riche sur le lac de St-Point : grèbes
huppés, rousseroles peuplent les
joncs. La région des Quatre Lacs
(Ilay, Narlay et lacs Maclu) regorge

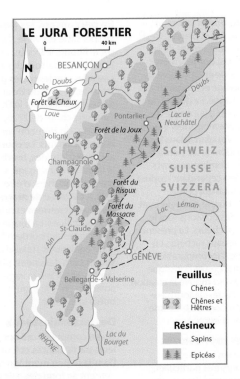

de poissons – parmi lesquels des corégones, salmonidés originaires d'Amérique, très appréciés pour la finesse de leur chair.

La couleur des lacs jurassiens varie suivant la profondeur, le temps – couvert ou dégagé –, la configuration, l'éclairage ainsi que la présence de végétaux immergés. D'un vert tirant sur le jaune, provenant de corpuscules en suspension dans la masse liquide et également de la nature des plantes qui garnissent le fond des cuvettes, cette teinte peut passer au bleu limpide qui caractérise le lac de Chalain.

UN PATRIMOINE FORESTIER INESTIMABLE

Une région très boisée

Le sombre manteau de la forêt est la toile de fond de tout paysage jurassien. Elle s'étend sur 700 000 ha environ, couvrant plus de 43 % de la surface du territoire comtois. Les lumières et les ombres alternent d'un versant à un autre. Comment ne pas être émerveillé par les chênaies du val de Saône ou par les impressionnantes forêts sombres d'épicéas ? Celle de la Joux est l'une des plus belles et des plus vastes d'Europe (10 000 ha). La Franche-Comté détient, avec l'Aquitaine, le titre de région la plus boisée de France, mais la diversité des essences présentes aux différentes altitudes fait toute sa valeur. Très exploitée, la forêt franc-comtoise et bugiste est une forêt gérée ; les paysages montagnards, prairies et forêts, résultent de l'histoire des sociétés rurales.

L'étagement de la forêt

Au-delà de 800 m d'altitude, les résineux l'emportent sur les feuillus. Mais l'orientation et l'ensoleillement apportent souvent leurs correctifs à cette règle générale. Sur les sols les moins élevés de la région du vignoble croissent, associés aux cultures et aux vergers, le tremble, l'orme, le charme, l'érable, qui disputent le terrain au chêne, au bouleau et au frêne. Le hêtre prédomine sur le premier plateau entre 500 et 800 m. Plus haut règnent les forêts de splendides sapins, les « joux », et au-delà de 1 000 m, les épicéas. Ces arbres sont emblématiques du Jura puisqu'ils couvrent la moitié des sols forestiers.

Les essences représentatives

Épicéa – Essence spécifiquement montagnarde, préférant les versants exposés au nord. Sa cime est pointue en forme de fuseau et son aspect général hirsute, avec des branches infléchies « en queue d'épagneul ». Ses cônes pendent sous les branches et leurs écailles s'écartent à maturité pour laisser s'échapper les graines ; plus tard, ils tombent d'une pièce sur le sol. Le bois de l'épicéa est utilisé essentiellement dans les charpentes, la menuiserie et les instruments de musique.

Sapin – Sa cime est large, à pointe aplatie « en nid de cigogne » chez les vieux sujets. Les cônes, dressés comme des chandelles, se désagrègent sur place, à maturité, en perdant leurs écailles (on ne trouve jamais de cônes de sapin sur le sol). On le rencontre sur les terrains ondulés du deuxième plateau. Le sapin est privilégié en menuiserie.

Hêtre – Appelé aussi « fayard » ou « foyard », le hêtre, arbre de haute taille, est reconnaissable à son tronc cylindrique recouvert d'une écorce gris pâle, à ses feuilles ovales, légèrement ondulées. Il peut pousser jusqu'à 1 700 m d'altitude et vivre jusqu'à 150 ans. Il préfère les versants humides. En automne, il donne des fruits comestibles appelés « faines » aux graines oléagineuses. Il occupe une place de choix dans la région et est surtout utilisé pour l'industrie et l'artisanat du bois.

Les essences secondaires

Le **mélèze**, sur les versants ensoleillés ; ses cônes sont petits.

Le pin **sylvestre**, au long fût grêle et aux cônes à écailles dures. Ses aiguilles sont réunies par une gaine écailleuse en bouquets de deux.

Le **bouleau**, gracieux avec son tronc blanc quand il est jeune, se plaît dans les sols humides ; c'est un excellent bois de chauffage.

Le **chêne**, un très bel arbre qui peut atteindre 30 m de hauteur ; son bois est apprécié par les menuisiers, son écorce par les tanneurs.

Le **chêne pubescent**, ou chêne blanc (ou « truffier »), sur les

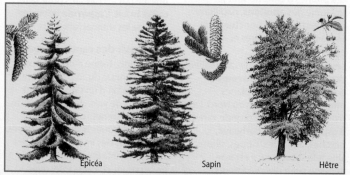

Épicéa   Sapin   Hêtre

landes calcaires et herbeuses des garides ; il se rencontre en taillis au-dessus du vignoble ; son écorce crevassée s'écaille en lamelles rectangulaires.

Faune et flore

La variété des reliefs et des milieux, la préservation des paysages et un certain respect de la nature permettent la présence d'une riche faune sauvage et d'une flore diversifiée.

UNE FAUNE DIVERSIFIÉE

La montagne jurassienne accueille des animaux parfois rares et souvent méconnus. Le **grand tétras** est un imposant coq de bruyère. Oiseau un peu farouche, il recherche la tranquillité des forêts d'altitude. Présent dans le massif du Massacre et du Risoux, il fait l'objet de mesures de protection qui visent à limiter la fréquentation de ces massifs de décembre à juin.

Longtemps pourchassé, le **lynx boréal** a disparu du paysage comtois vers la fin du 19e s. Progressivement réintroduit à partir de la Suisse, il occupe des forêts retirées et peu accessibles. Cet habile chasseur se nourrit aussi bien de chevreuils et de **chamois** que de **marmottes** ou d'oiseaux. Solitaire, il se déplace au crépuscule ou à la nuit tombée.

Les prairies d'altitude sont le royaume des **apollons**, papillons aux ailes blanches ponctuées de taches rouges et noires et au vol paresseux.

Les lacs aux eaux froides accueillent depuis le 19e s. le **cristivomer**, poisson gris à points blancs originaire d'Amérique du Nord. Les rivières abritent une grande variété d'espèces : truites, barbeaux, perches, anguilles, carpes, silures… Une telle abondance est une aubaine pour des prédateurs

comme le **martin-pêcheur**, qui plonge jusqu'à 1 m de profondeur, et le **héron cendré**, qui préfère les eaux peu profondes. Le milieu aquatique attire beaucoup d'autres oiseaux : milan noir, bécassine des marais, bergeronnette, chevalier guignette…

Les immenses forêts et les prés sont peuplés par toutes sortes de mammifères petits ou grands : cerfs, chevreuils, sangliers mais aussi écureuils, renards, blaireaux, martres, fouines, belettes ou hermines. L'abondance des petits rongeurs attire une grande variété de rapaces : buse variable et faucon pèlerin le jour, hibou grand duc et chouette de Tengmalm la nuit.

UNE FLORE D'INTÉRÊT NATIONAL

Les plantes, un usage ancestral

L'utilisation des fleurs et plantes sauvages touchait jadis à tous les domaines de la vie quotidienne. Elles servaient à la composition de remèdes ou de poisons. Aujourd'hui, seuls quelques botanistes et passionnés ont ces savoirs de « grand-mère ». Les vénéneux **aconits tue-loup** à fleurs bleues ou blanches sont soigneusement évités par le bétail. Leur racine servait autrefois de produit de base aux appâts empoisonnés destinés aux loups. La **grassette** commune était utilisé par les paysans pour faire cailler le lait. L'**aspérule** odorante soulage les rhumatismes.

Au plaisir des randonneurs

Le pré-bois, forme d'occupation la plus connue du massif du Jura, est le résultat d'un déboisement des fonds de vals, des pentes et de certains sommets où subsistent encore quelques bouquets d'arbres. Le vert frais des immenses prairies se bigarre, à la fin du printemps, de la parure éblouissante, mais

Gentiane jaune.
@laurent/iStock

brève, des fleurs des prés et des sous-bois : orchidées, narcisses blancs des poètes, ombellifères et légumineuses aux couleurs variées. Çà et là, on reconnaît la grande **gentiane** jaune et le **lys martagon**. La **centaurée** des montagnes s'épanouit sous les ombrages tandis que les zones rocheuses se couvrent, au printemps, d'un tapis doré, entrecoupé par les coussinets de corolles roses des **saponaires** et les touffes rouge sombre du **trèfle** des montagnes.

La végétation des zones humides revêt un caractère particulier. **Sphaignes** et **iris d'eau** font le charme de la région des Mille Étangs. Les vastes tourbières occupant les plateaux jurassiens, véritables reliques de l'époque glaciaire, abritent une flore spécifique de type arctique. On peut reconnaître l'**airelle des marais** et le **drosera** qui se gave d'insectes englués sur ses poils. Mais ce sont surtout les hauts pâturages qui sont remarquables : à la fonte des neiges, le tapis se couvre de **crocus** blancs ou mauves, parsemé de clochettes violettes curieusement frangées et de **soldanelles**. Puis apparaissent les petites gentianes d'un bleu profond et les innombrables anémones blanches ou jaunes, mêlées aux « boules d'or » des **trolles** d'Europe. En avril, les randonneurs sont nombreux à cueillir les **jonquilles**.

Les sous-bois abritent de nombreuses plantes à fleurs, des mousses, des fougères, et une multitude de délicieux champignons (morilles au printemps, girolles et cèpes à l'automne).

Histoire

Depuis l'Antiquité, la Franche-Comté a connu une histoire tumultueuse. Elle resta longtemps attachée à une autonomie chèrement conquise sur ses puissants voisins. Alors que Louis XIV assiégeait villes fortifiées et châteaux, leurs habitants répondirent par un cri de guerre, devenu devise de la région : « Comtois rends-toi ! Nenni ma foi ! », et par une résistance féroce. Ce n'est qu'en 1678 que la Franche-Comté fut annexée à la France par le traité de Nimègue. Plus près de nous, la vaillante défense de Belfort lors de la guerre de 1870 ou la résistance acharnée des maquis à l'occupation nazie illustrent le caractère courageux de la région.

Chronologie

SÉQUANIE ET PAX ROMANA

Avant J.-C.

● **4ᵉ s.** – Peuplade gauloise, les **Séquanes** s'installent dans le bas pays. Ils construisent des camps fortifiés dont le plus célèbre est Vesontio (Besançon). Leurs activités reposent sur l'élevage, comme l'atteste la mise au jour de nombreuses villas, et sur l'artisanat (Luxeuil était un centre de production de céramique sigillée).

● **58** – Inquiets de la menace germanique, les Séquanes appellent à l'aide les Romains. **César** entre à Besançon, rejette les Germains au-delà du Rhin et reste en Séquanie.

● **52** – Soulèvement général de la Gaule contre César. Les Séquanes vont au secours de Vercingétorix. Vaincus à **Alésia**, ils doivent se soumettre à la cause romaine.

● **51** – La Paix romaine s'étend sur la Séquanie comme sur l'ensemble de la Gaule.

L'ÉPOQUE BURGONDE

Après J.-C.

● **457** – Après la mort du général romain **Aetius**, leur défenseur, les Séquanes renoncent à la lutte et ouvrent leurs portes aux **Burgondes**, les plus évolués parmi les Barbares qui les entourent.

● **476** – L'Empire romain d'Occident s'effondre sous les coups des Barbares.

● **502** – Le **roi Gondebaud** devient le plus célèbre des rois burgondes en instaurant une législation qui réglemente la vie sociale.

● **534** – La Burgondie est conquise par les **rois francs**.

● **v. 590** – Saint Colomban fonde la puissante abbaye de Luxeuil.

NAISSANCE DE LA « COMTÉ »

● **888** – L'Empire carolingien se désagrège, et le **royaume de Bourgogne** est créé par Rodolphe Welf, fils du comte d'Auxerre. Dès le 11ᵉ s., il est ruiné par les invasions et se hérisse de châteaux forts. Son territoire est divisé en deux. Les pays jurassiens forment la comté de Bourgogne, également appelée **la Comté**, et qui sera désignée plus tard sous le nom de **Franche-Comté**. Les pays de Saône sont réunis dans le duché de **Bourgogne** ou **Duché**.

● **1032-1034** – À la mort sans postérité du dernier roi de

Portrait de Vauban (1633-1707).
Georgios Kollidas/iStock

Bourgogne, Rodolphe III, son neveu Eudes de Champagne dispute le royaume à l'empereur romain germanique, Conrad II le Salique. C'est ce dernier, couronné à Bâle en 1033, qui remporte la lutte de **succession de Bourgogne** un an plus tard, et rattache la Comté au **Saint Empire romain germanique**.

DE L'EMPIRE À LA FRANCE

Au cours des siècles suivants, l'autorité de l'Empire, tout comme celle du comte de Bourgogne, s'affaiblit en raison du désintérêt des empereurs pour les affaires comtoises, tandis que croît l'importance des grands féodaux, au premier rang desquels se placent les **Chalon**.

● **1295** – Par le **traité de Vincennes**, le comte Othon IV de Bourgogne cède la Comté au roi de France Philippe IV le Bel.

1307 – Le comte de Montbéliard, Renaud de Bourgogne, accorde aux Belfortains une **charte** de franchise libératrice.

Philippe le Long, fils de Philippe le Bel et futur roi de France, épouse Jeanne de Bourgogne, fille d'Othon IV, marquant ainsi le passage officiel de la Comté sous l'influence de la France.
Le développement du **monachisme** contribue largement à l'essor régional en favorisant de nouveaux foyers de peuplement et la mise en valeur des terres agricoles. Ce renouveau religieux marque également la période de construction d'une série d'édifices romans, puis gothiques.

● **1337** – Début de la **guerre de Cent Ans** : la Comté est ravagée par les Anglais.

● **1349** – La **peste noire** dévaste l'Europe : c'est « l'année de la grande mort ».

● **1350** – Belfort devient autrichienne après le mariage de Jeannette, fille de Jeanne de Montbéliard, avec Albert d'Autriche.

● **1366** – Le nom de **Franche-Comté** apparaît pour la première fois dans un acte officiel. Les historiens ne sont pas d'accord sur sa signification. Il serait issu soit du surnom de « franc comte » attribué au comte de Bourgogne **Rainaud III** (1126-1148), qui refusa de prêter hommage à l'empereur d'Allemagne, soit à l'exonération de la Comté de toutes tailles et à la conservation de ses langues et traditions sous l'**Empire germanique** au 13e s., soit à une déformation de « France Comté » au 15e s. Les armes et devise de la Franche-Comté font toutefois pencher vers l'insoumission…

● **1397** : Fiançailles d'Henriette, héritière du comté de Montbéliard, avec Eberhard IV de Wurtemberg (mariage en 1407). Cette alliance durera pendant quatre siècles. Le pays de Montbéliard devient wurtembourgeois, dans l'orbite de Stuttgart.

LA COMTÉ REDEVIENT BOURGUIGNONNE

● **1384-1477 – Philippe le Hardi** (fils du roi de France Jean le Bon), qui a déjà reçu le Duché, épouse l'héritière de la Comté et prend ainsi possession de toute la Bourgogne. Il ouvre la fameuse dynastie des **grands-ducs**, dont la puissance a dépassé celle des rois de France. Ses trois successeurs (Jean sans Peur, Philippe le Bon et Charles le Téméraire) matent la noblesse de la Comté, attachée à son indépendance, renforcent l'autorité du Parlement et des États, protègent les arts et les lettres.

● **1431** – Philippe le Bon s'empare de Belfort.

● **1461-1483** – Règne de Louis XI et courte occupation française de la Comté à partir de 1477.

RETOUR À L'EMPIRE : AUTONOMIE ET PAIX

● **1493** – Charles VIII rend la Comté à la maison d'Autriche et l'empereur Maximilien la donne à son fils Philippe le Beau. À sa mort, son fils Charles d'Autriche est très jeune : le pouvoir est alors confié à Marguerite d'Autriche qui va gouverner avec une sagesse souveraine.

● **1519** – Charles d'Autriche, qui possède déjà la Comté et les Flandres par héritage de son père, devient roi d'Espagne et hérite à la mort de Maximilien des domaines des Habsbourg. À 19 ans, il est élu empereur d'Allemagne sous le nom de **Charles Quint**. Sous son règne, la Comté prospère, l'artisanat et le commerce se développent. Le Parlement est composé de familles comtoises, la plus illustre étant celle des **Perrenot de Granvelle**. L'ascension de cette famille paysanne tient du prodige (voir p. 38). De ses charges successives, Nicolas de Granvelle tire une immense fortune et fait élever un vaste palais à Besançon. Ses fils et gendres occupent les meilleures places en Comté et à la Cour et son fils Antoine, cardinal de Granvelle, deviendra Premier ministre des Pays-Bas et vice-roi de Naples, intime de la cour d'Espagne.

● **1556-1598** – Charles Quint laisse la Comté à son fils **Philippe II**, roi d'Espagne, qui a beaucoup moins de sollicitude envers les Comtois.

● **1598** – Après la mort de Philippe II, la Comté revient à sa fille Isabelle, épouse de l'archiduc d'Autriche. La province appartient aux archiducs jusqu'à la conquête française.

LA CONQUÊTE FRANÇAISE

● **1601** – Henri IV obtient du duc de Savoie, par échange avec un domaine italien, la Bresse, le Bugey, le Valromey et le pays de Gex.

● **1618** – Début de la **guerre de Trente Ans** entre la maison d'Autriche et la France. Assiégée par les Suédois à partir de **1632**, Belfort est dévastée.

● **1635** – Richelieu ordonne d'envahir la Comté qui a donné asile à Gaston d'Orléans, son ennemi. La **guerre de Dix Ans** ruine le pays.

● **1636** – Le comte de la Suze prend possession de Belfort au nom du roi de France.

● **1643-1715** – Règne de Louis XIV.

● **1648** – **Mazarin** fait évacuer la Comté et lui rend sa neutralité. Le **traité de Westphalie**, qui met fin à la guerre de Trente Ans, ramène Belfort dans le giron de la France.

● **1659** – Ancienne ville frondeuse, Belfort est offerte au cardinal de Mazarin.

● **1668** – Louis XIV réclame la Comté comme partie de l'héritage de sa femme, Marie-Thérèse, fille du défunt roi d'Espagne. Après une courte campagne, il doit quitter le pays et la restitue à l'Espagne.

● **1674** – En guerre avec l'Espagne, Louis XIV fait une nouvelle tentative sur la province et réussit à assurer sa domination. La **paix de Nimègue** (1678) ratifie la conquête. Besançon devient la capitale.

● **1687-1703** – **Vauban** dirige l'édification des fortifications de Belfort, qui devient une place forte importante entre Jura et Vosges.

RÉSISTANCES, RÉVOLUTIONS ET GUERRES

● **1715-1774** – Règne de Louis XV. Jusqu'en 1789, l'histoire comtoise se traduit par une résistance aux décisions qui émanent de la Cour de Versailles.

● **1789** – Situation insurrectionnelle en Franche-Comté : révolte des paysans contre les droits seigneuriaux.

● **1793** – Le Pays de Montbéliard est rattaché à la France. L'administration révolutionnaire divise la Franche-Comté en trois départements : **Haute-Saône, Doubs** et **Jura**.

● **1804-1814** – Règne de Napoléon Ier.

● **1815** – Occupation du pays par des armées ennemies et réquisitions autrichiennes. Courageuse défense de Belfort (juin-juillet) par **Lecourbe**.

● **1870** – Le Second Empire s'achève dans la confusion de la guerre franco-prussienne. La IIIe République est proclamée le **4 septembre**.

● **Novembre 1870-février 1871** – Lors du siège de Belfort, la résistance héroïque du colonel **Denfert-Rochereau** devant 40 000 Prussiens force l'admiration de ses adversaires. Il est arrêté sur ordre du gouvernement de Thiers, mais son combat permettra cependant à la France de conserver le territoire de Belfort (**traité de Francfort**, mai 1871). Il est immortalisé par le célèbre Lion de Bartholdi.

● **Fin 19e s. - début 20e s.** – La Franche-Comté se transforme en s'industrialisant. La révolution industrielle fait naître de grandes dynasties comme Peugeot et Japy, compensant la récession de l'horlogerie due à la **Première Guerre mondiale (1914-1918)**.

● **1922** – Le **Territoire de Belfort** est le 90e département français.

● **1930** – Le moine-architecte Dom Bellot construit l'église de l'Immaculée-Conception à Audincourt, l'une des premières églises en béton armé de France.

● **1936** – AOC vin d'Arbois, l'une des premières de France.

● **1940** – La **Seconde Guerre mondiale** débute par l'occupation allemande de la Franche-Comté, pour couper la retraite des armées françaises gagnant le Midi en longeant la frontière suisse. La Franche-Comté se trouve divisée en deux par la ligne de démarcation, qui traverse le Jura du sud de Dole à Prémanon. La région devient un lieu de passage pour gagner la Suisse.

● **1943** – La **Résistance** se développe, particulièrement dans le sud (*voir p. 403*), en raison de sa proximité avec Lyon. Nombreux parachutages ; atterrissages près de Lons-le-Saunier du chef de l'armée secrète le général Delestraint, de Jean Moulin, des Aubrac… Plusieurs centaines de résistants y ont laissé leur vie…

● **1944** – **Débarquement** des armées alliées en Normandie. L'armée de De Lattre de Tassigny arrive en septembre. En novembre, la conquête par les Alliés du nord du département du Doubs et de Belfort achève la **libération** de la Franche-Comté.

DE L'APRÈS-GUERRE À NOS JOURS

● **1950** – Jumelage de Montbéliard - Ludwigsburg (Bade-Wurtemberg) : 1er jumelage franco-allemand.

● **1953-1955** – N.-D.-du-Haut, dessinée par **Le Corbusier**, est construite à Ronchamp.

● **1959** – Création du district urbain du pays de Montbéliard (25 communes), l'un des 3 premiers districts de France.

● **1973** – La société horlogère **Lip** tente de licencier un tiers de ses employés à Besançon. L'usine, occupée, passe à l'autogestion, malgré la liquidation prononcée par le tribunal et l'ordre d'évacuation par le gouvernement. Elle est soutenue par une massive manifestation de rue.

● **1974** – **Edgar Faure**, député du Doubs, ancien député du Jura, devient le premier président de la région Franche-Comté.

● **1979** – Première édition de la **Transjurassienne**. Cette course de ski de fond de 68 km, reliant Lamoura à Mouthe, est la seule course française à intégrer le classement de la Worldloppet (coupe du monde des courses longues distances).

● **1982** – La Saline royale d'Arc-et-Senans est incrite au patrimoine mondial de l'Unesco.

● **1984** – **Jean-Pierre Chevènement**, député-maire de Belfort depuis 1973, devient pour la première fois ministre. Après l'Éducation nationale jusqu'en 1986, il sera ministre de la Défense (1988-1991) et de l'Intérieur (1997-2000).

● **1986 et 1989** – Création des parcs naturels régionaux du Haut-Jura et des Ballons des Vosges.

● **1989** – Création du festival de musique **Les Eurockéennes de Belfort**.

● **2001** – Pontarlier peut à nouveau produire de l'absinthe ; les premières bouteilles sortent en décembre. L'apéritif a été réhabilité un an auparavant, après une légère transformation de sa composition.

● **2008** – Les fortifications de Vauban sont inscrites au patrimoine mondial de l'Unesco. La citadelle de Besançon est l'un des 12 sites exemplaires de Vauban.

● **2009** – Inscription des Salines de Salins-les-Bains sur la liste du patrimoine mondial de l'Unesco.

● **2011** – Ouverture de la **branche Est du TGV Rhin/Rhône** et création de deux nouvelles gares TGV : Besançon-Franche-Comté et Belfort-Montbéliard.

● **2013** – La **Cité des arts et de la culture** ouvre à Besançon dans un ensemble architectural imaginé par l'architecte Kengo Kuma.

● **2016** – Création de la **nouvelle région Bourgogne-Franche-Comté**, issue de la fusion des deux anciennes régions dans le cadre de la réforme territoriale.
Inscription de la chapelle **Notre-Dame-du-Haut de Ronchamp**, construite par Le Corbusier, au Patrimoine mondial de l'Unesco.

● **2018** – Réouverture du musée des Beaux-Arts de Besançon après quatre années de travaux de rénovation.

Patrimoine culturel

Est-ce la rudesse du climat, la beauté sauvage des terroirs ou une culture traditionnelle de lutte et d'inventivité qui a fait de ce pays un terreau de découvreurs, d'artistes et de bâtisseurs ? Lieu de passage et d'échanges, territoire stratégique, la Franche-Comté a vu s'édifier forteresses et châteaux. Ceux-ci témoignent, aujourd'hui encore, des événements qui ont marqué la région et des hommes animés d'idées neuves dont elle fut le berceau, tel Fourier, Ledoux, Proudhon, Courbet et même Hugo.

Architecture

Outre l'architecture religieuse, souvent mise à mal par le passé tourmenté de la région, mais dont restent de beaux clochers aux tuiles vernissées, l'habitat traditionnel a été préservé et mis en valeur. Représentée notamment par les fortifications de Vauban, Haxo et Séré de Rivières, l'architecture militaire nous rappelle pour sa part l'importance stratégique de cette région frontalière.

LES ÉGLISES

Très nombreuses pendant le Moyen Âge, les fondations monastiques ont contribué à la valorisation du patrimoine naturel et bâti de la région, attirant les populations. Les bénédictins implantèrent un art primitif inspiré des basiliques italiennes, les clunisiens favorisèrent certainement l'influence de l'architecture bourguignonne, tandis que les cisterciens propagèrent le chevet plat de Cîteaux et ouvrirent la voie à l'art gothique.

Un art roman influencé

Il n'existe pas d'art roman proprement comtois. L'église de cette période, d'un **type primitif**, emprunte des éléments à l'art bourguignon et à l'art lombard. Elle est généralement de plan basilical avec un transept peu saillant. Le chœur est clos par une abside en hémicycle, flanquée de deux absidioles ouvrant sur le transept, ou se termine par un chevet plat (église de Courtefontaine). De grandes arcades reposent sur de lourdes piles, dépourvues de chapiteaux. La croisée du transept est surmontée d'une coupole ou du clocher. Les églises comtoises se caractérisent par leur sobriété, accentuée par l'absence quasi totale de décoration. Seules de hautes bandes lombardes réunies par quelques arcatures produisent un certain effet décoratif.

La cathédrale St-Jean de Besançon est l'un des rares vestiges de l'**influence rhénane carolingienne** en Franche-Comté.

De nombreux conflits ont fortement altéré le patrimoine de la Franche-Comté et peu d'églises ont été vraiment préservées. Les églises de St-Hymetière et de St-Lupicin (début 12e s.), celle de Boussières et la crypte de St-Désiré à Lons-le-Saunier en sont les témoins les mieux conservés.

Un art gothique tardif

Le style gothique a eu du mal à s'imposer face au roman. La fin du 13e s., qui marque ailleurs la fin de la grande période de création gothique, emprunte encore des caractéristiques romanes sur les édifices adoptant le « **nouveau style** ». St-Anatoile de Salins, avec son portail en plein cintre, son triforium à arcatures romanes et ses grandes arcades à arc en ogive, est l'église qui reflète le mieux cette période de transition. Le goût persistant pour le plein cintre donne aux églises comtoises un caractère qui leur est propre.

Le gothique ne connut sa véritable extension en Franche-Comté qu'avec les formes flamboyantes du 15e s. L'**église comtoise flamboyante** se compose de trois hautes nefs aveugles séparées par d'élégantes arcades en tiers-point soutenues par des piliers ronds, le long desquels s'engagent les nervures des voûtes et les moulures des arcades. Elle est surmontée d'un clocher monumental. De grandes baies éclairent un chœur profond à cinq pans (cathédrale de St-Claude, collégiale de Poligny) cerné par deux chapelles. Du fait de la mesure et de la sobriété propres à l'esprit comtois, les voûtes à liernes et tiercerons sont rares (la basilique Notre-Dame de Gray en donne cependant un exemple) et seules les chapelles seigneuriales (Mièges) s'ornent d'importantes clefs pendantes.

Renaissance et art classique : période des grands chantiers

La Renaissance italienne ne toucha que très superficiellement et très tardivement l'architecture religieuse comtoise, se révélant sur les annexes des édifices : chapelles des églises à Pesmes ou portes d'entrée au collège de l'Arc à Dole. L'**art classique**, également freiné par la persistance du gothique, ne s'épanouit pleinement qu'après 1674. La destruction de nombreuses églises pendant la guerre de Dix Ans (1633-1643), associée à la petitesse et au mauvais état des églises léguées par le Moyen Âge, explique le nombre considérable de constructions entreprises jusqu'à la Révolution. L'élément le plus caractéristique en est le clocher formant porche, coiffé d'un **dôme à l'impériale**, c'est-à-dire à quatre contre-courbes, couvert de tuiles vernissées, qui fut la norme jusque dans la seconde moitié du 19e s. On en dénombre près de 700 exemplaires.

Trois plans prédominent : l'église à nef unique, avec ou sans transept, l'église à plan centré et l'église-halle à trois nefs d'égale hauteur. L'intérieur est souvent peint de blanc. La fin du 18e s. et la première moitié du 19e s. adoptent le style néoclassique, au décor simple, voire austère.

Art contemporain : un renouveau spirituel

La Franche-Comté peut s'enorgueillir d'avoir été le théâtre d'un **renouveau** de l'art religieux dans les années 1950 et 1960, à Audincourt, Ronchamp et Dole (église St-Jean-l'Évangéliste), qui exacerbe la spiritualité des lieux par l'élan plastique des formes et la maîtrise de la lumière. Dans le même esprit, de nombreux artistes, tels Manessier, Gabriel Saury, Bazaine, Le Moal, Fernand Léger ou Jean Ricardon, ont contribué à faire vivre ou revivre des édifices grâce à leurs vitraux, sculptures, mosaïques ou tapisseries.

FORTERESSES, DEMEURES ET FONTAINES

Souvent ravagée par les guerres et les invasions, la province s'employa à reconstruire durant les périodes de répit. Mais les grands chefs-d'œuvre demeurent peu nombreux. La sobriété des ouvrages comtois ne saurait néanmoins les priver d'un charme particulier, parfois enrichi d'influences extérieures.

Le château médiéval du Pin.
F. Guiziou/hemis.fr

Époque gallo-romaine

La Séquanie était riche, mais elle ne résista pas aux **invasions** des 9e et 10e s., aussi ne reste-t-il que bien peu de vestiges de son glorieux passé : l'arc de triomphe que les Bisontins appellent Porte Noire, la voie romaine de Boujailles, les vestiges du théâtre de Mandeure, près de Montbéliard.

L'apogée du château fort

Après la désagrégation de l'autorité carolingienne, les seigneurs affirment leur pouvoir local et construisent leurs châteaux. Emprunté aux peuples nordiques, le **donjon** ou **château à motte** (11e s.) reste très sommaire. Il se compose d'une motte (tertre de terre) entourée d'un fossé et surmontée d'une tour en bois quadrangulaire. Des **forteresses de pierre**, édifiées principalement sur des hauteurs (Pesmes, Champlitte), voient ensuite le jour : l'enceinte abrite les bâtiments de service et d'habitation ; le donjon y reste le point fort.

Le 13e s. marque l'apogée du château fort. L'habitat seigneurial devient la **maison forte**. Située à l'écart des villages, elle repose sur une plate-forme artificielle entourée d'un fossé en eau. Les bâtiments (logis et communs) se répartissent autour d'une cour. La guerre de Cent Ans a provoqué de larges destructions, mais le château du Pin (15e s.), admirablement conservé, offre un témoignage intéressant de l'architecture militaire médiévale.

Renaissance : prospérité et influences italiennes

Au 16e s., avec le retour de la paix et de la prospérité, de nombreux châteaux subissent des transformations : amélioration de leur défense pour parer à la récente invention du boulet de métal, renforcement des remparts, percement de canonnières, édification de tours d'artillerie protégeant l'entrée.

L'aristocratie préfère souvent la ville et le confort de ses **hôtels particuliers**, où s'exprime véritablement l'art de la Renaissance. À Montbéliard, le prince Frédéric Ier s'attache les

ABC d'architecture

Les dessins présentés dans les planches qui suivent offrent un aperçu visuel de l'histoire de l'architecture dans la région et de ses particularités. Les définitions des termes d'art permettent de se familiariser avec un vocabulaire spécifique et de profiter au mieux des visites des monuments religieux, militaires ou civils.

Architecture religieuse

FAVERNEY – Plan de l'église abbatiale (12ᵉ - 17ᵉ s.)

Modifiée au cours des siècles, l'église a connu ses heures de gloire au 17ᵉ s. grâce au fameux miracle des Hosties ; une chapelle, à gauche du chœur, lui est d'ailleurs consacrée.

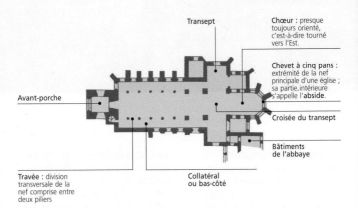

Transept

Chœur : presque toujours orienté, c'est-à-dire tourné vers l'Est.

Chevet à cinq pans : extrémité de la nef principale d'une église ; sa partie, intérieure s'appelle l'abside.

Avant-porche

Croisée du transept

Bâtiments de l'abbaye

Travée : division transversale de la nef comprise entre deux piliers

Collatéral ou bas-côté

SAINT-HYMETIÈRE – Église (11ᵉ- 17ᵉ s.)

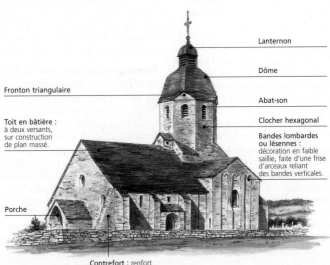

Fronton triangulaire

Lanternon

Dôme

Abat-son

Clocher hexagonal

Toit en bâtière : à deux versants, sur construction de plan massé.

Bandes lombardes ou lésennes : décoration en faible saillie, faite d'une frise d'arceaux reliant des bandes verticales.

Porche

Contrefort : renfort extérieur d'un mur, faisant saillie et engagé dans la maçonnerie.

Illustrations : R. Corbel/MICHELIN

MIÈGES – Chapelle des Chalon

Seules quelques chapelles seigneuriales, telle celle des Chalon, offrent ces splendides décors flamboyants très rares en Franche-Comté.

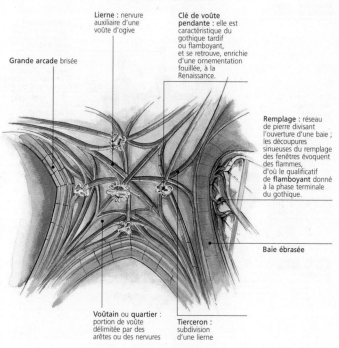

Lierne : nervure auxiliaire d'une voûte d'ogive

Clé de voûte pendante : elle est caractéristique du gothique tardif ou flamboyant, et se retrouve, enrichie d'une ornementation fouillée, à la Renaissance.

Grande arcade brisée

Remplage : réseau de pierre divisant l'ouverture d'une baie ; les découpures sinueuses du remplage des fenêtres évoquent des flammes, d'où le qualificatif de **flamboyant** donné à la phase terminale du gothique.

Baie ébrasée

Voûtain ou **quartier :** portion de voûte délimitée par des arêtes ou des nervures

Tiercéron : subdivision d'une lierne

PONTARLIER – Portail de la chapelle des Annonciades (1725)

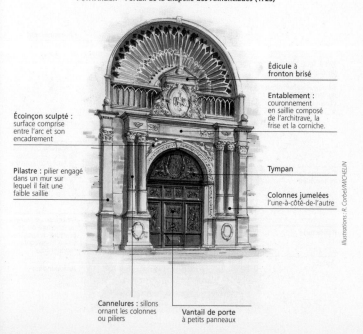

Édicule à fronton brisé

Écoinçon sculpté : surface comprise entre l'arc et son encadrement

Entablement : couronnement en saillie composé de l'architrave, la frise et la corniche.

Pilastre : pilier engagé dans un mur sur lequel il fait une faible saillie

Tympan

Colonnes jumelées l'une-à-côté-de-l'autre

Cannelures : sillons ornant les colonnes ou piliers

Vantail de porte à petits panneaux

Illustrations : R. Corbel/MICHELIN

LUXEUIL-LES-BAINS – Orgue de l'ancienne abbaye St-Colomban

Construit entre 1617 et 1680, cette magnifique tribune d'orgue fut en partie réalisée par un artiste breton, Jean Dogadec.

Plate-face : rangée verticale de tuyaux

Amortissement : couronnement d'un édifice ou d'une partie d'édifice

Montre : ensemble des tuyaux de façades (ceux qui sont montrés)

Jeu : groupe de tuyaux

Grand buffet : meuble qui renferme les tuyaux

Tourelle

Positif : jeu secondaire disposé derrière le dos de l'organiste

Médaillon : portrait ou sujet sculpté, inscrit dans un cercle ou dans un ovale.

Sculpture en **haut-relief** : en forte saillie

Atlante : statue masculine servant de support

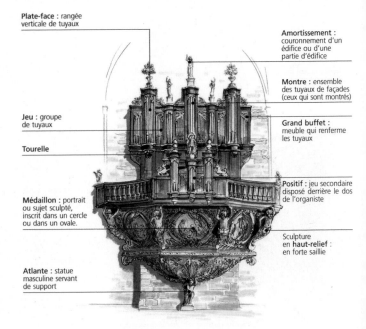

CHAUX-NEUVE – Maître-autel de l'église Saint-Jacques

Assez différents des retables de Haute-Saône, les retables du Doubs sont d'une richesse qui rappelle les décors baroques de Suisse ou des Alpes.

Couronnement

Pot à feu : élément décoratif en forme de vase coiffé d'une flamme, caractéristique de l'architecture classique.

Entablement

Chapiteau corinthien : orné de deux rangs de feuilles d'**acanthe** (plante méditerranéenne de la famille du chardon).

Colonne cannelée et torsadée

Console d'applique

Rinceaux : ornement de sculpture ou de peinture composé d'une frise végétale formant frise

Tabernacle

Autel

Antependium : devant, parement d'autel.

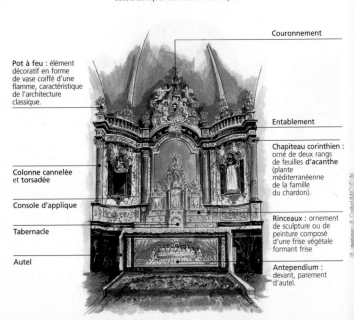

Architecture militaire

CLÉRON – Château (14ᵉ s.)

Cet ancien château féodal remanié borde l'impétueuse rivière de la Loue qui constitue une douve très efficace.

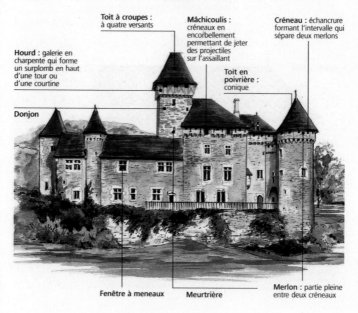

Toit à croupes : à quatre versants

Mâchicoulis : créneaux en encorbellement permettant de jeter des projectiles sur l'assaillant

Créneau : échancrure formant l'intervalle qui sépare deux merlons

Hourd : galerie en charpente qui forme un surplomb en haut d'une tour ou d'une courtine

Toit en poivrière : conique

Donjon

Fenêtre à meneaux

Meurtrière

Merlon : partie pleine entre deux créneaux

BESANÇON – La citadelle

Merveille de fortifications perchée à 118 m au-dessus du Doubs, la citadelle de Besançon a été achevée par Vauban au 17ᵉ s.

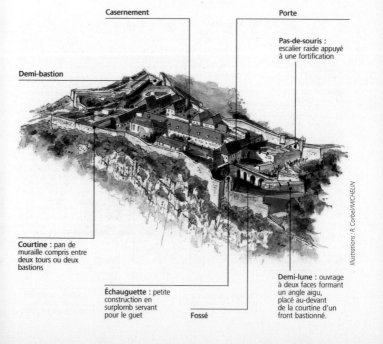

Casernement

Porte

Pas-de-souris : escalier raide appuyé à une fortification

Demi-bastion

Courtine : pan de muraille compris entre deux tours ou deux bastions

Échauguette : petite construction en surplomb servant pour le guet

Fossé

Demi-lune : ouvrage à deux faces formant un angle aigu, placé au-devant de la courtine d'un front bastionné.

Illustrations : R. Corbel/MICHELIN

Architecture civile

GRAY – Hôtel de ville (1567-1572)

Ce superbe édifice public à portique n'a perdu que les meneaux de ses fenêtres et ses gargouilles de plomb. Le portique accueillait autrefois quelques boutiques.

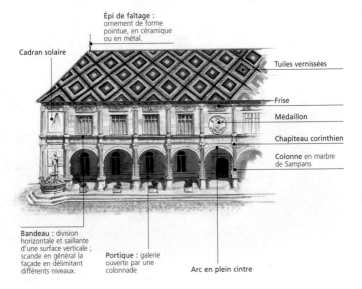

Épi de faîtage : ornement de forme pointue, en céramique ou en métal.

Cadran solaire

Tuiles vernissées

Frise

Médaillon

Chapiteau corinthien

Colonne en marbre de Sampans

Bandeau : division horizontale et saillante d'une surface verticale ; scande en général la façade en délimitant différents niveaux.

Portique : galerie ouverte par une colonnade

Arc en plein cintre

Saline royale d'ARC-ET-SENANS – Maison du Directeur

Création utopique d'un architecte hors norme, C.-N. Ledoux, la saline est centrée autour de la maison du Directeur qui représente l'autorité.

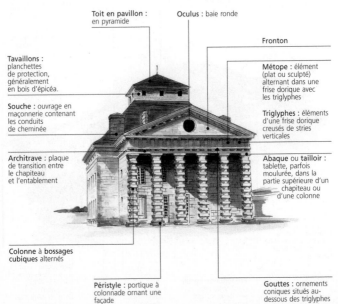

Toit en pavillon : en pyramide

Oculus : baie ronde

Fronton

Tavaillons : planchettes de protection, généralement en bois d'épicéa.

Métope : élément (plat ou sculpté) alternant dans une frise dorique avec les triglyphes

Souche : ouvrage en maçonnerie contenant les conduits de cheminée

Triglyphes : éléments d'une frise dorique creusés de stries verticales

Architrave : plaque de transition entre le chapiteau et l'entablement

Abaque ou tailloir : tablette, parfois moulurée, dans la partie supérieure d'un chapiteau ou d'une colonne

Colonne à bossages cubiques alternés

Péristyle : portique à colonnade ornant une façade

Gouttes : ornements coniques situés au-dessous des triglyphes

Illustrations : R. Corbel/MICHELIN

SYAM – Villa palladienne

C'est un maître des forges, J.-E. Jobez, qui fit construire cette villa vers 1825. Il s'est fortement inspiré des villas italiennes réalisées par Palladio au 16ᵉ s.

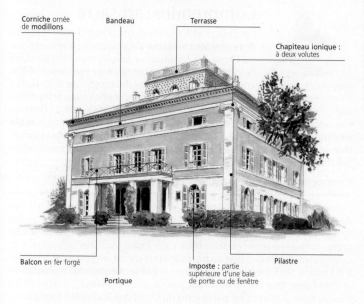

Corniche ornée de modillons

Bandeau

Terrasse

Chapiteau ionique : à deux volutes

Balcon en fer forgé

Portique

Imposte : partie supérieure d'une baie de porte ou de fenêtre

Pilastre

VOUGLANS – Barrage

Noyant une partie de la vallée de l'Ain, le barrage de Vouglans est un ouvrage majeur qui forme une des plus importantes retenues de France (3ᵉ).

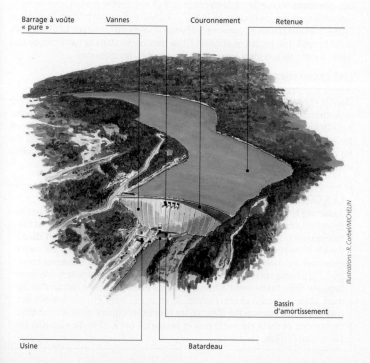

Barrage à voûte « pure »

Vannes

Couronnement

Retenue

Usine

Batardeau

Bassin d'amortissement

Illustrations : R. Corbel/MICHELIN

Comprendre l'art sacré

Les églises et les temples ont d'abord pour fonction de **réunir les chrétiens** qui y célèbrent la résurrection du Christ, en écoutant sa parole, recueillie dans les Évangiles, et en faisant mémoire de son dernier repas avec ses disciples. Au cours des siècles, à la suite de dissensions doctrinales, les chrétiens se sont séparés en plusieurs branches : catholiques, orthodoxes (séparés des catholiques au 11e s.) et protestants (séparés au 16e s.). Dans les temples protestants, l'espace est organisé autour de la **chaire** et de la **table de communion**. Dans les églises catholiques, les regards convergent vers le **chœur**, souvent surélevé, où se dressent l'**autel** (sur lequel sont consacrés le pain et le vin) et l'**ambon** (pupitre où est lue la Bible).

COMPRENDRE LA SYMBOLIQUE DES LIEUX

Les temples (ou églises protestantes) se caractérisent généralement par leur dépouillement, tandis que la tradition catholique a conservé l'usage des symboles et des images. Les églises, qui adoptent souvent la **forme d'une croix**, sont généralement **orientées**, c'est-à-dire tournées vers l'orient, le soleil levant. En progressant du **portail** vers le chœur, on passe des ténèbres à la lumière. Les fidèles se tiennent dans la **nef**, mot évoquant l'embarcation qu'est l'Église. Pour arriver au chœur, on franchit le **transept** qui rappelle les deux bras de la croix : c'est par la mort du Christ que le chrétien reçoit la vie éternelle. Proche de l'entrée, le **baptistère** sert au rite du baptême au cours duquel le catéchumène est plongé dans l'eau, mourant symboliquement à lui-même pour renaître à la suite du Christ.

Les **nombres 3** (Trinité), **4** (univers fini), **7** (3 + 4, chiffre parfait, chiffre de la Création et, donc, de l'homme), le **8** (7 + 1, chiffre plus que parfait, associé au Christ… et aux baptisés, appelés à devenir images du Christ) et **12** (3 x 4 mais aussi les apôtres, les tribus d'Israël…) se retrouvent dans la symbolique des lieux. Il suffit de compter les portails, les travées, les colonnes…

LIRE LES IMAGES

Dans le christianisme, les images ont d'abord pour fonction d'éveiller à la foi, d'illustrer la vie de Jésus, image parfaite et visible du Dieu invisible, d'inviter à mettre en pratique son enseignement. La nature et la vie des hommes sont fréquemment représentées (notamment à l'arrière-plan des tableaux ou sur les chapiteaux des piliers) : travail des champs et des vignes, arbres, plantes et animaux, signes d'une terre féconde.

LES ORIGINES DU CHRISTIANISME

Jésus de Nazareth est un Juif qui vécut au début de notre ère dans la Palestine alors occupée par les Romains. Pour ses disciples, Dieu s'est fait homme en la personne de Jésus, qui est donc **à la fois homme et dieu** ; il est le Christ (ou Messie), annoncé par les prophètes du peuple juif, venu exprimer aux hommes l'amour inconditionnel de Dieu. Cet amour comporte la **promesse d'un salut**, c'est-à-dire d'une vie par-delà la mort, dans laquelle l'être humain est affranchi du mal et du péché (ce qui pousse au mal). Selon la tradition chrétienne, Jésus, après avoir été mis à **mort sur une croix**, est **ressuscité d'entre les morts**, marquant ainsi le triomphe de l'amour et de la vie sur le mal et la mort. Il est le chef du « peuple de Dieu », de l'Église.

IDENTIFIER LES SCÈNES DE LA BIBLE

Scènes tirées de l'Ancien Testament

Création du monde (Genèse)	Adam (« homme » en hébreu) et Ève : le couple originel est représenté tantôt en son innocente nudité dans le jardin d'Éden, tantôt cédant à la tentation devant l'arbre défendu, tantôt chassé du jardin du Paradis.

Scènes tirées du Nouveau Testament

Arbre de Jessé	Arbre généalogique du Christ : Jessé, roi d'Israël, en est la souche et Jésus, par sa mère, Marie, l'ultime fruit.
Annonciation	L'ange Gabriel annonce à Marie qu'elle sera la mère du Sauveur.
Noël	Jésus naît à Bethléem. Auprès de lui, son père adoptif, Joseph, et sa mère. Depuis le 13ᵉ s., la tradition populaire les place dans une étable, avec un bœuf et un âne.
Épiphanie	Des « mages (chercheurs) venus d'Orient » viennent adorer Jésus nouveau-né. Ils lui offrent de l'encens, de la myrrhe et de l'or, présents dignes d'un roi.
Baptême	Jean-Baptiste baptise Jésus dans le Jourdain. Une colombe surgit et une voix venue du ciel proclame : « Celui-ci est mon fils bien aimé. En lui, j'ai mis tout mon amour. »
Cène	Dernier repas de Jésus avec les apôtres, au cours duquel il partage le pain et le vin, et dit : « Ceci est mon corps. Ceci est mon sang. » Il institue ainsi l'Eucharistie (ou communion).
Passion	Trahi par son disciple Judas Iscariote, Jésus est arrêté, jugé et torturé. Il porte sa croix jusqu'au Calvaire (chemin de croix). Crucifié, il pardonne à tous avant de mourir.
Pâques	Au matin, le tombeau où reposait Jésus est vide, le linceul posé sur la pierre. Un ange annonce aux femmes que le Christ est ressuscité. Jésus apparaît à Marie de Magdala, puis aux apôtres.
Ascension	Jésus disparaît à la vue des apôtres rassemblés. Il est élevé aux cieux.
Pentecôte	Jésus envoie son esprit, l'Esprit de Dieu, sur les apôtres et toute l'humanité. L'Esprit apparaît sous forme de petites flammes. Dans la tradition chrétienne, ce sont les débuts de l'Église.
Assomption de Marie	La mère de Jésus est élevée aux cieux. C'est la première des êtres humains à recevoir la vie éternelle.
Jugement dernier	Cette scène anticipe la fin des temps. Le Christ rend à chacun selon ses actes d'amour. Souvent un ange muni d'une balance pèse les actes des hommes. Des tombeaux ouverts surgissent les morts.

IDENTIFIER LES PRINCIPALES FIGURES

Dieu	Dans la tradition chrétienne, il y a un seul Dieu en trois personnes, dont l'unité repose sur l'amour qui les relie les unes aux autres. Le Fils, Jésus, est généralement figuré avec sa croix ; l'Esprit, sous la forme d'une colombe. Le Père, plus rarement représenté, a traditionnellement les traits d'un vieillard barbu.
Marie (Notre-Dame)	La mère de Jésus est souvent représentée portant l'Enfant (Vierge à l'Enfant) ou bien au pied de la croix (Pietà), ou encore couronnée d'étoiles et la lune sous les pieds (référence au livre de l'Apocalypse).
Saint Jean le Baptiste	On le voit, vêtu d'une peau de bête, le doigt pointé pour désigner Jésus, ou bien portant un agneau (symbole du Christ, qui s'est offert en sacrifice pour vaincre la mort).
Les quatre évangélistes	Les auteurs des premiers récits de la vie de Jésus sont souvent représentés par un homme ailé (Matthieu), un lion (Marc), un taureau (Luc), un aigle (Jean). Notez que Jean et Matthieu faisaient partie des douze apôtres de Jésus.
Les douze apôtres (ou disciples)	Ce sont douze hommes, choisis par Jésus pour être ses premiers témoins. Ils se reconnaissent souvent à leur nombre. Pierre porte des clés (celles du Paradis) ou une barque (image de l'Église dont il fut le premier pape) ; André une croix en forme de X (son martyre) ; Jacques le Majeur une coquille St-Jacques ; Judas Iscariote une bourse (l'argent de sa trahison). Thomas montre du doigt la plaie que Jésus ressuscité a au côté.

services de l'architecte Heinrich Schickhardt qui dote la ville d'édifices remarquables tel le temple St-Martin (1601-1607) inspiré de la Renaissance italienne. L'architecture civile s'ouvre aux formes venues d'Italie, comme en témoigne le palais de Perrenot de Granvelle, construit à Besançon vers 1534. La Franche-Comté s'enrichit de monuments aux façades à ordres superposés (hôtel de ville de Gray). Des frontons apparaissent au-dessus des fenêtres, remplaçant progressivement les arcs en accolade. Au rez-de-chaussée, l'arc en anse de panier, utilisé pour les portes ou les galeries ouvertes, introduit un rythme sans doute d'inspiration espagnole (cour intérieure du palais Granvelle). Le renouveau architectural s'illustre dans la **décoration florale** (façade du château de Champlitte). Connu pour ses réalisations bourguignonnes, l'architecte décorateur Hugues Sambin (1518-1601), né près de Gray, a fait de la façade polychrome du palais de justice de Besançon (1581) son chef-d'œuvre comtois.

L'œuvre de Vauban

Au 17e s., la Comté est meurtrie par la guerre de Dix Ans. Ce n'est qu'après 1678, date du rattachement de la province à la France, que l'architecture prend un nouvel élan. La position stratégique de la région oblige le royaume à lancer des chantiers de fortification, confiés à Vauban. Le grand mérite de l'architecte royal est d'avoir mené à son apogée la conception du **tracé bastionné**, dont le principe consiste à encadrer une courtine de deux bastions de façon qu'ils se protègent mutuellement. Il sut parfaitement l'adapter au relief de chaque site, aussi bien pour les enceintes urbaines (Belfort, ses tours et ses casemates, Besançon) que pour les forts (fort St-André de Salins-les-Bains).

L'architecture civile s'épanouit réellement au 18e s., période très féconde pour l'art comtois, comme en témoigne la Saline royale d'Arc-et-Senans, conçue comme une **ville idéale** par l'architecte visionnaire Ledoux (seule une dizaine de bâtiments construits, sur la centaine prévue). Les châteaux (plan type en fer à cheval comme à Moncley), les hôtels particuliers et les édifices civils arborent des façades parfaitement symétriques, percées de grandes ouvertures surmontées de frontons triangulaires ou arrondis. Certains d'entre eux atteignent la perfection avec le style Louis XVI.

Après la Révolution : le temps des mairies

En 1789, même la plus petite des communes devient un relais de l'administration. Il faut donc à toutes un bâtiment prévu à cet effet. Le nombre de ces constructions municipales de prestige est important jusqu'en 1870. De 1808 à 1852, le Conseil des bâtiments civils auprès des préfets contrôle l'esthétique des travaux selon la mode **néoclassique** de l'époque. De nombreuses mairies, maisons communes, mais aussi fontaines-mairies et lavoirs sont élevés, révélant des architectes tels **Louis Moreau** (voir p. 119) ou **Alphonse Delacroix** (voir p. 89).

Maisons comtoises

En Bresse comtoise, l'utilisation du bois caractérise l'habitat, tandis que, sur les terres plus élevées, la pierre reste le matériau de base. Des évolutions concernant la construction et la fonction des maisons sont en revanche très perceptibles. Les constructions contemporaines empruntent les traits essentiels à la tradition mais sont moins massives et plus uniformes. Les maisons de montagne, dont la configuration n'est plus assez adaptée aux

CLAUDE-NICOLAS LEDOUX (1736-1806)

Architecte ou idéaliste ? Le franc-maçon Claude-Nicolas Ledoux est les deux à la fois. Ses idées s'insèrent dans un projet de société, une vision du bonheur. Si ses premières interventions eurent lieu dans le domaine de l'architecture religieuse (églises de Fouvent-le-Haut et La Roche), c'est dans la réalisation d'édifices liés à la vie économique qu'il exprima la plénitude de son inspiration. Son ouvrage le plus abouti reste la Saline royale d'Arc-et-Senans (👁 p. 76). Ses idées étonnent aujourd'hui par leur esthétisme moderne et leur démesure. Beaucoup d'entre elles, par exemple son projet de cité idéale à Chaux, ne furent jamais réalisées.

---

activités agricoles, se transforment en résidences secondaires.

La maison de montagne – Trapue et ramassée, la maison de montagne, n'ayant pas de prise au vent, peut affronter le climat du haut Jura particulièrement rude. Ses murs de pierre, épais, sont percés de fenêtres minuscules. De part et d'autre de la façade, se trouvent des avancées, les **coches**, qui protègent les portes du froid. Les façades exposées aux intempéries sont protégées par des **tavaillons** (lamelles de bois). Les **ancelles** (grandes lamelles) recouvraient autrefois la vaste toiture. Elles ont été peu à peu remplacées par la tôle ou la tuile en terre cuite, qui a gagné toutes les régions, se substituant aux **tuiles plates** du pays dolois ou aux **lauzes** du Sud Revermont.

En zone de montagne, l'élevage est prédominant, et l'habitat jouxte une vaste étable où les bêtes se nourrissent pendant l'hiver. À l'étage s'étend la grange, dont l'ouverture, ou **revêtue**, permet de déverser directement le fourrage dans l'étable, en contrebas.

Le grenier fort – Quelques fermes du haut Jura possèdent encore leur grenier fort. Cette petite maison, se situant à quelques mètres de la ferme principale, avait pour fonction de contenir graines, papiers administratifs, objets de valeur, bijoux… Elle servait ainsi de **coffre-fort**. En cas d'incendie, le plus important était alors préservé.

De plus, rares étaient les greniers forts à être cambriolés tant les portes et les serrures étaient difficiles à forcer.

La ferme du haut Doubs – Sa grande caractéristique est sans conteste son **tuyé** ou « tué », immense cheminée située au centre de l'habitation et destinée au fumage des salaisons. À même le sol se trouve l'**âtre**, où le sapin, l'épicéa ou le genévrier brûle doucement sous les saucisses et jambons suspendus. L'ouverture de la cheminée s'orientait en fonction de la direction du vent. Le tuyé permettait également de chauffer toute l'habitation. De nos jours, les fermes à tuyé ne servent plus que pour les salaisons, et ont davantage un côté touristique que fonctionnel.

La ferme des Vosges saônoises – Anciennement recouvertes d'une toiture en grès, ces fermes étaient souvent divisées en trois parties : la **grange**, le **logement** et l'**écurie**. La porte centrale, souvent bien décorée, devait être assez grande pour le passage des chars de foin.

La maison des plateaux – Elle est généralement plus haute que la maison de montagne et coiffée d'un toit rectangulaire, aux extrémités rabattues (toit en **croupe à pan**), recouvert de tuiles comtoises. C'est une maison très longue, dont les ouvertures de la façade correspondent au **logement**, séparé de l'**étable** par la **grange**, à laquelle on accède latéralement par une porte.

La maison vigneronne – Elle se distingue de la maison des plateaux par ses dimensions plus modestes et par l'importante place réservée aux **caves**. Il n'est d'ailleurs pas rare de les voir correspondre entre elles, créant ainsi de véritables souterrains sous les villages. Elles sont soit voûtées et enterrées, soit de plain-pied. On accède alors à l'habitat, situé immédiatement au-dessus, par un **escalier** de pierre, souvent extérieur, agrémenté d'une treille et abrité par l'avancée du toit. **Celliers** à porte cintrée, **corniches**, **œil-de-bœuf**… sont autant de détails architecturaux qui font la singularité de la maison du vignoble.

Les fontaines – Nombreuses, en particulier dans le Doubs et en Haute-Saône, elles sont avec les églises classiques les éléments les plus marquants des villages comtois. Construites pour la plupart au 19e s., imprégnées de néoclassicisme, elles associent généralement les fonctions de fontaine, **lavoir**, **abreuvoir** et parfois de **mairie** (fontaine de Beaujeu).

Au centre de la vie rurale, point de rencontre obligé, elles sont la proclamation aux yeux de tous de la richesse communale. Les plus simples restent découvertes et parfois surmontées d'une colonne centrale. D'autres sont abritées par de hauts toits soutenus par des piliers droits, des colonnes ou des arcades (fontaine de Gy, de Bucey-lès-Gy, de Frasne-le-Château). Elles peuvent aussi se présenter sous la forme de petits temples ronds (fontaine de Loray, de Confracourt) ou de nymphées en hémicycle.

Arts et lettres

Si la peinture et la sculpture ont été marquées par les influences bourguignonnes et flamandes, la créativité comtoise s'est pleinement exprimée dans les domaines de la philosophie, en particulier de la pensée politique, et de la littérature.

PEINTURE

Dès les 12e et 13e s., la peinture franc-comtoise a essentiellement une vocation religieuse. Les 14e et 15e s. voient se diffuser, parallèlement à l'art pictural proprement dit, un art du **retable** qui dénote des influences flamandes (retable de la Passion du musée de Besançon). Mais l'élan de ces primitifs comtois ne trouve pas de suite après le 16e s. : seul **Jacques Prévost**, formé en Italie, réalise alors des œuvres de qualité, comme le très célèbre triptyque de Pesmes. C'est l'époque de gloire des tableaux flamands et italiens qui s'invitent à la cour des nobles. Ceux-ci les achètent au cours de leurs voyages. Ces œuvres constituent aujourd'hui une partie du patrimoine franc-comtois. On peut les voir en l'église de Baume-les-Messieurs ou à la cathédrale et au musée des Beaux-Arts de Besançon.

Aux siècles suivants, la Comté peut se prévaloir d'avoir donné naissance à quelques artistes renommés : l'habile peintre de batailles **Jacques Courtois** (1621-1676), dit « le Bourguignon », originaire de St-Hippolyte et qui exerça notamment en Italie, le portraitiste bisontin **Donat Nonotte** (1708-1785), le Vésulien **Jean Léon Gérôme** (1824-1904) et surtout **Gustave Courbet** (1819-1877), ardent défenseur du réalisme, qui proclama : « Le beau est dans la nature et se rencontre sous les formes les plus diverses. Dès qu'on le trouve, il appartient à l'art, ou plutôt à l'artiste qui sait l'y voir. » Il est né à Ornans et son attachement à la région transparaît à travers quelques-unes de ses œuvres les plus connues *(Un enterrement à Ornans, Le Chêne*

de Flagey). Sous son influence, la Franche-Comté devint source d'inspiration de nombreux artistes régionaux comme **Gustave Brun**, **Jules Alexis Muenier, Jules Adler** ou encore **Georges Bretegnier**. Plus près de nous, aux côtés de paysagistes régionaux méconnus tels qu'**Auguste Pointelin** (1839-1933), exposé à Dole et Lons, de grands noms du postimpressionnisme et du cubisme sont en bonne place dans les musées de Besançon, Belfort, mais aussi de Gray et de St-Claude. Le haut Jura et le Bugey ont reçu la visite de peintres célèbres. Rendant visite à Gertrude Stein, séjournant près de Belley puis à Culoz, sont venus **Picasso** et sa famille entre 1924 et 1933, puis le peintre dadaïste **Picabia** et sa compagne Olga Mohler passant dans le Bugey dans les années 1930. À St-Claude, **Guy Bardone** (1927-2015) séjournait régulièrement dans sa ville natale avec **René Genis** (1922-2004). Ils appréciaient la lumière, la pureté de l'air et les paysages du haut Jura ; les deux peintres constituent une collection impressionnante de toiles nabistes, postcubistes, figuratives, etc. qu'ils ont léguée au musée de l'Abbaye de St-Claude *(voir p. 347).*

Enfin, la figure de **Jean Messagier** (1920-1999), qui avait choisi la Franche-Comté, en particulier Montbéliard, comme lieu privilégié d'inspiration artistique et dont l'art évoque une abstraction lyrique, ressort également de cette époque. L'art contemporain n'est pas en reste. Outre les fonds régionaux de Besançon et Dole, on note la présence d'associations telles Le Pavé dans la Mare à Besançon ou le « 10 neuf » à Montbéliard, engagées dans la promotion d'artistes internationaux et locaux, et dans la sensibilisation du public, en particulier des jeunes générations, aux nouvelles formes artistiques.

SCULPTURE

Elle demeure ignorée des maîtres comtois à l'époque romane. Il faut attendre le 14ᵉ s. pour que naisse un véritable courant de création, influencé par l'art bourguignon, notamment par **Claus Sluter**, l'un des sculpteurs des ducs de Bourgogne. Le réalisme et la puissance expressive de ce maître d'origine néerlandaise marquent toutes les œuvres du 15ᵉ s. (celles de la collégiale de Poligny et le remarquable Saint Paul à Baume-les-Messieurs). Dès cette époque, l'art du mobilier religieux se développe : les magnifiques stalles de St-Claude (15ᵉ s.) et celles, plus tourmentées, de Montbenoît (16ᵉ s.) en témoignent.

Au 16ᵉ s., des sculpteurs italiens sont appelés sur les chantiers comtois. La tradition gothique est peu à peu abandonnée et des artistes locaux, comme **Claude Arnoux**, dit Lullier (retable de la chapelle d'Andelot à l'église de Pesmes), et **Denis le Rupt** (chaire et tribune d'orgues de Notre-Dame de Dole) adoptent le nouveau style. À l'époque classique, la statuaire religieuse tombe dans l'académisme ; seul le mobilier, tel que les boiseries d'**Augustin Fauconnet** à Goux-les-Usiers ou les retables des **frères Marca** *(voir p. 129)*, révèle l'originalité et la sûreté du goût des artistes locaux. La Haute-Saône est à cette époque plus riche que le Doubs ; elle compte aujourd'hui encore un plus grand nombre de ces retables, ces ensembles composés de plusieurs panneaux mêlant sculptures et peintures, situés derrière l'autel *(voir p. 114)*. Le Montbéliardais **Armand Bloch** (1866-1933), élève de Falguière et Mercié, Prix de Rome, membre du Salon des artistes français, réalisa un grand nombre de monuments aux morts du Doubs.

Quelques sculpteurs connurent une certaine notoriété : **Jean-Baptiste Clésinger**, **Luc Breton** et surtout **Jean-Joseph Perraud** (1819-1876), dont l'inspiration romantique sut produire des œuvres empreintes de sensibilité.

À la fin du 19ᵉ s., **Auguste Bartholdi** immortalisa la résistance de Belfort, lors de la guerre de 1870, en y édifiant une statue de lion monumentale, inspirée de l'Antiquité égyptienne *(voir p. 173)*. Après la Seconde Guerre mondiale, les monuments à la mémoire des combattants du maquis et des déportés ont donné lieu à la réalisation de sculptures tantôt massives comme le monument du Val d'Enfer ou celui des déportés de Nantua, tantôt discrètes comme la Porte ouverte sur le Maquis aux Plans d'Hotonnes. Des concours de sculpture sont aussi organisés dans les communes, comme à Culoz en 1999 sur le thème de l'an 2000.

PHILOSOPHIE POLITIQUE

Les grandes puissances européennes se disputèrent longtemps la Franche-Comté et cette terre frontalière se retrouva souvent, malgré elle, entraînée dans le jeu politique des grandes nations. Il en est résulté une pensée politique novatrice portée par des hommes qui ont souvent fait carrière dans les assemblées nationales. Pour n'en citer qu'un : **Jean-Anthelme Brillat-Savarin** (1755-1826), né à Belley *(voir p. 423)*, devint député à l'Assemblée constituante. Il se fait remarquer par un trait fort de son caractère, rare en cette époque troublée : sa modération. C'est elle qu'il exprime d'ailleurs dans un véritable manifeste de l'art de vivre, qui mêle philosophie, théorie scientifique et surtout art culinaire : *Physiologie du goût ou Méditations de gastronomie transcendante.*

Parallèlement aux occupations politiques et gastronomiques de Brillat-Savarin se construisait une théorie politique beaucoup plus osée. **Charles Fourier** (1772-1837) élabora une théorie fondamentale du socialisme utopique. Né à Besançon dans une famille de commerçants aisés, il observe que l'ordre social aliène l'homme ; les consommateurs sont dupés, les industries perverses, le travail du pauvre ne l'enrichit pas… Il imagine alors un programme d'harmonie universelle basé sur les **phalanstères**, logements entourés de bâtiments industriels. La vie communautaire instaurée doit permettre de faire converger les intérêts, de gagner du temps et de l'argent. Les salaires sont déterminés en fonction du capital (chacun investit), du talent et du travail, ce qui motive les travailleurs et augmente la production. Après 1830, le fouriérisme est mis en application par deux de ses disciples, qui fondent ensemble un phalanstère à Condé-sur-Vesgre, en région parisienne.

Autre figure franc-comtoise de la remise en cause du système social qui bouleversa les normes de la pensée politique : **Pierre Joseph Proudhon** (1809-1865). « L'anarchie est la condition d'existence des sociétés actuelles, comme la hiérarchie est la condition des sociétés primitives » énonçait-il. Né à Besançon, il devient le premier des grands théoriciens du système anarchiste. Pour lui le capitalisme, l'étatisme, le théisme aliènent l'homme, suppriment ses libertés. Dans *Qu'est-ce que la propriété ?* il écrit cette phrase célèbre : « La propriété, c'est le vol. »

LITTÉRATURE

Terre d'abbayes et d'universités, disputée entre des empires aux cultures différentes, la

Franche-Comté ne pouvait hériter de son histoire qu'une littérature riche. Le romantisme trouva là, sur cette terre ballottée entre renouveau germanique et secousses révolutionnaires françaises, un terreau littéraire propice à son développement. Il le doit à **Charles Nodier** (1780-1844), Bisontin devenu bibliothécaire de l'école centrale du Doubs en 1798 qui fonda un cours de littérature à Dole en 1808. Pamphlétaire légitimiste (*La Napoléone*, 1802), auteur de récits de voyage *(Promenade de Dieppe aux montagnes d'Écosse)*, il collabora à partir de 1821 au journal *La Quotidienne* et fit connaître, entre autres, Scott, Byron, Lamartine et Victor Hugo. Nommé bibliothécaire de l'Arsenal en 1824, il tenait un salon littéraire, le « Cénacle », et promut le romantisme, tout en poursuivant son œuvre littéraire *(La Fée aux miettes, Histoire du roi de Bohème et de ses sept châteaux).* Élu en 1833 à l'Académie française, il aura influencé Hugo et Musset. « Ce siècle avait deux ans (…) Alors dans Besançon vieille ville espagnole/Jeté comme une graine au gré de l'air qui vole/Naquit d'un sang breton et lorrain à la fois/Un enfant sans couleur, sans regard et sans voix. » Fascinant pouvoir de la littérature qui a construit à partir de ces vers illustres (1831), une histoire légendaire : Besançon, ville de naissance de **Victor Hugo** (1802-1885), si elle a appartenu à la couronne des Habsbourg, n'a jamais relevé de la couronne d'Espagne *(voir p. 41).* Ces vers ont aussi fait de Victor Hugo un poète franc-comtois alors que, ayant quitté Besançon à quelques semaines, il n'en gardait aucun souvenir.
Une légende de plus, qui s'ajoute aux contes et mythologies des terres comtoises dans lesquelles personnages merveilleux et héros des résistances armées se côtoient dans les paysages des montagnes parsemées d'étangs.
C'est d'ailleurs la Vouivre, magicienne aux rubis et serpents, qui s'invite en personne dans un roman de **Marcel Aymé** pour y dévoiler les mœurs rurales et la vie des paysans *(La Vouivre).* Marcel Aymé (1902-1967) est l'un de ces auteurs francs-comtois qui aiment tant à décrire la vie de leurs villages et cette culture populaire franche et joviale. Romancier, scénariste et dialoguiste, il a vécu à Villers-Robert, en Bresse comtoise, puis à Dole, et les paysages qui l'entourent constituent le cadre de ses histoires *(La Jument verte, Le Moulin de la sourdine).*
Jovialité et inspiration rabelaisienne caractérisent une partie de la littérature franc-comtoise. **Tristan Bernard** (1866-1947), qui vécut à Besançon, sa ville natale, avant de partir pour Paris, écrivit des contes, des comédies *(Triplepatte, Les Pieds nickelés)* et des romans, dans lesquels il marqua les esprits par son humour et son sens de la formule : « L'homme n'est pas fait pour travailler, la preuve c'est que cela le fatigue », « Les hommes sont toujours sincères, ils changent de sincérité, voilà tout »…
Frédéric Bataille (1850-1946) enseignant, poète et mycologue, vit ses *Fables de l'école et de la jeunesse* couronnées en 1893 par l'Académie française.
Paul de Resener (1839-1921), ingénieur-poète montbéliardais exilé à Paris, compose notamment une chanson dédiée à la campenotte (jonquille), fleur emblématique du Pays de Montbéliard.
Georges Colomb (1856-1945), dit **Christophe**, moqueur à l'occasion des vers de Victor Hugo, créa, lui, un héros naïf et attachant, le **sapeur Camember**, personnage dessiné aux aventures rocambolesques devenu l'emblème de Lure

(voir p. 201). Premières planches dessinées en France, leurs dessins rieurs, leurs histoires poétiques et ironiques donnent vie à ce personnage assez typique des histoires du pays.

La franchise et le bon sens des héros franc-comtois trouvent leur parfaite illustration dans *La Guerre des boutons*, spectaculaire récit d'une lutte aussi bouffonne que terrible entre les enfants de deux villages. **Louis Pergaud** (1882-1915), issu d'une longue lignée de paysans comtois, s'y inspire avec humour du village où il enseigne (Landresse, dans le Doubs) et de sa turbulente jeunesse. Prix Goncourt en 1910 pour son recueil de nouvelles *De Goupil à Margot*, il mourra victime de la Grande Guerre.

Les douleurs des guerres qui ont rythmé l'histoire de cette région, qu'elles aient été vécues ou qu'il n'en reste que le triste souvenir, ont inspiré un autre courant de la littérature franc-comtoise, dont **Bernard Clavel** (né en 1923 à Lons-le-Saunier-2010) fut une grande figure. Ayant quitté l'école à 14 ans, il exerce comme pâtissier, chocolatier, ouvrier dans une usine de verres à lunettes, relieur, journaliste, avant de se consacrer exclusivement à l'écriture et la peinture. Prix Goncourt en 1968 pour *Les Fruits de l'hiver*, c'est un écrivain très prolifique *(Le Silence des armes, La Saison des loups…)*. Sa description de la vie rurale est souvent sombre, rude, voire pessimiste, et ses personnages sont fréquemment ancrés dans des décors jurassiens. Représentant du roman du terroir, il peint la Franche-Comté aux prises avec la peste et la guerre *(Les Colonnes du ciel)*.

Les montagnes refuges des maquisards pendant la Seconde Guerre mondiale accueillirent aussi des artistes qui se sentirent, paradoxalement, en sécurité. **Gertrude Stein** (1874-1946) fut

de ceux-ci ; protégée par le maire de Belley, elle passe les années de guerre dans le Bugey avec sa compagne Alice Toklas, juive elle aussi. Auteur de l'ouvrage d'avant-garde *The Making of Americans* (1925), cette célèbre écrivaine américaine applique la déconstruction cubiste à la littérature. Elle écrit lors de son séjour à Belley son livre principal, *Autobiographie d'Alice B. Toklas* (1932), et prépare *Les Guerres que j'ai vues* (1945). Artistes et auteurs français et américains lui rendent visite dans le Bugey : Bernard Faÿ, Georges Hugnet, Paul Bowles, William Seabrook, Charles Henri Ford… Étrange époque qu'a traversée le Bugey, visité par des intellectuels du monde entier et souffrant parallèlement de la guerre et des rafles – celle des enfants d'Izieu (voir p. 425) se passait à peu de kilomètres de la maison de G. Stein et A. Toklas ! –, secoué par les actions du maquis.

Cette dernière guerre douloureuse a inspiré nombres d'ouvrages de témoignages qui constituent une part importante de la littérature régionale. Ils partagent les étagères des librairies avec les livres sur la vie paysanne, toujours nombreux, et les romans chevaleresques où les souffrances des guerres s'intègrent dans les univers fantastiques des légendes comtoises.

Littérature de vie, littérature témoin, les lettres de Franche-Comté et du Bugey parlent des gens du terroir, de la dureté et de la violence de la vie, de joie et de liberté et surtout de la beauté des paysages.

ARTS DU SPECTACLE

S'il est un personnage actuel qui correspond parfaitement à la figure de héros franc-comtois, sincère, jovial et à la langue bien pendue, tel que l'affectionne la littérature régionale, c'est bien **la Madeleine Proust** ! Créée par **Lola Sémonin** (née en 1951) qui l'incarne sur scène depuis 1982, la Madeleine Proust est une veuve née en 1923 habitant le village des Gras, près de Morteau. Avec l'accent du terroir devenu célèbre, elle raconte avec beaucoup d'humour la vie dans le haut Doubs et apporte une vision moqueuse et tendre de la société actuelle. Lola Sémonin est aussi une écrivaine de talent, elle a obtenu le prix Louis-Pergaud en 2000 pour son roman *Le Cri du Milan*.

Né en 1984, le **Cirque Plume** a grandi en Franche-Comté. Cette compagnie domiciliée dans le quartier Battant à Besançon fait partie de celles qui ont promu le nouveau cirque, revisitant et bouleversant les codes traditionnels du cirque, mélangeant les disciplines artistiques (théâtre, cirque, chant, musique). Spectacles après spectacles, le Cirque Plume a créé un monde onirique et poétique qui lui est propre.

MUSIQUE

Autant l'héritage littéraire de la région est riche, autant il est difficile de s'enthousiasmer outre mesure pour une histoire des œuvres musicales de Franche-Comté, qui restent assez méconnues. Dans le domaine de la musique ancienne, on peut citer **Claude Goudimel** (v. 1514-1572), natif de St-Hippolyte dans le Doubs, qui reste le grand musicien réformé de la Renaissance. **Johann Jakob Froberger**, bien que né à Stuttgart en 1616, fut le musicien à la Cour de Montbéliard. Il finit ses jours au château d'Héricourt. On lui doit de magnifiques pièces pour clavecin jouées encore actuellement par les ensembles baroques.

Cadet Roussel (1743-1807), natif d'Orgelet, a marqué l'histoire en inspirant le « Chant de guerre de l'armée du Nord » devenu comptine pour enfants. **Claude Rouget de Lisle** (1760-1836), citoyen le plus célèbre de Lons-le-Saunier, a, lui, composé le « Chant de guerre pour l'armée du Rhin ». Le 30 juillet 1792, entonné par le bataillon des soldats républicains de Marseille entrant dans Paris, il devint « La Marseillaise », pour être déclaré chant national trois ans plus tard, puis définitivement adopté comme hymne national en 1879. *Voir encadré p. 273.*

Aujourd'hui, la musique occupe une place de choix dans la vie culturelle des communes franc-comtoises et bugistes. Le Festival de musique baroque d'Ambronay *(voir p. 435)*, le Festival de musique du haut Jura *(voir p. 352)*, dans un autre registre les Eurockéennes *(voir p. 174)* ou les festivals de Besançon *(voir Agenda, p. 52)* montrent le réel dynamisme de cet art en Franche-Comté et dans le Jura.

Citons un artiste régional de chansons populaires : **Hubert-Félix Thiéfaine** (né en 1948). Natif de Dole, il compose toujours dans sa maison aux environs de la forêt de Chaux. « La fille du coupeur de joint » est sa chanson la plus connue. Il l'a chantée entre autres avec Tryo et Didier Wampas, s'intégrant ainsi d'autant mieux à la liste des chanteurs régionaux.

PHOTOGRAPHIE

La beauté des paysages jurassiens et leur lumière changeante inspirent les photographes. Vous ne pourrez manquer ces surprenantes photographies de bidons de lait en file indienne dans les prairies jurassiennes, qui illustrent les *Routes du Comté*. Elles sont l'œuvre de **Gérard Benoît à la Guillaume**, amoureux du haut Jura. Il consacre son art à la valorisation photographique du patrimoine naturel et humain de la région.

Inventions et découvertes

Voici quelques-unes des brillantes personnalités forgées par la Franche-Comté, qui contribuèrent aux progrès techniques et scientifiques par leurs découvertes et innovations.

Les inventions

S'ils peuvent être novateurs dans les idées, les Francs-Comtois savent aussi les appliquer aux techniques et à la science.

Claude François de Jouffroy d'Abbans (1751-1832), lui, s'intéressa aux bateaux. Des bateaux, si loin des côtes ? C'est sur le Doubs, à Baume-les-Dames (voir p. 53), qu'eurent lieu les premiers essais en miniature du bateau à vapeur. Le marquis Claude François de Jouffroy d'Abbans en est l'ingénieux inventeur. Quatre ans plus tard, il passe aux essais grandeur nature sur la Saône. Le bateau à vapeur sera à l'origine d'une révolution considérable dans le domaine de la navigation.

Dans le progrès des moyens de transport, **Étienne Oehmichen** (1884-1955) poursuivit la réflexion et cet inventeur, qui vécut une trentaine d'années dans le pays de Montbéliard, fut le premier homme à avoir parcouru un kilomètre en circuit fermé à bord d'un hélicoptère de sa construction !

Connus pour leur invention qui révolutionna les techniques de l'image, les frères **Auguste** (1862-1954) **et Louis Lumière** (1864-1948) sont nés à Besançon. Ils ont inventé en 1895 la technique de la cinématographie qui permit son exploitation commerciale.

Édouard Belin (1876-1963), natif de Vesoul, inventa en 1907 le bélinographe, pour envoyer des photographies à distance : c'est le précurseur de tous les télécopieurs…

Citons encore **Pierre Carmien** (1834-1907), né à Luze près d'Héricourt, inventeur du roulement à billes et de la roue libre pour bicyclettes.

Adolphe Kégresse (1879-1943), né à Héricourt, inventa en 1907 la chenille souple qui équipera les chars d'assaut. **Pierre Marti** (1891-1938), ingénieur hydrographe, inventa le procédé du sondage à ultrasons.

Les découvertes scientifiques

Les découvertes de **François Xavier Bichat** (1771-1802), originaire de Thoirette (Jura), font de lui l'un des plus grands anatomistes et physiologistes de l'histoire. Il développa l'enseignement médical avant de se consacrer à la physiologie, découvrit que des organes différents peuvent contenir un même tissu et contribua à différencier les pathologies jusqu'alors confondues. Il est à l'origine de la révolution médicale de la fin du 18e s. et du début du 19e s.

Mais les progrès de la médecine doivent aussi beaucoup à un autre Franc-Comtois. **Louis Pasteur** (1822-1895), né à Dole *(voir p. 68)*, a vécu une grande partie de sa vie à Arbois *(voir p. 298)*. Il commence sa carrière scientifique en 1843 avec l'École normale. Il débute par la science pure, avec des études remarquées sur la géométrie des cristaux, puis il aborde les problèmes pratiques. Ses recherches sur les fermentations visent à préserver le vin, la bière, le vinaigre des maladies ruineuses (la pasteurisation). Ses observations sur le ver à soie sauvent la sériciculture. Ses vaccins permettent de guérir la rage chez l'homme, le charbon chez les animaux. Ses théories microbiennes ont révolutionné la chirurgie et la médecine ; en ont découlé l'antisepsie, l'asepsie et l'isolement des malades. Pasteur a également ouvert la voie à la thérapeutique par les sérums.

Dans un domaine différent, il faut citer **Georges Cuvier** (1769-1832), dont l'ouvrage *Leçons d'anatomie comparée* marqua l'histoire des sciences. Né à Montbéliard, influencé par les idées de Buffon, il a consacré sa vie à l'anatomie comparée. De ses études de terrain sur les fossiles, il déduit la loi de corrélation des formes, qui permet de reconstituer un squelette à partir de fragments. Créateur de la paléontologie, il établit des lois pour déterminer l'âge des couches terrestres à partir des débris qu'elles contiennent. Il fut professeur au Collège de France et membre de l'Académie française.

Les explorateurs

Même sens du dépassement sans doute chez les grands aventuriers de Franche-Comté. Aujourd'hui encore, Angkor Vat, chef-d'œuvre khmer datant du 12ᵉ s., est l'un des plus grands sites archéologiques au monde. Si loin de la Franche-Comté, et pourtant… Il était enfoui sous une végétation épaisse lorsqu'il fut découvert par **Alexandre Henri Mouhot** (1826-1861). Né à Montbéliard, cet explorateur passa la majeure partie de sa vie à courir le monde entre 1856 et 1861. Après avoir visité la Russie, l'Allemagne et l'Italie, il explora le Siam, l'Indochine et le Cambodge. Il mourut lors de sa dernière expédition au Laos. Il est également le premier à faire une description scientifique du temple d'Angkor.

Autres Francs-Comtois, **Xavier Marmier** (1808-1892), né à Pontarlier, élu à l'Académie française en 1870, sillonna l'Europe du Nord, la Scandinavie et l'Islande. Il nous reste de ses pérégrinations une trentaine de récits de voyage *(Langue et littérature islandaises, Du Rhin au Nil, Du Danube au Caucase)*. Fidèle à sa terre natale, il contribua à mieux la faire connaître par ses écrits *(Nouveaux Souvenirs de voyages en Franche-Comté, En Franche-Comté)*.

Charles Xavier Rochet (1801-1854), d'Héricourt, explora plusieurs pays d'Afrique dont l'Éthiopie. **Jean Dagnaux** (1891-1940) aviateur polytechnicien, a fondé les premières lignes aériennes France-Afrique.

Plus récemment, **Paul-Émile Victor** (1907-1995) est devenu un spécialiste mondialement reconnu des expéditions polaires en Arctique, puis en Antarctique (terre Adélie). Né à Genève, il a passé toute son enfance à Lons-le-Saunier. Après de nombreux séjours chez les Inuits, il s'installe en 1977 en Polynésie avec sa famille, pour peindre, écrire et exposer. L'Espace des mondes polaires à Prémanon *(voir p. 368)* raconte ses explorations.

ORGANISER
SON VOYAGE

Les bords du lac de Saint-Point.
R. Mattes/hemis.fr

Aller dans la région

Par la route

GRANDS AXES

L'**A 36** conduit de Mulhouse
à Beaune (la Comtoise).
L'**A 39** relie Dole à Bourg-
en-Bresse.
L'**A 40** assure la liaison vers Genève
via le sud du Jura.
Le relief peut rendre difficile la
circulation dans le sud-est de la
Franche-Comté.
Informations autoroutières –
℘ 36 20, service « mon autoroute »
(non surtaxé).
www.autoroutes.fr ; www.aprr.fr

CARTES MICHELIN

Cartes départements **314**
(Haute-Saône, Vosges), **321**
(Doubs, Jura) et **328** (Ain,
Haute-Savoie).
Carte Région **520** (Franche-Comté).
Carte de **France** n° **721**.
Carte de **Suisse** n° **729**.
Calculs d'itinéraires sur : **www.
viamichelin.fr**

En train

RÉSEAU GRANDES LIGNES

Liaisons TGV, *temps approximatif :*
Paris-Dole : 2h
Paris-Besançon TGV : 2h
Paris-Mouchard : 2h30
Mouchard-Lausanne : 1h30
Paris-Frasne : 2h40
Paris-Pontarlier : 3h10
Paris-Bellegarde-sur-V. : 2h40
Strasbourg-Besançon TGV : 1h35
Mulhouse-Besançon TGV : 45mn
Lyon-Besançon TGV : 2h
Paris-Montbéliard TGV : 2h15
Dijon-Belfort-Montbéliard : 50mn
Besançon TGV-
Belfort- Montbéliard 20mn
Dole-Pontarlier 1h
Lille-Besançon TGV : 3h15
Marseille-Besançon TGV : 3h50
Informations et réservations –
℘ 36 35 (0,40 €/mn + prix appel) -
www.voyages-sncf.com.
L'aménagement TGV
de la ligne des Carpates
(haut Bugey) a permis de

DISTANCES	Bordeaux	Lille	Lyon	Marseille	Paris	Strasbourg
Belfort	824	574	344	659	421	154
Bellegarde-sur-V.	711	710	119	429	503	430
Besançon	739	584	236	546	416	251
Dole	668	538	203	512	369	293
Genève	749	749	157	467	541	389
Lons-le-Saunier	696	584	155	464	416	354
Pontarlier	797	642	274	583	474	279
Les Rousses	795	636	203	513	467	369
St-Claude	696	640	138	447	472	378
Vesoul	775	513	296	610	361	224

réduire à 3h et 5mn le trajet Paris-Bellegarde-Genève.

La LGV Rhin-Rhône (branche Est Dijon-Mulhouse) dessert 2 gares : Besançon Franche-Comté TGV (liaison TER avec la gare de Besançon-Viotte *(15mn)* toutes les heures) et Belfort-Montbéliard TGV (liaison bus avec les gares du centre-ville).

RÉSEAU RÉGIONAL

Liaisons par TER (trains express régionaux) et bus SNCF.
Dole-Dijon : 29mn
Dole-Morez : 1h50
Lons-Besançon-Viotte : 1h10
Morteau-Besançon-Viotte : 1h25
Belfort-Montbéliard : 15mn
Besançon-Viotte-Dole : 25mn
Besançon-Viotte-Montbéliard : 1h
Informations et réservations – Ligne directe : ☎ 36 35 *(0,40 €/mn + prix appel)* - 0 800 802 479 - www.sncf.com/fr/trains/ter.
TER Bourgogne-Franche-Comté - De 5 à 35 € selon destination.
Pass'OK - Pour voyager en TER et bus entre Belfort, Montbéliard et Héricourt - Une journée 8 €, une semaine 19 €.
TER touristiques – La **ligne des Hirondelles** *(Dole-St-Claude, 20 €)* et la **ligne des Horlogers** *(Besançon-Morteau-La-Chaux-de-Fonds, 15 €)* constituent une manière originale de découvrir les paysages de la région.

En avion

AÉROPORTS

Aéroport de Dole-Jura – BP 26 - 39502 Tavaux Cedex - ☎ 03 84 72 04 26 - www.aeroportdolejura.com (vols spéciaux uniquement : charters vacances et aviation d'affaires).
Euroairport de Bâle-Mulhouse-Fribourg – BP 60120 - 68304 St-Louis - ☎ 03 89 90 31 11 - www.euroairport.com.

Aéroport Dijon-Bourgogne – 717 r. de l'Aviation - 21600 Ouges - 21601 Longvic Cedex - ☎ 03 80 67 67 67 - www.dijon.aeroport.fr (vols spéciaux, charters vacances, aviation d'affaires, quelques vols réguliers).
Aéroport de Genève – CP 100 - CH - 1215 Genève 15 Aéroport - ☎ + 41 (0)22 717 71 11/infos vols + 41 (0) 900 57 15 00 - www.gva.ch.
Aéroport de Lyon-St-Exupéry – BP 113 - 69125 Lyon-St-Exupéry Aéroport - ☎ 0 826 800 826 *(0,15 €/mn)* - www.lyonaeroports.com.

COMPAGNIES AÉRIENNES

Air France – Liaisons depuis les aéroports de Lyon, Mulhouse et Genève - ☎ 3654 *(0,35 €/mn + prix appel)* de 6h30 à 22h - www.airfrance.fr.

Hop ! – Compagnie aérienne interrégionale française. Dessert une trentaine de villes françaises depuis Lyon ainsi que plusieurs villes européennes - www.hop.com.

Easyjet – Vols entre Genève et des villes françaises et internationales - www.easyjet.com.

Ryanair – Relie Dole à Porto - www.ryanair.com.

Avant de partir

Météo

CLIMAT

Météo France – www.meteofrance.
com ou ✆ 08 99 71 02 suivi du
numéro du département *(2,99 €/
mn)* ou 32 50 *(0,34 €/mn)*.

SAISONS

Le **printemps** est timide en
Franche-Comté, sauf en plaine.
Les hauteurs restent enneigées. La
neige peut tomber jusqu'en mai.
En **été**, les températures atteignent
facilement 30 °C en plaine, tandis
que forêts, montagne et lacs
offrent un peu de fraîcheur. Les
écarts de températures sont parfois
importants entre plaine et hauteurs.
Septembre connaît souvent des
semaines très ensoleillées, mais
aussi des pluies abondantes. Les
premières gelées et des brouillards
font leur apparition au fond des
vallées. L'**automne** peut offrir un
temps comparable à l'été indien
du Canada ; sur les hauteurs, il
peut être écourté par l'arrivée de
l'hiver avec des chutes de neige dès
novembre. En **hiver**, la Franche-
Comté détient le record national
de froid avec - 36,7 °C à Mouthe
(Doubs) le 13 janvier 1968.

Adresses utiles

OFFICES DE TOURISME

www.offices-tourisme-ain.fr
♿ Voir les **offices de tourisme** dans
chaque rubrique « S'informer » de la
partie « Découvrir la région ».

INSTITUTIONS

**Comité régional du tourisme
de Bourgogne Franche-
Comté** – La City – 4 r.
Gabriel-Plançon - 25044 Besançon
Cedex - ✆ 03 81 25 08 00 - www.
franche-comte.org, et site mobile.
franche-comte.org.

Comités départementaux

Ain – 34 r. du Gén.-Delestraint -
BP 78 - 01000 Bourg-en-Bresse
Cedex - ✆ 04 74 32 31 30 - www.
ain-tourisme.com.

Belfort et Territoire de Belfort –
2 bis r. Georges-Clemenceau -
90000 Belfort - ✆ 03 84 55 90 90 -
www.territoiredebelfort.fr ou www.
belfort-tourisme.com

Doubs – 7 av. de la Gare-d'Eau -
25031 Besançon Cedex - ✆ 03 81 21
29 99 - www.doubs.travel.

**Haute-Saône SEM Destination
70** – 1 r. Max-Devaux - 70000 Vesoul
Cedex - ✆ 03 84 97 10 80 - www.
destination70.com.

Jura – 8 r. Louis-Rousseau -
BP 80458 - 39006 Lons-le-Saunier
Cedex - ✆ 03 84 87 08 88 - www.
jura-tourism.com.

Parcs régionaux

**Parc naturel régional du Haut-
Jura** – Maison du parc du Haut-
Jura - 39310 Lajoux - ✆ 03 84 34
12 27 ou 12 30 - www.parc-haut-
jura.fr (♿ p. 371).

**Parc naturel régional des
Ballons des Vosges** – Une des
trois maisons du parc se trouve
en Haute-Saône : Espace Nature
Culture à Château-Lambert –
70440 Haut-du-Them - ✆ 03 84 20
49 84 - www.parc-ballons-vosges.fr
(♿ p. 186).

Sur Internet

Actualités de la région

www.franche-comte.fr : conseil
régional de Franche-Comté.
www.lecomtois.com : spectacles,
festivals, rencontres…

www.jura.fr : portail de la vie quotidienne dans le Jura.
www.doubs.fr : portail de la vie quotidienne dans le Doubs.
www.cancoillotte.net : pour savoir ce que les gens du coin aiment faire.
www.alaconquetedelest.fr : deux blogueuses chroniquent leur région.

Hébergement et loisirs
www.montagnes-du-jura.fr
www.smiba.fr : activités dans le ballon d'Alsace

Histoire, folklore et civilisation
www.doubs.travel/madeincheznous : tout savoir sur les visites d'entreprises
www.musees-franchecomte.com
www.musees-des-techniques.org

Gastronomie
www.interfrance.com
www.lesroutesducomte.com
www.jura-vins.com
www.vinsdubugey.net
www.routedelabsinthe.com/fr
www.labrassicomtoise.fr
www.saucissedemorteau.com

TOURISME DES PERSONNES HANDICAPÉES

Les sites et établissements qui peuvent accueillir des personnes à mobilité réduite sont signalés par le symbole &.
Tourisme et Handicaps : liste des sites labellisés sur www.tourisme-handicaps.org.
Les sites www.doubs.travel/tourisme-handicap et www.ain-tourisme.com, rubrique Pratiquez (critère PMR) recense des activités adaptées.

Sports
Le **handiski** (debout ou assis) peut être pratiqué dans de nombreuses stations du massif des Vosges et du Jura : rens. auprès de l'école du ski français (www.esf.fr).
L'association **Apach'evasion** propose des activités sportives pour les personnes handicapées, avec accompagnement ou en autonomie : joëlette, fauteuil tout terrain, handiski, CIMGO… L'association peut organiser votre séjour (hébergement notamment) : www.apachevasion.fr
Au cœur du parc naturel des Ballons des Vosges, à 1 200 m d'altitude, l'équipe du r**efuge du Sotré** (complètement adapté) propose des activités sur mesure pour tous les handicaps, été comme hiver : www.refugedusotre.com

Transports
SNCF Accès Plus – www.accessibilite.sncf.fr : liste des gares adaptées.
Avion – Air France propose le service d'**assistance Saphir**, ☎ 09 69 36 72 77 - www.airfrance.fr.

Se loger

NOTRE SÉLECTION

& Retrouvez notre sélection d'hébergements au fil des rubriques « Nos adresses » de la partie « Découvrir ».

NOS CATÉGORIES DE PRIX		
	Hébergement	**Restauration**
Premier prix	jusqu'à 80 €	jusqu'à 20 €
Budget moyen	de 80 € à 120 €	de 20 € à 50 €
Pour se faire plaisir	de 120 € à 160 €	de 50 € à 70 €
Une folie	plus de 160 €	plus de 70 €

Les établissements sont classés par catégories de prix. Les tarifs communiqués correspondent au prix d'une chambre double en haute saison (👋 *tableau p. 491*). Pour un choix plus étoffé, voir **Le Guide Michelin France** et **Le Guide Camping Michelin France**.

LES BONS PLANS

Services de réservation

👋 Les comités départementaux proposent ce service sur leur site Internet.

Hébergement rural

Fédération des Stations vertes de vacances et des villages de neige – 6 r. Ranfer-de-Bretenière - 21000 Dijon Cedex - 📞 03 80 54 10 50 - liste des stations labellisées sur www.stationverte.com. Parmi les stations labellisées : Mélisey et Pesmes (Haute-Saône), Baume-les-Dames, Chapelle-des-Bois, Malbuisson, Métabief et Morteau (Doubs), Clairvaux-les-Lacs, La Pesse, Longchaumois et St-Laurent-en-Grandvaux (Jura), Hauteville-Lompnes, Lélex et Nantua (Ain).

Bienvenue à la ferme – Réseau d'agriculteurs accueillant les visiteurs dans leur exploitation pour un goûter, un dîner ou une nuit - www.bienvenue-a-la-ferme.com.

Chambres d'hôte

Samedi Midi Éditions – www.samedimidi.com.

Charme & Traditions – www.charme-traditions.com.

Pour les randonneurs

Voir le guide Gîtes d'étapes et refuges, de A. et S. Mouraret (Rando Éds), disponible en librairie ou téléchargeable (5 € par fascicule) sur www.gites-refuges.com.

Auberges de jeunesse

À Belfort, Besançon, Dole, Pontarlier, Les Rousses.

Fédération unie des auberges de jeunesse – 27 r. Pajol - 75018 Paris - 📞 01 44 89 87 27 - www.fuaj.org.

POUR DÉPANNER

B & B – 📞 0 892 782 929 - www.hotel-bb.com.

Campanile – 📞 0 825 003 003 - www.campanile.fr.

Kyriad – 📞 0 892 234 813 - www.kyriad.fr.

Ibis – 📞 0 825 882 222 - www.ibis.com.

Se restaurer

NOTRE SÉLECTION

👋 Retrouvez notre sélection de restaurants au fil des rubriques « Nos adresses » de la partie « Découvrir ». Les restaurants sont listés par catégorie de prix (👋 *tableau p. 491*).

Pour un choix plus étoffé, voir **Le Guide Michelin France**.

LES LABELS ET RÉSEAUX

Sites remarquables du goût : ce label national est décerné aux sites dont la richesse gastronomique s'appuie sur des produits de qualité liés à un environnement culturel intéressant : **Poligny** (comté), **Arbois** (vin de paille), la **ferme à tuyé du Montagnon** (salaisons), **Fougerolles** (kirsch) et les Portes du haut Doubs (salaisons) - www.sitesremarquablesdugout.com.

Le réseau des **Tables comtoises** regroupe une centaine de restaurants ambassadeurs du patrimoine culinaire franc-comtois : 📞 03 81 25 54 54 - www.unpeubeaucoupfranchecomte.fr.

Le ministère du Tourisme attribue aux restaurateurs qui assurent la promotion des produits du terroir le label **Restaurateurs de France** – www.restaurateursdefrance.com.

Voir aussi **Bienvenue à la ferme** (👋 *ci-avant*).

Sur place de A à Z

Pour une documentation plus détaillée, adressez-vous aux **comités départementaux** et **comités régionaux de tourisme** (👆 p. 490).

ACTIVITÉS AQUATIQUES

Situés à une altitude moyenne, les **lacs** et **plans d'eau** de la région permettent la baignade, mais aussi la pratique des sports aquatiques.

Canoë-kayak
Comité régional de Franche-Comté – *3 av. des Montboucons - 25000 Besançon - ℘ 03 81 51 72 55 - www.crck.org/franchecomte.*
Comités départementaux :
Jura – Zone portuaire, r. du Gén.-Béthouard - BP 302 - *39104 Dole Cedex - ℘ 03 84 79 26 33.*
Haute-Saône – Maison des Associations, 53 r. Jean-Jaurès - 70000 Vesoul - ℘ 03 81 56 90 07.
Territoire de Belfort – M. Merzougui, Base nautique r. Bussière - 90000 Belfort - ℘ 03 84 21 44 01 et 06 76 76 34 92
Ain – Base de Longeville - 01500 Ambronay - ℘ 04 74 39 14 17 - http://canoe-kayak01.com.
🖱 *Voir aussi www.canoe-kayak-mag.fr.*

Canyoning
Portail francophone de descente de canyon – www.descente-canyon.com. Le site répertorie et décrit 35 canyons en Franche-Comté et 41 dans l'Ain.

NATURE ET ENVIRONNEMENT

Activités et sorties nature
Outre le **Parc naturel régional du Haut-Jura** et le **Parc naturel régional des Ballons des Vosges**, des organismes proposent des activités :

Centre permanent d'initiatives pour l'environnement du haut Jura (CPIE) – 1 Grande-Rue - 39170 St-Lupicin - ℘ 03 84 42 85 96 - www.cpie-haut-jura.org. Visites guidées dans le haut Jura.
Centre permanent d'initiatives pour l'environnement du haut Doubs (CPIE) – 8 r. Charles-le-Téméraire - 25560 La Rivière-Drugeon - ℘ 03 81 49 82 99 - www.cpiehautdoubs.org. Visites guidées dans le haut Doubs.
Maison régionale de l'environnement – 7 r. Voirin - 25000 Besançon - ℘ 03 81 50 25 69 - www.maison-environnement-franchecomte.fr. Animations et expositions : sorties-découvertes, conférences… Centre de documentation ouvert à tous *(mar. et merc. 9h-12h, 14h-17h ; lun., jeu. et vend. 9h-12h).*
Maison départementale de l'environnement – 7 r. de Malsaucy - 90300 Sermamagny - ℘ 03 84 29 18 12 - www. territoiredebelfort.fr. Animations et expositions.

Forêts
Office national des forêts (ONF) – Direction territoriale Franche-Comté - 14 r. Gabriel-Plançon BP 51581 - 25010 Besançon Cedex 3 - ℘ 03 81 65 78 80 - www.onf.fr/franche-comte.

Jardins
Comité des parcs et jardins de France – 168 r. de Grenelle - 75007 Paris - ℘ 01 53 85 40 47 - www.parcsetjardins.fr. 32 jardins francs-comtois sont répertoriés, parmi lesquels 12 sites ont reçu le label **Jardin remarquable** : parc du château d'Arlay, jardin de Landon à Dole, parc et jardin du château de Bournel à Cubry, jardin « collection Annabelle » à Rainans, parc de

PLANS D'EAU	Dépt.	Superficie en ha	Baignade	Base nautique	Pêche
Abbaye (lac de l')	39	100			
Allement (barrage d')	01		✓	✓	✓
Barterand (lac de)	01	18	✓		✓
Bonlieu (lac de)	39	22			✓
Chalain (lac de)	39	240	✓	✓	✓
Champagney (bassin de)	70	106	✓	✓	✓
Clairvaux (grand lac de)	39	64	✓	✓	✓
Divonne-les-Bains (lac de)	01	45	✓	✓	✓
Étival (grand lac d')	39	17			✓
Forges (étang des)	90	33		✓	✓
Genin (lac)	01	8	✓		✓
Ilay (lac d')	39	72	✓		✓
Lamoura (lac de)	39	4	✓		✓
Malsaucy (lac du)	90	66	✓	✓	
Nantua (lac de)	01	141	✓	✓	✓
Narlay (lac de)	39	42			✓
Pâquis (étang du)	25	8	✓	✓	✓
Remoray (lac de)	25	99	✓		✓
Rousses (lac des)	39	90	✓	✓	✓
St-Point (lac de)	25	450	✓	✓	✓
Sylans (lac de)	01	50			✓
Val (lac du)	39	30			✓
Vouglans (barrage de)	39	1 650	✓	✓	✓

l'Étang à Battrans, parc botanique du château d'Ouge, jardin des Vieilles Vignes à Valay, jardin des Rouges Vis à Frahier, arboretum La Cude à Mailleroncourt-Charette, l'atelier jardin à Cressia, jardin du musée Gantner à Lachapelle-sous-Chaux et la roseraie du Châtelet à Anjoutey.

ŒNOTOURISME

La Franche-Comté se prête bien à l'œnotourisme. Au programme : circuits dans les vignobles du Jura, vers Château-Chalon, Poligny *(voir notre circuit p. 291)* et Arbois, ou dans le Bugey : visites de caves et dégustations de vin jaune et de vin d'Arbois, notamment.

PASS TOURISTIQUES

Pass Malin Jura – ☏ 03 84 55 90 84 - www.passmalin-jura. fr. L'achat de ce pass nominatif à 15 € pour 15 jours permet de bénéficier de nombreuses réductions et offres avantageuses

(1 entrée achetée = 1 entrée gratuite, par exemple).

Pass Juramusées – www. juramusees.fr/le-pass. Grâce à ce pass gratuit, vous payez la première visite au tarif normal puis les suivantes à tarif réduit (et la 5ᵉ est offerte). Le pass est valable deux ans. 54 sites sont adhérents, répartis en quatre thématiques : Beaux-Arts, Patrimoine historique, Des hommes et des savoir-faire, Des sites naturels et des dinosaures.

Museums-Pass-Musées – www.museumspass.com/fr. Ce passeport à 98 € permet l'entrée gratuite et illimitée pendant un an pour 320 musées en France, en Allemagne et en Suisse). 23 sites de Franche-Comté font partie de cette offre.

Ⓒ *Voir aussi le Pass multisites de Belfort, p. 167.*

PATRIMOINE TECHNIQUE ET INDUSTRIEL

Ⓒ *Voir « Routes thématiques » p. 498, et « Verrrerie/cristallerie de La Rochère » p. 141.*

Ⓢ Actualité du tourisme industriel *(voir « Histoire, folklore et civilisation » p. 491).*

Musées des Techniques et Cultures comtoises – r. des Prémoureaux - 39110 Salins-les-Bains - ℘ 03 84 73 22 04 - www. musees-de-techniques.org.

Dix-sept sites en réseau (dont un en Suisse), musées ou entreprises en activité témoignent des savoir-faire et des traditions techniques, artisanales et industrielles de Franche-Comté.

Le département du Doubs a créé un label « Made in chez nous » pour mieux valoriser ses sites et les visites proposées Ⓒ www.doubs. travel/madeincheznous

Ⓒ Ateliers d'artisans : fonderies de cloches (Ⓒ p. 236), pipiers (Ⓒ p. 351), lapidaires (Ⓒ p. 383), brasseurs (Ⓒ p. 138, 190 et 407).

PÊCHE

Paradis des pêcheurs, la Franche-Comté compte quelque 5 500 km de rivières. Certaines (Loue, Doubs, Dessoubre, Ognon ou Lison) ont obtenu le label des **Plus belles rivières de France** pour la qualité et pureté de leurs eaux.

Le label **Relais St-Pierre** créé par Doubs Tourisme garantit un accueil de qualité et des prestations adaptées aux pêcheurs dans des hébergements labellisés.

Fédérations départementales pour la pêche et la protection du milieu aquatique :

Doubs – 4 r. du Dr-Morel - 25720 Beure - ℘ 03 81 41 19 09 - www.federation-peche-doubs.org.

Jura – 395 r. en Bercaille - 39000 Lons-le-Saunier - ℘ 03 84 24 86 96 - www.peche-jura.com.

Haute-Saône – 4 av. du Breuil - 70000 Vaivre-et-Montoille - ℘ 03 84 76 51 41 - www. federationpeche.fr/70.

Territoire de Belfort – 3A r. d'Alsace - 90150 Foussemagne - ℘ 09 81 60 39 49 - www.federationpeche.fr/90.

Ain – 10 allée de Challes - 01000 Bourg-en-Bresse - ℘ 04 74 22 38 38 - www.federation-peche-ain. com.

Ⓒ *Brochures des fédérations dans les offices de tourisme.*

RANDONNÉE CYCLISTE

Sur les routes

Eurovélo 6 – www.eurovelo6.org. L'**Eurovéloroute 6 Atlantique-mer Noire** relie Nantes et Tulcea (Roumanie). En Franche-Comté, 187 km de pistes cyclables en bord de fleuves relient Dole à Belfort. Carte Eurovélo 6 - Alsace-France-Comté (éd. Huber)

De nombreuses pistes ont aussi été aménagées sur le territoire comme les 80 km qui relient Port-sur-Saône et Rigny, sur les berges de la Saône.

Francovélosuisse – www. francovelosuisse.com (🐾 *p. 185*). Connecté avec l'Eurovélo 6, cet itinéraire de 40 km (et 7 boucles) part de Belfort et va jusqu'à Porrentruy en Suisse.

Véloroute Charles le Téméraire – www.veloroute-charles-le-temeraire.fr. Route de 140 km qui relie le Luxembourg à Lyon en traversant notamment la vallée de la Saône.

Grande Traversée du Jura (GTJ) – 15 et 17 Grande-Rue - 39150 Les Planches-en-Montagne - ✆ 03 84 51 51 51 - www.gtj. asso.fr. Un itinéraire de 360 km (400 km avec les variantes) relie Montbéliard (Doubs) à Culoz (Ain). La traversée (*avr.-oct.*) se compose de 10 tronçons (30-40 km) et 150 hébergeurs jalonnent le circuit. Signalétique en vert et blanc intégrée aux indications routières. 🐾 *Guide de la GTJ vélo en vente en librairie ou sur le site - 12,80 €.*

Route du Jura Loisirs – 150 km au départ de Dole, pour découvrir entre autre le Pays de Dole, la Bresse Jurassienne, et le vignoble du Revermont.

ViaRhôna – www.viarhona.com – (🐾 *p. 421, 427*). Itinéraire cyclable de 815 km qui suit le Rhône, des rives du lac Léman aux plages de la Méditerranée.

Ligue de Franche-Comté de cyclotourisme (FFCT) – Maison régionale des sports - 3 av. des Montboucons - 25000 Besançon - ✆ 03 81 52 17 13 - www. franchecomtecyclisme.fr ou www. ffcyclotourismefranchecomte.org.

VTT

Avec près de 170 circuits (3 500 km de pistes) la Franche-Comté offre des terrains privilégiés pour la pratique de ce sport dont le plus célèbre est **Métabief**.

Grande Traversée du Jura (GTJ) – *Voir ci-dessus - cartoguide de la GTJ à VTT en 23 fiches - 16,50 €.*

Cette classique de la randonnée itinérante à VTT se pratique de mai à octobre. Superbe échappée de 380 km de Mandeure, dans le Doubs, jusqu'à Hauteville-Lompnes, dans l'Ain, à travers les paysages de gorges, de prairies et de lacs des montagnes du Jura.

La Diagonale du Doubs – Fin avril, à Saône, cette course comprend 5 parcours VTT, 3 parcours cyclotourisme et 2 parcours pédestres - ✆ 03 81 55 91 29 - www. diagonaledudoubs.com.

Forestière – En septembre, 4 000 vététistes participent à cette course longue distance regroupant plusieurs épreuves - ✆ 04 74 77 20 98 - www.la-forestiere.com.

Extrême sur Loue - En octobre, course de marathon et randonnée pour tous sur les bords de la Loue, à Ornans - ✆ 03 81 62 03 24 - http:// extreme-sur-loue.com

RANDONNÉE ÉQUESTRE

Comité régional d'équitation de Franche-Comté et du tourisme équestre – *Maison du cheval - 52 r. de Dole - 25000 Besançon Cedex 3 - ✆ 03 81 80 11 16 - www.fcequitation. fr. et www.crtefranchecomte.com* Toutes les informations sur la région : clubs, stages, compétitions.

Les comités départementaux de tourisme équestre peuvent également fournir la liste des centres équestres et leurs activités.

Doubs – François Alleguède - ✆ 06 20 60 52 79 - francois. alleguede@orange.fr. Retrouvez tous les hébergements équestres du Doubs sur www. doubs-travel/equestre

Jura – Florence Pittino - 449 chemin de l'Alezane - 39230 Recanoz - ✆ 03 84 85 52 40 ou 06 86 71 88 87 - I-alezane39@orange.fr - www.cdte39.ffe.com.

Haute-Saône – Joël Monney - 5 r. de la Cornée - 70800 Anjeux - ✆ 03 84 49 43 00 - joel.monney@ wanadoo.fr.

Territoire de Belfort – Pierre-Alain Steffen - 4ter r. des Rochers - 25490 Dampierre-les-Bois - ℘ 03 81 93 03 06 - pat.steffen@hotmail.fr.

Ain – Jean-François Verguet - Saint-Oyen - 01370 Courmangoux - ℘ 04 74 25 20 62 ou 06 11 71 55 97 - http://cdte01.ffe.com - cdte01@ffe.com.

Doubs frontalier – Parcours de 64 km balisé pour attelages.

Jura du Grand Huit – *8 r. Louis-Rousseau - 39000 Lons-le-Saunier -* ℘ *03 84 87 08 88 - www.jura-tourism.com.* 1 500 km d'itinéraires balisés dans le Jura, jalonnés d'hébergements spécialisés.

L'Ain à Cheval – Béatrice Tarin - Le Grand Verger - 01230 Cleyzieu - ℘ 04 74 36 20 08 - http://01acheval.ffe.com. L'association a balisé plus de 1 000 km de circuits à travers le Bugey, jusqu'au Revermont.

Grande Traversée du Jura (GTJ) – 500 km de Belfort à Izieu (Ain) et une vingtaine d'étapes. La partie centrale de cette traversée à cheval est accessible tout au long de l'année. Hébergements adaptés.

RANDONNÉE PÉDESTRE

Comité régional de randonnée pédestre de Franche-Comté – c/o Guy Berçot - 23 r. du Vallon - 25220 Thise - ℘ 03 81 61 21 78 - http://franche-comte.ffrandonnee.fr.

Comités départementaux de randonnée pédestre

Doubs – 6 r. Marcellin-Berthelot - 25800 Valdahon - ℘ 03 81 56 41 85 - http://doubs.ffrandonnee.fr.
Circuits téléchargeables sur smartphone : www.doubs.travel/rando.

Jura – 4 r. Buissonnière - 39240 St-Hymetière - ℘ 06 79 89 07 09 ou 03 84 87 08 83 (siège social) - http://jura.ffrandonnee.fr.

Haute-Saône – R. de la Corvée - 70000 Andelarrot - ℘ 03 84 75 42 79 - jean.sechehaye@wanadoo.fr.

Territoire de Belfort – 1 r. d'Alsace - 90110 Bourg-sous-Châtelet - ℘ 03 84 27 62 52 - coderando.90@orange.fr.

Ain – 34 r. du Gén.-Delestraint - CS 90078 - 01002 Bourg-en-Bresse - ℘ 04 74 32 38 67 - http://ain-ffrandopedestre.com.

Sentiers de grande et petite randonnée

Deux sentiers de **grande randonnée** (GR) traversent la Franche-Comté du nord au sud : le **GR 5**, qui longe la frontière suisse, et le **GR 59**, qui suit la bordure occidentale. Deux autres sillonnent le Doubs : le **GR 590**, circuit qui unit les vallées de la Loue et du Lison au départ d'Ornans, et le **GR 595**, qui relie le GR 59 et le GR 5, de Montfaucon (près de Besançon) à Maison-du-Bois (près de Pontarlier). Le **GR 559** traverse le Jura de Lons-le-Saunier aux Rousses en passant par Ilay et Bonlieu. Le **GR 9**, qui traverse le Jura d'ouest en est de St-Amour aux Rousses, descend ensuite vers le sud.

Grande Traversée du Jura (GTJ) – ⓒ *p. 375 - Topoguide de la GTJ à pied - 16,20 €.* Elle emprunte les GR 5 et GR 9 et est elle-même homologuée sentier de grande randonnée. Ses 400 km (de Mandeure dans le Doubs à Culoz dans l'Ain), accessibles de mai à octobre, se parcourent en 2 à 3 semaines. Il existe également des **GR de pays**, balisés en jaune et rouge. www.gtj.asso.fr.

Les Chemins de la contrebande – www.lescheminsdelacontrebande.com. Quatre parcours (à pied ou à vélo) sont proposés dans le pays horloger, entre Morteau et St-Hippolyte, sur les pas des douaniers et des contrebandiers : L'Orlogeur, La Bricotte, Le Colporteur et Les Gabelous.

L'Échappée jurassienne – *Topoguide de L'Échappée Jurassienne- 15 €.* Une succession de sentiers de grande randonnée relient les emblèmes du Jura : forêts, salines, reculées, vignobles, cascades et lacs.

Catalogue des topoguides sur le site de la Fédération française de la randonnée pédestre - www. ffrandonnee.fr :
– *La Franche-Comté… à pied :* 41 itinéraires à travers les quatre départements de la région *(14,90 €).*
– Guide *L'Ain… à pied :* 46 promenades *(14,90 €).*
– Topoguide *Randonnées en Franche-Comté - De gare à gare :* 28 itinéraires au départ et à l'arrivée de gares TGV, TER ou de haltes TER *(14,90 €).*

Nos recommandations
– Le GR 5 de **Pontarlier** au **lac Léman** en passant par la « petite Sibérie », qui offre toute la splendeur des paysages frontaliers.
– Un circuit itinérant de 2 à 7 jours autour de **St-Claude** pour apprécier tourbières, crêts, combes, sources et gorges.
– Les 160 km du chemin de découverte de la **Bresse comtoise**.
- Le sentier des bornes de l'**ancienne principauté de Montbéliard** (230 bornes-frontières sur 50 km).

ROUTES THÉMATIQUES

Nature et paysages
Route des Lacs – p. 327.
Itinéraire de 150 km passant par une vingtaine de lacs, une dizaine de cascades, des belvédères, avec musées, gastronomie et artisanat.
Route des Sapins du haut Bugey – Du plateau de Hauteville-Lompnes aux rives de l'Ain, quatre circuits de découverte à travers combes, cluses et lacs glaciaires, étangs et prairies de montagne, forêts, vestiges gallo-romains, châteaux forts et villages de montagne, lieux de mémoire, patrimoine industriel et religieux du haut Bugey – www.routes-touristiques-ain.com

Route des Mille Étangs – p. 195.
Soixante et un kilomètres au cœur des Vosges saônoises. Un livret-guide déchiffre le patrimoine culturel des quatorze haltes du circuit – Parc régional des Ballons des Vosges - Maison du parc - 1 cour de l'Abbaye - 68140 Munster - 03 84 20 49 84 (antenne Haute-Saône) - www.parc-ballons-vosges.fr.

Histoire
Route historique des Monts et Merveilles de Franche-Comté – Châteaux d'Arlay, Belvoir, Champlitte, Oricourt, Syam, Montbéliard, Vaire-le-Grand, La Rochelle, Rupt-sur-Saône, Ouge, l'abbaye de Montbenoît et le couvent des Augustins de Champlitte – Association des Monts et Merveilles de Franche-Comté – M. Christian Jouffroy – 03 81 91 45 35 ou 06 70 28 16 52 - christian.jouffroy@free.fr.

Route Pasteur – Neuf étapes pour tout savoir sur la vie du célèbre homme de sciences dont Dole, Arbois et Salins-les-Bains, ainsi qu'Aiglepierre (école de Pasteur), le mont Poupet (expériences sur la génération spontanée) et Villers-Farlay (vaccination contre la rage) – Maison de Louis Pasteur - p. 298.

Route des Abolitions de l'Esclavage – Dans le cadre du projet international « Route de l'esclave » soutenu par l'Unesco, cette route compte 5 sites dans l'est de la France, dont 2 en Franche-Comté : le château de Joux dans le Doubs (p. 249) et la Maison de la négritude et des droits de l'homme de Champagney en Haute-Saône (p. 199).

Itinéraire culturel européen Heinrich-Schickhardt – Il fédère 23 villes marquées par les travaux de l'architecte, de Montbéliard à Stuttgart.

Routes de pèlerinage – Le chemin de Saint-Jacques-de-Compostelle passe par Belfort, Villersexel, Gy,

Gray et rejoint ensuite Vézelay en Côte-d'Or. La **Via Francigena**, allant de Canterbury à Rome, traverse la Franche-Comté (Besançon, Salins-les-Bains et Pontarlier).

Terroir

Route des Vins du Jura – Longue de 80 km, elle sillonne les zones viticoles du Jura et les petites cités comtoises de caractère – Comité interprofessionnel des vins du Jura – Château Pécauld ♿ p. 353.

Route du Bugey – Sur le thème des vins et des fours, elle traverse villages et richesses viticole du Bugey, de Cerdon à Seyssel, en passant par les coteaux de Montagnieu et de Belley – www.routes-touristiques-ain.com.

Route du Comté – Cet itinéraire traverse la Franche-Comté de St-Hippolyte à l'extrémité sud du Jura, en longeant le Dessoubre, le Doubs et l'Ain. Voir le guide annuel (gratuit) de la zone AOC : Routes du Comté – Comité interprofessionnel du gruyère de comté - 39800 Poligny - ☏ 03 84 37 23 51 - www.comte.com/visiter.

Route de l'Absinthe – Route franco-suisse passant par des sites liés à la « fée verte » entre Pontarlier et Noiraigue (Suisse) : distilleries, cultures, séchoirs, apothicaireries, sites de contrebande, musées. www.routedelabsinthe.com– Office de tourisme de Pontarlier - ♿ p. 241.

La Brassicomtoise - Route des brasseurs de Franche-Comté – Les artisans brasseurs adhérents de ce réseau proposent visites et dégustations - www.labrassicomtoise.fr

Pays de Courbet, pays d'artiste – Depuis la source de la Loue, qui inspira pas moins de treize tableaux à Courbet, jusqu'à la ferme familiale à Flagey, huit balades pédestres sur les pas du peintre d'Ornans – www.musee-courbet.fr - *Topoguide disponible au musée Courbet (5,50 €).*

Terra Salina – Itinéraire construit autour du thème du sel (saline royale d'Arc-et-Senans, grande saline de Salins-les-Bains et mines de Bex), du patrimoine mondial de l'Unesco (huit sites inscrits) et du thermalisme (Salins-les-Bains, Lons-le-Saunier et Yverdon-les-Bains). Un réseau européen du sel est en préparation (Cracovie, Bex, Berne, Arc-et-Senans, Salins, Cervia, Malte, Lorraine, etc.) – ☏ 03 81 54 45 03 - www.terrasalina.eu et www.salineroyale.com.

Arts et techniques

Route des Savoir-faire du haut Jura – À la rencontre d'horlogers, lunetiers, lapidaires… jurassiens qui ouvrent leur porte, et de divers musées et maisons thématiques – Maison du Parc du Haut-Jura - ♿ p. 371.

Route de la Mesure du temps – Ce projet franco-suisse relie les musées des capitales de l'horlogerie, le musée du Temps à Besançon au musée international de l'Horlogerie de La Chaux-de-Fonds en Suisse, en passant par les musées de Morteau, Villers-le-Lac et du Locle. Brochure à télécharger sur www.musee-horlogerie.com.

Circuit Schickhardt – Du nom de cet architecte surnommé le « Léonard souabe », bien connu à Montbéliard pour être à l'origine de l'urbanisation de la ville, cet itinéraire européen relie Montbéliard à l'Alsace en passant par le Wurtemberg – Office de tourisme de Montbéliard - ♿ p. 152.

Beaux villages

Route des Petites Cités comtoises de caractère – Trente-six cités comtoises de caractère à découvrir à travers leur artisanat, architecture et spécialités gastronomiques – Association des Petites Cités comtoises de caractère - 33 r. Clément-Marot - 25000 Besançon - ☏ 03 81 88 40 76 - www.petites-cites-comtoises.org.

SKI ET AUTRES SPORTS D'HIVER

Ski de fond

Montagnes du Jura

Les plus grands domaines se répartissent entre la **vallée de la Valserine** (La Vattay), le **val de Mouthe**, les **montagnes du Jura**, la station des **Rousses** et celle de **Métabief**.

La Transjurassienne – Trans'Organisation - Espace Lamartine - BP 20126 - 39404 Morez Cedex - ℘ 03 84 33 45 13 - www.transjurassienne.com. Créée en 1979, cette course de ski de fond de longue distance, la seconde plus longue au monde, se déroule chaque année à la mi-février (📖 p. 363). Reliant **Lamoura** (Jura) à **Mouthe** (Doubs) en 68 km, elle représente un événement majeur pour le ski de fond français. C'est aussi la seule épreuve à intégrer le classement de la **Worldloppet**, circuit international des courses de longue distance. Parallèlement se déroulent des courses plus courtes comme la **Transju**, qui relie Chapelle-des-Bois à Mouthe ; la **Transjeune** (26 courses) réunit les fondeurs en herbe de 7 à 19 ans.

Grande Traversée du Jura (GTJ) – Guide pratique GTJ à ski nordique - 8 €. L'itinéraire balisé GTJ pour le ski de fond permet une randonnée de 175 km du val de Morteau (Doubs) au Giron (Ain), à travers les forêts du Risoux, du Mont-Noir et du Massacre, jusqu'aux plateaux du sud du Jura. Un skieur expérimenté le fait en 6 à 8 jours. Hébergements sur le trajet, possibilité de transport de bagages. www.gtj.asso.fr.

👍 Afin de parcourir la totalité de la GTJ, un forfait ski de fond avec un timbre « GTJ » est nécessaire. Le Centre national de ski nordique se trouve à Prémanon, près des Rousses. Pour tout renseignement, s'adresser à Espace nordique jurassien – 26 r. de la Baronne-Delort - BP 132 - 39304 Champagnole Cedex - ℘ 03 84 52 58 10 - www.espacenordiquejurassien.com (téléchargement du plan des pistes du secteur de votre choix).

Vosges

Le domaine nordique du Ballon d'Alsace compte 40 km de pistes. Smiba - 2bis r. Clemenceau - BP 221 - 90004 Belfort Cedex - ℘ 03 84 28 12 01 - www.smiba.fr.

Ski de piste

Si les massifs des Vosges et du Jura ne peuvent rivaliser avec les stations alpines, les files d'attente sont toutefois considérablement moindres ! Les trois domaines de la montagne jurassienne (Les Rousses, Métabief, Monts Jura) proposent des activités variées et familiales et des installations de qualité. De nombreux canons à neige complètent l'enneigement. Rens. auprès des stations ou des Comités départementaux du tourisme (📖 p. 490). www.montagnes-du-jura.fr.

Les **Vosges** comptent deux petites stations : le Ballon d'Alsace *(voir Vosges plus haut)* et la Planche des Belles Filles *(www.stationdelaplanche.fr)*.

Ski joëring

Rens. : Espace nordique jurassien. www.montagnes-du-jura.fr.

Raquettes

Grande Traversée du Jura (GTJ) – *Guide pratique GTJ à raquette* - 8 €. 90 km de Mouthe (Doubs) à Giron (Ain) avec l'ajout possible d'une boucle de 35 km sur le plateau du Retord. Hébergements le long du parcours – www.gtj.asso.fr.

Promenades – L'Espace nordique jurassien (📖 ci-avant) et le Comité départemental du tourisme du Jura publient une brochure avec 24 « balades coups de cœur » de différents niveaux à faire à raquettes ou à ski de fond.

Traîneaux à chiens

Liste des prestataires sur www.jura-tourism.com et site par site, dans la partie « Découvrir la région ».
Des courses sont organisées à La Pesse (Jura) et aux Fourgs (Doubs).

Patinage

Aux grands froids, certains lacs s'ouvrent aux patineurs.
Jura : lacs de l'Abbaye, d'Étival, de Lamoura, des Rousses.
Ain : lac Genin à Charix.
Doubs : lacs de Malpas, bassins du Doubs à Villers-le-Lac (plus de 6 km !), lac des Mortes à Chapelle-des-Bois.
Renseignements : Espace nordique jurassien (*p. 500*). Attention à la réglementation : le patinage est interdit sur les lacs de St-Point et de Remoray.

SOUVENIRS

Retrouvez notre sélection d'adresses au fil des rubriques « Nos adresses » de la partie « Découvrir la région ».

À déguster

Pâtisseries – **pâte de coings** et **craquelins** (viennoiseries en forme de huit) de Baume-les-Dames ; **biscuit de Montbozon**, parfumé à la fleur d'oranger ; **pain d'épice** de Vercel (Vercel-Villedieu-le-Camp) ; **Belflore** (gâteau aux amandes, fourré à la framboise) du Territoire de Belfort.

Confiseries – Parmi les plus connues figurent le **galet de Chalain** à Lons-le-Saunier, les **bouchons** et les **galets** d'Arbois, le **délice** et le **chardon bleu** de St-Claude, les **facettes du Territoire** dans la région de Belfort, les **oursons d'Emma** de Jean-Philippe Ragot, le **palet Schickhardt** de Jean-Christophe Debrie, les **palets des Princes** d'Éric Vergne (Montbéliard), les caramels Klaus à Morteau, le chocolats du Criollo à Besançon.

Fromages – Le **comté**, bien sûr, mais aussi le **mont-d'or** et le **morbier,** tous trois en AOP, **le bleu de Gex** et la surprenante **cancoillotte**. De nombreux villages ont leur propre fromage, comme l'**édel** de Cléron, le **saint-point** ou encore la **tomme des Princes,** le **montbéliard,** l'**audincourtois**…

Salaisons – Dans les fameuses cheminées à « tuyé » ou « tué » continuent de sécher les salaisons comme la **saucisse de Morteau** ou encore la **saucisse de Montbéliard**, deux IGP, sans oublier le **jambon de Luxeuil-les-Bains**.

Escargots – La conserverie Jacot-Billey de Fesches-le-Châtel est la dernière en France à recevoir les escargots vivants de Bourgogne et les transformer sur place.

Vins et alcools – Du côté d'Arbois ou de Château-Chalon, vous trouverez l'inimitable **vin jaune**, le délicieux **vin de paille** ou encore le **macvin** ; au Bugey, le rosé pétillant du Cerdon et les vins blancs des coteaux de Seyssel. Côté liqueurs, avec le célèbre **kirsch** de Fougerolles et de Mouthier-Hautepierre (La Marsotte) s'offrent la **gentiane** de Chapelle-des-Bois et l'**absinthe** de Pontarlier. Pensez aussi aux liqueurs de **myrtille** ou encore de **bourgeon de sapin**, ainsi qu'au **marc du Jura**. Enfin, les brasseurs se sont regroupés pour créer une route touristique, la **Brassicomtoise** (www.labrassicomtoise.fr).

À offrir

Les traditionnelles **pipes** de St-Claude sculptées par les grands noms de la profession, les **montres** du val de Morteau, les **objets en bois** des sculpteurs ou tourneurs sur bois, les moulins à poivre fabriqués par la manufacture Peugeot Saveurs ou encore les cloches en bronze fabriquées par Obertino (*p. 236*). Pour les enfants, beau choix de **jouets en**

bois ou en plastique, surtout à Moirans-en-Montagne et à Montlebon.

À regarder et à utiliser
Pipes, horloges et automates de St-Claude ; « pinces maillées » et autres **outils** dans le village de Montécheroux ; **dentelle** de Luxeuil ; câles à diairi, les **coiffes** traditionnelles du pays de Montbéliard.

THERMALISME ET REMISE EN FORME

Sources chaudes à **Luxeuil-les-Bains**.
Eaux bicarbonatées à **Divonne-les-Bains**.
Eaux salées à **Lons-le-Saunier** et à **Salins-les-Bains**.

TOURISME AÉRIEN

Vol libre
🐾 *Voir Salins-les-Bains, p. 87.*
Ligue de vol libre Bourgogne Franche-Comté – www.ligue-bfc-vol-libre.fr.
🐾 Prévisions météo pour l'aviation ultralégère (vol libre, vol à voile) : https://aviation.meteo.fr/login.php (réservé aux usagers aéronautiques).
Montgolfière
Club aérostatique de Franche-Comté – BP 70024 - 90001 Belfort Cedex - 🕿 03 84 90 20 20 - www.aerostatiquefc.fr.
Cercle aérostatique du pays de Montbéliard – 5 Grande-Rue - 25310 Abbévilliers - 🕿 06 70 75 30 81 - www.capm.asso.fr.
Haut-Doubs montgolfière – 🕿 03 81 69 68 44 - www.haut-doubs-montgolfiere.fr.
Vents du Futur – 🕿 06 89 97 75 59 - www.ventsdufutur.fr.

TOURISME FLUVIAL

Les rivières (Saône et Doubs), les canaux (canal de l'Est et canal Rhin-Rhône) et les lacs offrent 320 km de voies d'eau navigables : croisières ou location de bateaux.
🐾 *Nos adresses à Besançon, au lac de Vouglans, à Vesoul et à Gray.*
🐾 Consultez la brochure *Tourisme fluvial en Franche-Comté*, éditée par le Comité régional de tourisme de Bourgogne-Franche-Comté.

TRAINS TOURISTIQUES

🐾 Pour une description plus précise des différents trains, voir www.franche-comte.org/dn_trains_touristiques.
Le Coni'fer – Sur l'ancienne ligne Pontarlier-Vallorbe, déposée depuis 1971, ce petit train parcourt les 7,5 km qui séparent Les Hôpitaux-Neufs de Fontaine Ronde, tracté par une machine à vapeur. 🐾 *Voir Métabief, p. 259.*
Ligne des hirondelles – Cette ligne de 123 km est jalonnée de tunnels et de nombreux ouvrages d'art (tunnel en fer à cheval, viaducs de Morez…). Un départ par jour. Durée du trajet : 2h30. Renseignements : offices du tourisme de Dole ou de St-Claude - 🕿 03 84 72 11 22 ou 03 84 45 34 24 - horaires et tarifs sur www.sncf.fr (trajets directs entre Dole et St-Claude).
Ligne des horlogers – Reliant Besançon à La Chaux-de-Fonds en Suisse, cette ligne fonctionne comme un TER : ses arrêts à Morteau, au col des Roches et au Locle permettent de visiter les différents sites touristiques. Renseignements : www.sncf.com/fr/trains/ter.

VISITES GUIDÉES

Villes et Pays d'art et d'histoire
Attribué à **Besançon, Dole, le pays de Montbéliard et le pays du Revermont**, ce label décerné par le ministère de la Culture et de la Communication atteste une participation active à la mise en valeur et à l'animation de l'architecture et du patrimoine :

visites générales ou insolites, conduites par des guides conférenciers et des animateurs du patrimoine agréés. Renseignements auprès des offices du tourisme ou sur www.vpah.culture.fr.

Accompagnateurs en montagne

Le site des accompagnateurs en montagne recense, par massifs et par activités, les guides des régions : www.lesaem.org.

Vous pourrez également trouver le nom d'accompagnateurs professionnels diplômés d'état pour des randonnées autour du ballon d'Alsace sur le site smiba.fr.

Jura Randonnées – Beauregard - 39370 Les Bouchoux - ☏ 03 84 42 73 17 - www.jura-rando.com.

Bureau montagne de Besançon – 5 r. Mairet - 25000 Besançon - ☏ 09 53 28 85 99 ou 06 75 34 01 44 - lesaem.org.

Horizons Jura - Bureau Montagne du Haut-Doubs - ☏ 06 42 02 94 47 - www.horizons-jura.fr.

Natur'Odyssée Jura - Les Antoines - 4 rte du Jura - 25240 Chapelle-des-Bois - ☏ 03 81 69 29 75 - nature-odyssee-jura.fr.

La région en famille

Repérez dans la partie « Découvrir » les activités susceptibles de plaire aux enfants grâce au picto 👥. À consulter aussi : **www.franche-comte.org/enfant**.

Villes et Pays d'art et d'histoire (👆 p. 502).
Stations vertes de vacances et villages de neige (👆 p. 492).

👥 SITES OU ACTIVITÉS À FAIRE EN FAMILLE			
Chapitre du guide	**Nature**	**Musées et visites animées**	**Loisirs**
Ambérieu-en-Bugey		Musée du Cheminot - Musée des Traditions bugistes	Centre nautique - Parc Aventure
Arbois	Grottes des Moidons	Maison de Louis Pasteur - Écomusée du Carton	Base de loisirs Vals Nature
Saline royale d'Arc-et-Senans		Musée Ledoux - Maison du Directeur	
Ballons d'Alsace et de Servance	Parc naturel des Ballons des Vosges	Musée de la Montagne	Acropark - Sports de glisse - Randonnée
Baume-les-Dames	Grotte de la Glacière	Affiche Moilkan	Parc de loisirs Les Campaines Base nautique du Lonot

👥 SITES OU ACTIVITÉS À FAIRE EN FAMILLE			
Chapitre du guide	Nature	Musées et visites animées	Loisirs
Belfort	Maison de l'environnement du lac de Malsaucy	Citadelle - Musée agricole - Forge-musée d'Étueffont - Musée de l'Artisanat de Brebotte	Spectacle historique de Brebotte - Bases de loisirs de Malsaucy - Étang des Forges
Belley			Baignade - Bases de loisirs - Vélo sur la ViaRhôna
Besançon		Citadelle Vauban, le jardin zoologique et l'insectarium - Horloge astronomique - Musée du Temps - Musée des beaux-arts et d'archéologie - Cité des Arts Maison Victor Hugo - Musée des Maisons comtoises	Petit train qui monte à la Citadelle - Promenade en bateau sur le Doubs
Champagnole	Gorges de la Langouette Site à pistes de dinosaures		Musée-relais du Cheval de trait comtois et de la Forêt
Château-Chalon		École d'autrefois	
Forêt de Chaux	Grottes d'Osselle - Enclos à gibier - Réserve d'animaux	Baraques 14	Piste cavalière - Centre sportif sylvestre
Cirque de Consolation	Vallée du Dessoubre	Ferme à tuyé du Montagnon	Canoë - Pêche - Randonnée
Divonne-les-Bains	Bases de loisirs du lac		Plage du lac - Minigolf - Forestland
Dole		Maison de Louis Pasteur	Promenade en bateau – activités nautiques
Saut du Doubs	Le Saut du Doubs et les bassins	Musée de la Montre	Croisières et sports nautiques - Patinoire naturelle de Villers-le-Lac
Fondremand			Sports nautiques
Fougerolles		Écomusée du Pays de la cerise	Parc animalier - Fête des cerises
Grand Colombier	Massif du Grand-Colombier	Maison du marais de Lavours - Observatoire de la Lèbe	
Cascades du Hérisson	Cascades de l'Éventail et du Grand-Saut - Saut de la Forge - Gour Bleu		Parc animalier du Hérisson - Randonnées - Maison des cascades

👥 SITES OU ACTIVITÉS À FAIRE EN FAMILLE			
Chapitre du guide	Nature	Musées et visites animées	Loisirs
Lajoux	Parc naturel du Haut-Jura	Maison du Parc - Musée rural	Cani-rando à la ferme des Huskies
Lons-le-Saunier		Maison de la Vache qui rit	Jardin des jeux du château d'Arlay
Malbuisson	Tourbières de Frasne - Cours du Drugeon Lac de Rémoray et sa réserve naturelle	Maison du Patrimoine à Rémoray-Boujeon - Ferme de la Pastorale - Observatoire ornithologique de La Rivière Drugeon	Fête de la Tourbe - Complexe nautique - Activités nautiques
Métabief-Mont d'Or	Mont d'Or - Morond		VTT - Accrobranche - Ski - Luge - Parapente - Chiens de traîneau - Petit train Coni'fer
Montbéliard		Musée du château avec la galerie d'histoire naturelle Cuvier - Musée de l'Aventure Peugeot - Pavillon des Sciences du Près-la-Rose - Visites-découvertes Pays d'art et d'histoire	Promenade à vélo sur la coulée verte
Morez		Musée de la Lunette	Parcours acrobatiques forestiers
Morteau	Gorges du Doubs	Fermes-musée du Pays horloger - Musée de l'Horlogerie - Moulins souterrains du col des Roches	Chemins de la contrebande franco-suisse - Activités de plein air à l'espace Morteau
Val de Mouthe	Parc polaire de Chaux-Neuve	Écomusée de la Maison Michaud de Chapelle-des-Bois	Sports de glisse - VTT - Randonnée - Chiens de traîneau
Ouhans	Source de la Loue		
Nans-sous-Ste-Anne	Source du Lison	Taillanderie	Escalade - spéléologie - via ferrata
Nantua	Grottes du Cerdon	Musée d'Archéologie d'Izernore	Baignade
Ornans	Gouffre de Poudrey	Dino-Zoo - Musée Gustave Courbet	Pêche - VTT - canoë-kayak - rafting - viaferrata - accrobranche
Passavant-la-Rochère		Verrerie-cristallerie de La Rochère	
Plateau des Mille Étangs	Étang Pellevin		Balades - Pêche - Équitation

👥 SITES OU ACTIVITÉS À FAIRE EN FAMILLE			
Chapitre du guide	**Nature**	**Musées et visites animées**	**Loisirs**
Poligny		Maison du comté	Promenade en attelage
Régions des Lacs	Tour des lacs de Maclu	Musée des Machines à nourrir et à courir le monde	Bases nautiques - Parc aquatique - Parcours aventure
Route des Sapins	Sapin Président		Balades et pique-nique - Enclos à cerfs
Les Rousses		Espace des mondes polaires Paul-Émile-Victor	Fort des Rousses Aventure - Ski - Raquettes - Patinoire - Sports nautiques - Excursion en train en Suisse - Équitation
Saut du Doubs	Patinage l'hiver sur la plus grande patinoire naturelle d'Europe, à Villers-le-Lac		
St-Claude			Atelier des Savoir-faire
Église de St-Hymetière		Écomusée du moulin de Pont-des-Vents	
Valserine	Pertes de la Valserine	Fort de l'Écluse	Fête médiévale du château de Musinens
Vesoul	Lac de Vesoul-Vaivre		Vélorails - Les Roulettes du Tacot - Une balade en poney à la ferme des Boulingrins (Scey-sur-Saône)
Villersexel		Musée de Paléontologie de Rougemont	Acro'Cimes - Base nautique
Lac de Vouglans		Musée du Jouet de Moirans	Baignade - Base nautique - Croisière sur le lac - Festival Idéklic - Noël au pays du jouet

PRENEZ LE TEMPS DE
(RE) DÉCOUVRIR
LE MONDE

RETROUVEZ LA CARTE DE VOTRE PROCHAINE DESTINATION *CHEZ VOTRE LIBRAIRE !*

Mémo

Agenda

 Pour plus de détails, consultez le site **www.interfrance.com/fr/gen/fc_calendar.html**. Il recense les événements culturels et sportifs, fêtes, foires et salons dans tous les départements de la région.

JANVIER

Champlitte – Fête de la St-Vincent *(le 22, sauf si c'est un dim.)* : grande fête vigneronne, folklorique et religieuse - ☏ 03 84 67 67 19.

Chapelle-des-Bois – L'Envolée nordique : course de ski de fond - ☏ 03 81 69 22 78 - www.skiclubmontnoir.com.

FÉVRIER

Dans une commune de la zone d'AOC – Percée du vin jaune *(déb. fév.)* - ☏ 03 84 66 26 14 - www.percee-du-vin-jaune.com.

Grammont – Foire - ☏ 03 84 20 59 59 - www.foire-de-grammont.com.

Lamoura-Mouthe – Transjurassienne *(2ᵉ dim.)* - ☏ 03 84 33 45 13 - www.transjurassienne.com.

Les Fourgs – Courses de chiens de traîneau *(mi-fév.)* - ☏ 03 81 69 44 91.

Vesoul – Festival des cinémas d'Asie *(déb. fév.)* - ☏ 03 84 76 55 82 - www.cinemas-asie.com.

MARS

Pontarlier – Festival de cinéma d'animation *(fin mars-déb. avr.)* - www.ccjb.fr.

Prémanon – Traversée du Massacre *(déb. du mois)* - www.traverseedumassacre.com.

St-Claude – Fête des Soufflaculs - ☏ 03 84 45 34 24 - www.thefff.net.

Vesoul – Carnaval *(1ʳᵉ quinz.)* - ☏ 03 84 78 64 23.

AVRIL

Lons-le-Saunier – Les Rendez-Vous de l'Aventure : festival documentaire et littéraire - www.rdv-aventure.fr.

Luxeuil-les-Bains – Journée orgue et chants grégoriens *(lun. de Pâques)* - ☏ 03 84 94 62 02 - www.15hnonstop-orgue-gregorien.com.

MAI-JUIN

Belfort – Festival international de musique universitaire : classique, jazz, rock *(w.-end de Pentecôte)* - www.fimu.com.

Besançon – Festival de Besançon/Montfaucon : concerts de musique classique, conférences, visites - ☏ 03 81 83 48 91 - www.festivaldemontfaucon.com.

Dole – Pèlerinage des Portugais à Notre-Dame de Fatima *(2ᵉ dim.)*.

Forêt de Levier – Fête des sapins *(w.-end de Pentecôte)* - ☏ 03 81 89 53 22.

Gex – Fête de l'oiseau *(du 19 au 22)* - ☏ 04 50 41 53 85 - oiseau-gex.e-monsite.com.

Gray – Festival Rolling Saône : musique rock et pop *(2 j.)* - ☏ 03 84 65 14 24 - www.rolling-saone.com.

Le Russey – Gentianes en fête *(w.-end de Pentecôte)* - ☏ 03 81 43 72 35.

Pont-de-Roide - Exposition « Art en mai » *(1ʳᵉ quinz.)* - ☏ 03 81 99 33 99.

Valentigney - BockSons Festi'Val *(dernier w.-end de mai)* - www.bocksons.com

Vaux-en-Bugey – Printemps des Vins du Bugey *(3ᵉ sam. de mai)* - ☏ 04 74 35 72 30 - www.leprintempsdesvinsdubugey.com.

JUIN

Audincourt – Festival Rencontres et Racines *(dernier w.-end)* : musiques, artisanats et gastronomies du monde - ℘ 03 81 36 37 78 - http://rencontresetracines.audincourt.fr.

Champagnole – Tram'Jurassienne *(dernier w.-end)* - ℘ 03 84 52 43 67 - www.tramjurassienne.com.

Lac de St-Point – Journée sans voiture *(un dim. mi-juin)* - ℘ 03 81 69 31 21.

Mouthe-Lamoura – Transju'Trail : course à pied sur le parcours de la Transjurassienne - ℘ 03 84 33 45 13 - www.transjutrail.com.

St-Claude – Festival de musique du haut Jura *(du 2ᵉ au 4ᵉ w.-end)* - ℘ 03 84 45 48 - www.festivalmusiquehautjura.com.

JUIN-JUILLET

Besançon – Festival Jazz en Franche-Comté - www.aspro-impro.fr.

Besançon – Bien urbain - http://bien-urbain.fr.

Dole – Festival du film de jeunesse - ℘ 03 84 82 00 35 - www.mjcdole.com.

Luxeuil-les-Bains – Festival de la dentelle *(tous les 3 ans, prochaine édition 2021)* - ℘ 03 84 93 61 11 - www.dentelledeluxeuil.com.

JUILLET

Arbois – Festi'caves *(mi-juil.)* : festival autour de la musique et des vins AOC arbois - ℘ 03 84 66 55 50 - www.festicaves.com.

Belfort – Les Eurockéennes *(1ᵉʳ w.-end)* - ℘ 03 84 22 46 58 - www.eurockeennes.fr.

Brebotte – Spectacle historique *(mi-juil.)* - ℘ 03 84 23 42 37 - www.museebrebotte.com.

Divonne-les-Bains – Les Vaches Folks *(déb. juil.)* - ℘ 04 50 20 03 49 - www.lesvachesfolks.fr.

Fougerolles – Fête des cerises *(1ᵉʳ w.-end)* - ℘ 03 84 49 12 91.

Frasne – Fête de la Tourbe *(3ᵉ dim.)* - ℘ 03 81 49 89 86 - www.frasne.net/tourbieres.htm.

Gigny – Festival De bouche à oreille, villages de la Petite

Montagne *(2ᵉ quinz.)* - ℘ 03 84 85 47 91.

Lons-le-Saunier – Fête de la St-Désiré ou « St-Dé » *(dernier dim.)*.

Luxeuil-les-Bains – Les Pluralies : concerts et jeux *(mi-juil.)* - ℘ 06 38 77 86 93 - www.pluralies.net.

Mijoux – Fête des Bûcherons *(fin juil.)* - ℘ 04 50 41 32 04.

Moirans-en-Montagne – Idéklic : festival international de l'enfant *(mi-juil.)* - ℘ 03 84 42 00 28 - www.ideklic.fr.

Nantua – Les Estivales du lac - ℘ 04 74 75 00 05.

Nozeroy – Fêtes médiévales *(4ᵉ dim.)* - ℘ 03 84 51 19 15.

Pays de Montbéliard – Festival Eurocuivres *(10 j. fin juil.)* - www.eurocuivres.com.

JUILLET-AOÛT

Arc-et-Senans – Lux Salina *(13 soirées en juil.-août, 22h30-0h)*.

Belfort – Les Mercredis du château : concerts - ℘ 03 84 55 90 90 et reconstitutions historiques de la citadelle *(w.-end)*.

Château de Joux – Les Nuits de Joux : représentations théâtrales dans un décor exceptionnel - ℘ 03 81 46 85 79 - www.cahd-lesnuitsdejoux.fr ; Journée des armes anciennes *(1ᵉʳ w.-end)* - ℘ 03 81 46 48 33.

Montbéliard – Estivales du Près-la-Rose : soirées musicales gratuites - www.montbeliard.fr

Plateau des Mille Étangs – Festival itinérant de musique baroque - ℘ 03 84 49 32 97 - www.musetmemoire.com.

Pontarlier – Salon des Annonciades - ℘ 03 81 38 82 12.

Seloncourt – Les 3 Temps du swing *(3 soirées fin juil., gratuit)* - www.seloncourt.fr

AOÛT

Dole – Pèlerinage régional à Notre-Dame de Mont-Roland *(2 août)*.

Les Fourgs – Festival des terroirs sans frontière - ℘ 03 81 69 44 91.

Maîche – Fête du cheval *(fin août ou déb. sept.)* - ℘ 03 81 64 11 88.

Montbéliard – Festival des Mômes *(fin du mois)* - ℘ 03 81 91 86 26 - www.festivaldesmomes.fr.

St-Laurent-en-Grandvaux – Fête des bûcherons *(mi-août)* - ℘ 03 84 60 14 13 - www.st-laurent39.fr.

Lac de Vouglans – Triathlon international du Jura *(fin du mois)* - www.triathlon-jura-vouglans.fr.

SEPTEMBRE

Ambérieu-en-Bugey – La Ronde des Grangeons - ℘ 04 74 34 09 58 - ww.amberieumarathon.org.

Arbois – Cérémonie du Biou *(1er w.-end.)* - ℘ 03 84 66 55 50.

Arc-et-Senans – Fête des montgolfières *(mi-sept.)* - www.ventsdufutur.fr.

Audincourt - Campagne à la ville, ça va faire du foin *(1er et 2e w.-end)* - www.audincourt.fr.

Belfort – Foire aux vins de France et gastronomie *(déb. du mois)* ; les Ballons du Territoire, festival de montgolfières - ℘ 03 84 55 90 90.

Bellegarde-sur-Valserine – Fête médiévale du château de Musinens *(mi-sept.)* - www.bellegarde01.fr.

Besançon – Festival international de musique de Besançon Franche-Comté *(2e quinz.)* - ℘ 03 81 25 05 85 - www.festival-besancon.com.

Fougerolles – Foire aux beignets de cerise *(3e dim.)* - ℘ 03 84 49 12 91.

Lamoura-Arbent (◔ *Forestière, p. 496*).

Lons-le-Saunier – Les Déboussolades : trois jours de spectacles de rue.

Luxeuil-les-Bains – L'Art dans la rue *(1er w.-end, tous les deux ans)* - www.artdanslarue.fr.

Montbéliard – Fête médiévale *(déb. du mois)*.

Pupillin – Fête du Biou *(3e dim. du mois)* - ℘ 03 84 37 49 16.

Ronchamp – Grand pèlerinage à Notre-Dame-du-Haut *(8 sept.)* - ℘ 03 84 63 13 40.

Vadans – Fête du Biou *(4e dim.)* - ℘ 03 84 66 22 01.

DE MI-SEPTEMBRE À MI-OCTOBRE

Ambronay – Festival de l'abbaye - festival de musique baroque - ℘ 04 74 38 74 00.

Audincourt – Fête de la BD *(mi-oct.)* - ℘ 03 81 36 37 85.

Belley – Entretiens de Belley *(2e vend.)* : salon gastronomique - ℘ 04 79 81 29 06.

Fougerolles – Semaine du goût *(3e sem.)* - ℘ 03 84 49 12 91.

Pontarlier – Les Absinthiades *(1er w.-end d'oct.)* - ℘ 03 81 38 82 12.

Vesoul – Festival Jacques Brel *(fin sept.-déb. oct.)* - ℘ 03 84 75 40 66.

NOVEMBRE

Audincourt – Festival de BD *(fin nov.)*.

Belfort – Entrevues : festival national du cinéma des jeunes auteurs *(dernière sem.)* - ℘ 03 70 04 80 90 - www.festival-entrevues.com.

Nantua – Festival BD dans l'Ain - http://bddanslain.fr.

Pontarlier – Rencontres internationales de cinéma de Pontarlier *(déb. nov.)*.

Vesoul – Foire de la Ste-Catherine *(25 nov.)* - ℘ 03 84 97 10 85.

DÉCEMBRE

Moirans-en-Montagne – Noël au pays du jouet *(w.-end avant Noël)* - ℘ 03 84 42 31 57.

Montbéliard – Lumières de Noël *(fin nov.-24 déc.)* : marché de Noël, animations, concerts, expositions. - ℘ 03 81 94 45 60 - www.lumieres-de-noel.fr.

À lire

PRESSE

Quotidiens

Ain, Jura : *Le Progrès.*

Doubs, Haute-Saône, Territoire de Belfort : *L'Est républicain.*

Hebdomadaires et magazines

Esprit comtois. Une revue de qualité.
La Terre de chez nous – ℘ 03 81 65 52 03 - www.laterredecheznous. com. Cet hebdomadaire agricole informe le monde rural du Doubs et du Territoire de Belfort depuis 1948.

LIVRES

Ouvrages généraux

Mon pays comtois, A. Besson, France-Empire, 1996.
Aimer la Franche-Comté, A. Besson, H. Hugues, Ouest-France, 2002.
Le Jura. Les Paysages, la vie sauvage, les terroirs, M. Blant, Delachaux & Niestlé, 2001.
Les 101 lieux qui ont fait l'histoire de la Franche-Comté, J.-L. Clade, D. Bringard, Presses du Belvédère, 2016.

Art et architecture

Franche-Comté architecture, collectif, Gallimard, 2000.
L'Architecture rurale en Bresse du 15ᵉ au 19ᵉ s. : Ain, Jura, Saône-et-Loire, M. Diot, Patrimoine, 2005.
Guide d'architecture moderne et contemporaine en Franche-Comté, R. Galli, L. Paupert, P. Minella, Maison de l'architecture, 2013.

Traditions populaires

Contes et légendes du pays comtois, A. Besson, France Empire, 2007.
La Comprenotte. À l'écoute des mots francs-comtois, Jean-Paul Colin, Ed. Cabedita, 2009.
Costumes de Franche-Comté, C. Desbune, Cabedita, 2001.
Insolite et mystérieuse Franche-Comté, Michel Vernus, Presses du Belvédère, 2009.
La série des livres-documentaires *Montagnes du Jura. Des hommes et des paysages,* CPIE du haut Jura - www.cpie-haut-jura.org.

Littérature

La Vouivre, M. Aymé, Gallimard, 1973.
La Jument verte, M. Aymé, Gallimard, 1972.
Le Moulin de la sourdine, M. Aymé, Gallimard, 1973.
La Louve du val d'Amour, A. Besson, France-Empire, 2004.
Le Village englouti, A. Besson, Mon Village, 2007.
Une fille de la forêt, A. Besson, France-Empire, 2004. Une vie de charbonnier en Franche-Comté - biographie d'une aïeule.
Les Renards cuisent au four, Marie-Thérèse Boiteux, France-Empire, 2009 (réédition).
Christophe, F. Caradec, Horay, 1981.
La Grande Patience, 4 tomes, B. Clavel, Pocket, 2006.
Le Faubourg des Coups-de-Trique, A. Gerber, Médium poche, 1991.
Terres de silence, J.-P. Pellaton, l'Âge d'homme, 1999.
De Goupil à Margot, L. Pergaud, Le Livre de poche, 2012.
La Guerre des boutons, L. Pergaud, Folio junior, Gallimard, 2008.
Le Rouge et le Noir, Stendhal, Folio Gallimard, 2000. La célèbre ascension de Julien Sorel parti de Verrières, au bord du Doubs.

Gastronomie

Vins, vignes et vignobles du Jura, C. et E. de Brisis, Côtre, 1992.
Le Doubs saveurs et patrimoines, A.-H. Demazure, G. Bidalot, Presses du Belvédère, 2008.
Mes Recettes comtoises, Gilles Galliot, Sekoya éd., 2009.
Le Pays des fromages : la Franche-Comté, M. Vernus, éd. Sutton, 2013.

Pour enfants et adolescents

La collection des **P'tits Guides** (8-12 ans), des éditions du Côtre propose 7 livres *Sur les pas de…* qui emmènent les enfants dans une intrigue policière à la découverte d'une ville (Belfort, Dole, Montbéliard, Pontarlier, Besançon, Lons-le-Saunier ou Vesoul).
Le Médecin des pauvres. Tome 1 : *Le Masque noir,* tome 2 : *Le Capitaine Lacuzon,* Damien Cabiron, Titom, 2008, 2009. Une BD au suspense

haletant au cœur de l'histoire franc-comtoise.

Le P'tit Bourri, Corinne Cretin Salvi, La Cabane sur le chien, 2003. Aux Fourgs, les vaches dépriment et ne font plus de lait.

Bestiaire fantastique du pays comtois, Jean-Louis Thouard, Dmodmo éditions, 2005.

Rendez-Vous sur le lac, Cathy Ytah, La Cabane sur le chien, 2008. Les premiers émois d'une adolescente du haut Doubs.

À voir

FILMS

Le Renard et l'enfant, Luc Jacquet, 2007. Ode à la nature tournée sur le plateau du Retord.

Les Enfants du marais, Jean Becker, 1998. Une des scènes du film a été tournée dans la cuivrerie du Cerdon avec les anciens ouvriers.

Les Misérables, Claude Lelouch, 1995. Tournage mythique au château de Joux : alors que les canons à neige sont prêts, au mot « moteur », il se met à neiger de vrais flocons.

Les Granges brûlées, Jean Chapot, 1973. Tournage à la ferme des Miroirs, dans le massif du Larmont, à Pontarlier, mais aussi à La Chaux-de-Gilley, à Lons et à Besançon.

Mayerling, Terence Young, 1968. À Pontarlier et Métabief.

À écouter

France Bleu – Fréquence à Besançon : 102.8 FM ; fréquence à Belfort : 106.8 FM ; fréquence à Montbéliard : 94.6 FM.

Escapade suisse

Avant de partir

Adresses utiles

Suisse Tourisme - ✆ 00 800 100 200 29 (n° international gratuit) - www.myswitzerland.com.

Formalités

Pièces d'identité – La Suisse ne fait pas partie de l'Union européenne. Les citoyens de l'UE doivent se munir, pour un séjour touristique de 3 mois maximum, d'une carte d'identité ou d'un passeport en cours de validité (ou périmé depuis moins de 5 ans). Les **mineurs** de nationalité française doivent être en possession d'une carte d'identité, ou figurer sur le passeport de la personne qui les accompagne. Ceux voyageant seuls doivent être en possession d'une autorisation parentale de sortie du territoire. Les ressortissants du Canada doivent présenter un passeport valide impérativement 3 mois après leur sortie de Suisse.

Douanes – La Suisse n'étant pas un pays membre de l'UE, l'importation et l'exportation de marchandises sont soumises à des conditions plus restrictives. Renseignez-vous auprès de Suisse Tourisme.

Animaux domestiques – Les chiens et les chats doivent avoir été vaccinés contre la rage au moins 30 jours (et au plus un an) avant le passage de la frontière. Une attestation vétérinaire est obligatoire.

Vie pratique

ASSURANCE SANTÉ

Au moins 2 semaines avant votre départ, demandez à votre caisse d'assurance maladie la **carte européenne d'assurance maladie**, qui fonctionne en Suisse, bien que le pays n'appartienne pas à l'UE. La carte européenne d'assurance maladie est individuelle et nominative : pensez à en demander une pour chaque membre de votre famille, y compris les enfants de moins de 16 ans. Si vous ne pouvez l'obtenir dans les temps, votre caisse d'assurance maladie vous délivrera un certificat provisoire.

En Suisse, les frais médicaux devant être réglés sur place, conservez les factures pour les envoyer à la Sécurité sociale au retour.

CIRCULATION AUTOMOBILE

Permis de conduire – Les **automobilistes** doivent se munir de leur permis de conduire national ou international, carte grise (certificat national d'immatriculation) et carte verte internationale d'assurance automobile pour le véhicule. Ce dernier doit porter la plaque réglementaire de nationalité. Les **motocyclistes** et **cyclomotoristes** sont soumis au même régime que les automobilistes, sauf pour les engins inférieurs à 125 cm³.

Quelques rappels :

- Pour circuler sur l'autoroute, vous devrez vous acquitter d'une **vignette autoroutière** (valable du 1er décembre de l'année précédente au 31 janvier de l'année suivante), à coller sur l'intérieur du pare-brise. Elle est en vente (*40 CHF, soit 33 € env.*) dans les offices de tourisme et les stations-service, et donne le droit d'accès à tout le réseau autoroutier suisse. Une vignette supplémentaire est nécessaire pour remorque et caravane. Vous pouvez l'acheter avant de partir sur www.myswitzerland.com.

– Contrairement à la plupart des pays européens, le fléchage des **autoroutes** est signalé par des panneaux à **fond vert** et non à fond bleu (routes à priorité).

– En cas d'arrêt, le **triangle de panne** est obligatoire en plus des feux de détresse.

– **Limitations de vitesse** : attention : sauf indication contraire, la vitesse est limitée à 120 km/h sur autoroute, à 100 km/h sur voie rapide, à 80 km/h sur autre route, et dans les villages et agglomérations, à 50 km/h.

– Les **feux de croisement** sont obligatoires de jour comme de nuit depuis le 1er janvier 2014.

MONNAIE

Le taux de change, à actualiser lors de votre voyage, est d'environ 0,92 € pour 1 franc suisse (CHF). Dans les magasins, les prix sont souvent indiqués en CHF et en euros. Vous pouvez payer en euros dans de nombreux magasins, surtout dans les sites touristiques, mais la monnaie vous sera rendue en CHF. Les bureaux de change des gares et aéroports suisses sont ouverts de 6h à 21h.

TÉLÉPHONE

Pour téléphoner à l'étranger depuis la Suisse, composez le 00 33 pour la France, 00 32 pour la Belgique, 00 352 pour le Luxembourg, puis faites le numéro du correspondant. Et pour appeler la Suisse depuis l'étranger, composez le **00 41** suivi du numéro de l'abonné.

Numéros d'urgence : **112** (numéro européen), **118** (pompiers), **117** (police, gendarmerie) et **144** (urgences médicales).

Notes

Besançon : villes, curiosités et régions touristiques.
Japy, Frédéric : noms historiques ou termes faisant l'objet d'une explication.
Les sites isolés (châteaux, abbayes, grottes…) sont répertoriés à leur propre nom.

Nous indiquons par son numéro, entre parenthèses, le département auquel appartient chaque ville ou site. Pour rappel :

01 : Ain
25 : Doubs
39 : Jura
70 : Haute-Saône
90 : Territoire de Belfort

LÉGENDE DES CARTES ET PLANS

Curiosités et repères

- Itinéraire décrit, départ de la visite
- Église
- Mosquée
- Synagogue
- Temple
- Temple : bouddhique - hindou
- Bâtiment
- Monastère - Phare
- Fontaine
- Point de vue
- Château - Ruine ou site archéologique
- Barrage - Grotte
- Monument mégalithique
- Tour génoise - Moulin
- Temple - Vestiges gréco-romains
- Autre lieu d'intérêt, sommet
- Distillerie
- Palais, villa, habitation
- Cimetière : chrétien - musulman - israélite
- Oliveraie - Orangeraie
- Mangrove
- Auberge de jeunesse
- Gravure rupestre
- Pierre runique
- Église en bois
- Église en bois debout
- Parc ou réserve national
- Bastide

Sports et loisirs

- Piscine : de plein air - couverte
- Plage - Stade
- Port de plaisance - Voile
- Plongée - Surf
- Refuge - Promenade à pied
- Randonnée équestre
- Golf - Base de loisirs
- Parc d'attractions
- Parc animalier, zoo
- Parc floral, arboretum
- Parc ornithologique réserve d'oiseaux
- Planche à voile, kitesurf
- Pêche en mer ou sportive
- Canyoning, rafting
- Aire de camping - Auberge
- Arènes
- Base de loisirs, base nautique ou canoë-kayak
- Canoë-kayak
- Promenade en bateau

Informations pratiques

- Information touristique
- Parking - Parking - relais
- Gare : ferroviaire - routière
- Voie ferrée
- Ligne de tramway
- Départ de fiacre
- Métro - RER - Tramway
- Station de métro (Calgary, ...) (Montréal)
- Téléphérique, télécabine
- Funiculaire, voie à crémaillère
- Chemin de fer touristique
- Transport de voitures et passagers
- Transport de passagers
- File d'attente
- Observatoire
- Station-service - Magasin
- Poste - Téléphone
- Internet
- Hôtel de ville
- Banque, bureau de change
- Palais de justice - Police
- Gendarmerie
- Théâtre - Musée
- Université
- Musée de plein air
- Hôpital
- Marché couvert
- Aéroport
- Parador, Pousada (Établissement hôtelier géré par l'État)
- Chambre d'agriculture
- Conseil provincial
- Gouvernement du district, Délégation du Gouvernement Police cantonale
- Gouvernement provincial (Landhaus)
- Chef-lieu de province
- Station thermale
- Source thermale

Axes routiers, voirie

- Autoroute ou assimilée
- Échangeur : complet - partiel
- Route
- Rue piétonne
- Escalier - Sentier, piste

Topographie, limites

- Volcan actif - Récif corallien
- Marais - Désert
- Frontière - Parc naturel

Comprendre les symboles utilisés dans le guide

LES ÉTOILES

★★★ **Vaut le voyage**   ★★ **Mérite un détour**   ★ **Intéressant**

HÔTELS ET RESTAURANTS

9 ch.	Nombre de chambres	🛜	Wi-Fi
☕ 7,5 €	Prix du petit-déjeuner en sus	🏊	Piscine
50 € ☕	Prix de la chambre double, petit-déjeuner compris	**CC**	Paiement par cartes de crédit
bc	Menu boisson comprise	⌀	Carte de crédit non acceptée
▤	Air conditionné dans les chambres	**P**	Parking réservé à la clientèle
✗	Restaurant dans l'hôtel	**Tram**	Station de tramway la plus proche
♈	Établissement servant de l'alcool (à l'étranger)	**M**	Station de métro la plus proche

SYMBOLES DANS LE TEXTE

👥	À faire en famille	ℹ	Organisme de tourisme
♿	Pour approfondir	😊	Astuce, conseil
👣	Promenade à pied	😍	Adresse coup de cœur
🚴	Randonnée à vélo	**A2 B**	Repère sur le plan
♿	Facilité d'accès pour les handicapés		

Collection sous la direction de Philippe Orain

Responsable d'édition et rédactrice en chef du guide : Léonie Piraudeau

Secrétaire d'édition : Aude Gandiol

Rédaction : Yasmine Abderrahim, Sophie Boizard, Grace Coston, Lucie Dejouhanet, Marie Delbès, Hervé Milon, Caroline Rabourdin, Aurélie Thépaut

Remerciements : Sylviane Dornier/Doubs Tourisme, Katharina Buet/Belfort Tourisme, Colette Dubois/Ain Tourisme, Évelyne Boilaux/Montbéliard Tourisme, Agence Airpur

Ont contribué à ce guide : Florica Paizs, Theodor Cepraga, Mihăiță-Cristian Constantin (**Cartographie**), Véronique Aissani, Carole Diascorn (**Couverture**), Maria Gaspar, Marie Simonet, Sophie Roques, Émilie Reaux (**Iconographie**), Bénédicte Lathes, Isabelle Foucault, Marion Desvignes-Canonne (**Données objectives**), Bogdan Gheorghiu, Karina Gruia, Cristian Catona, Hervé Dubois, Pascal Grougon (**Prépresse**), Dominique Auclair (**Pilotage**)

Plans de ville : © MICHELIN et © 2006-2017 TomTom. All rights reserved.

Conception graphique
Christelle Le Déan, Sandro Borel (maquette intérieure)
Laurent Muller (couverture)

Régie publicitaire et partenariats
business-solutions@tp.michelin.com
Le contenu des pages de publicité insérées dans ce guide n'engage que la responsabilité des annonceurs.

Contacts
Vous souhaitez nous indiquer ce que vous avez pensé de ce guide ?
Répondez à notre questionnaire en ligne, en allant sur le site :
satisfaction.michelin.com

Vous souhaitez nous contacter ?
Envoyez-nous un email à l'adresse : tourisme@tp.michelin.com

Parution 2019